A Montanha e o Rio

DA CHEN

A Montanha e o Rio

山

和

Tradução
Paulo Andrade Lemos

2ª impressão

Título original: Brothers

Copyright © 2006 by DS Studios Inc.

Tradução publicada por acordo com Shaye Areheart Books, divisão de Random House, Inc.
Direitos de edição da obra em língua portuguesa no Brasil adquiridos pela Editora Nova Fronteira S.A. Todos os direitos reservados. Nenhuma parte desta obra pode ser apropriada e estocada em sistema de banco de dados ou processo similar, em qualquer forma ou meio, seja eletrônico, de fotocópia, gravação etc., sem a permissão do detentor do copirraite.

Editora Nova Fronteira S.A.
Rua Bambina, 25 – Botafogo – 22251-050
Rio de Janeiro – RJ – Brasil
Tel.: (21) 2131-1111 – Fax: (21) 2286-6755
http://www.novafronteira.com.br
e-mail: sac@novafronteira.com.br

CIP-Brasil. Catalogação-na-fonte
Sindicato Nacional dos Editores de Livros, RJ

C447m Chen, Da
A montanha e o rio / Da Chen ; tradução de Paulo Andrade Lemos. – Rio de Janeiro : Nova Fronteira, 2007.

Tradução de: Brothers
ISBN 978-85-209-1992-7

1. Amizade – Ficção. 2. China – História – Revolução Cultural 1966-1976 – Ficção. 3. Romance americano. I. Lemos, Paulo Andrade. II. Título.

CDD: 813
CDU: 821.111 (73) -3

AGRADECIMENTOS

Desejo agradecer às seguintes pessoas pela sua contribuição na realização deste romance:

Sunny, minha bela esposa, que é também uma escritora brilhante: você é essencial na minha carreira de escritor, desde plantar a semente e me estimular a escrever, até à habilidosa revisão que deu forma final a este livro, e certamente a muitos outros que ainda virão. A palavra chinesa *An* — paz — é composta de duas partes: a parte superior significa "telhado"; e a parte inferior significa "mulher". Sunny, você é quem me traz a paz.

Nossa filha Victoria e nosso filho Michael cresceram e se tornaram meus melhores amigos e meus mais ferozes adversários no *badminton.* Vocês são os melhores! Quando comecei a escrever este livro, anotei uma frase entre parênteses: *Meu filho nasceu neste dia.* E agora, Michael, você tem oito anos. O livro cresceu junto com você.

Minha mãe, que veio morar conosco depois que meu pai faleceu. Sinto-me amado todos os dias. Todos deveriam ter uma mãe como você.

Meus sogros, William e Alice Liu, que são dois dos seres humanos mais nobres e mais generosos que eu conheço, e avós extremamente especiais para os nossos filhos. William, agora que já não tenho o meu pai, você preenche este vazio para mim. Que você e Alice, junto com minha mãe, vivam para sempre.

Meus agentes, o sábio Robert Gottlieb e o jovem e extraordinário Alex Glass do Trident Media Group. Obrigado pela orientação que vocês me deram em todos os aspectos dos meus esforços criativos.

Deborah Artman, escritora e autora de peças teatrais de grande categoria. Você me fez perceber coisas muito profundas sobre a arte da ficção e aprendi lições muito valiosas sobre o processo criativo.

Meu pequeno mas extremamente talentoso grupo de escritores: John Bowers, Laura Shaine Cunningham, Nina Shengold, Ron Nyswaner, Mary Louise Wilson e Zach Sklar — vocês me deram grande apoio. Agradeço a Jim Gullickson pela sua habilidade e pelo seu maravilhoso talento artístico. Meus queridos amigos, o tempo que passamos juntos é de grande valor para mim.

Jenny Frost, presidente e editora do Crown Publishing Group. Você é uma visionária, uma verdadeira criadora de coisas duradouras e luminosas. Sua liderança levará a Crown ao seu ápice. Foi uma sorte para mim que nossos caminhos tenham se cruzado.

Shaye Areheart, editora-chefe da Shaye Areheart Books: é uma honra fazer parte do seleto grupo de autores sob a sua tutela. Você é um ser transcendental invejado por nós, seres comuns. Seu brilhantismo como editora, sua sabedoria como presidente de uma casa editorial e seu espírito nobre como amiga me deixam desarmado a cada vez que estou na sua presença. E, como diria meu pai, um homem muito sábio, esta dupla — Jenny e Shaye — são jóias para serem guardadas e tesouros para serem apreciados.

Para o meu baba *e para o meu tio, Wen Yuan Chen.*
Dois irmãos separados por uma guerra fria durante quarenta anos.

Shento

Capítulo 1

1960

BALAN, SUDOESTE DA CHINA

Para contar a história do meu nascimento, não vou começar pelo início, mas pelo fim do meu começo. Para falar a verdade, nasci duas vezes. A primeira foi quando rasguei a passagem escura das entranhas de minha mãe. A segunda foi quando o velho curandeiro da aldeia me salvou.

A jovem que me deu à luz pretendia acabar com tudo, não apenas com a sua vida, mas também com a minha, no exato momento da minha chegada a este mundo. Tinha pressa em se atirar do penhasco que ficava no topo do monte Balan, mas eu fui mais rápido do que suas pernas inchadas e escapei de seu ventre bem no momento em que ela avançava para a beira daquele precipício fatídico. As pessoas da aldeia tentariam imaginar o que a teria levado a isso, transformando-se numa espécie de mito ao saltar do ponto mais alto da montanha, comigo ainda ligado a ela pelo cordão da vida, o emaranhado cordão umbilical.

Pulei para fora antes que ela se atirasse no abismo, nascido em pleno ar, pairando acima de tudo. Posso imaginá-la lançando-se daquele penhasco escarpado como uma águia planando em direção ao solo, liberta de seu ninho, de suas amarras, de seus pecados, em seu lamento final, para ser esquecida pelo vento que fazia esvoaçar seu cabelo viçoso de moça, enquanto se arremessava precipício abaixo. Nós dois, anjos geminados e sem asas, caíamos em queda livre. Mas o impensável aconteceu. A mão do destino interveio. Eu, o recém-nascido choroso, caindo no rastro de minha mãe pela encosta do penhasco coberto de trepadeiras, fiquei subitamente agarrado aos galhos de um arbusto de chá que crescia na entrada de uma gruta.

Em câmera lenta, num segundo que poderia ter durado uma vida inteira, rompeu-se o cordão umbilical. Apanhado por dois galhos flexíveis, soltei um grito assustador — minha ode ao vigoroso e resistente arbusto de chá. Minha mãe — o anjo de meu nascimento, de minha morte — e eu nos separamos em pleno ar, com o sangue jorrando por todo o lado, respingando nas folhas. Fiquei balançando, suspenso nas alturas, preso nos galhos daquela planta abençoada. Minha mãe mergulhava em direção ao fundo, transformada num pequeno ponto que ia ficando cada vez mais diminuto, até que desapareceu no silêncio do vale que ficava lá embaixo, para nunca mais ser vista. Só muito depois é que eu viria a saber o motivo de minha mãe ter escolhido cantar a canção da morte tão cedo em sua vida. Por ora, eu estava pendendo de um galho, tão periclitantemente quanto se poderia estar.

Porém, o destino interveio mais uma vez. A misericórdia divina desceu sobre mim na forma do velho curandeiro da aldeia — magro, ossudo e cheio de fé. Quando ele me ouviu chorando e me viu preso no penhasco açoitado pela ventania, desceu como um macaco para me resgatar. Felizmente, era tão ágil quanto um deles, pois sua atividade exigia que percorresse as cadeias de montanhas, passando por todos os cumes, por todos os vales, indo de caverna em caverna em busca do raro ginseng e da saliva de andorinhas cujos ninhos eram encontrados apenas nos locais quase inalcançáveis escolhidos pelas aves.

Ele desceu pela encosta do penhasco, abrindo caminho por entre os galhos das árvores, por vezes não encontrando os pontos de apoio para os pés e quase despencando numa queda fatal. Mas, naquele dia, os céus permitiram que apenas uma morte ocorresse. Ofegante, conseguiu me agarrar. Este momento é o que eu chamo de meu segundo nascimento, e que me foi concedido pela graça e misericórdia de Buda, pelas mãos de uma pessoa que tinha praticado boas ações dia após dia, cuidando de um vilarejo repleto de gente pobre e doente. Digo que foi a graça e a misericórdia de Buda e foi exatamente isso, pois se fosse um outro homem que tivesse escutado o meu choro e que, mesmo pela vontade de Buda, tivesse em seu coração a disposição e o desejo de salvar aquele pequeno ser, fosse ele um homem de bom coração ou não, poderia nunca ter conseguido fazer o que o curandeiro fez, porque ao coração daquele velho faltava um filho. O grito que lancei no ar, e que foi ouvido por ele, ecoou nos recônditos de sua própria alma, como ele mais tarde me contaria. Não era apenas o berro de um menino qualquer, mas o do seu próprio sangue.

Ele estava a apenas alguns centímetros de distância de mim quando uma rajada de vento por pouco não me arrancou novamente das mãos da vida. Mas, segurando na raiz de uma árvore, ele estendeu um dos braços para me pegar, agarrando a minha perninha minúscula a tempo de me aninhar na dobra do seu outro braço. Para ganhar tempo e me salvar, fez o que ninguém tinha ousado fazer antes, descendo centenas de metros pelo penhasco íngreme, arranhando os joelhos e os calcanhares, quase fraturando os ossos, para logo em seguida correr de volta para casa ao encontro da mulher com quem era casado há quarenta anos, antes que os grandes felinos notívagos das montanhas pudessem sentir o cheiro do nosso rastro de sangue.

Pegaram a cabra e a ordenharam. A mulher me alimentou com aquele leite como se viesse do seu próprio seio. Naquela mesma hora e naquele exato momento, deram-me o nome de Shento — o topo da montanha, o cume.

— Ele vai querer alcançar o céu, como o nosso sagrado monte Balan — disse *baba.*

— E vai subir aos céus como o espírito de nossos ancestrais — acrescentou *mama.* — Será que podemos realmente ficar com ele como se fosse nosso próprio filho?

— Mas é claro que sim! Ele é uma dádiva da nossa querida montanha, uma recompensa pelas boas ações que praticamos.

— E se encaixa tão bem nos meus braços! — murmurou *mama*, acariciando meu rosto.

E assim termina a história do meu nascimento e começa a da minha vida.

O SOL SE PUNHA E A LUA subia no céu, e aos poucos fui me tornando um menino da roça, robusto e forte, com o apetite de uma criança três anos mais velha. *Mama* me dava comida com uma colher de bambu do tamanho da usada pelos adultos. Não precisava ficar cantando nenhuma canção infantil para que eu comesse. Eu devorava uma colherada depois da outra até soltar pequenos arrotos. Meu prato predileto era bolo de arroz doce. Na nossa aldeia pobre, onde a comida de todos os dias era o inhame, arroz doce era coisa rara e preciosa. *Baba* tinha que percorrer muitos quilômetros para atender pacientes em povoados distantes e ganhar um dinheirinho extra para que eu pudesse comer aqueles preciosos bolos de arroz. Foi à antiga floresta, cortou as melhores varas de bambu e construiu um cercadinho, grande o suficiente para que eu pudesse engatinhar e dormir. Pôs o cercado perto de sua escrivaninha na enfermaria. Com o auxílio de *mama*, atendia seus pacientes, dava conselhos e praticava acupuntura comigo ali ao lado.

Apoiado numa das paredes da enfermaria, havia um grande armário cheio de gavetas com medicamentos fitoterápicos que *baba* vendia aos seus pacientes, por grama ou por pitada. As gavetas tinham etiquetas com caracteres chineses antigos e misteriosos que apenas os médicos versados em textos clássicos saberiam reconhecer. Certo dia, aos dois anos e meio de idade, surpreendi *baba* ao citar e localizar dez das ervas mais comumente utilizadas. Aos três, eu já sabia reconhecer mais da metade delas. Quando tinha quatro anos, alertei *baba* de que ele tinha pegado uma pitada da erva errada para uma determinada receita. O aviso, disse *baba*, evitou que uma mulher grávida sofresse um aborto. *Baba* e *mama* estavam convencidos de que eu não era uma criança comum. Daquele dia em diante, *baba* começou a ler para mim os textos clássicos da medicina chinesa e me ensinou a memorizar os pontos usados na acupuntura.

Uma noite, deitado na cama antes de adormecer, escutei por acaso *baba* falando baixinho para *mama*:

— O destino do nosso filho é ser o melhor médico que essas montanhas jamais irão conhecer. Com a sua inteligência extraordinária, imagine só quantas curas vai descobrir!

— Não! — retrucou *mama*.

— E por que não? Por que é que você discorda disso?

— O destino do menino vai além do seu desejo limitado — disse ela. — Um dia, ele vai comandar milhares e governar milhões.

— Você não está sendo um pouco ambiciosa demais, minha querida esposa? — ouvi *baba* dizer.

— De jeito nenhum. Você não percebe? O nascimento dele foi um acontecimento trágico, e sua história não é diferente da vida de muitos imperadores que, vindos do nada, ascenderam ao trono dourado.

Baba ficou em silêncio por um momento.

— É... já li em algum lugar que os acontecimentos trágicos formam homens extraordinários.

— É isso mesmo, mas, infelizmente, esses grandes homens nunca foram muito felizes.

— Pois prefiro que ele seja um homem comum que viva feliz, e que tenha uma vida longa o suficiente para estar ao nosso lado, na hora da nossa morte — disse *baba*.

— Já é tarde demais para isso. O destino dele começou quando ele respirou pela primeira vez o ar daquele penhasco. Já é uma grande sorte para nós tê-lo conosco durante o tempo que o nosso bom e misericordioso Buda permitir.

Naquela noite, infringi as regras e me aconcheguei na cama dos dois, dormindo entre eles até o sol raiar. Mas, mesmo que falassem freqüentemente sobre mim, nunca mencionavam meus verdadeiros pais. Se esse tabu fosse quebrado, o fantasma do meu passado voltaria para assombrar a nossa vida quase perfeita, ainda que simples.

Capítulo 2

1960
BEIJING

Sou filho do general Ding Long e único neto de duas famílias que gozam de muita influência na China: os Long, uma dinastia de banqueiros, e os Xia, uma fábrica de militares. Estas duas famílias proeminentes eram tão diferentes quanto a noite e o dia.

Vovô Xia não teve nenhuma instrução formal. No entanto, caminhou ao lado do presidente Mao durante a Grande Marcha, uma marca de nobreza que lhe rendeu o posto vitalício de comandante-em-chefe do Exército, da Marinha e da Aeronáutica da China.

Vovô Long era um paradoxo vivo, um economista comunista que estudou em Oxford e era presidente do Banco da China. Seus irmãos fizeram fortuna como banqueiros na colônia capitalista de Hong Kong. Vovô Long, um homem de finanças sofisticado, que falava francês como um parisiense, que dominava perfeitamente o japonês formal e falava inglês com sotaque de Oxford, preferia ternos da Savile Row feitos sob medida, charutos cubanos, vinhos finos, Beethoven e Shakespeare — pequenos pecados que tinha adotado desde a década de 1930, quando estudou na Universidade de Oxford. Durante os anos da Guerra Fria, era o único chinês que recebia diariamente o *Wall Street Journal*, o *New York Times* e o *Financial Times*, que era o seu favorito, impresso na Inglaterra em papel rosado.

Em conformidade com a sua imagem de "o maior banqueiro da China", ofereceram-lhe uma Mercedes-Benz, modelo clássico, com um motorista uniformizado e o único *chef* da China com experiência na cozinha ocidental, vindo diretamente do Beijing Hotel. Afinal de contas, vovô Long era o presidente de um dos maiores bancos do mundo, superado apenas pelo todo-poderoso Federal Reserve dos Estados Unidos. Os demonstrativos financeiros diziam tudo. O Banco da China era dono do país inteiro com todas as suas montanhas e rios, com direitos sobre o espaço aéreo, sobre as jazidas do leito oceânico e tudo o mais que havia entre um e outro.

O curioso era que vovô Xia podia ser um general de cinco estrelas, mas mesmo assim era desleixado e rústico, preferindo dormir numa cama de madeira dura e com um travesseiro também feito de madeira. Os colchões macios de espuma e com molas causavam-lhe dor nas costas e nos ombros. Gostava de usar sandálias de palha, que foram as melhores amigas de seus pés nos tempos de juventude, quando trabalhava como mensageiro, percorrendo as montanhas rochosas e atravessando os rios a serviço do grande presidente Mao durante os primeiros tempos do Partido Comunista Chinês em Yenan, na província de Shaanxi. Tinha confessadamente uma mentalidade de camponês nortista e não confiava em privadas com descarga, preferindo usar o penico. Dizia que os cigarros finos eram uma ofensa para os verdadeiros fumantes como ele, cujas células pulmonares só se sentiam estimuladas por um tipo especial de tabaco malcheiroso proveniente de um vilarejo próximo às montanhas do Himalaia. Qualquer outro fumo servia apenas para entorpecer os seus pulmões.

Sua roupa predileta de todos os dias, quando tinha a oportunidade de escolher, era um short de linho bem folgado e costurado à mão. Como diversão, nada melhor do que a Ópera de Pequim, com seus ganidos e cacarejos, que ele acompanhava cantarolando com sua voz gutural e desafinada, que assustava as crianças facilmente. Mas, o mais chocante de tudo, era a sua ingestão diária de testículos de boi assados, ostras cruas, joelho de porco e cabeças de peixe — os pratos gordurosos de seu cozinheiro particular, um primo afastado que havia sido o açougueiro da aldeia onde morava. Tudo era servido em grandes tigelas, em quantidades imensas e com enorme variedade. Era comida da roça feita em casa, e cada refeição era um pequeno banquete que poderia alimentar um povoado inteiro. Ele experimentava todos os pratos, arrotava e dava o restante aos seus empregados, guarda-costas e suas famílias, como os imperadores faziam na dinastia anterior. Era como um rei na sua própria corte e comandava o maior Exército da história do mundo — dez milhões de soldados em tempos de paz, número que poderia facilmente ser duplicado ou triplicado pelo contingente mobilizável à menor suspeita de qualquer indício de guerra. Sua piada favorita era aquela que dizia que, se alguém quisesse criar problemas, tudo o que a China precisava fazer era ordenar a seus soldados que urinassem todos ao mesmo tempo e assim o inimigo seria inundado por um dilúvio nauseabundo.

Diferentes como eram, vovô Long e vovô Xia representavam o pólo Norte e o pólo Sul do reinado feudalista que o presidente Mao exercia no país mais populoso da Terra. Vovô Long impediu Mao de ir à falência, pelo menos nos livros contábeis. As reservas monetárias do banco eram maiores do que nunca, com seus inúmeros empréstimos. Apoiava todos os movimentos ideológicos iniciados por Mao e oferecia a ele todo o seu poder econômico. Vovô Xia cuidava para que o presidente não saísse do poder. E quando havia alguma ameaça contra a sua vida, o presidente Mao jamais tomava conhecimento disso porque meu avô resolvia esses assuntos do jeito tradicional, ou seja, dava sumiço em qualquer um que representasse perigo.

Meus dois avós nunca se olhavam nos olhos, nem mesmo nas reuniões mais íntimas com o presidente, que já estava envelhecendo. Viviam discutindo como dois meninos de escola. Suas altercações eram famosas e às vezes eles quase chegavam às vias de fato. O único comentário de Mao sobre essas discussões era que isso o fazia lembrar de sua jovem terceira esposa, a célebre Madame Mao.

Como todos os homens de confiança do imperador, meus avós eram amados pelo líder supremo e recompensados generosamente. Moravam em grandes mansões em Zhong Nan Hai, o elegante bairro de luxo em Beijing, a capital do país, rodeado por montanhas e lagos cinematográficos. As casas eram circundadas por muros altos que as protegiam dos olhares da gente do povo e do barulho das ruas congestionadas. Ganharam também casas de veraneio, com decoração sofisticada, situadas nas longas e desertas praias de Beidaihe, uma área de lazer do governo próxima ao mar da China. Um trem particular com vagões-leitos, salas de majongue e provido de um cozinheiro transportava-os da cidade para a casa de praia e vice-versa, de acordo com sua vontade.

Devido à posição que ocupavam, os dois recebiam do governo alimentos dos mesmos tipos e qualidades, tinham o mesmo número de empregados, a mesma televisão a cores e a mesma quantidade de linhas telefônicas. E, evidentemente, suas propriedades estavam localizadas na mesma área, eram construídas e decoradas no mesmo estilo, chegando a ter o mobiliário idêntico. O tratamento igualitário do presidente Mao significava que os dois estavam sempre juntos no trabalho ou no lazer, sendo vizinhos na cidade e na casa de praia. O relacionamento entre eles era tão intransigente que um se recusava a deixar o outro se divertir sozinho, e o seguia aonde quer que fosse apenas para irritá-lo com a sua presença.

Apesar de tudo, as coisas corriam bem, a não ser por um pequeno acontecimento que criou raízes, cresceu e floresceu no quintal destes homens como uma semente de salgueiro que um cisne em migração tivesse deixado cair. Hua, que quer dizer "flor", era a filha única do vovô Xia. Pianista concertista, era bonita, tímida e tinha alma de artista. Vovô Long, o banqueiro, costumava dizer que ela era uma bela flor que brotou num monte de esterco.

O filho único de vovô Long, cujo nome era Ding Long, era um jovem general do Exército. Desde pequenos, e sempre que podiam, Hua Xia e Ding Long fugiam às escondidas para o jardim que separava as duas casas para brincar juntos. No verão, quando as famílias passavam as férias à beira-mar e quando seus pais não estavam por perto, as duas crianças catavam mariscos e apanhavam caranguejos. Deixavam mensagens secretas em código, escrevendo na areia da praia com os dedos dos pés descalços, marcando encontros à noite sob a luz da lua e das estrelas, escondidos atrás das dunas e dos despojos que o mar lançava na praia. A amizade transformou-se em amor. Enquanto meus avós dormiam e roncavam, a escuridão suave e delicada era a única testemunha do romance que brotava. As duas crianças inocentes acreditavam que o seu amor e o seu futuro casamento acabariam com a inimizade entre os dois homens.

Num certo dia chuvoso de verão, na praia de Beidaihe fustigada pelo vento, Ding Long e Hua Xia apareceram de mãos dadas diante dos dois velhos, que estavam naquele momento chutando areia um no outro, discutindo sobre a fronteira inexistente entre as duas propriedades. Os pombinhos mandaram que os dois homens parassem com a discussão e lhes informaram que em breve seriam parentes. O general e o banqueiro quase tiveram ataques cardíacos simultâneos. Os dois precisaram ser levados por suas enfermeiras de volta às suas salas de estar.

Mamãe e papai se casaram sob a bandeira vermelha. Num brinde à felicidade dos recém-casados, meus dois avós, que agora eram parentes por afinidade, apertaram as mãos um do outro pela primeira vez.

No dia em que nasci, os dois estavam muito animados e com muita pressa de chegar antes do outro para ter a primeira visão do primeiro neto, o que não foi surpresa para ninguém. O banqueiro transferiu as reuniões diárias com seus assistentes da pomposa sala de conferências do banco para o estacionamento do hospital onde minha mãe estava. Vovô Long espremeu-se com seus assistentes dentro das limusines compridas com a bandeira vermelha, enquanto seu secretário ficava indo e vindo, como um mensageiro, do carro para o hospital. Ele estava se sentindo tão afortunado e tão generoso que, uma hora depois do meu nascimento, aprovou pessoalmente o maior empréstimo jamais visto na história da China para auxiliar as vítimas de uma catástrofe, uma verba colossal de duzentos milhões de iuanes chineses destinados a uma província do Sul do país. Os historiadores posteriormente registraram que este empréstimo ajudou a salvar milhões de vidas humanas.

O general, por sua vez, acordou em sua cama de mogno no dia do meu nascimento para se defrontar com a notícia frustrante de mais uma insurreição. Milhares de monges Miao tinham sido presos por terem atirado pedras e facas em integrantes do Exército Vermelho. O general, geralmente propenso a pensar como um conquistador impiedoso, mudou de atitude naquele dia. — Solte-os — disse ele. Em seguida, decolou em seu helicóptero rumo ao hospital. Tendo sido informado com antecedência por seu serviço secreto que o sogro de sua filha já se encontrava no estacionamento, emitiu uma ordem militar de emergência endereçada ao gerente geral do hospital para que fosse proibido o uso do estacionamento por qualquer pessoa que não trabalhasse nele. Vovô Long pôde apenas trincar os dentes ao ver a poeira que se levantou do chão quando o helicóptero da Aeronáutica pousou ruidosamente no estacionamento de onde tinha acabado de ser expulso por razões militares sem fundamento.

— Amanhã, me lembre de sugerir ao presidente um corte drástico no orçamento militar — disse ele a um de seus assistentes.

No entanto, quando os meus dois avós finalmente me viram e me pegaram no colo, tudo o que fizeram foi dar muitas gargalhadas, ficar rindo à toa como dois velhos babões e comparar quem tinha sido agraciado com a maior mancha de xixi feita por mim.

COMO ERA DE SE ESPERAR, meus dois avós competiam pela minha afeição, determinados a moldar o meu futuro ao feitio de cada um, exercendo o máximo possível de sua influência pessoal no meu dia-a-dia.

Vovô Xia me ensinou a engatinhar e rastejar no melhor estilo militar quando eu tinha seis meses. Todos os dias rastejávamos pelo piso acarpetado da mansão, impulsionando o corpo com os cotovelos. Quando eu tinha dez meses, o general me ensinou a marchar como um soldado com os pés bem erguidos no ar. Nada de arrastar ou empurrar os pés. Esquerda, direita. Duas vezes por semana, ele me seqüestrava junto com a minha babá e nos levava para passear em seu jipe blindado, seguido por sua equipe, para inspecionar a base militar que ficava fora da cidade. Eu nunca dizia "oi" ou "até logo" ao general. Solenemente, batia continência para ele.

Ao se dar conta de que havia muitos soldadinhos de brinquedo à venda no mercado e praticamente nenhum bonequinho de banqueiro, vovô Long alocou uma vultosa verba para uma fábrica estatal de brinquedos em Beijing para que fossem fabricados alguns modelos, todos vestidos com o terninho no estilo Mao. De mãos dadas comigo, inventava canções de ninar usando as tabuadas e desenhava os gráficos de flutuação de juros com lápis de cor. Aos sábados, quando as bolsas de valores do mundo inteiro estavam fechadas, vovô Long me botava sentado em sua espaçosa poltrona de mogno forrada de couro, enquanto andava pela sala, ouvindo os informes econômicos mundiais da semana apresentados por seus assistentes.

Sentia grande prazer quando percebia que eu ficava particularmente quieto durante o relatório semanal sobre as taxas de juros dos EUA, sobre o Índice Dow Jones, e a proposta de Títulos do Tesouro americano feita pelo Federal Reserve, que eram anunciados na voz calma e tranqüila da economista de sua equipe, ph.D. pela Universidade de Harvard e única mulher do grupo.

No meu quarto, os sinais do embate travado entre os meus avós eram bem visíveis. Numa das paredes ficavam os presentes do general: rifles, tanques, jipes e soldados. Na outra, havia um gráfico colorido com as taxas de juros e a flutuação das taxas de câmbio mais importantes do mundo inteiro.

Mas a verdadeira competição aconteceu no meu primeiro aniversário. Seguindo a tradição, eu, muito bem lavado, penteado e vestindo uma roupa nova de marinheiro, fui colocado no chão rodeado por objetos variados. Aquele que eu escolhesse iria simbolizar o que eu seria quando crescesse. Para surpresa de todos, não escolhi nem o tanque de guerra e nem o ábaco, que estavam estrategicamente posicionados bem diante dos meus olhos e facilmente ao meu alcance, enquanto meus dois avós, ajoelhados, tentavam me influenciar na escolha. Em vez disso, peguei um globo terrestre em miniatura, cravei os dentes nele e o despedacei. Em seguida, com a mão direita, peguei o ábaco, que descartei quase imediatamente, e apanhei o tanque de guerra. O banqueiro cantou vitória, mas o general disse que ele riria por último. Ficou decidido que, por eu ter apanhado o globo terrestre, meu destino era ser um grande líder mundial, mas que eu seria ambivalente no que dizia respeito ao instrumento a ser usado para alcançar aquela posição.

Shento 山头

CAPÍTULO 3

1967
BALAN

O ANO EM QUE NASCI COINCIDIU COM A deflagração dos conflitos de fronteira entre o Vietnã e a China. A minha aldeia, Balan, aninhada na fronteira montanhosa da China, transformou-se da noite para o dia num posto militar avançado muito movimentado, com milhares de homens e mulheres do Exército de Liberação do Povo ali baseados e prontos para o combate. Um complexo militar foi construído no centro do povoado, e nós, os moradores locais, vimos pela primeira vez um caminhão trafegando por nossas trilhas lamacentas. Ficamos maravilhados com a magia da eletricidade. O gerador barulhento que fornecia energia para o posto militar só fez ressaltar a escuridão pré-histórica que envolvia o vilarejo depois do pôr do sol.

Enquanto as tropas aguardavam ordens superiores, os militares dos dois sexos organizavam festas e consumiam boa comida, com fartura, todos os dias — carne de vaca, carne de porco, ovos, barris de toucinho. Cigarros não faltavam, os tecidos eram os que estavam na moda, e havia sessões de cinema todos os sábados à noite, no pátio. Apenas dois líderes da aldeia foram oficialmente convidados para assistir aos filmes falados. O restante do povo do vilarejo subia no topo das árvores para tentar ver um pouco daquela maravilha dos tempos modernos. Também havia bailes, e algumas moças de sorte da aldeia eram convidadas.

Ding Long, o jovem general no comando, montou uma escola para as crianças do Exército e do povoado. Por este ato de magnanimidade, era temido e idolatrado como um deus vivo pelos habitantes do local.

No primeiro dia de aula, acordei antes do raiar do dia e vesti a camisa nova de linho branco que *mama* havia feito no tear e que depois tinha sido costurada à mão. Fiquei andando pela casa usando os novos e barulhentos tamancos de madeira que *baba* havia comprado na lojinha do Exército — onde tudo era absurdamente caro —, com o dinheiro que economizou durante meses. Assim que me vi longe da vista dos meus pais já idosos e que ficavam me paparicando o tempo todo, tirei os meus queridos tamancos e guardei-os dentro da minha pasta da escola para que não ficassem sujos de lama.

Aos sete anos de idade, e apesar de ser o menino mais novo de uma turma repleta de filhos de militares, que conheciam mais coisas do mundo e que eram muito mais bem-vestidos do que nós, os habitantes da aldeia, eu estava determinado a não ficar para trás. Conhecia bem os clássicos chineses que *baba* tinha me ensinado e fazia redações elegantes. Porém, a minha matéria favorita era matemática. Por ter trabalhado como caixa para *baba*, sabia como era importante contar dinheiro e não tinha necessidade de usar o ábaco. Meu raciocínio provou ser mais rápido do que aquele instrumento arcaico com todos os seus cliques e claques.

A professora me ensinou matérias que eram do currículo das turmas mais adiantadas. Eu assimilava tudo com muita facilidade e pedia mais. Ela logo fez comentários sobre minhas qualidades no posto do Exército.

À hora do jantar, *baba* e *mama* ficavam me ouvindo recitar os textos que eu tinha aprendido na escola enquanto a luminosidade suave do sol poente aquecia o nosso alpendre. Conversava sobre questões complicadas de matemática com *baba*, que geralmente ficava acordado noite adentro tentando resolver, no seu ábaco, os problemas sobre os quais tínhamos conversado.

Ao término do ano letivo, surpreendi a todos ao receber o primeiro prêmio da escola — um saco de balas e uma bandeira vermelha de seda com cinco estrelas. Além disso, recebi um convite inesperado para jantar com o general e assistir a um filme de guerra dentro do destacamento. Este convite me deixou muito empolgado. O encontro estava marcado para a noite do Ano Novo e o tempo de espera me pareceu interminável.

Finalmente, na virada do ano, *mama* pôs a bandeira vermelha na parede, acima do nosso oratório secreto, e eu dividi minhas preciosas balas com eles. As balas eram divinas, e os papéis que as envolviam eram tão bonitos e coloridos que os guardei numa caixa de bambu. Para o jantar, *mama* preparou uma grande tigela com pedaços fumegantes de joelho de porco, comprado a crédito por *baba* no açougueiro da aldeia que, por sua vez, em breve compraria de *baba* as ervas receitadas para o seu reumatismo. Eu estava feliz, mas meus pais estavam calados. Calados demais.

Não conseguia entender o motivo daquele silêncio.

— Fiz alguma coisa errada?

— Nada disso, meu filho. Estamos muito orgulhosos de você — disse *mama* em voz baixa.

— Mas vocês não parecem felizes por minha causa...

Peguei no braço de *baba* e o sacudi.

— Meu filho, você fez de mim o pai mais orgulhoso do mundo. Só estamos preocupados com o interesse exagerado que esse general todo-poderoso está demonstrando por você. Não sabemos qual é a intenção dele — disse *baba*.

— Mas isso é uma honra. Ele é o general mais moço da história militar da China e o comandante das nossas forças de defesa contra o Vietnã. Vocês não vão me impedir de ir, vão?

— É claro que não! Mas por que você quer tanto ir? — perguntou *mama*.

— Um dia quero ser um general como ele — respondi.

Mama e *baba* balançaram a cabeça e sorriram pela primeira vez naquela noite.

O GENERAL DING LONG ERA um homem alto, com uma basta cabeleira negra e profundos olhos brilhantes. Seu belo uniforme caía-lhe muito bem, realçando os ombros largos e a cintura estreita. Às seis horas em ponto, o general me recebeu muito gentilmente como seu convidado de honra, quando fui conduzido ao seu gabinete por um soldado uniformizado.

Eu estava usando a minha única camisa de linho, a melhor que tinha, e os meus tamancos de madeira que ainda estavam novos, e que logo me arrependi de ter calçado, já que faziam muito barulho ao tocar no piso de madeira de lei do gabinete do general. Pensei em tirá-los, mas a elegância do ambiente me impediu de fazê-lo.

Senti-me diminuído pela estatura do general quando ele se inclinou para apertar a minha mão com firmeza. Nossos olhos se encontraram e o general examinou meu rosto com muita atenção.

— Você se parece muito com o meu filho, só que é um pouco mais moreno.

— Sinto muito, general.

Meu coração galopava como um cavalo selvagem. Por que estava pedindo desculpas? Na verdade, não sentia muito coisa nenhuma...

— Não há motivo para se desculpar. Sente-se — disse o general com um sorriso.

— Obrigado, general.

Sentei-me numa cadeira alta, de frente para ele, que se acomodou numa poltrona enorme coberta com uma pele de tigre.

— Quem lhe deu esse nome? — perguntou.

— Foi meu *baba*, e quer dizer "o topo da montanha".

— É verdade — disse o general. — Bem ambicioso.

— Nem tanto. Eles querem que eu seja o médico da aldeia para cuidar dos doentes. Mas quero ser general como o senhor. Quero comandar milhares de homens com armamentos e tudo o mais, para combater os nossos inimigos e sair vitorioso em todas as batalhas.

O general parecia achar muita graça naquilo tudo.

— O que são esses quadros na parede? — perguntei, apontando para os papéis dentro das molduras.

— Venha cá, vou lhe mostrar.

Ele se levantou e me levou até a parede.

— Este é o meu diploma da Universidade de Beijing, onde fiz o curso de história. Ao lado dele está este outro da Academia Militar do Leste. E você deve saber muito bem quem é esse que está na foto comigo.

— O nosso grande líder, o presidente Mao. E quem é esse outro senhor que está na foto?

— Meu sogro, que é o comandante-em-chefe do Exército, da Marinha e da Aeronáutica.

— O senhor já deve ter conhecido muitos líderes importantes.

O general Long concordou com um movimento de cabeça.

— É verdade, e isso inclui você. Você também é um rapaz muito importante.

— Talvez ainda não, general, mas vou ser um deles quando crescer. Espere para ver.

— Com certeza.

O general me deu um beliscão na bochecha e passou a mão pelo meu cabelo num gesto carinhoso.

— E esse aqui é o seu filho? — perguntei, apontando para a fotografia de um menino que estava entre o general Long e sua bela mulher.

O general fez que sim.

— O nome dele é Tan. Vocês dois têm a mesma idade e ele se parece muito com você.

Não desgrudei os olhos do menino durante um bom tempo.

— O senhor sente saudade do seu filho?

— Sinto sim, Shento.

— Foi por isso que o senhor quis me ver?

Ele não me respondeu. Durante o resto da noite, fiquei desfrutando do magnetismo suave do general, que me ofereceu um lauto jantar com cinco pratos diferentes. Havia frango, cabrito, carne de vaca e até patas de tigre. Devorei tudo, porém com bons modos, e percebi um sinal de aprovação nos olhos do general. O filme de guerra a que assistimos era empolgante e cheio de cenas de batalhas, mas devo ter adormecido lá pela metade da projeção. Só me lembro de ter acordado nos braços do general e de ter sido entregue a *baba* no portão da frente do posto militar.

Naquela noite, descobri o meu herói.

No dia seguinte, pedi a *mama* que fizesse para mim uma jaqueta militar igual à do general com estrelas aplicadas. *Baba* voltou a fazer longas viagens pelas montanhas à cata de ervas para poder comprar o tecido verde-oliva que era vendido na lojinha do Exército. À noite, insisti com *baba* para que me fizesse um rifle de bambu. Eu marchava todos os dias no quintal da nossa casa com a minha roupa nova e minha arma, atacando com o meu rifle de bambu os homens de palha que representavam os inimigos vietnamitas.

Quando acabavam as aulas, eu me demorava no pátio da escola, que ficava separada do posto do Exército apenas por um portão de ferro. Subia pelas barras do portão e ficava espiando a vida do outro lado. Tudo lá era diferente, um outro mundo, muito distante da minha humilde aldeia natal. O rádio tocava música enquanto os soldados jogavam futebol. As crianças ficavam sentadas nos bancos com suas mães ou suas babás, chupando balas e torcendo pelos times. As mulheres integrantes do Exército, de saia e blusa brancas, riam e gritavam, lançando latas de refrigerantes para os homens que estavam jogando.

Quando o sol se punha por detrás dos coqueiros que havia no pátio, uma voz anunciava pelos alto-falantes que o jantar seria servido. Pela chaminé da cozinha subia um cheiro delicioso de comida, que se espalhava pelo ar, atiçando minhas narinas e despertando a minha fome. Não era preciso ter muita imaginação para ver o que havia naquelas mesas, com muita fartura: enormes tigelas de arroz branco fumegante, sopas deliciosas, cestas de frutas frescas, pratos de peixes e frutos do mar com os quais eu só podia sonhar. Se alguém me perguntasse como era o paraíso, eu diria que ele estava ali a apenas uns poucos centímetros de distância, do outro lado do portão de ferro. E o general que estava lá dentro do destacamento era o meu deus.

AO FINAL DA PRIMAVERA DAQUELE ANO, o Buda do meu destino abriria uma fresta do seu céu para deixar cair no meu colo mais um divino favor, desta vez na forma de um conhecimento secreto. Este conhecimento, amaldiçoado ou abençoado, daria forma ao curso da minha vida e moldaria o caminho do meu destino.

Buda era sábio e oportuno. Ar-Q, o mendigo do vilarejo, foi o seu instrumento terreno naquele dia. O mendigo estava passando fome há três dias, não tinha sequer uma fruta podre para comer ou uma mísera cuia de sopa de arroz para tomar. Naquele ano, a época das monções estava mais úmida do que nunca, inundando a região. As plantações estavam destruídas e a colheita foi mínima.

Dei de cara com o mendigo naquela decisiva tarde chuvosa numa trilha estreita quando voltava da escola para casa. Ele estava ali parado, alto e desgrenhado, olhando para mim. Depois, inclinou-se e ficou cheirando a sacola onde eu levava o meu lanche da tarde: dois ovos de ganso cozidos, chá de jasmim e ervas. Num tom de voz meio cantado e adulador, ele me pediu comida, citando o mesmo verso habitualmente usado pelos monges itinerantes em peregrinação: "Dêem graças. Dêem graças." Depois disse as seguintes palavras, propondo uma troca:

— Se me der os seus ovos de presente, vou lhe contar um segredo a seu respeito.

— Que segredo? — perguntei.

— Sobre o homem que é o seu verdadeiro pai e como ele abandonou você aos cuidados do velho casal que você chama de *baba* e *mama*.

— Você está mentindo. Eles são os meus verdadeiros *baba* e *mama*...

— Mas têm idade para serem seus avós! — disse ele com malícia.

O toque da verdade soou alto e forte e me magoou. A idade avançada dos dois sempre me intrigou, e eu lamentava que não pudessem brincar comigo no quintal ou nadar comigo nos rios caudalosos.

— Quem é então o meu verdadeiro pai? — perguntei.

— Um homem poderoso do posto militar — foi a sua resposta quando entreguei o primeiro ovo a ele. Rapidamente, ele enfiou o ovo na boca e, de repente, era só ovo e dentes. Sem quebrar o ritmo de seu relato, prosseguiu como se resmungasse:

— Sim, sim, um homem poderoso lá do posto militar, é o que ele era. Na noite do Festival da Primavera, há muitos anos, convidou a sua mãe de verdade, Malayi, uma órfã, para um banquete. Ela era uma bela flor da aldeia que todos os homens queriam colher para sentir o seu perfume, se é que me entende... Naquela noite de festa, aquele homem poderoso deu a ela uma bebida forte e lhe disse palavras suaves e carinhosas, fazendo-a corar.

Ele fez uma pausa para limpar a boca, engoliu em seco, como para saborear o licor da sua própria narrativa.

— Depois, o homem poderoso a trouxe para este bosque aqui. A lua estava brilhando. O homem levantou seu vestido colorido e a possuiu, encostado naquela mangueira. Ele enfiou o seu gengibre nela, fazendo dela uma mulher. Você poderia me perguntar como sei de tudo isto. Sei porque estava trepado na minha árvore, cuidando da minha vida, tentando dormir, mas os gemidos e as risadas me acordaram.

— E o que aconteceu depois? — perguntei.

— O que aconteceu foi o que acontece com qualquer moça que já esteja no ponto, com os quadris redondos e os seios despontando. Logo, logo, sua barriga cresceu com você dentro. Os chefes da aldeia fizeram pressão para que ela se casasse com um débil mental aleijado de outra aldeia, mas ela se recusou. Depois, tentaram forçar o seu *baba* a tirar a criança de dentro da barriga dela, para que a semente do mal não nascesse para enfrentar a vergonha e o sofrimento. Mas seu *baba* sequer lhes deu ouvidos. O que uma pobre moça com uma barriga de melão como aquela podia fazer, envergonhando-se a cada dia de sua vida? No dia do seu nascimento, ela subiu ao cume mais alto do monte Balan, desejando que você morresse junto com ela. Mas não era para acontecer. O médico da aldeia estava lá, andando logo atrás dela. Ele salvou você, isso é certo, embora pudesse ter salvado a sua mãe também, se tivesse sabido do seu paradeiro um pouco antes.

Eu tremia como uma folha ao ouvir aquilo pela primeira vez.

— Você não vai desmaiar, vai? — perguntou Ar-Q preocupado.

Balancei a cabeça e gaguejei:

— E que-que-quem é esse tal homem poderoso?

— O malvado general, Ding Long.

Suas palavras me atingiram como um trovão ao meio-dia, fazendo meus ouvidos ficarem entorpecidos e meu coração disparar. Meu rosto pegava fogo. Minha visão se turvou. Senti alegria e tristeza ao mesmo tempo, tudo misturado, e não sabia dizer onde começava uma e terminava a outra. Não me lembro de quase nada depois disso, a não ser que passei o segundo ovo para a sua mão ávida e ouvi seu aviso para que nunca repetisse este relato a qualquer outra alma vivente deste mundo.

— Este é um segredo que todos vamos carregar, uma verdade para ficar oculta para sempre — disse ele.

— Por quê?

— Porque o povo da aldeia ama o seu *baba* e tem medo do general.

Tan 唐

Capítulo 4

1967
BEIJING

A St. John's School, localizada nas colinas verdejantes perto da Cidade Proibida em Beijing, tinha sido originalmente um elegante colégio católico, fundado por freiras americanas na década de 1920, para atender às necessidades crescentes dos americanos que viviam na China. Naquela época, o colégio era famoso por seus uniformes sem graça, pela comida pouco atraente, pelo rígido toque de recolher e pelas freiras caridosas que cantavam animadamente em coro todos os dias de manhã na capela ricamente ornamentada. Mas agora, na nova China comunista, ele representava o máximo do privilégio nacional. Os estudantes não eram mais católicos e sim os filhos da elite política e cultural do país. Com este propósito, o vestígio de imperialismo foi mantido intacto com todo o aparato da opulência e do luxo americanos, em flagrante contraste com a simplicidade das outras escolas públicas da cidade, que não paravam de crescer.

No palco de seu espaçoso auditório havia um velho piano de cauda feito à mão pela Steinway & Sons de Nova York. A St. John's School dispunha de um dos poucos ginásios cobertos, onde havia quadras de vôlei, basquete e equipamentos de ginástica. No inverno, o prédio era totalmente aquecido por um sistema de calefação a vapor. O calor escaldante do verão era amenizado por vários ventiladores General Electric, movidos pelo gerador próprio da escola. Enquanto os outros estudantes usavam como latrinas buracos fedidos abertos no chão, nos limites do *playground* da escola, as crianças da St. John podiam dar a descarga nas privadas com água corrente.

Um dia, no verão, o diretor deste colégio de elite, um educador de cabelos brancos que estudou na Universidade de Columbia, veio até a nossa casa. Sentamo-nos no jardim, debaixo de um carvalho e em meio a peônias coloridas, e minha mãe lhe ofereceu chá com biscoitos e salgadinhos, servidos por uma empregada. Meu pai, que tinha chegado de avião, vindo do posto avançado do Exército em Balan especialmente para esta ocasião, apareceu no jardim e cumprimentou o diretor da escola. Eu, que tinha agora sete anos, fui convidado a me sentar junto com eles. O velho senhor sorriu, mostrando a boca, até então escondida debaixo de um farto bigode, e revelou o motivo de sua visita. De acordo com seus registros, anotados num grande livro com encadernação de couro, que ele segurava cuidadosamente, eu, o primogênito da união entre as famílias Long e Xia, estava preparado para cursar a primeira série no próximo outono. Ele me olhou rapidamente de cima a baixo e prosseguiu. Eu era um dos trinta alunos da primeira série que ele iria visitar para fazer uma avaliação pessoal, e o segundo nome de sua lista. O primeiro nome era o do neto do presidente Mao. Meus pais assentiram ao mesmo tempo e sorriram compreensivos. O diretor, com um gesto de humildade, entregou a eles um envelope vermelho que continha o convite. Papai imediatamente se levantou da cadeira para recebê-lo com uma reverência. Depois, ofereceu-lhe uma torrada e um pouco de chá verde da melhor qualidade que ele aceitou, segurando a xícara com ambas as mãos. Em sinal de respeito, após um intervalo de tempo em silêncio, a reunião chegou ao fim e nós o acompanhamos até a entrada principal da casa.

No primeiro dia de aula, eu mesmo escolhi a roupa que iria usar: uma roupa de marinheiro com listras brancas nos ombros. Como ainda estava fazendo calor em Beijing em setembro e o céu estava muito azul e com nuvens brancas bem lá no alto, decidi não usar boné e reparti o cabelo ao meio, achando que era a melhor maneira de ajeitar aqueles fios rebeldes. Papai e mamãe ficaram por perto para me auxiliar. Também estavam presentes as duas babás e o meu motorista. Recusei quando elas se ofereceram para ajeitar minha camisa e amarrar meus sapatos e declarei solenemente que, a partir daquele dia, queria fazer tudo sozinho. Mas iria precisar do carro, acrescentei, piscando o olho para o motorista, que imediatamente retribuiu a piscadela.

Olhei para o pequeno relógio de pulso que meus pais tinham me dado na noite anterior. Queria ver os meus dois avós antes de ir à escola pela primeira vez. Retidos devido a uma reunião com o presidente Mao marcada para muito cedo naquela manhã, os dois chegaram bem na hora em que eu estava sendo ajudado a entrar no jipe. Mandei o motorista esperar e saltei do carro para abraçar os dois. Meu avô banqueiro me deu um pequeno ábaco de prata e disse que o dinheiro poderia ser meu amigo se eu o tivesse, e meu inimigo se me faltasse. Meu avô general me presenteou com uma pequena espingarda de chocolate, acrescentando que contra a força não há argumentos, e quem governa o mundo são as armas e não o dinheiro. Apenas sorri. Havia ocasiões em que até mesmo um menino de seis anos sabia quando os adultos estavam enlouquecendo. Botei o ábaco na pasta vazia e comi minha espingarda de chocolate a caminho da escola.

A escola se revelou uma coisa bem fácil para mim. No primeiro dia de aula, quando a professora de matemática perguntou à turma qual era o menor número que eles conheciam, falei sobre a existência da vírgula decimal e de vários outros números ainda menores colocados à sua direita. Ninguém da minha sala sabia ou dava importância ao que eu estava dizendo. Minha professora de chinês não ficou menos surpresa quando recitei um pequeno poema da época da dinastia Tang, escrito em 840 a.C., e me ofereci para escrevê-lo no quadro-negro para demonstrar que eu realmente estava entendendo o que dizia. Eu me saía muito bem em todos os esportes, com exceção do salto em altura, através do qual descobri que a minha estatura não me favorecia naquela modalidade. Tudo isso me fez ser muito admirado pelos meus colegas de sala, com exceção de um pequeno grupo que se reunia em volta de uma das mesas do refeitório, cujo chefe era Hito Ling, o neto metido a besta do ministro do Comércio Exterior da China. Aquela turminha raramente falava comigo. Paravam de falar quando eu me aproximava e recomeçavam com seus cochichos depois que eu me afastava, como um enxame de moscas barulhentas. A antipatia deles não apenas me incomodava, mas, como acabei percebendo, aquilo atrapalhava a minha intenção de ser eleito o monitor da turma.

Um dia, tomei a iniciativa de cumprimentar Hito quando nos cruzamos num corredor estreito no campus da escola. Hito não somente ficou calado, mas virou o rosto e cuspiu no chão. Naquela tarde, voltei para casa muito zangado e perguntei ao vovô Long, que estava jantando conosco, o que ele achava do ministro do Comércio Exterior.

— É um cretino de um corrupto que está organizando uma campanha para ocupar o meu cargo! — disse o meu avô, dando uma baforada em seu cachimbo. — Além de desviar dinheiro do comércio exterior, está derrubando o ministério. Não entende direito as regras do comércio: comprar barato e vender caro. — Vovô estava furioso porque o ministério estava chupando o sangue de seu banco e perdendo milhões de iuanes no comércio exterior a cada ano. Vovô teria continuado indefinidamente com este assunto se eu não o tivesse distraído com uma outra pergunta qualquer.

Seguindo o modelo do vovô Xia, organizei a minha campanha. Comecei fazendo uma sindicância sobre o histórico de todos os alunos da minha turma. O resultado foi bastante satisfatório para mim. Dos trinta integrantes desta turma de privilegiados, cerca de noventa por cento de seus pais ou avós ocupavam cargos nos ministérios que estavam em situação cada vez pior ano após ano, devido à deterioração da economia comunista e da improdutividade da Revolução Cultural. Todos viviam solicitando empréstimos ao Banco Central, presidido por meu avô. Depois, tirei um tempo para me sentar com cada um deles para que soubessem quem eu era e por que era importante que ficassem meus amigos. Expliquei a eles que se não entrassem mais verbas vindas do banco para dar suporte financeiro à atividade de seus pais ou avós, suas famílias iriam rapidamente à falência. As crianças que vinham de famílias de políticos tinham muito mais sensibilidade com relação às implicações práticas e políticas daquela minha ameaça amigável. Em pouco tempo, Hito ficou completamente isolado. Para isso, bastou eu espalhar um boato de que o pai dele seria em breve transferido de Beijing para um remoto campo-reformatório em Xinjiang, a Sibéria da China. Hito se converteu em menos de uma semana. Venci deste modo a minha primeira campanha contra um adversário indesejado, assim como consegui ser o monitor da turma através da inteligência, sem violência ou derramamento de sangue. Ao final da primeira série, meu boletim era digno de ser orgulhosamente emoldurado por qualquer pai e mãe. Só havia notas dez em todas as matérias.

Com a chegada da primavera, minha mãe decidiu que eu teria aulas de piano enquanto meu pai ainda estivesse no posto avançado do Exército em

Balan, perto da fronteira com o Vietnã. Sensível por natureza e pianista por treinamento, minha mãe estava preocupada com o fato de eu estar sendo negativamente influenciado pelo veneno do militarismo e pela sedução do mundo das finanças. Tinha pouco interesse por estas áreas de atividade e sentia uma grande repugnância por estas coisas, apesar de ter escolhido se casar com um general cujo pai era banqueiro. Ela alimentava a esperança de que eu me tornasse o melhor artista da minha geração ou que escolhesse uma outra atividade em que não houvesse manchas de sangue nem a podridão do dinheiro. Tinha expectativas mais elevadas para mim, apesar de eu ter demonstrado um grau indesejado da agressividade do vovô Xia e da índole calculista do vovô Long. Uma noite, antes de me botar na cama para dormir, ela me disse que o meu temperamento forte era o mesmo do meu pai e que isso a assustava.

Sabendo que santo de casa não faz milagre, contratou o melhor professor de piano da melhor escola de música da China, o professor Woo, recomendado pela mulher do ministro da Cultura. Tive aulas em todos os meus momentos livres enquanto meu pai esteve fora.

O verão chegou com seus dias compridos e suas noites úmidas. Papai voltou para casa pouco antes da nossa temporada tradicional à beira-mar em Beidaihe. Para sua surpresa, eu tinha me tornado um pianista durante os meses em que esteve ausente. Mamãe só falava no meu progresso e de como eu realmente apreciava e entendia o significado das difíceis peças dos grandes mestres da música ocidental. Papai examinou minhas mãos e ficou alarmado ao constatar que os calos dos meus dedos tinham sumido e que o fogo que ardia nos meus olhos tinha sido substituído por um olhar suave e delicado, o olhar sonhador de um sentimental.

Chegou-se a um acordo: eu passaria metade dos meus fins de semana estudando música e literatura e, na outra metade do tempo, aprenderia a lutar na lama e teria aulas de esgrima e de equitação. Quando papai falou naquela noite durante o jantar que eu iria conhecer meu instrutor de *kung fu* no dia seguinte, minha mãe caiu em prantos. Usei uma das mãos para consolar minha mãe, que se debulhava em lágrimas, e a outra para apertar a mão do meu pai em agradecimento.

Shento 山头

Capítulo 5

1972 BALAN

Durante os cinco anos seguintes, recebi o muito cobiçado convite anual oferecido ao melhor aluno pelo gabinete do general Ding Long. Conseguir este convite tornou-se a minha motivação secreta para ser o melhor aluno da escola. Quando fiz 12 anos, quase como um ritual, jantei com o general na véspera do Ano Novo, em sua sala de jantar particular. Fomos servidos pelos mesmos dois empregados que haviam realizado essa tarefa desde a primeira vez em que botei os pés naquela sala. Como de hábito, o general Ding Long e eu nos divertimos bastante batendo papo. Só que desta vez, depois do jantar, o general me fez a surpresa de me mostrar uma maquete em madeira da área usada para o planejamento dos ataques aos vietnamitas. Havia até pequenas lampadazinhas assinalando todos os picos das montanhas e todas as barreiras nas estradas. Examinei aquilo com o maior interesse.

— Quando vamos atacar o Vietnã? — perguntei.

— Amanhã — respondeu o general.

Ele tirou o cordão com a medalha de prata que estava usando e o colocou em meu pescoço.

— Isto é para você — disse.

— Por quê?

Esfreguei o metal polido com o polegar.

— É para você usar. Isso vai ser muito importante para mim.

Olhei para o ideograma gravado no verso da medalha.

— Sei o que quer dizer esta palavra! Quer dizer "dragão", não é?

— Isso mesmo. O meu sobrenome, Long, quer dizer "dragão". Este cordão foi um presente da minha avó e tem me trazido boa sorte. Espero que traga um pouco de boa sorte para você também.

— Obrigado. Vou sempre ter muito carinho por ele.

O general me abraçou por alguns instantes e depois fomos para o pátio onde um grupo de soldados o aguardava. Ding Long me botou sentado perto dele e depois, de um salto, se levantou para subir no palanque. Fez um discurso curto e cheio de energia para os seus homens, e havia um fogo que ardia em seus olhos. Os soldados se levantaram das cadeiras e reagiram com grandes exclamações. Bateram continência para o seu comandante e cantaram o hino nacional. Tive orgulho dele e, secretamente, de mim também. Aquela sensação agradável permaneceu comigo muito tempo depois de as luzes terem se apagado e o filme ter surgido na tela grande.

No dia seguinte de manhã, antes do nascer do sol, todo mundo na aldeia ouviu os soldados marchando em direção à fronteira. Antes do raiar do dia, milhares de homens atacaram um acampamento vietnamita depois de bombardeá-lo com canhões. Uma fumaça negra subia no céu e o ar estava empestado com o cheiro acre da pólvora. Recebemos notícias de que o ataque-surpresa tinha sido bem-sucedido. Nenhuma baixa foi registrada do nosso lado. As tropas sob o comando do general Long penetraram ainda mais no território inimigo. Tudo parecia estar correndo conforme o planejado, mas, por volta do meio-dia, o pânico tomou conta da nossa aldeia. Houve um novo tiroteio cerrado próximo à fronteira. Os vietnamitas haviam sorrateiramente se escondido em túneis subterrâneos e atacaram de surpresa pelas costas, depois que as tropas chinesas passaram.

As macas retornavam com dezenas de soldados mortos e moribundos. Os gritos de dor e o cheiro da morte invadiram a nossa aldeia. O destacamento militar, antes uma fonte de prazer, era agora uma visão mórbida. Debaixo de uma tenda, junto com mais dois médicos do Exército, *baba* estava cuidando dos soldados feridos que urravam de dor. *Mama*, que era uma das enfermeiras, lavava as feridas e aplicava curativos nos homens atingidos.

Uma jovem militar reuniu todas as crianças na escola e nos abrigou lá dentro.

— Se você me deixar ir lá fora, posso ajudar os soldados feridos porque sou filho de médico e sei como cuidar deles — disse eu, ansioso.

— É muito perigoso ir lá fora agora. Os vietnamitas podem atacar a qualquer momento. Não quero mais ouvir falar nisso. Tenho aqui mais de cem crianças para tomar conta.

Os vietnamitas estão se aproximando! Meu coração se apertou. Onde estava o general? Será que estava bem? Será que estava ferido? Será que tinha morrido? Essa idéia era insuportável para mim.

A jovem militar começou a nos incentivar a cantar canções escolares muito conhecidas, tentando nos distrair do caos que havia se instalado. A maior parte das crianças estava contente pelo fato de não haver aula. Mas não me demovi do meu objetivo. Tinha que encontrar o meu general. Enquanto as crianças continuavam a cantar, abaixei-me e fui me esgueirando para o fundo da sala de aula. Abri uma janela e pulei sem fazer barulho. Logo depois, estava espiando a tenda dos médicos através de um pequeno buraco. Vi *baba* curvado sobre um jovem soldado com um toco de perna sangrando. Tinha perdido o pé. O soldado gritava e implorava: "Me deixem morrer! Me deixem morrer!" *Baba* aplicou-lhe uma injeção e os gritos do rapaz se tornaram mais fracos. Em pouco tempo, ele adormeceu. Vi *mama* ajoelhada no chão, fazendo um curativo num rapaz com o rosto todo ensangüentado. Este tinha perdido um braço. *Mama* era uma mulher forte, mas percebi pelas suas costas que ela estava se contraindo, nitidamente lutando para conter as lágrimas.

Chegaram mais três macas transportadas por homens da aldeia suados e ofegantes. Quando as enfermeiras largaram o trabalho que estavam fazendo naquele momento para atender os recém-chegados, percebi que aquela era a minha oportunidade e entrei silenciosamente na tenda, olhando com cuidado todas as fileiras de macas. Para meu grande alívio, não havia sinal do general. Depois, fui verificar os mais de vinte corpos cobertos por lençóis manchados de sangue. Trinquei os dentes, agachei-me e levantei o primeiro lençol. Os olhos do homem estavam vidrados como os de um peixe morto e havia um buraco enorme aberto em seu peito. Rapidamente deixei cair o lençol. O segundo homem teve o ombro esquerdo destroçado por uma bomba. Não era o general.

O último homem que consegui verificar não tinha cabeça, o que fez o seu corpo ficar extremamente curto. Tive que sair correndo da tenda enquanto o vômito me subia pela garganta. O homem sem cabeça não podia ser o general Long. Ele era bem mais alto e bem maior, eu estava convencido disso.

Caiu a noite e os mortos e feridos continuavam chegando. Eu examinava seus rostos, um a um. E nada do general. Fui para os limites da aldeia, escolhi o coqueiro mais alto que havia e trepei nele na esperança de conseguir ver alguma coisa da batalha que se desenrolava ao longe. Uma brisa vinda do sul balançava o tronco fino no qual eu estava empoleirado. Aquele ar, a uns nove metros de altura acima da aldeia, era o primeiro ar fresco que eu tinha conseguido respirar durante um dia inteiro de cheiro desagradável de sangue e morte. Fechei os olhos e deixei o vento me embalar para um lado e para o outro.

O clima no Sul do país era tão inconstante quanto o coração de uma moça. A brisa parou de repente e os mosquitos começaram a zumbir à minha volta. Estiquei o pescoço para olhar além da fronteira com o Vietnã, mas não conseguia ver nada além de um povoado distante ainda envolto na fumaça e ouvir tiros disparados esporadicamente. A batalha parecia ter se aquietado. Eu estava prestes a descer escorregando pelo tronco do coqueiro quando ouvi vozes que vinham da vegetação espessa que circundava o nosso vilarejo. Os soldados estavam voltando. Desci um pouco, deslizando pelo tronco. Escutei mais ruídos. Desta vez, ouvi gente falando a língua do Vietnã.

Estavam vindo para cá para nos matar! O que eu deveria fazer? Tinha que avisar *baba* e *mama*. Berrei com toda a força dos meus pulmões: "Os vietnamitas estão aqui! Fujam! Os inimigos vietnamitas estão aqui!", e continuei berrando sem parar. Escutei movimentos apressados no matagal. Alguém atirou, me atingiu no peito e quase me derrubou do coqueiro. Agarrei firme no tronco. Um outro tiro me atingiu na coxa, mas aquilo também não me fez parar. Continuei a gritar: "Os vietnamitas! Fujam!", mas a dor foi enfraquecendo a minha voz até ela ficar trêmula. Finalmente, acendeu-se uma luz que iluminou todo o destacamento militar.

Enfraquecido pela dor, soltei minhas mãos e caí de cabeça de uma altura de seis metros nos braços de um soldado vietnamita que me jogou no chão e encostou uma arma nas minhas têmporas.

— Seu encrenqueiro! — disse o soldado, trincando os dentes.

— Se disparar um tiro, isso vai denunciar a nossa localização. Podemos acabar com ele mais tarde. Vamos andando! — ordenou o comandante deles.

O soldado me deu um chute no estômago e eles se foram. Caído ali no chão, arfando de dor, ouvi um tiroteio próximo do destacamento e vi uma saraivada de metralhadoras pesadas faiscando na escuridão. Quase podia escutar meu pai e minha mãe gritando apavorados. Já tinha ouvido muitas histórias sobre os vietnamitas que cortavam fora as cabeças dos seus inimigos e as exibiam como troféus. *Baba*! *Mama*! Tentei me levantar, mas senti uma fisgada de dor como se uma agulha incandescente estivesse penetrando na minha coxa. Todas as minhas forças pareciam ter me abandonado, deixando-me mole de fraqueza. Como gostaria de poder atacar o inimigo com uma metralhadora e, com uma chuva de balas, fazer com que eles tivessem uma morte bem sangrenta... Mas não tinha sequer uma espingarda de madeira à mão e os poucos soldados que estavam dentro do posto militar não teriam nenhuma chance de vitória sobre os vietnamitas.

Num intervalo entre os tiros, ouvi gritos de desespero. Logo, as chamas lamberam o destacamento inteiro e se espalharam pelas vielas da minha aldeia, atingindo bosques e casebres próximos. O redemoinho de fogo ficou ainda mais intenso, alimentado pelos tetos de bambu, castigados por meses de seca, que ruíam em chamas, queimando-se um após o outro. O último a desmoronar foi o teto da escola. Os gritos das crianças foram abafados e amortecidos pelas chamas. Depois, houve uma explosão. A tenda onde meus pais estavam trabalhando voou pelos ares e os estilhaços caíam do céu noturno como restos de fogos de artifício. Em poucos minutos, tudo ficou em silêncio. Não se ouvia o som de nenhuma criança. E de nenhum adulto. Apenas o matraquear daquela língua horrorosa dos inimigos ecoava na noite silenciosa, acompanhado por tiros ocasionais.

Baba! *Mama*! Mordi os lábios para não gritar. Arrastei-me na direção do destacamento e ouvi passos que vinham na minha direção. Eles estavam vindo me buscar! Uma chuva de balas à minha volta não acertou a minha cabeça por apenas alguns centímetros. Levantei-me arrastando a perna ferida, mas não podia correr para muito longe e nem muito depressa. Como desejei encontrar um buraco no chão onde pudesse desaparecer como um rato da montanha... Um buraco no chão! Subitamente a esperança de sobreviver se acendeu dentro de mim. Lembrei-me de um antigo poço que ficava perto dali, semi-encoberto pelo mato. Agachei-me por entre a vegetação cheia de espinhos que batia na minha cintura e me arrastei o mais silenciosamente que pude até chegar à beira do poço. Afastando o mato que crescia escondendo sua abertura, encontrei a corda da vida, amarrada na alça do balde que era usado para pegar água lá dentro.

Havia muitas histórias aterrorizantes relacionadas ao antigo poço, incluindo a de que era o ninho e o viveiro de uma cobra muito antiga, mas nada era mais assustador e fatal do que as balas que passavam chispando e que continuavam a me perseguir.

Agarrei o balde e me atirei dentro dele. A corda rodou na polia. Depois do que me pareceu uma queda interminável, cheguei ao fundo com um espadanar de água. O balde virou de cabeça para baixo e mergulhei na água gelada que chegava até o meu pescoço. Alguns momentos depois, uma lanterna vasculhou a boca do poço e fiquei parado e quieto. Então, o barulho diminuiu e o silêncio me sepultou dentro da noite.

Segurei na corda coberta de musgo e tentei entrar no balde novamente, mas ele sempre virava e eu caía dentro d'água, que foi ficando cada vez mais fria à medida que a noite avançava. Eu tremia, e a minha única companhia na escuridão eram os sapos que de vez em quando pulavam de suas tocas escondidas em meio ao musgo. Um sapo gordo bateu com a barriga carnuda na minha testa, fazendo minha pele ficar arrepiada de nojo.

À meia-noite, a lua cheia subia lentamente para o meio do céu, lançando seu brilho diretamente para o fundo do poço. Que visão gloriosa! Senti-me mais aquecido apenas com o toque suave do luar. Como desejei que a lua ficasse ali para sempre! O pavor de voltar para a escuridão me animou a correr o risco de gritar novamente.

— Socorro! Tem alguém aí? Socorro!

Minha voz ecoava de volta, pequenina e fraca como uma flecha ao final de sua trajetória. Repeti meu grito umas dez ou vinte vezes até perder a conta, forçando minhas cordas vocais até o limite máximo. Infelizmente, a única resposta era a monótona canção de ninar que as cigarras e os insetos entoavam lá em cima, do lado de fora.

Será que estavam todos mortos lá fora? Será que eu era o único que tinha ficado para sofrer esta morte solitária? Senti as minhas forças se esvaindo e a dor na coxa aumentando. Segurei o cordão que o general tinha me dado de presente e que agora era a minha única esperança e o meu único conforto. Ele ainda estava ali comigo, pendurado rente ao pescoço, mas com uma nova mossa no centro. Minha medalha da vida. Obrigado, general. Ela me deu sorte conforme o senhor prometeu. Mas o que o está protegendo agora, meu general? Será que vou poder vê-lo novamente? Pressionei a prata fria de encontro aos lábios.

A lua deslizou para fora da abóbada celeste. A escuridão tomou conta de tudo. Eu sabia que se fechasse os olhos, no mesmo instante iria sofrer um colapso e adormeceria para sempre. A dor, o sofrimento, a fome e o frio deixariam de existir. Agarrei o meu precioso cordão ainda com mais força e, no meio da escuridão, comecei a ver o rosto do general sorrindo. "Se ele estivesse dentro deste poço o que faria?", fiquei imaginando. Iria lutar para se manter vivo em vez de morrer, porque era um homem de coragem. Mergulhei a cabeça na água fria para despertar e berrei mais um pouco. Continuei sem obter resposta. Por fim, encostei a cabeça no balde dependurado e adormeci.

Quando acordei novamente, já era dia e um cão estava latindo para dentro do poço. Olhei para cima sentindo muita dor e o vi farejando ativamente e puxando a corda que estava presa ao balde.

— Tem alguém lá dentro do poço — gritou um homem. — Tragam a escada de corda imediatamente.

A equipe de salvamento do Exército me encontrou e eu estava frio como gelo. Minha pele estava cinza-azulada. O único sinal de vida era o pulso fraco e a respiração leve e superficial. Fui cuidadosamente colocado numa maca acolchoada. Semicerrei os olhos para descansar, fraco demais para falar. Meus pensamentos tremeluziam ao longe, como num sonho. Vi gente se movimentando em volta de mim. Uma enfermeira cortou e rasgou minha roupa molhada, viu o ideograma gravado no cordão de prata que estava pendurado no meu pescoço e comunicou o fato a um general idoso e de cabelos brancos, que veio imediatamente para perto de mim e examinou o cordão com grande interesse.

— Esse cordão pertence ao meu genro — disse. O que esse menino está fazendo com ele?

— Deve tê-lo roubado — sugeriu um de seus homens.

Quis protestar, mas não tive forças para mover os lábios.

— Há uma esperança de que este menino saiba onde o general possa estar. Mande-o imediatamente para o hospital do Exército — ordenou o general.

Os pássaros cantavam ruidosamente do outro lado da janela. Uma brisa fresca entrou no quarto, fazendo dançar as cortinas. Lá fora, o jardim florescia com uma miríade de flores — rosas vermelhas, peônias rosadas, lírios brancos e girassóis amarelos que se curvavam para encarar o sol.

Onde estavam os coqueiros que tentavam alcançar o céu? Onde estavam as bananeiras que balançavam com a brisa da montanha? Onde estou agora?

Vi-me deitado no travesseiro mais macio e nos lençóis mais brancos e mais sedosos que jamais tinham tocado a minha pele. Havia uma grossa atadura na minha coxa e parecia que eu estava vivo pois olhava fixamente para uma moça bonita, vestida com a saia verde-oliva e a blusa branca do Exército. A pele de suas pernas era clara e macia, diferente da das mulheres da aldeia. Será que ela era de alguma cidade do interior? Ela segurou as minhas mãos entre as suas e seus grandes olhos sorriram carinhosamente para mim. Perguntei a mim mesmo se estava sonhando. Devo ter morrido e isso era o que existia depois da morte.

— Meu amiguinho! — disse a moça. — Você está salvo! Não tenha medo.

— Quem é você e onde estou?

— Você está na cidade de Qunming e aqui é o Hospital dos Oficiais do Exército.

— Qunming? — repeti. Eu me lembrava desse nome. Era a capital da nossa província. Uma vez, *baba* tinha me mostrado num antigo mapa onde ficava esta cidade.

— É, você está numa cidade grande agora. Lembra do que aconteceu na sua aldeia?

— Por que estou aqui?

— Aconteceu uma coisa terrível na sua aldeia — disse uma voz de homem.

Era a voz do velho general.

— Os inimigos vietnamitas mataram todos lá. Tiramos você de dentro de um poço.

— E o que aconteceu com meu *baba* e com minha *mama*? — perguntei, com as lágrimas escorrendo pelo rosto. — Eles puseram fogo em tudo, não foi? Meus pais morreram queimados, não foi?

— A maioria dos habitantes da aldeia não sobreviveu ao incêndio. Os poucos que escaparam fugiram para outras aldeias. Lamento profundamente — disse o velho general.

— *Baba... Mama...*

O céu desmoronou na minha cabeça. O quarto do hospital, que era bem iluminado, de repente ficou escuro e minha cabeça latejava de dor. Não conseguia parar de chorar. Quando acordei novamente, meu travesseiro estava encharcado e a enfermeira e o general ainda estavam na beira da minha cama, com um ar triste e preocupado.

— Está se sentindo melhor? — perguntou o general.

Balancei a cabeça.

— Onde meus pais estão enterrados?

— Estão junto com os outros habitantes da aldeia numa caverna nas montanhas onde há um olho d'água muito bonito.

Comecei a soluçar novamente, mas consegui me recompor. Eu era o único integrante da minha família que tinha sobrado. "Tenho que ser forte, em nome do *baba* e da *mama*", disse a mim mesmo.

— Você tem que me contar tudo o que sabe sobre o que aconteceu naquela noite — disse o general.

Lentamente, e com a voz embargada, contei a ele tudo o que sabia.

— O general Ding Long liderou um ataque-surpresa na fronteira. Eles ficaram fora o dia inteiro. A aldeia estava protegida por uns poucos soldados. Os vietnamitas tinham se escondido e nos atacaram pelas costas.

— O general atacou os vietnamitas primeiro? Ele tinha saído antes dos vietnamitas chegarem?

— Tenho certeza do que estou dizendo.

— Então, pode ser que esteja vivo — disse o velho general.

— Ele tem que estar vivo. É o homem mais corajoso e o general mais competente do nosso Exército. Mas por que está perguntando? Não sabem onde ele está?

— Não. Tememos que a esta altura ele possa ter morrido.

— Não, não pode ser! Ele me disse que ia invadir a cidade de Ho Chi Minh com o seu exército.

— Você o conhece bem?

Fiz que sim com a cabeça, estendendo a mão para tocar no cordão. Mas ele não estava mais no meu pescoço.

— Alguém pegou o meu cordão!

— Ele agora é propriedade do hospital, se é que é realmente seu — disse o velho general.

— Mas o general Ding Long me deu o cordão com a medalha de presente pouco antes de sair para a batalha. Juro pelos meus ancestrais.

— E por que ele daria isso a você? É uma herança de família.

— Porque... Porque... Isso eu não posso contar.

O general fez um sinal para a enfermeira e ela saiu imediatamente do quarto.

— Sou o comandante-em-chefe do Exército, da Marinha e da Aeronáutica da China. Guardar segredos faz parte do meu trabalho. Você pode me contar tudo.

— Ele é o meu pai — disse baixinho.

Ele ficou estupefato e perguntou, franzindo a testa:

— E como sabe disso?

— O mendigo da nossa aldeia me contou a história toda em troca de dois ovos cozidos. Ele me disse que eu era parecido com o general porque era seu filho. Ele viu o general e minha mãe juntos no bosque de bambus uma noite, depois da Festa da Primavera.

— E quem é a sua mãe?

— Ela era uma moça muito bonita, a flor da nossa aldeia. Mas morreu, atirando-se num despenhadeiro logo depois de me dar à luz.

Quando o velho general falou novamente, seu farto bigode grisalho tremia.

— Meu rapaz, ele não é seu pai. Você foi enganado. De hoje em diante, não vai contar esta mentira para mais ninguém.

— Mas não é mentira! Todo mundo na aldeia sabe disso!

— Morreram todos no incêndio e a mentira tem que morrer com eles.

— Mas não é mentira! O general gosta muito de mim! É por isso que me deu esse cordão, o senhor não está vendo?...

Inesperadamente, o velho general deu-me um tapa na cara e berrou:

— Ou você pára de dizer estas mentiras, ou vai morrer!

E saiu furioso do quarto.

Fiquei ali, confuso e amedrontado, segurando com a mão o meu rosto que ardia.

A enfermeira voltou trazendo uma bandeja onde havia um prato fumegante com carne, legumes, verduras e uma cuia de arroz. Minha fome apertou diante da visão daquela maravilha culinária. Ela se ofereceu para me dar a comida na boca, mas recusei. Ela ficou me olhando com os olhos arregalados enquanto eu engolia metade do que havia na bandeja em três grandes colheradas. Feito isso, despejei o restante na embalagem de plástico que cobria a refeição. Lambi a cuia até que ficasse completamente limpa e escondi a comida debaixo do meu travesseiro. Disse a ela que queria guardar aquela comida para a viagem, para onde quer que eu fosse banido, e implorei que me trouxesse mais. Logo depois, ela voltou com outra bandeja. Desta vez, havia uma montanha de arroz. Agarrei sua mão e a beijei em agradecimento. De novo, botei para dentro metade da comida e guardei o restante. Depois, agradeci à enfermeira efusivamente. Ela trouxe as minhas roupas e me ajudou a me vestir.

— Mas onde está o meu cordão, dona enfermeira? — perguntei, depois de revistar os bolsos.

— Não posso entregá-lo a você — disse ela.

— Mas por quê? Ele é precioso para mim!

— O general ordenou expressamente que eu o entregasse à enfermeira-chefe.

— Eu imploro à senhora, aquele cordão é uma herança do meu pai. Não me restou mais nada como lembrança dele.

— Pare com isso! Não posso ajudá-lo. Assim você vai me criar problemas.

Ela franziu a testa.

— A senhora é uma pessoa tão boa! Gostaria que fosse a minha mãe. Por favor, deixe-me ficar com o cordão!

Parece que os meus pedidos conseguiram amolecer o coração da enfermeira e então ela disse:

— Vou lhe mostrar onde ele está. Depois, o resto é com você...

— Obrigado — disse eu, fazendo uma reverência.

A enfermeira me conduziu pelo corredor até um escritório. Mostrou-me uma caixa e a abriu com a chave.

Fiquei escondido embaixo do balcão enquanto ela devolvia a chave para a enfermeira-chefe, e depois ia embora para casa. Quando um paciente de outro quarto solicitou os cuidados da enfermeira-chefe, peguei rapidamente o meu cordão dentro da caixa e voltei correndo para a minha cama.

Capítulo 6

1972
BEIJING

Todos os dias eu tinha que passar pelo crivo das solicitações e expectativas dos meus dois avós. De manhã, ligava para o meu avô banqueiro para discutir assuntos financeiros e à noite, consultava o meu avô general sobre questões militares e outros acontecimentos mundiais que tinha lido no jornal daquele dia.

Aos 12 anos, já tinha montado a minha própria biblioteca. Minha coleção de livros incluía desde leituras estimulantes até títulos mais profundos e filosóficos. *A arte da guerra* era um livro que eu folheava repetidamente. Outro era a versão traduzida de *David Copperfield*, do escritor inglês Charles Dickens. No primeiro, descobri que a sabedoria de Sun Tzu tinha muitas aplicações na vida prática. No segundo, senti grande afinidade com a vida solitária de David. Havia algo de belo numa vida marcada pela tragédia. Eu ansiava por encontrar a minha Emily. Comecei a ver as meninas de um jeito diferente, mas descobri que todas não passavam de pirralhas mimadas, com exceção de uma menina magra e quase bonita, chamada Lili, filha do atual ministro da Agricultura, recentemente promovido e transferido de seu posto na longínqua província de Fujian, o que explicava o sotaque sulista e as roupas simples e feitas em casa que ela usava. Quando um professor lhe fazia perguntas, suas respostas também eram simples e claras, como seus grandes olhos. Lili era uma verdadeira excluída da sociedade e eu me sentia loucamente atraído por ela.

Quando ficava entediado com as lições dos professores, tapava os olhos com as duas mãos e espiava Lili por entre as frestas dos dedos. Ela tinha o nariz empinado e elegante e o queixo altivo, comprido e pontudo. Seus olhos ficavam bonitos quando sorria, parecendo duas flores tímidas ainda em botão, meigos e sonhadores. Seu cabelo descia até a cintura numa longa trança presa por um elástico comum em vez dos habituais laços coloridos. Seu pescoço era longo como o de um cisne, parecendo uma rainha que eu tinha visto uma vez num livro ilustrado. Seu silêncio era alto e eloqüente. Quanto mais eu olhava, mais bonita ela se tornava.

Quando nos encontrávamos no corredor, eu ficava nervoso e com as pernas bambas. O pior e o melhor momento aconteceram quando, na tenra idade de 11 anos, sonhei com Lili uma noite, um sonho que culminou num orgasmo suado e assustador que me deixou perturbado pelo resto das longas horas escuras transcorridas até o nascer do sol.

O ano de 1972 estava sendo difícil para a população do sudeste da China, na região da província de Fujian. Uma chuva torrencial de quatro meses rompeu a represa, destruiu as casas e fez apodrecer as colheitas. Centenas de milhares de pessoas morreram de cólera e de fome e outros milhões morreriam também se não fossem socorridas. Todos os dias corriam boatos de canibalismo. O presidente Mao ficou paranóico com a situação. Uma multidão faminta era uma multidão perigosa. A ordem que foi passada para os seus homens de confiança era simples: "O povo tem que ser alimentado, senão vai nos comer vivos."

Vovô Long, o todo-poderoso presidente do Banco Central que tinha estudado em Oxford, elaborou imediatamente um plano para emitir um bilhão em títulos do governo, a fim de socorrer as províncias inundadas. Num país com renda limitada e sem espaço para gastos inesperados, meu avô tomou uma resolução para toda a nação. Um percentual da renda foi automaticamente deduzido dos salários dos funcionários públicos, que representavam 80% da população total da China, para este Fundo Patriótico, como foi chamado. E assim, levantou-se facilmente uma verba de um bilhão de iuanes.

Uma noite, não muito depois da emissão dos títulos em todo o país, perguntei ao vovô Long:

— Qual é a garantia que o governo dá para o Fundo Patriótico?

Vovô franziu as sobrancelhas e respondeu orgulhosamente:

— A chancela do Banco da China com a minha assinatura. Enquanto eu estiver vivo, esses títulos valem tanto quanto ouro.

Balancei a cabeça afirmativamente e não toquei mais no assunto. Perguntei ao meu avô sobre os títulos porque ninguém parecia levar os certificados a sério. O povo não acreditava na promessa do governo de que o dinheiro seria restituído integralmente ao término do longo prazo de carência. Na escola, as crianças brincavam com os certificados originais, fazendo de conta que eram cartas de baralho e trocando-os por brinquedos bobos e sem valor.

No dia seguinte, esvaziei o meu cofrinho que ficava em cima do piano, juntei os meus trocados e, com o dinheiro, comprei uma sacola cheia dos brinquedos mais cobiçados pelas crianças e os levei para o vestiário da escola. Coloquei um pequeno anúncio no quadro de avisos dizendo que estava trocando os títulos por brinquedos de qualidade. Choveram títulos na minha mão. Os meninos e meninas recolheram os certificados com seus pais e os trocaram comigo. A reação foi tão boa que comecei a ir de bicicleta para fora da escola para efetuar trocas com as crianças na rua. Cheguei a contratar alguns amigos da escola e mandei-os visitarem os bairros da cidade, pagando-os com brinquedos. Durante os três meses seguintes, fiquei tão envolvido nesta empreitada que minhas aulas de piano ficaram prejudicadas, mas a cada dia que passava minha mochila ficava cada vez mais cheia com certificados do fundo, que eu guardava cuidadosamente num baú de mogno, escondido debaixo da minha cama.

Todas as noites, antes de dormir, atualizava meu livro de contabilidade com uma caligrafia caprichada. Em seguida, caía no sono com um sorriso e sonhava sobre como iria usar o dinheiro quando os títulos fossem resgatados. Mentalmente, fazia planos de viagem. Uma das minhas viagens prediletas era para o mar azul do Caribe — para as ilhas mágicas cheias de sol e habitadas por piratas dos quais vovô Xia sempre me falava. E tinha também os Estados Unidos — as montanhas Rochosas, o parque Yellowstone e o grandioso Alasca. Em meu coração havia também a ambição de estudar numa das universidades americanas da Ivy League. Oxford estava fora de moda — a América do Norte era o lugar do momento: Harvard, Yale ou Columbia. Consultei a expressão Ivy League no dicionário — as oito universidades mais prestigiadas dos EUA — e fiquei plenamente convencido de que, se eu quisesse ser alguém no mundo, e não apenas na China, teria que me matricular numa dessas grandes universidades.

Todos estes sonhos eram embalados pelo dinheiro que caminhava lentamente em direção à data do resgate a cada segundo que se passava. Que idéia maravilhosa: fazer dinheiro enquanto estamos dormindo ou brincando. De acordo com as palavras impressas no verso dos certificados, e que àquela altura eu já sabia de cor, os títulos poderiam ser resgatados no prazo de sete anos. Eu havia adquirido cada título com o valor de um dólar pelo preço de um centavo. Isso geraria um lucro fenomenal que multiplicaria o investimento por cem. Analisando as séries históricas de títulos que meu avô mantinha em sua biblioteca, o meu retorno seria o maior da história de todos os títulos que já tinham sido emitidos. Marquei cuidadosamente a data no meu pequeno calendário, 1º de maio de 1979 — o dia em que iria oficialmente me tornar um milionário em títulos. Deslumbrado com este pensamento, toquei Chopin especialmente bem para a minha mãe, surpreendo-a e comovendo-a até as lágrimas.

Aos 12 anos, Lili, a menina de Fujian, tinha se transformado numa moça cheia de vivacidade, que regia o coral da turma, dirigia a equipe de dança e estava pau a pau comigo em todas as matérias, exceto em matemática, na qual eu era o campeão invicto. Minhas tentativas de atrair a atenção da garota de pernas compridas não tinham sido bem-sucedidas até então. Ela nem sequer olhava na minha direção e estava constantemente rodeada por suas amigas. Era inatingível como a lua e fria como um lago no outono. Eu estava mais apaixonado do que nunca.

E então, um dia, eu a flagrei lançando-me uns olhares. Ondas elétricas se espalharam pelo meu corpo. Naquela tarde, na aula de educação física, a turma foi remar num lago próximo. Aleatoriamente Lili e eu fomos escolhidos para formar uma dupla. Íamos dividir um pequeno barco e competir com os outros.

O lago, que ficava num lindo subúrbio de Beijing, era cheio de gansos, tinha altos salgueiros plantados em sua borda e era rodeado por infindáveis campos de trigo. Quando nos sentamos no barco, Lili sorriu constrangida. Meu coração estava na garganta. Mal conseguia respirar. Nunca tinha me sentido tão quente, nem estado tão perto dela antes daquela ocasião. Com os seios despontando, a cintura fina, o cabelo comprido e ondulante e grandes olhos expressivos, ela era ainda mais bonita vista de perto. Eu podia sentir o cheiro de limpeza que ela exalava.

Ficamos sentados um ao lado do outro em silêncio, esperando que todos estivessem prontos. Então, o professor de educação física apitou e todos começaram a remar cegamente, chapinhando na água do lago e enxotando os gansos. Tentando impressionar Lili com minha destreza, eu remava feito um louco. Mas Lili batia com o remo de um jeito preguiçoso e deliberadamente fora do ritmo. Nosso barco ficou para trás, na esteira da dupla mais fraca que havia na água.

— O que está acontecendo? Ande! Mais rápido! — gritei.

— Não posso — disse ela sorrindo.

Por mais que eu tentasse impulsionar o nosso barco, estávamos vinte metros atrás de todo mundo.

— Você está se sentindo bem? — perguntei.

Lili apenas balançou a cabeça e seu cabelo esvoaçou no vento. Todos os barcos dobraram uma curva, desaparecendo de vista. Subitamente, Lili virou-se e me encarou.

— Há muito tempo que ando querendo fazer isso, Tan — disse ela, enroscando uma mecha de cabelo no dedo. — Por favor, deixe-me fazer uma coisa.

Ela se inclinou e me beijou na boca.

Seus lábios tinham o gosto de uma rosa com a fragrância do verão. Deixei o remo cair na água e a abracei. Ela se deixou levar, entregando-se por um segundo. Depois, me afastou, rindo, e pousando seus braços compridos sobre o peito. Meus olhos ainda estavam fechados, num prolongamento daquele momento celestial, quando Lili deliberadamente balançou o barco, lançando-me dentro da água fria. Feliz, ela soltou uma gargalhada vibrante. Inclinei o barco para que fosse então a vez de Lili cair. Nós nos abraçamos dentro d'água, mais próximos um do outro do que nunca, até que o professor viesse remando, ofegante, para nos socorrer.

Durante o resto do semestre, meu coração estava o tempo todo com Lili. Tudo o que eu fazia era para ela. Eu lhe escrevia canções e cartas de amor, às quais ela respondia com palavras simples e breves, que continham mais acidez do que doçura. Em público, fingia não me conhecer. Ela me deixava segurar sua mão apenas quando estávamos a sós. Suas observações eram sempre críticas, nunca elogiosas ou agradáveis, muito menos amorosas.

Às vezes, a misteriosa Lili me deixava bastante desnorteado; sentia-me tão solitário e magoado por não poder me aproximar dela, que chorava de madrugada, sem conseguir pegar no sono. Ficava imaginando que ela poderia estar namorando algum menino mais velho, alguém mais ao seu gosto, ou que depois daquele primeiro abraço ela simplesmente não tivesse ficado com uma boa impressão de mim.

Pedi aos meus amigos que a seguissem depois da aula. Os relatórios que me trouxeram foram coerentes. Lili morava na casa do ministro da Agricultura e tinha uma professora particular de dança, com quem fazia balé depois da escola. De manhã, sua professora de canto a acompanhava no jardim e suas canções suaves enchiam de tranqüilidade aquela parte de Zhong Nan Hai.

Enquanto aquele meu agridoce primeiro amor me deixava frustrado, minha popularidade entre meus colegas na escola permanecia em alta. Eu era o capitão do time de futebol e o único a ter um pôster de um craque no quarto — Pelé, do Brasil. Também era o chefe de uma das equipes de debates e tinha derrotado o filho do ministro presidente do Supremo Tribunal. O tema específico daquele debate tinha sido o futuro econômico da China. A equipe adversária argumentava que a lei deveria ser suprema no país, mas o meu argumento vencedor derivou da famosa "lei do mais forte" de Darwin. No feriado nacional de primeiro de outubro, toquei "A ode ao rio amarelo" para a escola inteira no velho piano Steinway do auditório e fui ovacionado de pé. No final da apresentação, Lili estava me esperando na coxia.

— Será que a gente pode dar uma volta? — perguntei.

Lili ficou em silêncio e fez levemente que sim com a cabeça. Aliviado, peguei a sua mão e fomos correndo para uma área perto da escola onde havia um bosque. A noite tinha caído há pouco e a lua era uma perfeita bola de fogo que pendia baixa no horizonte.

— Sabe... tenho esperado muito por esse momento. Não é maravilhoso esse lugar aqui? Eu poderia compor uma música só por causa desse passeio — disse eu. — Olhe, estamos perturbando os pássaros.

Agucei os ouvidos para ouvir o canto solitário de um pássaro.

Lili voltou-se para mim e sorriu.

— Você está bonito, especialmente nessa luz.

— Você quer dizer na luz do luar?

— É a hora do dia de que mais gosto.

— Eu também. Vamos ficar mais um pouco, então.

— Não posso.

Lili parou e, apertando os olhos, admirou pensativa o disco redondo da lua.

— Minha mãe não deixa. Concordei em passear um pouco com você porque preciso saber de uma coisa antes que a nossa amizade tome outro rumo.

— Você ficou séria de repente.

— Fiquei mesmo. É que a gente vive num mundo muito esnobe.

— Esqueça o mundo. O que isso tem a ver com a gente?

— Não sou filha do ministro da Agricultura — declarou Lili.

— Quer dizer que o seu pai renunciou ao cargo?

— Ele não é meu pai. Moro naquela casa porque a minha mãe é empregada doméstica e trabalha lá. Viemos junto com eles para a capital porque a família do ministro tem muita confiança na gente.

— Mas não pode ser. Você tem o mesmo sobrenome dele.

— Isso é apenas uma coincidência. Vinte e cinco por cento das pessoas de Fujian têm o sobrenome Chen.

— Tudo bem.

— Tudo bem, o quê? Por que você não volta agora correndo para a sua família rica e me deixa em paz?

— Não, não vou fazer isso.

E o que pretende fazer?

— Vou me casar com você quando a gente tiver mais idade.

— Não tenho certeza se quero me casar com você.

— O que quer dizer com isso?

— Na casa do ministro, pessoas como você e eu não se sentam na mesma mesa. Não somos da mesma classe social. Sua mãe pianista e seu pai general vão lhe dizer a mesma coisa.

— Isso é bobagem. Meu avô, pai da minha mãe, veio de uma família bem pobre, muito mais pobre do que a sua. Pelo menos você mora numa casa que tem aquecimento e comida na mesa.

— Seu avô pode ter sido pobre um dia, mas agora vocês são ricos e poderosos. Não querem mais conviver com os pobres. É o que acontece com quem sobe na vida.

— Você me odeia, então?

— Odeio, e muito.

Seus olhos se acenderam com uma luz maliciosa. Ela beliscou o meu braço e se apoiou no meu ombro.

— Você me ama, então? — perguntei.

— Não ouso fazer isso. Vejo apenas uma tragédia diante de nós.

— Adoro tragédias. É a única coisa que me emociona.

— Você é idealista demais. Tem que se casar com uma moça que possa ajudá-lo na sua carreira como futuro líder desse país. Alguém com muito dinheiro ou muita influência. Veja bem: na sua família você tem o lado financeiro e o militar. Devia se casar com a filha mais velha e solteirona do ministro da Marinha e ter como amante a filha mais nova do ministro da Aeronáutica. Você seria o presidente do país em dois tempos.

Lili estava sendo cruel.

— Não, Lili, vou me casar com você, prometo. Tenho talento e ambição suficientes para não precisar de todas essas influências para ser bem-sucedido na vida. Vou me casar com a pessoa que amo, e não com quem meus pais escolherem. Aliás, já sou, a esta altura dos acontecimentos, o milionário mais rico deste país e o mais jovem também.

— Isso é óbvio, já que o seu avô é o presidente do Banco da China.

— Não, sou milionário por meus próprios méritos. Por um preço baixíssimo, comprei títulos do Fundo Patriótico num montante de um milhão de iuanes e uns quebrados. E tenho plena confiança de que o Banco da China vai honrar o compromisso quando chegar o prazo do resgate.

Lili riu.

— Nas ruas de Fujian, as crianças limpam a bunda com esses papéis e os buracos nas ruas estão cheios deles.

— Não ria, Lili. Dinheiro é um assunto sério. O nosso país agora está vivendo uma época em que não existe bolsa de valores, nem títulos do tesouro nacional, nem passivos contratuais. Um dia, vamos ser como o resto do mundo, como os Estados Unidos. Títulos e ações vão ser como pão e manteiga para o nosso povo.

— Esse dia nunca vai chegar. Mas vamos supor que você seja realmente um milionário. O que pretende fazer com o seu dinheiro?

— Comprar um banco.

— E pelo resto da vida vai ser como o seu avô que fica no fim do dia contando dinheiro?

— Não, isso são apenas os meios para se chegar a um fim.

— E qual é o fim?

— Vou criar um império financeiro na China como o J.P. Morgan.

— Mais uma vez, está apenas pensando em dinheiro.

— Claro, é o dinheiro que vai mudar esse país, e não o marxismo. E então, quando todos tivermos mais dinheiro, a vida vai ser melhor e a miséria e a fome vão deixar de existir.

Ela soltou um suspiro.

— É... você de fato pensa como um líder.

— Isso é um elogio?

Lili mordeu os lábios e aninhou-se nos meus braços.

— Queria que o tempo parasse e que pudéssemos ficar para sempre desse jeito.

— Eu também.

Lili pôs seu dedo fino sobre minha boca para me fazer calar. Abracei-a fortemente, desejando nunca mais deixá-la ir.

No dia seguinte, na hora do jantar, mamãe estava calada e mal mexia seus pauzinhos. Quando mamãe ficava calada assim, era das duas uma: ou estava com enxaqueca ou muito aborrecida. Quando ficava chateada com papai ou com qualquer outra pessoa da casa, ela não saía do quarto por vários dias ou ficava martelando alguma música clássica européia bem triste no piano que ficava ao lado, na sala de música. Quando o alvo da sua raiva era eu, não prendia o cabelo e não se maquiava. Infelizmente, ela hoje estava com a cara lavada e seu cabelo estava solto, caindo pelas costas.

— Mamãe, coma um pouco. Sua comida está esfriando — sugeri.

— Mamãe não está conseguindo comer. Tem uma coisa apertando o meu coração — disse ela num tom sombrio.

Aquilo não estava me cheirando nada bem. Ela tirou do bolso um bilhete escrito à mão.

— Cartas de amor aos 12 anos? Eu nunca tinha ouvido falar numa desgraça dessa. Como você me explica isso, Tan?

Ela tinha interceptado uma carta de amor da Lili.

— Ela me escreveu uma carta de amor? — exclamei, estendendo a mão para pegar a carta.

Mamãe afastou minha mão com um tapa.

— Essa menina não serve para ser sua amiga. Ela é filha adotiva de uma empregada doméstica na casa do ministro. Meu filho, nos seus ombros repousa a esperança e a glória de duas das famílias mais importantes deste país. Você está sendo treinado para se tornar um líder. Sabe o que isso significa?

— Sei — respondi, encolhendo-me na cadeira.

— Não sabe, não. Seus dois avós vão ficar muito decepcionados e seu pai nunca vai perdoá-lo se fracassar. Quando ele era jovem, foi sempre o melhor em tudo o que fez. Você está freqüentando o mesmo colégio que ele freqüentou e onde há inúmeras placas em homenagem a ele penduradas em todas as paredes. Muitos dos professores dele ainda estão lecionando lá. Você vai ter que superá-lo, senão isso vai ser uma desonra para ele. Essa história com essa menina tem que acabar imediatamente.

— Sou livre para escolher o que fazer da minha vida e quem são os meus amigos.

— Não é, não senhor! Não aqui nesta casa!

Subi correndo sem terminar de jantar. Papai veio ao meu quarto mais tarde e me disse que, na China, se eu quiser ser considerado um homem sério, não devo paquerar ou me encontrar com meninas na minha idade. Os homens constroem coisas e governam o mundo. As mulheres eram apenas objetos decorativos e eu não deveria me preocupar tanto por causa de uma simples menina. O amor era apenas uma ilusão. Concordava com mamãe: quando eu fosse um homem feito, deveria me casar com a pretendente mais adequada, alguém que tivesse beleza, riqueza e poder... alguém que preenchesse todos esses requisitos. Sentindo muita raiva, retruquei que não precisava disso. Papai me disse que eu iria entender melhor essa questão quando crescesse e ficasse mais sabido. Saiu do meu quarto e passei a noite toda pensando em Lili.

Fui me arrastando para a escola no dia seguinte e não vi em lugar nenhum a saia vermelha de Lili. Na aula de teatro, minha favorita, na qual eu estudava e ensaiava junto com ela, o professor de óculos leu a lista de chamada, mas um nome estava faltando. Levantei a mão.

— Professor, o senhor esqueceu de chamar o nome da Lili.

— Não esqueci, não. Ela foi transferida a partir de hoje.

Os alunos começaram a murmurar.

— E para onde ela foi transferida?

O professor balançou a cabeça.

— Vamos continuar com o terceiro ato da peça.

Normalmente, àquela hora, meus olhos encontrariam os de Lili e sorríamos um para o outro. Mas agora ela não estava mais ali. Eu sabia muito bem que eram os braços de polvo da minha mãe que estavam penetrando no meu território. Conhecia muito bem a minha mãe. A essa altura, Lili deveria estar aguardando a partida dentro de algum trem na estação de Beijing. Sua mãe deve ter sido despedida da casa do ministro. Eles iriam arrumar uma outra empregada para botar no lugar dela e, no que dependesse da minha mãe, Lili iria sumir da face da terra.

Naquele fim de semana eu completaria 13 anos. Com a ajuda dos seus amigos e conhecidos da alta sociedade, mamãe transformou a nossa mansão numa terra encantada em dia de festa. De manhã cedo, o motorista me levou ao alfaiate para que ele me fizesse um terno novo, estilo Mao, com a melhor lã da província de Xinjiang. Depois, fui levado ao barbeiro particular do vovô Long, treinado nas luxuosas barbearias da velha Xangai. Entrei todo desalinhado e saí de lá caprichosamente arrumado e penteado, com o cabelo repartido do lado. As moças que lavaram o meu cabelo fizeram uma massagem tão gostosa e agradável na minha cabeça e nos meus ombros que acabei entendendo porque, toda semana, o vovô Long demorava uma tarde inteira de sábado para lavar, cortar e pentear o cabelo.

Quando a limusine chegou em casa ao meio-dia, conforme o horário estipulado por mamãe, havia uma dúzia delas estacionadas no pátio de entrada. A casa estava repleta de música. Mamãe estava sentada ao piano Steinway de cauda com um belo tenor ao seu lado. Devia haver mais de cem convidados acompanhados de suas filhas, todos amigos de mamãe. Tímidas e risonhas, a maioria das garotas tinha a minha idade. Também muito sorridentes e me analisando de longe, havia uma dúzia de meninas mais velhas do que eu. Todas usavam belas saias e tinham enormes borboletas aplicadas nos cabelos cacheados.

Quando cheguei, mamãe começou a tocar e cantar o "parabéns pra você", com todos os convidados participando da cantoria. Papai, vestido informalmente, fumava seu charuto, próximo ao piano. Foi então que uma professora de dança pôs uma fita cassete no gravador e nos ensinou a dançar valsa. Primeiro, ensinou os passos a todos em grupo, depois me puxou para dançar com uma menina mais velha e mais alta do que eu que tinha um sorriso meigo e um busto proeminente que me fazia ficar com a respiração curta a cada passo que dava. Fomos forçados a rodopiar pelo chão encerado sob as lâmpadas decorativas e os papéis coloridos. De início me senti meio sem jeito, mas a menina alta, que era uma dançarina de mão cheia, foi me guiando e sorriu quando pisei algumas vezes no seu pé. Ela me fez sentir confortável e confiante e a dança acabou fluindo direitinho. Ao final da primeira dança, ela se apresentou e me disse o seu nome: Sha-Sha. Seu pai era o maestro titular da Filarmônica Central da China e ela estava atualmente estudando balé no renomado Conservatório de Música. Sua cintura era muito fina, suas pernas eram compridas e ela tinha um par de seios redondos e protuberantes que estavam comprimidos por baixo de um sutiã transparente. Não pude evitar ficar com os olhos fixos neles.

Mamãe sorria e papai bebericava uma taça de vinho. Vovô Long apareceu para participar da dança. Ele era o máximo! Todas as meninas queriam dançar com ele. Vovô me desejou um feliz aniversário e me deu de presente um grande embrulho. A festa, organizada por minha mãe, foi um sucesso, e ela estava feliz. Fez com que eu dançasse com uma dúzia de meninas que estavam à espera. Tocar em seus corpos em desenvolvimento e lembrar do perfume exalado por elas me fez ficar com os olhos fixos no teto do meu quarto até tarde da noite. Sentia-me meio confuso e muito excitado. Quando a festa terminou, minha mãe me disse que eu podia fazer amizade com qualquer uma daquelas poucas meninas selecionadas que foram convidadas. Ela tinha preparado uma lista com os nomes de todas, com fotos anexadas para referência fácil e rápida, juntamente com seus endereços e telefones e, é claro, o nome de seus pais importantes. Para falar a verdade, eu me senti melhor depois de ter conhecido as garotas na festa e tinha gostado de tê-las conhecido, mais do que pude admitir abertamente para os meus pais. Mas, no final das contas, só conseguia pensar em Lili. Um dia, voltaria a encontrá-la e faria dela a minha mulher para sempre e ninguém iria tirá-la de mim.

AQUELE INVERNO EM QUE PAPAI voou para o sul e retornou ao seu posto em Balan foi marcado por uma grande apreensão. Pouco depois do Ano Novo, recebemos um telegrama relatando uma situação crítica ocorrida na fronteira da China com o Vietnã. Houve um ataque ao país vizinho, mas alguma coisa tinha saído errado e papai estava desaparecido. Mamãe tentou esconder a notícia de mim, mas sua angústia e seu olhar assustado denunciaram a sua preocupação. Insisti em descobrir a verdade, sentindo que algo estava terrivelmente errado — já que eu não tinha recebido o meu telefonema habitual de Ano Novo do meu pai —, mas mamãe fechou-se em copas. Foi só por intermédio de um soldado que vim a saber da gravidade da situação. Papai tinha desaparecido em combate. Havia a possibilidade de ele ter sido morto pelos vietnamitas. Vovô Xia pegou um avião para o Comando do Sudoeste a fim de encontrá-lo.

Durante vários dias, mamãe e eu, junto com vovô Long, ficamos esperando por qualquer notícia vinda do sul do país. Mamãe estava louca de preocupação quando o telefone finalmente tocou no dia nove de janeiro, de manhã cedo. Era o próprio papai. Tinha caído numa emboscada perto da cidade de Ho Chi Minh, mas conseguiu sobreviver escondendo-se numa caverna. Apesar da maior parte de seus homens ter sido exterminada, eles ainda assim conseguiram infligir um severo golpe no bloqueio inimigo.

O governo aclamou meu pai como herói, como um verdadeiro soldado que pôs sua vida em risco pelo seu país e pelo presidente Mao. Numa caligrafia floreada, o próprio presidente escreveu os dizeres "Espírito heróico que empalidece o céu" numa placa em honra a papai, sobre a qual mamãe cuspiu, depois que o soldado que a entregou havia se retirado.

Há muito tempo que eu detestava aquele lugar chamado Balan. Para mim, aquela era uma zona indefinida e sinistra, marcada pela proximidade do inimigo. O Sul, os mosquitos, o inimigo desconhecido, as dores de cabeça de mamãe e a ausência de papai: Balan era um lugar do qual raramente falávamos, era o dever que papai tinha que cumprir e que o mantinha afastado, como se tivesse uma outra família mais importante do que a nossa. Desejei muitas vezes poder estar lá com ele e seus bravos soldados, lutando e bebendo aquela cerveja que ele trazia do Sul para o vovô Xia. Também sentia uma ponta de inveja ao ver os olhos de papai se iluminarem quando ele contava histórias das danças do Festival da Primavera — tudo soava muito romântico e cheio de liberdade.

Agora, Balan não existia mais. O posto da fronteira seria comandado por outro bravo general, pois papai havia sido promovido pelo presidente Mao ao cargo de subcomandante do Comando Militar Central de Beijing.

A única coisa que mamãe comentou foi que já não era sem tempo.

Shento

山头

CAPÍTULO 7

1972

FUJIAN, SUL DA CHINA

UM JOVEM SOLDADO LEVOU-ME de jipe à estação ferroviária de Qunming e me pôs dentro de um trem de carga. Ele me disse que eu iria para uma escola do Exército em Fujian, a província que fica no litoral leste do país, e jogou meus poucos pertences dentro do compartimento, logo depois de eu entrar nele.

Sentado no vagão de carga entre pedaços de carvão, no estômago da besta de ferro, senti-me abandonado por todos — por *baba*, por *mama* e pelo general Ding Long. A incerteza do meu futuro me amedrontava. Quando o maquinista veio me inspecionar, fiz uma reverência para aquele homem alto, bigodudo e com sotaque de nortista. Sentia que tinha de ser simpático com qualquer um que cruzasse o meu caminho, agora que estava sozinho no mundo. As ondas de tristeza viriam mais tarde, mas tudo o que eu estava sentindo naquele momento era o frio cortante da realidade e a áspera necessidade de sobreviver. Na minha imaginação, eu me via com o corpo mole, bambo e fraco, como uma marionete sendo manipulada pelas mãos do destino. Iria para onde me mandassem. Não tinha escolha. Mas conseguiria superar as dificuldades. *Baba* e *mama* me criaram para que eu fosse capaz de ficar sozinho numa terra desconhecida e conseguir sobreviver.

Eles cuidaram de mim para que eu pudesse, um dia, ser um homem. E esse dia era exatamente hoje.

O trem parecia uma metáfora do meu destino: podia me levar para qualquer lugar que existisse no mundo, atravessando planícies, subindo montanhas, costeando o litoral, vencendo longas distâncias e indo ainda mais além.

"Tenha coragem", disse a mim mesmo. "Segure firme as rédeas e vai dar tudo certo." Apesar dos pesares, tinha gratidão pelo velho general, o homem que havia me dado um tapa na cara e que estava me enviando para o colégio militar. Decidi encarar aquilo como uma oportunidade. Jurei dar o melhor de mim e fazer jus ao meu nome, cujo significado é "topo da montanha".

A locomotiva lançou um longo guincho que pareceu rasgar o céu em pedaços. Se eu soubesse que nunca mais veria a minha querida Balan novamente, teria pulado fora do trem, me ajoelhado e beijado o chão para sentir o gosto do solo da minha terra natal pela última vez.

Esperava retornar um dia e plantar um pinheiro sagrado em memória de *baba* e de *mama* para prolongar a presença deles na Terra.

As lágrimas me cegavam os olhos quando o trem saiu da estação. As cidades e as vilas iam ficando para trás rapidamente, as montanhas passavam voando, a velha Balan se perdia na distância como uma miragem flutuando numa nuvem por entre as palmeiras, os mamoeiros e as florestas de mangueiras. E então, finalmente eu os vi — os rostos enrugados de *baba* e *mama*. Eles sorriam para mim e se despediam com os olhos cheios de sabedoria. Sabiam para onde eu estava indo e estavam felizes por mim. Seus rostos seguiram o trem, viajando no ar comigo até a luz se esvair e o dia virar noite.

Viajei naquele trem durante cinco dias, antes de chegar à remota província de Fujian. Quando espiei pelas frestas da porta do trem, não havia mais terra. Um vasto oceano estava à minha frente. Era a minha primeira visão do mar. Para meu jovem coração, o oceano continha a grande promessa de todas as possibilidades, como as montanhas próximas a Balan. Agora eu estava indo para outra escola. Talvez um dia me tornasse soldado, e talvez — apenas talvez — chegasse até a ser um general. E o que era um general sem os milhares de navios de guerra para atacar e conquistar continentes longínquos? Para me receber, as mulheres se postariam na praia e haveria salvas de tiros de canhão. Puxei pela memória, recapitulando as aulas de geografia. Aquele devia ser o Oceano Pacífico, o fim do mundo. Que sorte a minha por ter nascido no sopé do Himalaia e ter podido ver, numa só vida, aquela extraordinária cadeia de montanhas e este mar infinito. Estava fascinado com o que poderia haver abaixo da superfície resplandecente da água. Como desejava conhecer as águas escuras desse Oceano Pacífico tão bem quanto conhecia as grandes montanhas da minha terra e os muitos segredos que elas escondiam! Como desejava conhecer as formas de vida que existiam debaixo daquela água, do mesmo modo como conhecia o canto dos pássaros das montanhas e os sons dos macacos da floresta!

A viagem tinha chegado ao fim. Diante de mim, estendia-se uma faixa solitária de terra, projetando-se mar adentro. Alguns prédios cinzentos se espalhavam na ponta da península, cercados por um muro alto e ameaçador. Um motorista mal-encarado veio me apanhar num caminhão enferrujado e me deixou na sala do diretor, escondida no lado oeste do campus coberto pela folhagem. O diretor era um homenzinho de um metro e meio que usava óculos de lentes grossas. Parecia mesmo bem pequeno sentado atrás de sua enorme mesa de mogno, mas aquela monstruosidade com muitos ornamentos entalhados lhe conferia um ar de autoridade.

— Mais um superdotado. Jovem demais para morrer e velho demais para mudar.

O diretor balançou a cabeça e suspirou.

Escolhi uma cadeira e me sentei.

— Não mandei você sentar, mandei? — ralhou o diretor. — Faça apenas o que mandarem você fazer, nem mais, nem menos. Vai ter que seguir esta regra de agora em diante. Sabia que apenas dez anos atrás os homens que chegavam aqui nunca saíam vivos? — disse ele, sem muita expressão na voz.

Pulei da cadeira onde estava sentado.

— Não pretendo morrer aqui. Quero ser um general.

— Dei licença para que falasse, meu jovem? Segunda regra: nunca diga nada antes de alguém se dirigir a você. Entendeu bem?

Trincando os dentes, fiz que sim com a cabeça.

O diretor soltou um berro e um guarda enorme apareceu.

— Leve-o ao quarto 1.234.

Virou-se para mim e acrescentou:

— Você vai gostar do seu colega de quarto. Eu cuido para que todos vocês fiquem agrupados como num casamento perfeito. Você vai entender o porquê.

Meu quarto era um cubo de nove metros quadrados e ficava no final de um corredor no segundo andar de um prédio retangular. Dentro dele havia um beliche que rangia. Duas pequenas escrivaninhas, com cadeiras de madeira, estavam encostadas na parede do lado direito. Naquela luz fraca, o quarto me lembrava um cemitério lúgubre e antigas cavernas entocadas nas montanhas. O guarda me disse para eu ficar atento ao apito que tocava na hora do jantar. Disse também que se eu chegasse um minuto atrasado, ficaria do lado de fora e passaria fome até a hora do café da manhã. Depois, saiu com um sorriso perverso estampado no rosto.

Deitei-me na cama de baixo e, pela primeira vez em vários dias, consegui me espreguiçar numa cama de verdade. Não me importava o quanto ela rangesse e nem que fosse estreita e dura — ela me parecia caída do céu. Poucos minutos depois, caí num sono profundo. As horas se passaram. Fui repentinamente acordado pelo som de passos pesados.

— Que porra é essa? Quem é você? — perguntou com estrondo um menino de quase dois metros de altura que apareceu por cima de mim.

— E quem é você? — retruquei.

— Sou eu quem manda aqui. Dê o fora!

— O diretor me designou para ser seu colega de quarto.

— Aquele safado! Quantas vezes vou ter que dizer a ele que não preciso de nenhum colega de quarto? Dê o fora, vá embora daqui!

O menino, que era bem parrudo, começou a me chutar com suas botas velhas e pesadas. Consegui deslizar para fora da cama e acabei caindo debaixo de uma chuva de socos. Ele continuou me esmurrando até eu ficar todo encolhido num canto, como uma bolinha, perto de uma das cadeiras. Como o diretor pôde ter me posto aqui junto com esse monstro? Mas a questão mais urgente era que eu precisava me defender desse agressor ensandecido, que agora estava puxando uma faca. Mesmo na luz fraca, a lâmina reluziu.

— Venho em missão de paz. Diga o seu preço, meu amigo — falei.

— Meu preço é a sua morte. Qualquer um que ouse se aventurar no meu quarto não vai sobreviver para se arrepender disso.

— Mas acabei de chegar. Não sabia de nada.

— Está pedindo compreensão? Covarde! Odeio gente covarde!

O garoto pôs a lâmina debaixo do nariz e cheirou-a como se fosse alguma coisa deliciosa. Aproximou-se de mim bem devagarinho, com a ameaça estampada no rosto marcado por cicatrizes.

O que faço agora? O que *baba* faria? Não adianta rezar. Esse cachorro não aceitaria isso por nada nesse mundo. O que o general faria nesta situação? A resposta me veio quando olhei rapidamente para a direita. Mas o garoto foi mais rápido. Ele agarrou o meu pescoço com uma das mãos e encostou a faca no meu nariz com a outra. Trêmulo e ofegante, peguei uma cadeira e espatifei-a bem no meio de seu rosto retalhado. Para minha sorte, uma das pernas da cadeira penetrou no olho direito do cara, fazendo o sangue esguichar e manchando de vermelho o lado direito de seu rosto. O pequeno gigante xingou em voz alta, mas a dor perfurou sua alma e ele tombou diante de mim. Respirei fundo e me parabenizei por minha primeira vitória naquele novo território. Calmamente, fui até a porta e vi uma pequena multidão que tinha sido atraída pelo tumulto. Um guarda entrou no quarto sem pressa e cutucou a cabeça do meu colega de quarto com seu cassetete.

— Ainda está vivo?

— Esse desgraçado machucou meu olho — disse ele aos berros.

— É verdade isso? Você machucou o olho dele?

— Ele tentou me matar. Foi legítima defesa. Ele tem meio metro de altura a mais do que eu e é dez vezes mais forte. Por favor, entenda a minha situação. Desculpe-me, fiquei muito assustado.

Ajoelhei-me, agarrei os pés do guarda e os sacudi.

— Por favor, não me castigue.

— Você vai ficar sem jantar hoje — disse ele.

— E vocês, seus vagabundos inúteis — prosseguiu, gesticulando para os curiosos que estavam parados na porta —, venham aqui carregar o chefe de vocês para a enfermaria. O que estão olhando? A briga já terminou.

Meu colega de quarto foi carregado para fora por quatro garotos igualmente grandes. Ele berrava e xingava.

— Seu merda! Você vai morrer logo. Meu pessoal vai cortar o seu saco fora. Espere só para ver.

— Tirem esse cara daqui antes que eu arrebente os dentes dele — disse o guarda, antes de trancar a porta e sair andando, calmamente, como se nada tivesse acontecido.

À meia-noite, bateram à porta. Acendi a lâmpada fraca do abajur. Abriu-se uma pequena janela na minha porta. Duas mãozinhas seguravam uma tigela de arroz com um naco de carne.

— Pegue — sussurrou um menino. — Aqui estão os pauzinhos.

Rapidamente peguei a tigela e sussurrei de volta:

— Não sei como agradecer. Quem é você?

— Shhhh! Não tem importância. Nós é que agradecemos por você ter dado uma surra naquele cachorro safado. Mas tome cuidado, porque a vingança virá logo, logo. Cuide-se.

— Obrigado — disse eu.

Ele se foi.

A comida estava fria, mas deliciosa. Segurando a tigela vazia, senti-me profundamente comovido pela solidariedade daquele menino. Se havia alguém ali que se considerava meu amigo sem sequer me conhecer, então devia haver outros e talvez muitos mais. Mas, primeiro, eu precisava sobreviver ao meu colega de quarto, que voltaria em breve, certamente querendo me matar.

— Exercício matinal. Levantem-se! Exercício matinal, seus preguiçosos — rugiu uma voz grossa vinda do campo de futebol, ecoando no silêncio da manhã. O mar, que ficava além do conjunto de prédios murados, estava calmo. Apenas uma brisa leve agitava o mato e as copas dos pinheiros que cresciam às margens do terreno. O guarda destrancou a minha porta e anunciou sarcasticamente:

— Meu amiguinho, vou deixar você sair, mas você tem que botar na cabeça o que vou lhe dizer. Tem duas coisas que não se pode fazer aqui neste paraíso.

Ele fez uma pausa para tragar seu cigarro.

— Primeira coisa: aqui ninguém arruma briga com Hei Gou, como você fez. Isso pegou muito mal.

— Hei Gou? E quem é esse cara? — perguntei.

— É o Cão Negro, seu companheiro de quarto.

Ele soltou um risinho debochado.

— Porque uma coisa é certa: ele vai querer matar você quando estiver de volta. Se não for ele, vai ser alguém da gangue dele.

Outra risada.

— Bom, agora já sabe o que o aguarda nesta escola maravilhosa. E, caso esteja alimentando a idéia de fugir, devo informar a segunda coisa que você não pode fazer aqui.

Meu coração estava aos pulos e fiquei com muita raiva ao perceber o prazer perverso que o guarda estava sentindo às custas do meu medo.

— Qual é essa segunda coisa?

— Qual é a pressa, meu jovem? Ha, ha, ha!

Ele fez uma pausa para dar mais uma tragada no cigarro.

— Preste atenção. Não tente fugir. Tenho certeza de que já deve ter ouvido o nosso diretor recitar seu ditado preferido: "Eles nunca saem vivos daqui". Ele está falando sério. Nem tente fazer isso, a não ser que seja um mestre do Kung Fu e consiga pular os muros de quase sete metros de altura, ou que consiga nadar por entre os tubarões assassinos, se preferir uma fuga bem sangrenta pelo mar.

Fiquei calado, odiando cada palavra que ele dizia. Eu me sentia como se estivesse vivendo entre animais, e não entre seres humanos. A vingança está próxima, repetia para mim mesmo. "Tome cuidado", ressoava em meu ouvido a voz do meu amiguinho.

Na luz da manhã, vi pelo menos uns mil garotos enfileirados em colunas. Mais ao norte, havia uma única fileira de meninas, todas vestindo calças compridas bem largas. Nenhuma delas usava vestido. Um guarda mandou que eu me posicionasse no final da terceira coluna. O exercício consistia em alongamentos dos braços e das pernas. Os guardas se colocavam ao longo da linha lateral para disciplinar quaisquer pernas ou braços desalinhados. Assim que o exercício terminou, ouviu-se outro apito, desta vez causando risos e gritos animados nos jovens cheios de fome.

— Hora do café da manhã.

As colunas se desfizeram e a multidão embaralhou-se numa grande confusão, todos correndo para dentro de um galpão sem janelas. Os meninos tomaram a dianteira e as meninas foram atrás deles. Eu não tinha pressa nenhuma em entrar no meio daquela loucura e tentei não atrair mais qualquer atenção para mim. Fiquei olhando em volta e me mantive afastado das moitas e dos troncos de árvores, onde algum dos comparsas do Cão Negro poderia estar escondido para me atacar.

Dentro do refeitório, recebi a minha ração: uma cuia de mingau com alguns pedaços de picles boiando por cima. Meu estômago roncou de prazer ao ver aquela magra refeição. Encontrei uma mesa vazia num canto e, de costas para a parede, comi e fiquei observando a multidão, atento a qualquer sinal de confusão. Havia uma briga por comida duas mesas depois da minha. Um guarda golpeava os meninos com o cassetete, sua arma predileta. O tumulto logo acabou. O brigão foi levado embora com um enforcador apertando sua garganta.

Todos os meninos tinham o cabelo cortado rente e olhares cheios de suspeita, que não combinavam com a idade deles. Alguns eram mais agitados, correndo e perseguindo uns aos outros, sem medo das cacetadas constantes dos guardas. Outros eram submissos e pareciam resignados às regras, quaisquer que fossem. Tinham uma expressão mortiça nos olhos, como a de prisioneiros esquecidos pelo mundo. Não havia qualquer brilho de esperança neles, apenas o medo e o fardo das obrigações diárias. Seus rostos eram macilentos e a pele tinha um tom esverdeado. Um dos meninos usava uma calça que, apesar de remendada muitas vezes, ainda tinha buracos nos joelhos.

Olhei para a outra extremidade do refeitório, onde as meninas estavam amontoadas ao redor de cinco mesas. Seus olhares eram tímidos, e elas pareciam fantasmas. Vestiam blusas azul-escuras e calças largas de um pano grosseiro. Seu cabelo tinha sido cortado curto, acima das orelhas, para ficarem livres de pulgas e piolhos. As únicas características que as distinguiam dos meninos eram seus corpos frágeis e suas vozes femininas, ainda em formação. Como eu gostaria de ver flores do campo enfeitando os seus cabelos! E como seria bom se elas usassem vestidos estampados, ajustados às suas formas esguias, como as meninas da minha aldeia. Um guarda se aproximou e bateu com o cassetete na minha mesa.

— Ande logo! O que você acha que é isso aqui, algum banquete?

Olhei para ele e engoli rapidamente o meu arroz. Meu rosto congelou quando mordi uns desagradáveis grãos de areia que estavam no fundo da cuia. Tive que tampar a boca para não vomitar. O arroz tinha um gosto rançoso, parecendo até que estava estragado. Mas me senti melhor depois de comer. Só a boca sentia o paladar. A partir de então, o gosto passou a não ter mais importância. Comi para encher a barriga e poder sobreviver. Sentir prazer em comer era algo a que não poderia mais me dar ao luxo.

O alto-falante do refeitório fez um ruído e de lá saiu uma voz, num tom bem preciso e calculado, que só podia pertencer àquele safado daquele diretor.

— Alunos! Devido a uma demanda urgente do nosso governo pelo atum enlatado que produzimos, de hoje em diante todos os alunos vão trabalhar na fábrica no turno da manhã e irão à escola no turno da tarde.

Lembrem-se, o reformatório é a única salvação de vocês nesse mundo, e isso custa dinheiro. Seu dever é trabalhar pela comida que acabaram de comer e pelas muitas outras refeições que irão consumir. Nada vem de graça, e as más ações serão punidas. Agora, peço aos guardas que por favor façam o pessoal se movimentar. Isso é tudo por enquanto. Tenham um bom dia.

Houve um burburinho de xingamentos e palavrões por parte dos alunos. Os bastões desceram novamente em cima de suas cabeças e a multidão saiu do salão vagarosa e relutantemente, todos arrastando os pés em direção ao prédio cinza, marcado claramente, em tinta vermelha, FÁBRICA DE ALIMENTOS ENLATADOS.

O cheiro lá dentro era insuportável e a temperatura, nauseante. Um guarda, vestindo macacão e luvas, me pôs para começar no trabalho mais fácil: tirar as escamas e os ossos dos atuns ainda vivos. Meninos e meninas alinharam-se na beira de uma pia comprida e cheia de peixes que pulavam. Recebemos facas e instruções simples. O guarda ordenou, aos berros:

— Primeiro cortem a cabeça e raspem as escamas. Depois abram a barriga e tirem as tripas.

— Posso usar luvas?

— Não.

Fiquei arrepiado diante da brutalidade da ordem. Depois me espremi entre dois garotos e peguei um atum de trinta centímetros com as mãos. O peixe era forte e escorregadio. Ele sacudiu o rabo e escapuliu das minhas mãos trêmulas. Alguém riu. Um outro me chamou de idiota. Persegui o diabo do peixe pelo chão durante quase um minuto até que finalmente consegui cravar uma facada na sua cabeça. Foi a primeira coisa que matei em toda a minha vida. Quando a cabeça foi arrancada, o sangue espirrou nas calças de dois meninos que apareceram, de repente, ao meu lado. No mesmo instante, eu os reconheci como integrantes da gangue do Cão Negro. Pedi desculpas com toda a sinceridade:

— Desculpem-me, é meu primeiro dia aqui.

— Lamba o sangue da minha calça, seu filho da mãe! — exigiu o garoto mais alto.

— Prometo lavar suas calças quando terminar o trabalho — disse eu.

O mais alto, que tinha um gogó bem saliente, pegou uma enorme cabeça de peixe e a atirou na minha cara. Ela se espatifou entre os meus olhos. Cambaleei para trás até minha cabeça se chocar contra a parede manchada de sangue. Meus pés escorregaram no chão molhado e coberto de tripas de peixe e caí pesadamente no chão. A multidão urrou. Enquanto eu tentava me encostar na parede para me estabilizar, vi o menino mais baixo virar a peixeira em sua mão cheia de calos, mirar rapidamente em mim e atirá-la com a maior displicência. Por milagre, ela aterrissou com a ponta cravada na parede, a poucos centímetros da minha orelha. A vingança tinha chegado.

— Corta, corta, corta!

A dupla circulava à minha volta, revezando-se nos chutes que desferiam no meu peito, nas minhas costas, na minha cabeça.

— Você vai ficar como o peixe: sem cabeça, desossado e enlatado — berrou o maior, ainda mais alto que a gritaria dos meninos, que, a essa altura, tinham interrompido o trabalho para assistir ao circo.

Sentindo muita dor, limpei os olhos depressa e fiquei abaixado, quieto como um camundongo, procurando um buraco na terra onde pudesse me esconder para sobreviver. Mas os chutes me atingiram como uma chuva de granizo. Não podia me defender e tinha pouca chance de atacar com os meus pés escorregando no chão úmido. No meio da confusão, tive uma visão indistinta da faca ainda enfiada na parede. Consegui me levantar com esforço e me arrastei até a parede para pegar o cabo da faca.

— Corta, corta, corta!

Desta vez era meu grito de guerra. Ataquei, movendo a faca para a esquerda e para a direita, sentindo o impacto enquanto esfaqueava os dois grandalhões. Agora estavam todos em silêncio. O circo tinha se transformado num jogo mortal. Os dois marmanjos afastaram-se rastejando, deixando um rastro de sangue atrás deles. Mas não os deixei ir embora tão facilmente. Persegui-os como tinha feito com o atum quase morto e continuei golpeando com a faca enquanto eles uivavam como cães feridos.

Foi então que chegaram os guardas, balançando seus cassetetes e descendo-os sobre as nossas costas como baquetas num tambor. Por fim, conseguiram nos separar. Um deles me pegou pelo colarinho e me arrastou para dentro de um banheiro fedorento, enfiando minha cabeça num balde de água suja. Prendi a respiração até quase estourar, mas o guarda continuou empurrando minha cabeça até que o borbulhar parasse. Então me jogou no chão e saiu.

Quando abri os olhos novamente, uma réstia de sol entrava pela minúscula janela do banheiro. Na minha pele toda cortada e encharcada de sangue e suor, a sensação era a de que eu estava sendo picado por uma infinidade de pequenas agulhas. Era o final da tarde. Ninguém tinha vindo me socorrer. Se não fosse o fedor que invadiu minhas narinas, eu teria permanecido desacordado por muito mais tempo. Talvez nunca mais tivesse conseguido acordar. Tentei me levantar com a ajuda das mãos. Meu corpo todo doía. Estava coberto de hematomas, manchas de sangue e cortes abertos, que ainda sangravam.

Escutei uma voz que vinha do lado de fora.

— Limpe-se antes de ir falar com o diretor. Está me ouvindo?

Com muito esforço, consegui me erguer e estiquei o pescoço para dar uma rápida olhada em meu rosto refletido num espelho quebrado que estava pendurado na parede. Não pude acreditar no que vi. Meu rosto, inchado, parecia o de um cadáver. Meus olhos eram apenas duas pequenas frestas de luz e minha testa era uma massa de carne sanguinolenta. Meu queixo tinha um grande corte e estava aberto em dois, e minhas bochechas pareciam dois pêssegos podres. As moscas zumbiam em volta de mim, achando a minha cabeça mais apetitosa do que as cabeças de peixe jogadas no fundo das privadas. Afastei o meu olhar daquela imagem mórbida e encostei-me na pia para lavar meu rosto com cuidado.

— Quando é que você vai acabar com isso? Vamos, deixe-me ajudá-lo a se limpar.

O guarda entrou no banheiro, pegou um balde de água suja e despejou-o sobre a minha cabeça.

— Acho que agora você já está pronto, bonitão. Siga-me.

O diretor estava sorrindo quando me arrastei para dentro da sua sala.

— Parece que você está conseguindo sobreviver muito bem, meu amigo.

— Seu diretor, estão querendo me matar. O senhor tem que me ajudar — disse eu, quase não conseguindo me agüentar em pé, mas determinado a permanecer firme e ereto até que ele me mandasse sentar. — O Cão Negro e seus amigos têm que ser punidos. Eles estão contra mim desde o começo.

— Bom, deixe eu lhe dizer uma coisa sobre esse lugar aqui, caso ainda não tenha entendido. Aqui, os alunos não são castigados nem por mim e nem por ninguém. Dentro dos muros da nossa prestigiada escola existe um sistema de sobrevivência totalmente natural: a lei do mais forte. Veja bem, no mesmo dia em que chegou aqui, você acabou com um dos preciosos olhos do Cão Negro. Ele ainda está recebendo cuidados médicos numa base militar próxima daqui. Por acaso você foi punido?

O diretor se mexeu em sua enorme cadeira giratória.

— Eu não disse nem um palavra sobre o assunto. Você acha isso estranho? Talvez seja. Mas isso é bom para vocês. Daqui a seis anos, quando você se formar nesta escola, vai entender o que estou querendo dizer. Posso lhe garantir que será um outro homem. Se vai mudar para melhor ou para pior, ninguém sabe, mas com certeza será um homem mudado. Se se sair bem, vai poder ser útil ao país. Quer dizer, se conseguir sobreviver.

— Mas o senhor não vai fazer nada?

— Não, e inclusive o único motivo pelo qual queria vê-lo não era para lhe dar esperanças ou consolá-lo, mas para tirar da sua cabeça qualquer ilusão sobre obter ajuda minha ou de qualquer outra pessoa daqui. Você só tem a si mesmo para se defender, e mais ninguém. É claro que se acontecer de ter um osso fraturado ou um corte sangrando, é nosso dever e nossa responsabilidade providenciar o melhor tratamento para que possa voltar ao campo de batalha e continuar lutando. Agora pode ir.

Durante dois dias, tudo o que consegui fazer foi ficar deitado na cama e gemer de dor. Até mesmo o curto trajeto até o banheiro era uma caminhada torturante, que parecia não ter fim. Eu dormia no estupor de uma febre que me envolvia, e às vezes me pegava falando, delirando. Minha boca tinha um gosto amargo que parecia veneno. Minha respiração era difícil. Eu achava que estava vendo a morte. Em alguns sonhos, até via minha *mama* e meu *baba* novamente. Em outros me via sentado no colo do general. A única coisa que me fazia lembrar que eu ainda estava vivo era o som irritante dos apitos que pontuavam a rotina daquele lugar infernal. Mais ao longe, vinda do cais, a buzina ocasional dos navios que atracavam flutuava pelo ar até onde eu estava.

No terceiro dia, tive força suficiente para descer as escadas e me dirigir ao refeitório na hora do almoço. Estava meio tonto, mas me sentia refrescado pela brisa do mar e revigorado pela luz do sol. Parecia que tinham se passado séculos desde a última vez em que eu tinha visto o rosto dos meus colegas de escola agrupados em volta das mesas que rangiam, disputando ruidosamente aquela papa que nos serviam. Mas algo de estranho aconteceu. O salão ficou em silêncio e os meninos me olharam com medo. Seus olhares me seguiram até eu entrar na longa fila do almoço. Mais surpreendente ainda foi o fato de alguns garotos mais velhos e mais altos do que eu terem cedido seus lugares na fila e aberto o caminho para mim, sem dizer uma palavra. Eles sorriram e inclinaram a cabeça para me deixar passar. Inclinei-me em resposta, desconcertado com aquela recepção inesperada. As pessoas estavam começando a prestar atenção em mim e a me respeitar, pensei com uma certa alegria. O que aconteceu em seguida me animou ainda mais. As garotas que estavam na fila perto de mim soltaram risadinhas quando me aproximei. Acenei para elas e sorri, mas meus olhos pararam e se fixaram numa linda menina. Ela estava sorrindo como as outras, mas seu sorriso tinha uma meiguice especial, que me fez ficar imóvel. Ela tinha olhos grandes e inteligentes, um nariz estreito e reto, o rosto comprido e fino, com as maçãs altas. Por um momento que pareceu durar uma eternidade, nossos olhos se encontraram e ficamos nos encarando até eu ficar vermelho e desviar o olhar. Mas, quando me virei para ver de novo aquele anjo, nossos olhares se cruzaram mais uma vez. Meu coração batia loucamente, quase vindo à boca. Minha fome foi substituída pela sede de conhecer aquela garota que se destacava, alta e elegante, em meio das outras. Eu não via as cores sem graça do uniforme dela. O que via era uma linda rosa que desabrochava, sorrindo altiva, com suas cores vivas reluzindo desafiadoramente em meio às folhas mortas do inverno. O calor da primavera ocupou todos os recantos da minha alma vazia e solitária.

Pouco depois, a rotina foi retomada. Com seu chefe ainda longe, os companheiros do Cão Negro se aquietaram. Mantínhamos distância, trocando ocasionalmente uma olhadela aqui e ali, nada mais do que isso. Na parte da manhã, todo mundo enlatava atum. Eu tinha as mãos velozes e aprendia rapidamente. Ao fim de uma semana, estava conseguindo descamar e desossar cem quilos de atum a cada dia, um terço a mais do que os mais hábeis da escola. Minhas mãos se encheram de calos com o manejo da faca cega e minhas unhas ficaram comidas por ter de raspar fora os últimos pedaços da carne do peixe. Minha coluna doía por ter que ficar curvado sobre a pia, lutando com os peixes, que não aceitavam a morte passivamente.

Em pouco tempo, fui promovido a um trabalho menos entediante: transportar a pesca do dia das docas para a fábrica. Entregaram-me uma carreta de duas rodas que guinchava muito. A cada turno, eu fazia pelo menos vinte viagens, cinco a mais do que o garoto mais rápido naquela função. Todos os garotos disputavam o trabalho ao ar livre, pois ali tínhamos o ar fresco do mar. Nos raros momentos em que se podia descansar um pouco perto do cais, eu me perdia em devaneios sobre o mar, como já tinha feito um dia com as montanhas do meu vilarejo. Os marinheiros e pescadores logo começaram a me chamar de Gato Montês, por causa das minhas passadas ágeis e rápidas. Apesar de ser magro, eu tinha bastante força.

De tarde, tínhamos aulas. A maioria das crianças não sabia o que odiava mais: o trabalho pesado, sujo e malcheiroso ou as aulas chatas e enfadonhas. Mas pelo menos dava para ficar sentado e, com a ajuda da brisa, tirar um cochilo até ser rispidamente acordado pela bengala de bambu do professor. Eu, no entanto, gostava muito das aulas. Os professores eram competentes e — o melhor de tudo — havia uma biblioteca. Eu me sentava na primeira fileira, anotava tudo com muita clareza e ficava firme até o término de cada lição. Minhas matérias prediletas eram matemática, chinês e música. Enquanto os outros levavam bengaladas por não fazerem os exercícios, eu pedia aos professores que me dessem mais deveres de casa. Em pouco tempo, eu era o primeiro aluno em matemática e o segundo melhor em chinês, o que me deixou bastante chateado. Desde pequeno, sentia muito orgulho da minha habilidade de me expressar de modo simples e preciso. Meu professor nunca me disse quem estava em primeiro lugar, mas o segredo não ficou guardado por muito tempo.

No meio do ano letivo, houve um concurso de redação. O melhor aluno ganharia roupas e poderia sair do complexo para um passeio ao ar livre. Fiquei acordado até tarde durante uma semana para trabalhar na minha redação. Depois de muitas visitas à biblioteca, apresentei ao professor, numa cópia escrita com capricho, o melhor texto que julguei ter produzido na minha vida inteira. A redação do vencedor seria afixada ao quadro de avisos da escola para que os outros estudantes pudessem admirá-la. Quando o resultado foi divulgado, fiquei aguardando nervosamente e fui o último a verificar o quadro. Certifiquei-me de que o pátio estivesse completamente vazio, sem ninguém para testemunhar minha derrota, caso meu adversário tivesse vencido.

Para minha surpresa, duas redações foram colocadas lado a lado: havia um empate para o primeiro lugar. Meu pulso se acelerava enquanto eu procurava pelo nome do outro ganhador. Em grossas letras pretas, estava o nome de Sumi Wo, que devia ser minha oponente desconhecida. Uma garota! Nem nos meus delírios mais loucos poderia ter imaginado aquilo. Mas qual das garotas? Ela deveria ser mesmo brilhante para empatar comigo! Quando estava indo embora, todo envergonhado, escutei uma voz suave chamando meu nome.

— Shento, espere.

Virei-me e vi a garota cuja beleza havia chamado a minha atenção no refeitório.

— Você me chamou? — perguntei.

— Meu nome é Sumi Wo. Sempre quis conhecer você.

Seu rosto era tão bonito quanto eu lembrava, e sua voz fez meu coração disparar. Eu deveria ter me apresentado a ela educadamente, como um cavalheiro, mas havia alguma coisa nela, aquele anjo lindo, que fez minhas pernas tremerem. Não há coisa pior do que ser derrotado por uma menina por quem a gente se sente tão atraído. Por alguma razão, a atração estava funcionando inversamente: eu me sentia como se estivesse petrificado. Não conseguia sequer abrir a boca para conversar com meu jeito confiante de sempre. Tudo o que eu queria era fugir da presença dela — quanto mais longe, melhor —, apesar do meu coração não desejar isso.

— Tenho que ir embora — balbuciei, inclinando-me e afastando-me sem dar as costas para ela.

— Espere um pouco. O que quero dizer é que eu gosto mais da sua redação do que da minha e acho que você merece o primeiro lugar, não eu.

Ela sorriu e ficou com o rosto todo corado, parecendo um botão que vai desabrochar e se transformar em alguma coisa perigosa.

Corri de volta para o dormitório como um fantasma.

Sumi. Que nome lindo! Naquela noite, fiquei deitado na cama, sem um pingo de sono, mas com o coração repleto de músicas, as mais lindas que eu conhecia. A lua estava tão dissimulada quanto o meu estado de espírito, escondida por trás das nuvens que a perseguiam, e talvez ela também estivesse sonhando. Eu vivia e revivia os momentos daquele encontro, e queria poder compor uma música para acompanhar a imagem que dançava na minha cabeça. Abracei meu travesseiro e só consegui cair no sono quando a lua se pôs no ocidente e a primeira luz do dia pintava de prata o universo.

No dia seguinte, conduzi minha carreta de atum mais rápido que o normal para poder fazer uma pausa para ver Sumi, que estava num prédio separado onde se fabricavam as roupas do Exército. Enxuguei o suor da testa, inclinei-me por sobre uma janela do prédio onde ela trabalhava e fiquei espiando. Para minha alegria, Sumi estava sentada bem ali! Sua cabeça estava enfiada nos tecidos, todos de cor verde-oliva. Seus pés pedalavam velozmente para operar a máquina de costura. O salão estava repleto de meninas ocupadas nas tarefas de cortar, costurar, bordar, pregar botões, fazer casas e embalar. Fazia um calor escaldante e havia muito barulho vindo das dezenas de máquinas de costura que zumbiam e retiniam. Quando fiz cócegas nela com a pétala de uma flor branca, Sumi olhou para mim, muito surpresa em me ver.

— Oi — disse ela. — O que o trouxe aqui?

— Só queria que você soubesse que você mereceu ganhar o primeiro lugar. Gostei mais de ler a sua redação do que todas as minhas juntas.

— Isso é verdade mesmo?

Ela sorriu sem abrir a boca. Seu rosto, coberto de gotas de suor, estava vermelho e corado, e a blusa encharcada estava colada à pele. Seu busto achatado revelava, vagamente, dois montinhos que começavam a brotar.

— Sou capaz de jurar pela minha mãe.

— Sabe, sempre quis agradecer por você ter arrancado o olho do Cão Negro e por ter esfaqueado dois de seus companheiros.

— Por quê?

— Ele perturbava todas as meninas daqui, e nós rezávamos para que ele morresse, até que você chegou. Ande, saia daí antes que nosso guarda veja você e dê uma cacetada na sua cabeça.

— Posso ver você de novo?

— Hoje à noite na biblioteca.

A partir daquele dia, passei a me encontrar com Sumi todas as noites atrás da última fileira de estantes da biblioteca malcuidada, escondidos por trás das prateleiras. As semanas se passaram, e fiquei sabendo que Sumi tinha vindo do Sul e que era órfã. Seus pais foram executados por terem escrito peças de teatro criticando o Partido Comunista. O dom de escrever estava no seu sangue. Algum dia ela seria a melhor escritora ou a melhor atriz do país. Ela tinha apenas 13 anos mas, a cada dia, parecia estar mais madura. Todo mundo, especialmente os guardas e os cozinheiros do refeitório, admiravam abertamente a sua beleza, que aumentava com o passar do tempo. Sumi mantinha a cabeça erguida como uma dama, mesmo diante das observações indecentes e dos comentários grosseiros.

Ela tinha lido todos os livros que havia na biblioteca e os relia pela terceira vez. Seu livro favorito era um exemplar de *David Copperfield*, de Charles Dickens, com as páginas todas amassadas, que ela tinha encontrado debaixo de uma pilha de bobagens. Sumi adorava Dickens, sabia recitar de cor os diálogos e as passagens mais comoventes e chorava facilmente por causa do pobre do David. Antes da minha chegada, ela se sentia sempre muito solitária — a melhor aluna da escola, que se mantinha altiva e orgulhosamente acima dos outros — em meio a órfãos tristes e miseráveis, com pais bêbados e mães prostitutas, fadados a repetir a sina deles. Mas isso mudou depois que cheguei à escola.

Sumi me via sob a luz de um arco-íris cheio de promessas. Eu adorava ficar olhando para seus olhos grandes e brilhantes, seu nariz longo e seus lábios grossos enquanto falava sobre minhas ambições. Ela disse que eu tinha a perseverança e a resistência necessárias para alcançar os meus objetivos. Eu disse que ela tinha o coração de uma escritora e a alma de um poeta. Muitas vezes, o que eu queria mesmo era fundir o meu corpo com o dela para ficarmos juntos para sempre.

Tan

Capítulo 8

Setembro de 1976

BEIJING

Vovô Xia e vovô Long eram as únicas pessoas presentes à beira do leito do presidente Mao, quando ele morreu no antigo palácio da Cidade Proibida. Eles decidiram adiar a divulgação do falecimento do líder ao Congresso até que um sucessor fosse escolhido. Naquele exato momento, o país estava correndo o sério risco de um golpe de Estado. Meus avós tinham que consolidar a posição que ocupavam dentro dos segmentos militar e financeiro e escolher um líder para garantir a sucessão ao poder o mais rápido possível. Mas o inimigo deles, que também tinha sido inimigo do presidente nos últimos anos de sua vida, era a própria mulher com quem ele tinha se casado, sua terceira esposa, a ex-atriz Madame Mao. Para livrar-se dela, era necessário enfrentar a Guarnição Militar, os melhores soldados da China, a guarda oficial da capital, que estava sob o seu controle. Estes soldados poderiam dominar os órgãos do governo antes que vovô Xia conseguisse mobilizar os exércitos fora de Beijing. O país inteiro poderia ser paralisado da cintura para baixo.

Naquela noite, meus avós não vieram à nossa casa em suas limusines, como de costume, mas num simples jipe. Eu os estava esperando ansiosamente e corri ao seu encontro quando entraram na sala de estar.

— Vocês estão bem?

Dei-lhes um abraço bem apertado.

Os dois apenas fizeram que sim com a cabeça, passaram a mão no meu cabelo despenteado e entraram no escritório de papai, deixando a porta entreaberta. Fiquei surpreso ao ver papai vestindo seu uniforme de combate e examinando um mapa detalhado de Beijing.

— O que vai acontecer agora? — perguntei eu.

— Filho, venha cá.

Entrei no escritório, que tinha cheiro de couro e charutos. Papai segurou minha cabeça com as duas mãos.

— Mao acaba de morrer. Seus dois avós e eu temos que trabalhar porque pode haver um golpe e precisamos impedir que isso aconteça.

— Posso ficar?

— Não, filho. Um dia, vamos precisar da sua ajuda, mas hoje não.

Papai me beijou na testa e me pediu para sair.

Na sala de música, mamãe tocava suavemente o "Clair de Lune", de Debussy.

— Mãe, será que pode estourar uma guerra?

— É isso que eles estão tentando evitar — respondeu ela, sem tirar os olhos da partitura.

— E o que vai ser da China amanhã?

— O que o próximo presidente quiser que seja.

— E quem vai ser o próximo presidente?

— Você, um dia — disse mamãe.

Os três homens levaram apenas meia hora para chegar a uma conclusão unânime. Pela primeira vez na vida, meus avós entraram num acordo sem brigas nem discussões. Deram dois telefonemas. O primeiro foi para os agentes secretos de papai. Viver e morrer pelos Long estava no sangue desses homens. Eles se moviam como sombras escuras na noite. O outro telefonema foi para um anjo caído da causa comunista, Heng Tu, que naquele momento estava dormindo na cela fria de uma prisão de segurança máxima, na província de Hubei, sonhando com o próximo dia de trabalho forçado que o esperava.

Antes do nascer do sol, seis homens mascarados e fortemente armados invadiram não só o quarto de Madame Mao, que foi encontrada dormindo sem peruca ao lado de um belo bailarino casado, mas também a casa do comandante-em-chefe da Guarnição Militar da China, o major-general Wan Dong Xing. Não se ouviu nenhum tiro e nenhuma gota de sangue foi derramada. Apesar de ser um momento decisivo dentro de um capítulo de suma importância na história do meu país, nem sequer uma nota de pé de página foi escrita sobre esses acontecimentos. Num determinado momento, a coisa estava ali, no outro não estava mais — como se um meteoro tivesse varrido os céus.

Na província de Hubei, um jato da Marinha atravessou o céu noturno e aterrissou na pista de pouso, sobrevoando um antigo templo nas montanhas, agora transformado em presídio para presos políticos. Uma fogueira acesa no solo escuro assinalava o local para a aterrissagem. Assim que o jato taxiou e parou, abriu-se uma porta e um soldado fortemente armado desceu a escada. Ele trazia uma carta assinada pelo comandante-em-chefe do Estado-Maior e um alvará de soltura para Heng Tu. O documento foi lido em voz alta para o prisioneiro, que ficou em silêncio diante das palavras graves que lhe estavam sendo anunciadas. Aquele homem, vestido com o uniforme tosco da prisão, um dos primeiros fundadores da revolução, deveria assumir a posição de Mao como o próximo presidente da China. Ao amanhecer, um Heng Tu bem-vestido e barbeado foi apresentado ao mundo.

No dia seguinte, papai tornou-se o primeiro homem com menos de 45 anos a ser nomeado comandante-em-chefe da Guarnição Militar de Beijing, o mais importante efetivo militar da China. Meus dois avós, os criadores de reis, puseram de lado suas desavenças para não abrir mão do poder. Seu objetivo mútuo e comum, nunca expressamente declarado ou confirmado, era ter papai como o próximo nome a ser considerado para a presidência. Podiam tê-lo nomeado presidente naquela mesma noite, em vez de Heng Tu, mas ele não estava preparado, o país não estava preparado. Portanto, não era para ser. Um líder jovem era um líder inexperiente aos olhos dos chineses. Papai precisava ganhar alguns fios de cabelo grisalho e obter mais reconhecimento como o novo comandante da Guarnição. Ele seria o principal conselheiro militar do presidente Heng Tu e apareceria junto a ele em todos os eventos públicos, acompanhando-o nas visitas oficiais aos países estrangeiros importantes, para participar das questões que envolvessem a política internacional.

Meus avós sabiam que Heng Tu era o homem de confiança de que eles precisavam. Seu mandato como presidente seria apenas uma troca de favores, algo que ficaria em seu poder até que papai estivesse pronto para assumir o cargo. E aí então, Heng Tu entregaria a presidência sem criar problemas. Eles tinham feito um favor a Heng Tu, que seria retribuído quando chegasse o momento apropriado. Não precisavam lembrar isso a ele. Assim era o jogo político na China. Uma forma delicada, sutil e silenciosa de *tai chi.*

AOS 16 ANOS, EU TINHA OLHOS VIVOS e penetrantes, que brilhavam à luz do sol, e as sobrancelhas em formato de espadas. Meu nariz era peculiarmente alto e fino e terminava numa ponta que demonstrava determinação. Minha boca era a mesma de meu avô Long, com lábios grossos que passavam uma impressão de confiabilidade, um patrimônio que uma vidente me disse ser de extrema importância para o meu futuro como líder. Eu tinha o queixo bem marcado e definido como o de meu pai, curvado no final, o que fez a vidente prever que eu viveria até os cem anos. Meus ombros eram largos e minha cintura era estreita como a de um nadador. Eu preferia usar os moletons com o emblema da Guarnição Militar, mas mamãe, que agora era a rainha da alta-sociedade de Beijing, insistia para que eu usasse calças esporte feitas sob medida numa loja de Hong Kong e jaquetas vindas dos Estados Unidos. Como ela conseguia comprar essas coisas era um mistério para todos. Em 1977, a China ainda era um império fechado e isolado. Somente os mais privilegiados tinham acesso ao mundo colorido que ficava no exterior. Esse foi o quadro que encontrei quando entrei na sala de aula da minha nova escola, o Colégio Dong Shan, um outro clube exclusivo para os jovens das famílias mais importantes do país.

A primeira aula do dia era de inglês, com uma professora jovem e atraente, Miss Yu, uma voluntária de Hong Kong que tinha estudado nos Estados Unidos. Como eu já tinha um metro e oitenta de altura, fui colocado na última fileira. Meus olhos ficaram pregados na professora durante a aula inteira. Havia alguma coisa nela que me fazia esquecer o mundo à minha volta. Tudo nela tinha um ritmo, uma melodia, o que fazia aumentar o meu interesse na matéria que ela ensinava. Eu cultivava a ambição de poder ler o *New York Times* e o *Wall Street Journal* dentro de um ou dois anos. Para mim, não ser capaz de ler os jornais mais importantes do mundo, como o meu avô fazia, era como se fosse uma deficiência física. Eu levantava a mão pelo menos umas cinco vezes durante os 45 minutos da aula, e era prodigamente elogiado pela professora, que achava a minha pronúncia do alfabeto melhor do que a do resto da classe. No fim da aula, enquanto os outros alunos saíam em fila indiana como se tivessem prendido a respiração debaixo d'água durante muito tempo, eu ia até a professora, que batia na altura da minha orelha e enrubescia com muita graça na minha presença.

— Miss Yu, quero poder ler o *New York Times* daqui a dois anos. O que eu devo fazer para conseguir isso?

— Estude bastante, como o seu pai — disse ela, com um sorriso.

— Como o meu pai? E como é que você conhece o meu pai?

— Bem, o nome dele está em todos os arquivos da escola. Tenho certeza de que vai se sair tão bem quanto o seu pai se se esforçar.

— Você acha que eu precisaria ter aulas particulares para andar mais rápido do que o passo de tartaruga desta turma?

— Receio que eu não tenha tempo para isso.

Fiquei bastante contrariado com aquela reação. Havia poucas coisas no mundo que eu não pudesse conseguir quando as desejava. Mamãe ofereceu-se para contratar o melhor professor da prestigiada Universidade de Beijing, mas seu sotaque britânico me pareceu um pouco afetado demais. Eu queria falar inglês com sotaque americano. Somente Miss Yu poderia me ajudar com isso. Mamãe me prometeu que falaria com ela.

— Não, mamãe, pode deixar que eu mesmo resolvo isso. Da última vez que você se meteu nos meus assuntos, nunca mais vi 'aquela pessoa' novamente.

Mamãe tomou esse comentário como um elogio.

— Filho, se precisar de ajuda, é só me dizer.

No dia seguinte, depois da aula, encontrei Miss Yu jogando *badminton* no gramado com um outro professor. Usava um suéter vermelho justo e uma calça branca desbotada que lhe caíam como uma segunda pele. Suas longas pernas eram bem torneadas e seu busto pulava a cada golpe da raquete. Olhando mais de perto, vi que sua calça tinha buracos nos dois joelhos. Quando me viu, ela parou de jogar e convidou-me para participar. Meu rosto ficou vermelho mas, mesmo assim, peguei uma raquete. Faria qualquer coisa para ficar perto dessa criatura maravilhosa que exalava saúde, beleza e juventude. O outro professor, visivelmente sem fôlego, aproveitou a oportunidade para sair do jogo.

— Sua calça precisa de uns remendos nos joelhos, Miss Yu — disse eu, balançando a raquete na mão.

— Olhe, muito obrigada pelo aviso, mas isso é moda em Nova York, onde eu fiz faculdade.

— Que interessante! Nova York, hein?

Deixei minha raquete cair no chão e abri um buraco nos dois joelhos da minha calça com um canivete.

— Olha, também fiz dois buracos na minha calça.

— Muito bacana da sua parte!

Ela não conseguia parar de rir, e seu busto pulava a cada gargalhada.

— Gostou?

— Ficou horrível.

— E por quê?

— Porque não é uma calça jeans.

— Quer dizer que essa sua calça branca de brim é uma calça jeans?

— É sim, é uma outra moda americana. São calças de caubói.

Envergonhado, abaixei-me e enrolei a calça até cobrir os buracos. Foi um jogo difícil, mas deixei que ela vencesse, ainda alimentando a ilusão de que me daria aulas particulares. Caminhando em direção à entrada do colégio, perguntei:

— Onde você mora?

— Por que quer saber?

— Gostaria de lhe oferecer uma carona.

Apontei para a limusine estacionada debaixo de um salgueiro. Era um Red Flag antigo, blindado e que pesava três toneladas.

— Que ótimo! Eu adoraria ter um carro aqui, como tinha em Hong Kong. Detesto andar de ônibus.

Quando chegamos perto do carro, o chofer uniformizado me chamou de lado e falou baixinho no meu ouvido:

— Sr. Long, quem é essa moça?

— É minha professora. A gente vai dar uma carona para ela.

— Meu patrãozinho, acho que não tenho permissão para levá-la no carro.

— Pois agora tem.

— Não, não tenho, porque ela é estrangeira e não pode entrar num veículo militar.

— Pode, sim, e de hoje em diante você provavelmente vai ter que andar um bocado com ela pela cidade, talvez até todos os dias.

Virei-me para Miss Yu e disse-lhe educadamente em inglês:

— Mulheres primeiro.

— O certo é "Primeiro as damas". Obrigada.

O motorista, de má vontade mas obediente, nos levou ao apartamento de Miss Yu no centro de Beijing, e ela estava feliz quando nos despedimos. Tudo tem um preço nesse mundo, costumava dizer meu avô banqueiro. Para a linda professora de inglês, o preço era um chofer e um acompanhante, algo que eu não achava que uma mulher como ela fosse precisar. Meu pedido de um outro chofer para ficar à disposição de Miss Yu foi prontamente atendido. E a minha oferta, conforme o esperado, foi aceita por ela de muito bom grado. Concordamos então que ela me visitaria dia sim, dia não, para me dar aulas particulares. Ajudado pela eficiência de Miss Yu ao estilo de Hong Kong, fiz rápidos progressos. Como professora, ela era bastante severa, mas quando as aulas terminavam, ficávamos batendo papo ou jogando algum tipo de jogo.

Num sábado à tarde, papai me pediu para apresentá-lo a Miss Yu, pois ele queria cumprimentá-la por estar contribuindo para a evolução intelectual de seu filho. O povo chinês acredita que os professores são tão importantes quanto os pais, ou ainda mais que eles, pois moldam as mentes e formam as almas dos jovens. Mas eu sabia que ele também queria se certificar de que essa exótica princesa de Hong Kong não exerceria nenhuma influência negativa sobre mim.

Notei que Miss Yu corou quando fez uma pequena reverência ao conhecer papai. Ele a conduziu ao seu espaçoso escritório e pediu que servissem chá para os dois, que ficaram conversando durante uma hora. Ouvi risos através da porta. Fiquei esperando do lado de fora, ansioso para saber o que papai tinha achado dela. Felizmente, a reunião terminou com um sorriso em seu rosto. Papai me incentivou a continuar com minhas aulas. Miss Yu tinha sido aprovada.

Mamãe também tinha as suas preocupações. No início, ficava espiando Miss Yu pela janela da sala de música, fingindo tocar despreocupadamente seu piano, quando na realidade estava observando todos os movimentos da minha professora. Qualquer mulher mais nova do que ela era automaticamente encarada com grande suspeita. Mamãe sabia do gosto que papai tinha por moças jovens e impressionáveis. Mas Miss Yu demonstrava apenas inocência e dedicação em me ensinar. Depois de cancelar o chá da tarde com suas amigas durante duas semanas, mamãe estava finalmente convencida de que Miss Yu não tinha más intenções. Ela foi definitivamente conquistada uma tarde, quando minha professora bateu à sua porta e perguntou se o clube de mulheres coordenado por mamãe aceitaria a doação de algumas revistas de moda de Hong Kong.

— A música que a senhora toca é simplesmente de tirar o fôlego — acrescentou.

Com isso, mamãe finalmente se convenceu de que Miss Yu poderia ser uma amiga ao invés de adversária. Mesmo assim, mamãe botou alguém para ficar de olho na minha professora. Inevitavelmente, a tarefa recaiu sobre o motorista de Miss Yu.

Capítulo 9

1976
BEIJING

Com uma semana de atraso, li sobre a morte do temido presidente Mao, num jornal de 10 de setembro de 1976 que eu tinha encontrado na biblioteca. Que notícia incrível! O que mais eu estava deixando de saber do mundo que ficava além dos grossos muros da escola? Com o falecimento de Mao, a Revolução Cultural que ele havia iniciado chegaria ao fim.

— Isto quer dizer apenas uma coisa — sussurrei com veemência para Sumi —, o país será levado ao caos e à inquietude. Quem tiver o apoio do Exército vai subir ao poder e ele vai ser de quem pegar primeiro.

— E o que nós devemos fazer?

— Tenho que me alistar no Exército agora, senão vou perder a minha grande chance, Sumi! Você não está vendo? Uma dinastia acaba de terminar. O nosso país, o maior do mundo, está aguardando a chegada de um novo líder. E eu não vejo nenhum líder entre os que estão lá sentados nos gabinetes. O país está no seu momento mais fraco agora. O caos assusta os fracos e produz os poderosos. Ah, como eu queria poder entrar para o Exército!

— Entrar para o Exército? E eu?

— Você é uma escritora! Não é isso que você quer fazer? Existe melhor momento para escrever do que uma época de grande comoção e agitação?

— É, você tem razão — disse ela, pensando nos seus heróis. — Charles Dickens escreveu durante a Revolução Industrial da Inglaterra. O *Sonho do Pavilhão Vermelho*, de Cao Xueqin, nasceu quando o feudalismo morreu. Muito obrigada pela inspiração!

Ela encostou seus lábios nos meus pela primeira vez, e logo depois estávamos nos beijando com a loucura e embriaguez da juventude. Sumi afastou-se dos meus braços com relutância. Ela tinha que esperar, e eu também. Eu tinha exércitos para liderar, batalhas a vencer e ela tinha romances épicos para escrever. Mas Sumi pertencia somente a mim, não importa onde estivéssemos e nem para onde escolhêssemos ir.

Com muita emoção na voz, murmurei baixinho:

— Eu a amo muito.

— E eu o amo ainda mais.

— Não pode ser. Nada pode se igualar ao amor que sinto por você.

— Ah, pode sim, o meu amor com certeza pode se igualar ao seu.

— Vou me casar com você quando for general.

— E eu com você, quando o país estiver aos meus pés.

As juras de amor eterno levaram a outra longa rodada de beijos que me fizeram sentir ao mesmo tempo fraco e forte. Felizmente, a biblioteca estava vazia, como de costume.

Com o quadro político em transição, eu tinha fome de notícias sobre os futuros líderes. Comecei a ler todos os jornais que havia na biblioteca, apesar de chegarem com semanas de atraso àquela remota cidadezinha portuária da província de Fujian. Eu lia cada palavra e tentava interpretar o significado que havia por trás delas. Os principais jornais, como o *People's Daily* e o *Guangming Daily*, mantiveram uma abordagem calma sobre o súbito fim da tumultuada Revolução Cultural. Eu continuava me perguntando quem estaria no comando da situação. E, se não havia ninguém no comando, então quando ocorreria o golpe? Seria apenas uma questão de tempo até que um novo líder aparecesse. Seria isso, ou então derramamento de sangue. Além do currículo normal da escola, e pelas breves noções de história que eu vinha adquirindo nas minhas leituras noturnas, sabia que uma dinastia raramente sobrevivia ao seu criador e que o poder nunca mudava de mãos sem ficar manchado de sangue.

Eu quase não dormia. Pensava apenas em entrar para o Exército, agora que tinha 16 anos. Estava perdendo tempo ali. Entretanto, na realidade, havia muitos obstáculos impedindo-me de alcançar o meu objetivo. Mesmo que conseguisse sair da escola, será que o Exército me aceitaria com a idade que eu tinha ou com a minha passagem pelo reformatório? Sabia que havia uma base naval a cerca de 15 quilômetros dali e tinha ouvido boatos sobre projetos nucleares secretos escondidos nas montanhas. Fiquei cada vez mais ansioso, e minha agitação deixava Sumi preocupada.

— Você não está fazendo os seus deveres de casa. O que está acontecendo? — perguntou ela um dia, depois da aula.

— Eu queria poder voar para o céu como um pássaro — respondi, encostando-me no parapeito da janela e olhando para os aglomerados de nuvens de formas irregulares que havia lá fora.

— Você não está comendo direito e está com uma aparência horrível.

— Tenho que conseguir voar, senão vou morrer.

Sumi veio por trás de mim e, com o dedo, desenhou asas nas minhas escápulas. — Então voe, meu pássaro. E eu direi adeus daqui, da terra para o céu.

— Só você me entende.

Encaixando sua cabeça debaixo do meu braço, puxei-a para junto de mim.

— Quando você estiver planando no vento, lembre-se de que fui eu que lhe dei asas — disse ela, sorrindo.

Como sempre, acabamos nos braços um do outro, em beijos demorados, só que desta vez tentei avidamente tocar em seus seios, que estavam despontando. Ela soltou um leve suspiro, mas me repeliu e me mostrou um exemplar da Revista Militar, uma revista mensal sobre a vida no Exército, que tinha encontrado.

— Tem uma reportagem sobre um jovem general que foi herói de guerra em Balan e agora foi promovido ao posto de comandante-em-chefe da Guarnição Militar.

— Mais um privilegiado promovido por nepotismo — dei minha opinião displicentemente. — Qual é o nome dele?

— General Ding Long.

Gelei.

— Qual é mesmo o nome dele?

— Ding Long. O que é que tem? Você o conhece?

— Não, não, é claro que não. É só porque eu já tinha ouvido esse nome antes — falei.

— Então, por que você ficou pálido de repente?

Nada escapava à intuição de Sumi.

— Você está bem?

— Estou. Tem alguma foto do general aí?

— Ele é bonito, não é? — disse ela, passando-me a revista.

— Bastante.

Meus olhos correram sofregamente pela página.

— Tem alguma coisa nele que me lembra você — sussurrou Sumi e mordeu o lábio.

Fiquei parado por um instante antes de murmurar:

— Não me diga que você sente atração por homens mais velhos?

— Seu bobo, eu vou lhe dar uma surra.

Socou meu peito com os punhos e caiu nos meus braços novamente.

— Sabe, eu consigo imaginar você daqui a dez anos com esse uniforme. Vai ter a barba escura e o olhar inteligente, perspicaz e penetrante. Um dia você vai ser o general Shento — disse Sumi, sonhadora.

Li o artigo com muita atenção. Havia uma foto do general junto de sua bela e sofisticada esposa e de seu filho adolescente, que tinha as mesmas feições perfeitas do pai. O artigo dizia que ele era um pai dedicado ao seu filho e um marido fiel à sua adorável esposa.

Guardei a revista, escondendo-a debaixo do meu travesseiro, lendo-a e relendo-a inúmeras vezes. Durante vários dias, fiquei como que flutuando num estado de espírito cheio de excitação, oscilando entre a euforia e a tristeza. Ele está vivo, repetia para mim mesmo. Ele está vivo! Será que eu deveria entrar em contato com o grande general e procurar sua ajuda para me livrar deste buraco infernal? Ding Long havia alcançado o posto mais alto da hierarquia militar. Bastava ele dar uma ordem e a minha vida mudaria para sempre. Eu não ousava levar este sonho adiante. Havia tantas cores e matizes nele, que eu temia que um dia tudo estourasse feito bolha de sabão e desaparecesse no ar. Recordava as coisas que eu e o grande general tínhamos compartilhado. Em muitas ocasiões, aqueles pequenos momentos íntimos vividos no passado deram alento à minha triste e árida existência atual. Ding Long era um homem generoso, um homem de bom coração, um homem sonhador, que sabia lidar com os outros homens e com as mulheres também, caso contrário minha mãe não teria se apaixonado por ele e eu não teria nascido. Com a sua generosidade, ao receber notícias minhas, certamente abriria os braços e me aceitaria no seio de sua família amorosa. Como eu ansiava por aquele momento, o momento divino com que sonham todos os filhos ilegítimos da Terra, quando o general moveria os lábios para pronunciar amorosamente a preciosa palavra: "Filho."

Como seria maravilhoso! Que alegria divina isso me traria! Eu ficava todo arrepiado, imaginando um passeio excitante numa estrada asfaltada, dentro de um jipe do Exército, com o vento batendo forte no meu rosto, sentado ao lado do meu pai, vestindo uma roupa da mesma cor que a dele, talvez até usando o mesmo uniforme. Como seria reconfortante entrar finalmente com ele no quartel, um mundo muito distante deste aqui...

Se a família dele, por algum motivo que eu desconhecia, me considerasse indesejável (o que era possível, pois houve infidelidade, traição e coisa e tal), isso seria, na pior das hipóteses, um desconforto temporário, pois sendo ele quem era, suas palavras de ferro nunca seriam desobedecidas dentro ou fora do seu núcleo familiar. Eu poderia morar — temporariamente, é claro — em algum lugar longe da família, mas ainda assim convenientemente próximo, para que pai e filho recém-encontrados pudessem se ver freqüentemente, talvez para jogar xadrez ou apenas para conversar. A esta altura, o general, depois de perceber que cresci forte e determinado, me mandaria — é claro — para um colégio militar de verdade, talvez o mesmo que ele tinha freqüentado nos seus tempos de rapaz, a Academia Militar do Leste, localizada na cidade litorânea de Da Lian.

Se o general — celebrado pelos jornais, revistas e outras publicações oficiais como um homem de família — achasse que o seu novo filho poderia atrapalhar sua brilhante carreira militar (afinal, a retidão de caráter era uma exigência do cânone comunista), então ele nem precisaria me chamar de filho. Ele poderia ser um pai oculto e não-declarado, mas que estaria sempre do meu lado, que me amaria e me ajudaria quando eu tropeçasse, que me reergueria quando eu caísse, como qualquer pai o faria. Para mim, não haveria necessidade de chamá-lo de pai, isso seria mera formalidade.

Eu confiava tanto na generosidade e na bondade do general Ding Long com relação à minha pessoa que, duas semanas depois de ler aquele artigo, decidi lhe escrever uma carta, enviando-a ao Comitê Central da Guarnição

Militar, Beijing. Optei pelo endereço do Comitê Central, e não pela casa do general, que ficava na conhecida Zhong Nan Hai, para evitar que a esposa do general recebesse a carta antes dele.

Na luz fraca do meu quarto, depois de morder o lápis durante um bom tempo, escrevi a seguinte carta:

Caro general,

Estou lhe escrevendo depois de ter lido sobre sua promoção ao mais alto posto na carreira militar do país. Quero lhe oferecer as minhas humildes felicitações com relação a esta promoção, que, mesmo cinco anos atrás, nunca duvidei de que o senhor obteria. O senhor deve estar se perguntando quem sou eu e por que estou lhe escrevendo esta carta. Bem, meu nome é Shento, e sou o filho do médico do vilarejo de Balan, que, num golpe de infelicidade histórica, foi arrasado pelo fogo, deixando-me como único sobrevivente daquela tragédia que, para o bem ou para o mal, me trouxe até onde me encontro no momento.

Se meu nome lhe parece apenas mais um dentre tantos outros com boa sonoridade e um belo significado, gostaria então de lhe dizer que eu era aquele menino esperto que, por seis anos, obteve o prêmio mais cobiçado da escola e a muito ambicionada oportunidade de jantar com o senhor em seu magnífico gabinete, dentro do destacamento militar em que seu exército estava sediado. Os filmes emocionantes a que eu assisti, a esplêndida comida e, o mais importante de tudo, o senhor, com seu firme aperto de mão e a estima dispensados ao menino que eu era, foram os únicos motivos que me incentivaram a querer me superar na escola e na vida. Não me envergonho de lhe dizer que os nossos breves encontros foram os momentos mais preciosos da minha curta existência. Mais de uma vez, desejei abandonar minha humilde choupana e pular a cerca do destacamento para estar lá todos os dias e merecer a sua atenção.

O senhor moldou meu destino ao me presentear com o tesouro supremo que é o seu cordão. Desde aquele dia trágico em que minha aldeia foi destruída, minha vida mudou seu curso como o de um rio. Nós dois atingimos um outro patamar na vida. O senhor chegou merecidamente ao ápice de sua carreira e eu, vergonhosamente, ao ponto mais baixo do meu destino, jogado num orfanato que ostenta o nome de escola e que é, na melhor das hipóteses, uma senzala, condenando a todos aqui, meninos e meninas na flor de sua juventude, a uma vida de trabalho exaustivo, de tortura, de vergonha, de insignificância e de desesperança. Neste isolamento onde o brilho do sol não nos alcança, o amanhã é sempre um dia cada vez mais escuro. Nós de fato fazemos três refeições por dia, se é que podemos chamá-las assim, o que eu não faria. Trabalhamos muito, embora o trabalho não me assuste, pois sou forte como os homens nascidos nas montanhas, e o trabalho exaustivo apenas torna o corpo mais firme e a vontade mais determinada. Mas trabalhar para quê? Aqui não há futuro. Estamos aqui apenas para labutar e sermos torturados, ou pior, para torturarmos os outros em nome da sobrevivência. Estamos acorrentados a esta escola, condenados à escravidão por toda a vida. Somos punidos, apesar de jovens e inocentes. Punidos, ainda que sem merecê-lo. Por favor, tire-me daqui ou sucumbirei nesta vida de desgraça.

A razão pela qual fui compelido a escrever esta carta é para implorar que o senhor me liberte deste inferno. O senhor pode ter mil motivos para não atender ao meu pedido, pois sei que é um homem importante e muito ocupado, mas tenho que escrever esta carta porque meu coração ainda guarda a inocente lembrança da minha juventude: a de que o senhor tem carinho por mim e me libertaria desta escravidão, se pudesse. Se o senhor não se comover com a situação em que me encontro, então pense na promessa que me fez, aquela promessa tácita e silenciosa que acompanhou o presente que me deu, o cordão com seu nome gravado que, aliás, já me salvou uma vez ao impedir que uma bala atingisse o meu peito. Ainda que pareça impróprio o que estou prestes a lhe pedir, sou forçado a fazê-lo, pois não tenho ninguém neste mundo (meus pais adotivos morreram queimados naquele dia terrível). O senhor se lembra de Malayi, a bela da aldeia, a quem o senhor amou num certo Festival da Primavera? Ela era a minha verdadeira mãe. Eu sou sangue do seu sangue.

Meu querido pai, por favor faça o que for possível para me tirar daqui, para que algo de bom possa resultar de mim. Prometo que não serei uma mancha na sua história. Sou inteligente, como o senhor mesmo pôde perceber. Graças a Buda, com um pouco do seu cuidado e do seu amor paterno, serei o que o senhor desejar que eu seja, e ainda mais, muito mais.

Não é minha intenção soar digno de pena, mas a vida de fato deixa suas marcas sem que se perceba. Sou um homem forte. Escrevo ao senhor não apenas para pedir ajuda, mas para lhe oferecer minha mão, pois creio que no futuro, podendo contar com acomodações e instrução apropriadas, poderei me desenvolver e me tornar uma força útil, como o senhor sem dúvida espera que seu outro filho seja. Seguindo meus instintos, farei tudo para auxiliá-lo em suas ambições de subir ainda mais alto na torre da vida.

Por favor, meu querido pai, me liberte — se não for por mim, então por minha querida mãe, que morreu tão jovem e a quem o senhor um dia deve ter amado.

Assinado com sangue,
Shento

Mal se passou uma semana quando, uma noite, uma carta foi abruptamente jogada pela pequena abertura que havia na porta do meu quarto. Que alegria! Fiquei tão excitado que me senti tonto. O endereço do remetente era o do escritório do Comando Central, com o emblema da bandeira vermelha, a foice e o martelo. Não havia dúvidas. Pisquei várias vezes para dissipar as lágrimas enquanto rasgava o envelope, e depois fechei os olhos para me acalmar um pouco. Quando os abri novamente, as palavras frias me saltaram à vista:

Camarada Shento

Por intermédio desta carta, ordeno que pare com quaisquer falsas acusações contra mim com relação ao fato de ser meu filho ilegítimo. O que você cometeu ao me escrever é comparável a um crime de pena capital que, de acordo com os termos do Código Penal Nacional, artigo 1462, o condenaria à morte na forca. Na reincidência de mais algum outro ato criminoso deste teor, você será punido com a morte por decapitação. Eu não recomendaria esta punição a um menino tão novo e tão inocente.

Minha consciência está limpa. Tenho e reconheço apenas um filho. Não há a menor possibilidade de haver outros filhos, ou filhas. Isto é algo absolutamente impossível, pois sou praticante das virtudes elevadas dos valores comunistas e vivo com moderação, seguindo a linha adotada por nosso Partido. Isto não significa que você não tenha um pai ou que não tenha o direito de tê-lo. Pode ser que você tenha me confundido com algum outro general, com quem sua mãe de moral pouco rígida tenha se relacionado, dando a você uma vida de pecado na ilegitimidade. Entendo a dor que há em seu coração. Uma vida sem esperanças onde o dia de amanhã só lhe traz desesperança. O desespero gera atos desesperados, e a sua carta é um deles. Eu lhe dou esta advertência, à qual você deve atentar, se for tão inteligente como declarou ser, e se tiver o desejo de continuar vivo. Sob quaisquer circunstâncias e em nenhum momento você deverá repetir tal declaração infundada para quem quer que seja, ou uma ação legal será movida contra você. A Suprema Corte de Justiça Popular e o Supremo Tribunal Militar já estão cientes dos seus atos e continuarão a observar seu comportamento no futuro.

Meu rapaz, por favor, desperte do seu devaneio, que é o que isto é, na melhor das hipóteses. Pensando assim, recomendei que não se movesse uma ação contra você. Livre-se da imaginação e da ilusão, e aprenda a viver uma vida independente e, acima de tudo, honesta.

Ding Long, comandante-em-chefe
Selo oficial

Durante vários dias, senti-me como um cachorro que tivesse levado uma surra e fiquei dolorido não no corpo, mas no espírito. Como pôde o general ser tão cruel, apagando as minhas mais queridas recordações e a minha esperança mais acalentada — minha única esperança? Será que eu não era tão brilhante quanto o seu outro filho, tão perfeito quanto ele? Reli a carta várias vezes. Aquela ameaça de morte — que injustiça! E ainda por cima, citando o Código Penal?

O mundo tinha virado de cabeça para baixo. Então, aos poucos, fui entendendo melhor as coisas. Naquela imagem de perfeição, o clã dos Long sorria com seus dentes brancos, cabelos penteados e bem-vestidos, enquanto eu, o filho ilegítimo, nunca deveria ter nascido. Apesar de ter sobrevivido (e só Buda sabe como), tendo que conviver com a mentira vergonhosa de um destino infeliz, eu nunca teria o direito de ter um pai de verdade, aquele que tinha desonrado a bela da aldeia. Eu era apenas uma fatalidade da vida, um filho não-planejado e desnecessário. Certamente não era amado e não era querido: um indesejado. Eu não era nada! Era o sexto dedo de um pé, um segundo umbigo. Uma anomalia, uma anormalidade, uma nuvem escura maculando o céu azul.

Como Ding Long contrastava com meu *baba* e minha *mama*, o médico da aldeia e sua mulher, que me amaram e me criaram. Eles é que eram os meus verdadeiros pais. Mas a morte os tinha levado e agora ninguém me queria, a não ser eu mesmo. Sendo assim, tenho que confiar completa e integralmente em mim. Tinha apenas a mim mesmo. Como eu era patético, indesejável, solitário, uma árvore sem floresta! Não tinha absolutamente nada. Seria melhor se, daqui para a frente, eu me referisse a mim mesmo como "o filho do arbusto de chá". Pois foi lá que fui encontrado e salvo da morte ao nascer.

Pelo tom da carta, ele não somente não me queria, como também me considerava um fardo do qual queria se livrar, uma mancha escura a ser removida. Certamente o sogro de Ding Long havia tentado fazer isso, mandando-me para esta prisão em forma de escola, ao saber do deslize cometido pelo general e ao reconhecer o maldito cordão. E agora, isso! Os dois estavam de comum acordo quanto a me deixar apodrecer aqui, junto com os outros órfãos e enjeitados.

Mas eu não ia sucumbir a isso. Pelo contrário, eu me ergueria, altivo como uma montanha, como o nome que me foi dado por aqueles que foram os meus pais de verdade. Sobreviver, não por mim mesmo, mas por causa daqueles que desejavam o contrário, que queriam que eu desaparecesse, que sumisse, apagando os vestígios da minha existência. Eu, o filho maldito dos Long, cuspiria na cara deles, e eles ficariam cobertos pela lama do arrependimento e manchados pelo sangue do remorso.

Daquele dia em diante, era eu e mais ninguém. Um Shento sozinho no mundo. Um homem que não era de ninguém, que não vinha de lugar nenhum. Não havia nenhum general Ding Long na época de ouro da minha infância. Não houve nenhuma mãe que se atirou do penhasco. Havia apenas a memória de meu *baba* e de minha *mama* que tinham morrido. Havia apenas eu mesmo, sozinho, enfrentando o mundo. No cais, antes de encher outra carreta de peixes, rasguei a carta em pedacinhos e a atirei no mar. Os pedaços de papel foram engolidos pela água e uma parte de mim afundou junto com eles. À medida que eles desapareciam, nascia um novo Shento.

Tan

Capítulo 10

1977
BEIJING

A MORTE DO PRESIDENTE MAO marcou o fim da desastrosa Revolução Cultural. Quando Heng Tu tomou as rédeas do país, a primeira coisa que fez foi restaurar a educação universitária. O slogan popular "Conhecimento é veneno" foi atirado ao lixo. Agora havia grande demanda pelos "abomináveis intelectuais". De repente, milhões de pessoas que, durante dez anos, tinham se formado apenas no segundo grau, estavam tendo oportunidade de fazer o vestibular em âmbito nacional, disputando uma quantidade limitada de vagas nas universidades. Houve uma verdadeira febre por maiores conhecimentos nas ciências e nas artes. Em todas as casas, as luzes ficavam acesas até tarde da noite. Uma outra revolução despontava no horizonte, permitindo que a juventude tivesse a chance de um futuro melhor.

Eu achava que o Colégio Dong Shan era um antigo clube metido a besta e cheio de personagens esquisitos e excêntricos, versões modernas da realeza e da nobreza da China que, por isso, lançavam moda tanto no jeito de vestir quanto no de pensar. Estavam na moda as calças boca-de-sino, que varriam a poeira do chão por onde passavam, e os rapazes usavam o cabelo comprido e ensebado. Nos banheiros, os alunos do último ano revendiam cigarros livremente — mas apenas marcas estrangeiras; as nacionais eram automaticamente descartadas.

Como papai tinha sido um dos fundadores do grêmio estudantil mais prestigiado do colégio, o Clube da Foice e do Martelo, fui convidado a participar dele. Sua foto ainda estava pendurada na parede do salão. O estatuto original do clube previa pesquisas e estudos sobre a essência do comunismo, conforme a teoria elaborada por Karl Marx. Porém, eu quase não consegui acreditar no que ouvi na primeira reunião. Para eles, Karl Marx era uma aberração, um estrangeiro esquisito e barbudo. Alguém disse que ele era um mendigo, um pedinte que não tinha vergonha de ser sustentado por um amigo rico. Os rapazes argumentaram sobre todas as opções, tentando encontrar o sistema político mais adequado para a China. Mais cedo ou mais tarde, a conversa acabava invariavelmente na democracia americana.

Durante a primeira reunião, fiquei sentado em silêncio o tempo todo. Quando terminou, não pude deixar de pensar como era paradoxal ver os filhos da elite comunista discutindo alternativas para o mesmo regime que nos deu privilégios e tudo o que tínhamos. De pronto, isso me assustou, já que durante a Revolução Cultural essa reunião teria sido considerada um ato contra-revolucionário e nós todos seríamos jogados numa cela escura e ficaríamos lá por vinte anos sem a menor chance de recorrer judicialmente. Mas, quanto mais eu pensava nisso, mais a discussão fazia sentido — se nós não nos preocupássemos com o futuro, quem o faria?

Nas semanas seguintes, tornei-me um participante fervoroso, orador apaixonado e debatedor convincente. Pela primeira vez na vida, estava questionando seriamente o sistema no qual eu vivia. Minha exposição precoce ao mundo financeiro e minhas longas conversas com Miss Yu abriram-me os olhos. Cheguei à conclusão de que não havia democracia na China porque nenhuma democracia teria permitido que meus avós escolhessem o presidente do país. A eleição de um líder deveria ser feita pelo povo, e não pelos políticos. O governo deveria privatizar as empresas e abdicar do controle sobre as grandes indústrias. As pessoas deveriam ter direito à propriedade privada e a realizar seus negócios como melhor lhes conviesse. Somente deste modo, todo o potencial desta grande nação poderia ser aproveitado. Imagine um bilhão de empresários! O futuro da China era aqui e agora. Senti-me bastante confiante no fato de que um dia, talvez num futuro próximo, eu poderia pôr em prática minha visão política e ajudar o meu povo.

Certa noite, o Clube da Foice e do Martelo desafiou para um debate o Clube Lênin e Stalin, que ainda dominava o segmento estudantil mais conservador. Fui escolhido para representar o meu clube, uma honra concedida a apenas um calouro antes de mim. Meu adversário era um veterano cujo pai era ministro da Propaganda. Ele argumentou que a China nunca seria um país capitalista porque seu povo não saberia o que fazer na economia de mercado. Mas usei o exemplo dos cinco tigres asiáticos — Cingapura, Hong Kong, Coréia, Malásia e Indonésia — para atacar os pontos fracos de sua argumentação. Venci o debate com todos batendo palmas de pé. Daquele dia em diante, fiquei conhecido no campus como "Mister Democracia". No meio do ano letivo, fui eleito presidente do clube, uma honra que nem papai obteve antes do seu último ano.

Uma tarde, o diretor da escola me pediu que eu fosse à sua sala. Normalmente, os alunos ficavam de pé na sua presença, mas ele me convidou a sentar no sofá e me ofereceu uma xícara de chá.

— Meu rapaz — disse ele —, a política é como uma nuvem. Você pode persegui-la, mas não pode agarrá-la. Seus avós não se tornaram políticos importantes porque falavam sobre política o tempo todo. Por mais brilhante que você seja, tem que saber que a vida é feita de coisas concretas. Por exemplo, seu avô Long foi meu colega de turma em Oxford. Sua área era economia, que é um ramo da ciência, e o que ele se tornou depois não é tão importante. Se ele não estivesse na presidência do banco, poderia ter sido um professor brilhante. E o seu avô Xia, um verdadeiro soldado, venceu mais batalhas do que qualquer outro de sua geração. Primeiro foi um bom soldado, depois um comandante-em-chefe.

— Entendo perfeitamente o que o senhor está querendo me dizer. Vou dedicar mais tempo aos meus estudos.

— Eu sabia que você entenderia.

— Obrigado, senhor diretor.

— Não precisa me agradecer. Eu estou aqui para garantir que a Universidade de Beijing, onde seu pai se formou, não faça cara feia diante do seu histórico escolar e seja forçada a aceitá-lo com base nos seus antecedentes familiares.

Saí da sala determinado a não envergonhar meus pais em minhas provas finais. Estudei dia e noite, suspendendo temporariamente minha atividade como presidente do clube e até minhas queridas aulas de inglês, em que eu estava fazendo grandes progressos. Minha média foi maior do que a de papai por 25 décimos.

Naquelas férias de inverno, vovô Xia sofreu um sério derrame durante uma reunião com o presidente Heng Tu. Tratavam de uma questão militar espinhosa e delicada quando ele caiu no chão, desmaiado, e foi levado ao Hospital Popular de Beijing. Ficou em coma durante cinco dias, e fui visitá-lo diariamente. Na primeira vez em que o vi, sua figura cadavérica tinha pouca semelhança com o meu querido e vibrante avô. No segundo dia, levei meu teclado Casio e, na esperança de acordá-lo, toquei suas melodias favoritas da Ópera de Pequim. O velho não se moveu. No terceiro dia, passei dez horas seguidas ao seu lado e só fui para casa depois de ser enxotado pelo diretor do hospital. Nos dois dias seguintes, recusei-me a sair do lado do meu avô e dormi numa pequena maca, acompanhando mamãe, que tinha chorado até as lágrimas secarem.

No sexto dia, acordei no colo de mamãe.

— Ele se foi — disse ela.

Seus olhos estavam marcados por olheiras escuras.

Não podia acreditar que meu grandioso avô tinha morrido, mas lá estava ele, irritantemente imóvel. Apoiei minha cabeça carinhosamente em seu peito. A ausência do movimento de subida e descida de sua respiração era tão chocante, que rapidamente me engasguei com as lágrimas.

O funeral aconteceu num pequeno salão ao qual compareceram os líderes civis e militares do país — ministros, membros do Politburo, adidos militares de embaixadas estrangeiras. Vovô Long fez uma homenagem bem-humorada e merecida àquele homem. Chorei novamente quando vovô Long concluiu dizendo que a natureza pé-no-chão do general Xia — simples, humilde, um pouco bruto — tornava-o ainda mais elevado espiritualmente. A cerimônia terminou comigo ao piano, tocando sua peça predileta, "Clair de Lune". O velho general dizia que essa era a única composição musical do mundo ocidental que podia ser comparada à Ópera de Pequim.

Dois velhos amigos do general, em suas cadeiras de rodas, atiraram-se sobre o caixão e não saíram de lá até que suas enfermeiras os levassem embora. Eles tinham caminhado lado a lado na Grande Marcha e participado juntos de centenas de batalhas. O presidente Heng Tu, notadamente ausente, havia apenas enviado uma coroa de flores junto com alguns poemas do presidente Mao escritos numa faixa.

Em casa, vovô Long, muito pesaroso, telefonou para o gabinete do presidente. Exatamente uma hora depois, a Rede Central de Radiodifusão do Povo e a TV Central transmitiram um comunicado especial informando que o presidente havia nomeado papai como comandante-em-chefe do Exército, da Marinha e da Força Aérea da China.

Vovô Long comentou, ao ouvir a notícia:

— Estou decepcionado por ter que lembrar isso a ele.

Eu não estava particularmente impressionado com aquele processo em que o poder era oferecido como um presente. Dei os parabéns a papai, abracei-o e depois voltei ao meu quarto. Fiquei olhando para uma velha fotografia do meu avô morto que, no fundo, era apenas um homem simples que gostava de fumar o seu cachimbo.

Nos meses que se seguiram, era possível sentir o clima de tensão dentro de casa. Papai estava irritadiço e gritava freqüentemente. Parou de me levar ao quartel-general e não falava muito de sua nova função. Eu sentia que, apesar de não externá-las, havia dentro dele muitas coisas que ele lamentava. Certo dia, ficou enfurecido e atirou coisas na parede e no chão do escritório.

— Por que isso? — perguntei a mamãe.

— Nunca pergunte nada sobre os assuntos dele.

Não demorou muito para eu saber pelos jornais o que estava ocorrendo: críticas ácidas de Heng Tu ao Exército e a promessa de cortes no orçamento militar. Papai desapareceu durante vários dias. Mamãe disse apenas que ele estava fazendo uma visita oficial a seus comandantes regionais e que tudo estava bem. Nada disso me afetava muito, ou pelo menos assim eu pensava.

No verão de 1977, antes do semestre do outono se iniciar, decidi dividir meu tempo entre os negócios bancários do meu avô e os assuntos militares do meu pai. Eu me sentava com vovô Long em seu imponente escritório na sede do Banco da China, próximo à Praça Tiananmen, a Praça da Paz Celestial, ouvindo os executivos discutirem os assuntos do dia. Empréstimos e mais empréstimos — grandes executivos os solicitavam insistentemente. Era uma época atordoante para a China recém-aberta. Os empresários estavam por toda a parte. Parecia que, se você tivesse algum capital, era só chacoalhar uma árvore e recolher as moedas. Vendo isso, o conselho de vovô Long ao presidente Heng Tu foi cautela e mais cautela, senão a instabilidade dos novos tempos e a inflação matariam a economia em desenvolvimento. Mas suas palavras entraram por um ouvido e saíram pelo outro, enquanto bilhões em empréstimos eram processados sem nenhuma verificação de crédito ou análise de risco. Comecei a ver muitas caras novas no banco. Nas reuniões, eles começaram a afirmar o seu poder e a realizar mudanças sem a aprovação do meu avô. Um dia, ele ficou tão irritado quando um novato lhe pediu que se acalmasse que espatifou seu bule de jade predileto na mesa e saiu da sala. Fui atrás dele.

— Quem são essas pessoas? — perguntei, preocupado, depois que ele abriu furiosamente a porta do seu escritório e parou ao lado da mesa, respirando fundo.

— São todos discípulos do Heng Tu.

Vovô sentou-se pesadamente na poltrona.

— E eles estão aqui para tirá-lo do cargo?

— Não vou permitir que eles façam isso por enquanto. Eles não sabem nem diferenciar um dólar de um marco.

Ele deu um sorriso forçado antes de olhar em outra direção. Ao observá-lo, percebi que meu avô tinha se tornado um homem idoso de cabelo grisalho e olhos sem brilho. Não havia mais aquela animação que coloria muitas das nossas conversas sobre o mercado financeiro. Eu achava que era por causa da morte do vovô Xia, pois sabia que, no fundo, os dois se amavam e tinham admiração um pelo outro. Seus egos é que haviam atrapalhado. As coisas não eram mais as mesmas depois da morte do general.

Um dia, publicaram um relatório no jornal oficial do governo dizendo que a vultosa quantia de vinte milhões de dólares tinha desaparecido do Banco Central. Depois disso, vovô parou de ir ao banco. Sua Mercedes ficava estacionada na garagem e, para passar o tempo, ele começou a ler histórias japonesas em quadrinhos, uma paixão de sua juventude. Mamãe e papai me avisaram para não perturbar o meu avô com perguntas sobre o capital extraviado. Isso apenas ofenderia sua dignidade e sua honra de economista mais confiável de toda a Ásia. Alguma coisa deve ter acontecido, alguém deve ter roubado aquele dinheiro, ou talvez fosse apenas uma grande mentira a fim de expulsar vovô de seu cargo. Em tempos passados, ele teria ligado diretamente para o presidente Mao e tudo se resolveria, mas não havia mais o presidente. As coisas não eram mais as mesmas, e isso me preocupava.

Durante o resto do verão, fiquei insistentemente na cola do meu pai. O quartel-general do maior exército do mundo era exatamente o oposto do Banco Central. Lá, tudo estava mais morto do que a própria morte. Em todas as reuniões com os principais homens de papai às quais eu podia assistir, a expressão "redução de escala" não parava de aparecer.

Os generais sonham com as guerras. Faz parte da natureza deles sentir o cheiro do sangue, que os impulsiona de uma batalha para outra. O som penetrante do clarim, o ruído dos tanques, as cócegas do capim roçando no rosto durante uma emboscada e o brinde impetuoso da vitória, tudo isso agora eram ecos distantes. Um exército ocioso é o pior dos exércitos. Fiquei surpreso, mas não chocado, ao ver alguns dos homens de confiança de papai aparecerem de ressaca nas reuniões. Eles não tinham nada para fazer. Nenhum conflito de fronteiras. Até mesmo o pior inimigo, Taiwan, queria fazer negócios com a China continental. A Guerra Fria tinha acabado. Então vamos beber e comemorar. E, como papai me disse, alguns militares não pararam mais de comemorar.

As reuniões agora giravam em torno de como lutar contra a nova safra de legisladores que tentavam cortar o orçamento militar.

— É o nosso fim — lamentavam os militares. — Construímos este país. Agora que eles não precisam mais de nós, estão nos descartando. Quem foi que sugeriu o corte no orçamento? Diga-nos quem foi, general Long, e daremos um jeito neles.

— Eu participei daquela porra da Grande Marcha com o nosso falecido presidente Mao. Isso não significa nada? — exclamou um dos veteranos do Exército.

— Meu exército se transformou num bando de operários do Estado envolvidos em tarefas insignificantes — disse o comandante regional do Nordeste da China. — Outro dia, pediram que varrêssemos as ruas para um desfile que celebrava a fusão entre a Ford e a maior fábrica de automóveis da China. O que é que somos agora? Zeladores do capitalismo que fomos ensinados a combater há apenas alguns anos, quando Mao ainda estava vivo?

Ele olhou para os outros, indignado.

— Meus homens agora são especialistas em pesca submarina — disse o comandante naval, em tom de brincadeira.

— E os meus estão fazendo acrobacias aéreas como atração turística na região de Guilin — acrescentou o comandante da Força Aérea.

Todos os dias havia as mesmas reclamações. Notei que papai ficava cada vez mais desanimado. O moral de seus homens o afetou profundamente, pois ele era a soma de todos eles. Seus homens eram agora zeladores, palhaços de rua e operários de construção. Eles começaram a ser insultados. As pessoas nas ruas, especialmente as crianças, os xingavam de patetas. Há apenas alguns anos, quando não havia faculdades, o exército era o sonho de todos. O uniforme verde-oliva, um tamanho maior do que o necessário, era um símbolo de sucesso para qualquer jovem. O Exército cuidava de você. Os poucos sortudos que subiam de posto passavam do uniforme de dois bolsos para o de quatro. Logo depois mandavam buscar suas esposas caipiras para as cidades onde os exércitos estavam sediados e transformavam-nas em damas. Seus filhos eram crianças mimadas e bem-alimentadas. Mas agora não havia mais nada disso. Seus salários eram patéticos. Mal dava para comprar a marca de cigarro mais barata do mercado negro. Papai sentia a dor deles mais profundamente do que eles poderiam imaginar. Ele era um soldado que nunca abandonaria os seus homens, mesmo na situação mais calamitosa. Eu me perguntava até onde ele conseguiria agüentar.

Como já era de se esperar, um corte substancial no orçamento militar foi anunciado nos jornais. Quando entrei correndo no seu escritório com o jornal nas mãos, papai trincou os dentes. Logo depois, ele sumiu novamente durante vários dias e voltou com um ar ainda mais perturbado. Eu o vi andando para lá e para cá no escritório até tarde da noite.

— O que está acontecendo com a gente? — perguntei a mamãe, que estava lendo uma revista de moda.

— Como eu já te disse, a política não presta para nada. É por isso que eu queria que você fosse artista ou alguma outra coisa. Qualquer atividade seria melhor do que isso. Meu filho, lamento muito que você tenha que presenciar tudo isso.

— Pelo contrário, mamãe. Estou curioso para ver qual será o próximo passo do papai. Não tenho dúvidas de que ele vai conseguir dar um jeito nisso tudo.

— Volte para os seus estudos. Isso não é para você.

— Mas é claro que é — retruquei. — Ainda me lembro de você me dizendo para eu me preparar para ser um líder algum dia.

Mamãe apenas balançou a cabeça e apontou para mim com seu queixo orgulhoso.

Capítulo 11

1978
FUJIAN

Minha vida foi perturbada novamente quando Cão Negro retornou ao campus da escola, após anos de ausência. O boato que corria era que, após terem extirpado seu olho estragado e a ferida ter cicatrizado, ele tinha fugido do Hospital do Exército para vagabundear pelas províncias do litoral, roubando os vivos e saqueando os túmulos dos mortos. Todas as suas aventuras e os seus roubos resultaram em terríveis fracassos, o que o convenceu de que não conseguiria conquistar o mundo e que o único lugar que lhe restava era aquele que abominava, o orfanato onde tinha sido abandonado aos três anos de idade. Então, um dia, ele se entregou à guarda costeira, que o transportou de caminhão, atravessando as fronteiras de três províncias, para trazer o canalha de volta ao seu lugar.

Cão Negro já não andava com a mesma arrogância, embora ainda usasse a mesma jaqueta de couro. Um acréscimo bastante perceptível ao seu guarda-roupa de rebelde foi um tapa-olho preto sobre o olho direito. A vida lá fora deve ter sido uma maravilha, pois ele parecia radiante e mais forte do que nunca. Devido ao sistema viciado da escola, Cão Negro retornou ao quarto 1.234, onde se alojara no passado. Não dissemos nada um ao outro. Não houve nenhum aperto de mão e nenhuma troca de olhares.

Apesar de tudo estar calmo como o mar da manhã, eu sabia que os problemas estavam à minha espera. Tinha visto os dois amigos aleijados do Cão Negro lançando olhares maldosos na minha direção depois da volta de seu chefe caolho.

Naquela noite, Cão Negro burlou o toque de recolher e só voltou à meia-noite. Peguei no sono com uma faca debaixo do travesseiro e acordei com a porta rangendo e o beliche balançando.

No dia seguinte, no café da manhã, vi Sumi no refeitório, rodeada por suas amigas. Estavam todas juntas e sussurravam umas com as outras, parecendo tensas como uma ninhada de pintinhos assustados. Sumi correu para mim quando me viu. Puxou-me para um canto discreto e apertou meu braço com força.

— Está tudo bem com você? — perguntei.

— Não, com a volta do Cão Negro, as meninas começaram a ter problemas de novo.

— O que aconteceu?

— O Cão e seus amigos vieram ao nosso dormitório, levaram uma das meninas para o jardim e a estupraram ontem à noite.

— O quê? E não tinha nenhum guarda?

— Eles não são muito melhores do que o Cão. Ano passado, duas garotas ficaram grávidas e foram mandadas para um hospital para abortarem. Elas foram estupradas pelos guardas.

— Mas isso é horrível!

Senti o sangue me subir à cabeça.

— E como está a garota? Quem é ela? É uma das suas amigas?

— É Ai Lan. Ela perdeu muito sangue e agora só pensa em morrer. Eu fiquei cuidando dela a noite toda.

— Aquele filho-da-puta! Se ele ousar tocar em alguma de vocês de novo, eu arranco o olho esquerdo dele fora.

Ela começou a chorar.

— Não chore, Sumi. Eu estou aqui. Você não tem com o que se preocupar.

O alto-falante estalou e a odiada voz do diretor ecoou pelo teto do refeitório.

— Dois navios acabam de chegar. Durante os próximos dias, as aulas estarão suspensas até todo o atum ser descarregado. Meninos e meninas, lembrem-se, a mensalidade da escola e a alimentação que vocês comem têm que ser pagas. Agora chegou a hora do pagamento.

Ouviram-se vaias e xingamentos no meio da multidão, que só se calou quando os cassetetes dos guardas caíram sobre suas cabeças. De qualquer modo, eu não estava com vontade nenhuma de ir à escola naquele dia. Estava fervendo de ódio pelo Cão Negro. A brisa do mar e a maresia eram mais adequadas para eu apaziguar as minhas emoções e esquecer a crueldade do mundo. Naquela manhã, transportei um total recorde de cinqüenta carretas de atum do cais para a fábrica sem nenhum descanso. Ao meio-dia, um marinheiro de um enorme navio, o Stars, jogou do convés um doce para mim e disse que eu tinha feito um bom trabalho. Ele tinha a barba cerrada e um sorriso bondoso. Comendo o doce, acenei para ele e inclinei a cabeça em agradecimento.

Continuei a trabalhar durante o horário do almoço. Quando o sol se pôs, eu havia transportado um total de 150 carretas. Quando eu levava o último carregamento, os marinheiros estavam sentados no convés admirando o pôr do sol, tomando cerveja e fumando charutos. Irromperam em aplausos e me saudaram com uma rodada de assobios, o que me deixou vermelho da cabeça aos pés e fez sumir todas as dores que eu estava sentindo. Ao baixar a cabeça e empurrar a carreta para longe do cais, ouvi uma voz que vinha do convés.

— Venha cá, garotão, e junte-se a nós para tomar um trago. Vamos tirar você deste buraco!

Os marinheiros soltaram mais gargalhadas.

Não sei se ele estava falando sério, mas a última parte do convite me fez estancar. Virei-me e olhei para o convés lá no alto. Os marinheiros acenavam para mim com as garrafas. No mastro, a bandeira ondulava com a brisa do mar e as gaivotas circulavam, tentando encontrar um pouso, mas eram impedidas pelas rajadas de vento. Durante um bom tempo, deixei o pensamento voar para aquela idéia perigosa na qual eu tinha evitado pensar desde que recebi a carta do general Long.

Longe, bem longe!

Dei as costas para eles e me forcei a caminhar de volta para o dormitório. Quando voltei ao meu quarto, Cão Negro estava fumando, todo esparramado na cama. Ele tinha tirado o tapa-olho. O buraco vermelho da órbita de seu olho parecia o oco deixado na terra depois que uma árvore é arrancada.

— E aí, escurinho? O que é que você achou do meu olho furado? — perguntou.

— Fico feliz por você.

— Ha! E por quê?

— Por que você ainda tem o outro olho.

— E o que quer dizer com isso? Você acabou com a minha vida e agora vai ter que pagar por isso! — vociferou Cão Negro e pulou da cama, espalhando perdigotos por todo o lado.

Enfiei a mão debaixo do travesseiro, com o olhar fixo no único olho do Cão.

— Espere só para ver — disse ele, com um olhar maléfico. — A gente vai começar pela sua garota, e depois vamos cuidar de você, um de cada vez.

— Se tocar em Sumi, mato você. Eu juro.

Puxei uma faca com a lâmina toda dentada que estava embaixo do meu travesseiro e mostrei-a para o Cão, que a arrancou da minha mão com um soco.

Cão Negro, maior e mais alto do que eu, me agarrou pela garganta, apertando com força. Usei uma das mãos para pressionar o seu gogó. Ao mesmo tempo, acertei-lhe uma joelhada na virilha, fazendo-o voar de encontro à porta, segurando o saco. Ele fugiu pela porta agachado, berrando e xingando. Depois do trabalho extenuante daquele dia, eu me sentia como um saco de areia molhada. Desabei e logo peguei no sono, ainda segurando o cabo da faca. À meia-noite, ouvi uma batida na porta. Era Mei-Li, uma das amigas de Sumi.

— Shento, você tem que vir comigo! Aconteceu uma coisa terrível!

Pulei da cama.

— O que foi?

— O Cão e os amigos dele levaram a Sumi. Estão lá debaixo do pinheiro agora.

Saí do quarto em disparada, com a faca enfiada no cinto, e disse a Mei-Li que voltasse a seu quarto e não fizesse barulho. À luz do luar, corri até a fábrica de atum enlatado, quebrei a janela e peguei um rolo de corda molhada, que pendurei no pescoço. E então, o mais silenciosamente possível, corri agachado pela grama macia até alcançar a beira do jardim. O velho pinheiro parecia um homem idoso com uma barba comprida dependurada em seus galhos e ramos, fazendo com suas folhas uma área de sombra à luz da lua.

De quatro, engatinhei costeando o muro baixo que cercava o jardim, com as orelhas em pé, atento a qualquer ruído. Vi três brasas de cigarro que dançavam na escuridão, mas não conseguia localizar Sumi. Então, eu a ouvi. Seu choro era abafado e indistinto. Era Sumi, a minha querida Sumi! Quase saltei em cima deles. Meu sangue fervia e minhas têmporas latejavam com o fogo do ódio, mas forcei minha mente a deixá-lo de lado. Eu só teria alguma chance se os surpreendesse. Tinha que atacá-los onde eles estivessem mais vulneráveis. Ouvi novamente seu débil pedido de ajuda.

— Cale a boca! — disse uma voz, rudemente.

— Vou primeiro. Meu pirocão não consegue mais esperar para comer essa bundinha linda.

Era a voz do Cão Negro.

— É, vamos comer ela — disse uma terceira voz.

Eles pareciam meio bêbados.

— Seus animais! — gritou Sumi com a voz esganiçada.

Ao ouvir o som de punhos socando, pulei por cima do muro. Três figuras estavam de pé sob um galho baixo do pinheiro. Abraçando o tronco com as pernas e os braços, subi por ele e fui rastejando galho abaixo sem fazer barulho. A brisa fez farfalharem as folhas, encobrindo os meus movimentos.

Eu estava quase por cima daqueles canalhas quando a lua surgiu por detrás das nuvens. O que vi me apunhalou como mil facas. Os dois aleijados estavam segurando Sumi, forçando-a a se curvar com o rosto abaixado sobre o muro. O Cão estava por trás dela, movimentando-se numa velocidade frenética, soltando uivos animalescos de prazer. Suas calças estavam baixadas até o joelho.

Eu tremia, meu coração disparou e minha cabeça ardia. Fiz um nó corrediço com a corda molhada, pulei como um gato montês e aterrissei na cabeça do Cão. Caímos ambos estatelados no chão. Enlacei a cabeça do Cão com a corda, apertei e dei um puxão. Com um movimento rápido, puxei a outra ponta que pendia do galho, levantando-o no ar. Rapidamente, amarrei a corda em volta do tronco. O Cão se debatia pendurado no galho, chutando e berrando furiosamente, arranhando a corda desesperadamente com as unhas e os dedos, mas sua respiração se interrompeu e logo depois ficou com a língua pendurada para fora da boca, espumando.

Persegui os dois aleijados, que conseguiram correr apenas alguns metros. Alcancei um deles e cravei minha faca nas suas costas. O outro havia corrido até um pouco mais longe, mas não conseguia superar as minhas passadas largas. Alcancei-o e fiz ele se virar de frente para mim. Sem dizer uma palavra, enquanto o aleijado implorava, cortei seu pescoço com a faca e empurrei-o para fora do meu caminho.

Lentamente, andei trôpego até onde Sumi estava deitada e caí ao seu lado.

— Mantive minha palavra, Sumi — disse em voz baixa, mas firme. — Matei todos eles — acrescentei, como que encerrando um ritual.

Numa voz trêmula e quase sumida, ela murmurou:

— Obrigada.

— Não precisa me agradecer. Você está bem?

Peguei sua mão e a segurei na minha.

— Por favor, vá embora — disse ela, com a voz rouca. — Estou suja agora. Vá para algum lugar bem longe daqui.

— Amo você! Amo você do mesmo jeito!

Irrompi em soluços doloridos, lamentando aquela perda inestimável, a perda que a menina mais bela e inocente tinha sofrido.

— Shento, você sempre será o meu primeiro amor, eternamente, mas pode retirar a sua jura de amor. Vou perdoar você por isso. Está livre para encontrar um novo amor nesse mundo.

Eu a aninhei nos meus braços e beijei seus lábios frios e trêmulos.

— Preciso de você — disse eu, numa voz sofrida.

— Eu me sinto tão suja!

As lágrimas escorreram pelo seu rosto.

— Faça-me ficar limpa, por favor. Se me possuir, juro pela mãe-lua que, pela graça do seu abraço, me unirei a você.

Sumi tirou a blusa rasgada, ajudou-me a desabotoar minha calça e tocou hesitantemente no meu sexo. Apesar de tudo, suas mãos me fizeram ter uma ereção. Cuidadosamente, ela me colocou dentro dela. Agora nós éramos um, com os olhos fechados e nossas mãos buscando um ao outro. Eu tremia com o seu toque, estonteado pelo prazer e pelo amor que podia advir daquela união. Nossos movimentos tinham um ritmo e uma harmonia suaves enquanto a lua brilhava timidamente, até que eu acelerei a intensidade e desmoronei em seus braços. Dormimos enroscados.

A vida poderia ter se acabado e isso não teria a mínima importância para nós. Não tenho idéia de quanto tempo se passou. Foi Sumi quem acordou primeiro. Ouviu passos na areia do campo de futebol.

— Shento, Shento — sussurrou ela insistentemente, sacudindo o meu ombro. — Você tem que se esconder em algum lugar. Tem que fugir, os guardas estão vindo aí!

Esfreguei os olhos e me sentei. O som distante de passos apressados aproximava-se a cada segundo que passava.

— Vá embora! — insistia Sumi.

— Para onde?

— Para algum lugar longe daqui!

— Eu não posso abandonar você, Sumi!

— Mas tem que fazer isso! Por mim! Por nós!

Ela me deu um abraço apertado.

— Se eu não vir o seu corpo boiando no mar, vou sempre pensar que você está vivo e vou ficar esperando pela sua volta.

— Um dia eu venho buscá-la.

Sumi me beijou pela última vez antes de me repelir.

— Vá embora. Vou distrair os guardas.

Vestindo rapidamente suas roupas rasgadas, Sumi foi mancando até o outro extremo do jardim onde acenou com os braços e gritou. Os guardas acorreram na sua direção com lanternas e cães. Ela começou a falar ainda mais alto, relatando de um jeito incoerente o que tinha acontecido. Quando os homens finalmente compreenderam, Sumi tombou nos braços deles e teve de ser carregada para onde estavam os cadáveres. Os guardas viram o corpo do Cão Negro pendendo do pinheiro, seus dois comparsas mortos e uma faca ensangüentada jogada no chão, ao lado dos corpos. Um deles imediatamente reconheceu a faca. Sabia que era minha. Apitaram. Aquele som estridente ecoou pelo campus. Subitamente, todas as luzes se acenderam.

— Onde está o assassino? Onde está Shento?

Sumi disse aos guardas que eu tinha voltado para o meu quarto. Alguns deles foram lá me procurar, mas voltaram de mãos vazias. Quando os guardas iniciaram uma batida policial na escola e todos os alunos acordaram, eu já havia me esgueirado por um descampado e alcançado o muro alto construído em torno da escola, à beira do mar aberto. Eu sabia muito bem que o mar seria o caminho mais certo para a morte, mas não tinha escolha. Àquela altura já sabia que, em terra firme, com os guardas e os cães, havia ainda menos chances de escapar pela estreita faixa de terra que ligava a península ao continente. Tentar escapar por terra seria fracassar. Apenas fazendo o impensável eu teria chance de sobreviver.

Comecei a escalar o muro alto, feito com grandes blocos de pedras ásperas, extraídas de uma pedreira próxima. Eram uns bons seis metros de escalada. Meus músculos, bem desenvolvidos pelo trabalho árduo, me permitiram ficar suspenso e me impulsionar de um ponto a outro muro acima. Quase perdi o ponto de apoio quando ouvi mais apitos estridentes. Se eles me vissem no muro, as rajadas de balas fariam de mim uma massa sanguinolenta. Num esforço nervoso, escalei os últimos três metros no dobro da velocidade e furei os dedos no arame farpado do topo do muro. Chupei o sangue que escorria e fiquei abaixado lá no alto, tentando visualizar onde estariam os barcos pesqueiros de atum. Meu coração quase pulou fora do peito quando vi uma luz acesa no Stars. Uma brisa refrescante acariciou o meu rosto.

Quando estava prestes a mergulhar, as luzes do muro se acenderam. Eu tinha pouco tempo para pensar ou reagir. Baixei a cabeça e mergulhei no mar escuro, numa queda de nove metros. O contato com a água foi doloroso, pois eu não tinha experiência em mergulho. Dentro da água negra, afundei uns três metros que pareciam não terminar nunca, antes de emergir e me reorientar em direção ao navio, que estava a algumas centenas de metros dali. A água estava incomodamente fria. Enfiei na boca os dedos que estavam sangrando e consegui nadar com o braço que não estava ferido. Meus dedos dos pés foram mordiscados algumas vezes por criaturas inimagináveis que nadavam abaixo da superfície. Chutei com força para me livrar delas e pensei no que o diretor tinha dito sobre os grandes peixes e os mamíferos devoradores de homens que habitavam aquelas águas.

Ofegante, alcancei a sombra do navio e boiei na água, pensando em algum meio de entrar nele. Parecia impossível. O navio tinha cerca de nove metros de altura e não havia nenhum modo visível de fazer a escalada. Nadei ao redor até ver um pequeno barco salva-vidas preso ao navio por uma corda grossa. Olhei para cima e tentei ouvir algum ruído vindo do convés. Nada. Agarrei a borda do barco e entrei nele. Segurei na corda que parecia sólida o bastante para eu subir os próximos nove metros por ela. Embora meus músculos estivessem doendo pela escalada do muro e meus dedos estivessem em carne viva, impulsionei-me para cima, segura e lentamente, e tive que descansar apenas uma vez na metade do caminho, antes de alcançar o convés. Não pulei para dentro logo de imediato. Poderia haver guardas ou marinheiros acordados. Fiquei pendurado na corda por um segundo antes de estar com o convés ao nível dos olhos. Nada. Ninguém. Enquanto passava uma perna para dentro e a enganchava, dois pés surgiram no meu campo de visão. Rapidamente, deixei-me escorregar para trás e fiquei pendurado ao lado da corda. Um marinheiro cantarolava, caminhando com uma espingarda nos braços. Quando ele virou para o outro canto, pulei para dentro sem fazer barulho e desapareci num porão que estava aberto.

Tan

CAPÍTULO 12

1978

BEIJING

OS VENTOS DE DEZEMBRO, VINDOS DAS estepes da Mongólia, tornaram Beijing árida e inóspita, envolvendo-a num manto de areia. A comida não tinha gosto e tocar piano tinha se tornado uma atividade tristonha. Eu sentia saudade do vovô Xia. Minha vida ficou vazia sem a sua gargalhada forte e barulhenta e seu humor rude e simples. Nunca fiquei muito empolgado com o cheiro de alho que saía muitas vezes de sua boca, mas agora sentia falta até disso.

Revendo suas fotografias antigas, encontrei a que era a favorita do meu avô: eu o perseguia empunhando uma espingarda de brinquedo e ele erguia os braços em sinal de rendição. Eu sorria e meus olhos brilhavam, cheios de lágrimas. Somente um neto que ele amava muito era capaz de fazer com que aquele homem orgulhoso se rendesse. Em sua carreira militar, ele havia sido capturado várias vezes e preferiria morrer a se entregar. Não era de surpreender que tivesse perdido a maioria dos dentes ainda antes dos trinta anos. Sempre brincava a respeito do fato de nunca ter perdido a língua. Eu lhe perguntava o porquê, e aquele homem cheio de sabedoria me dizia que a língua era mole enquanto os dentes eram duros, e que algumas vezes não fazia mal ser um pouco mole, um pouco mais flexível, em vez de ser durão o tempo todo.

Eu sentia saudade de todas as coisas relacionadas ao vovô Xia. Lembrei-me de um feriado nacional na praça Tiananmen, quando ele passou em revista as tropas. Ele me levou orgulhosamente até o palanque, e ficamos bem ao lado do presidente Mao, cuja pança parecia uma pequena montanha. Lembro-me muito bem desse dia — aquele mar de uniformes verdes, dezenas de milhares de homens que passaram marchando por nós exclamando: "Viva o presidente Mao!" Perguntei por que ninguém dizia: "Viva o general Xia!", e fui imediatamente silenciado por meu avô, que me avisou para eu nunca mais repetir essa pergunta para ninguém. Mao era o escolhido, disse vovô, enquanto ele era apenas um serviçal, um soldado que trabalhava pelo nosso povo. Eu já era bem esperto naquela época. Sabia que não era verdade, mas não disse nada.

Num impulso, pedi ao motorista que me levasse ao portão sul da praça Tiananmen. O mês de dezembro em Beijing era frio e ventoso, especialmente em espaços abertos como o da antiga praça. Mas era exatamente o que eu queria. Caminhei até chegar ao portão norte que dava para a Cidade Proibida. Fui andando calmamente, contando os passos, quando vi um grupo de cerca de cem pessoas, paradas ao pé da muralha da cidade, todas vestindo pesados casacos acolchoados de algodão. Estavam todos muito atentos e pareciam não se importar nem um pouco com o frio intenso que vinha da Sibéria.

Curioso, soprei o ar quente da boca nas mãos e caminhei em direção ao grupo. Na beira do muro, fiquei na ponta dos pés e estiquei o pescoço, vendo de relance uma moça extremamente atraente, com o cabelo comprido e ondulado e a silhueta esguia. Ela estava com um jeans azul e um suéter vermelho de gola roulé que se ajustava ao seu corpo. Suas mãos elegantes se agitavam no ar para enfatizar o que ela estava dizendo com um ligeiro e quase imperceptível sotaque sulista.

— A democracia é o ar que vocês respiram. Todos os homens nascem iguais... — O vento soprou para longe o final de sua frase. — ... nós precisamos de uma constituição que estabeleça que somos todos iguais perante a lei, e não de um ditador que nos diga o que fazer e o que não fazer...

Ao me aproximar, fiquei surpreso ao perceber que a moça era nada mais, nada menos, do que Miss Yu, a minha professora de inglês. Pelo pouco que consegui ouvir, pude perceber que ela falava sobre a democracia dos Estados

Unidos e de como a China deveria seguir aquele exemplo, concedendo a liberdade de expressão ao seu povo. Quando terminou, ela colou seu discurso ao lado de outros cartazes numa grande área do muro denominada Ming Zu Chiang, o Muro da Democracia. Depois, foi-se embora com um rapaz numa moto antes que eu pudesse chamar por ela. Percebi que estavam fugindo — um grupo de policiais se aproximava.

Corri para o local e passei os olhos pelo discurso. Miss Yu tinha assinado seu nome em inglês como "Virgin", com uma tradução chinesa ao lado.

Um grupo ainda maior me rodeou para ler o que ela tinha escrito. Alguns até pegaram lápis e canetas e esticaram a cabeça para copiar o texto palavra por palavra. Perguntei a uma moça:

— Por que você está copiando isso?

— Meu pai não dorme sem ler a mensagem do dia. Virgin é uma boa escritora.

Meu coração se aqueceu com aquela demonstração de afeto por alguém que eu conhecia bem.

— Eu a conheço pessoalmente.

— Você conhece a Virgin?

— Conheço.

— Ninguém sabe quem ela é. Ela chega e sai misteriosamente. Nós nem mesmo sabemos qual é a profissão dela.

Quando eu estava prestes a tentar convencer a moça de que eu, de fato, conhecia Virgin, os policiais começaram a dispersar o grupo com seus cassetetes.

— Voltem para casa! Vocês não podem se reunir em locais públicos sem permissão! — disse um deles em voz alta.

— E por que não? — perguntou alguém.

— É o regulamento! Quem perguntou isso? Qual é o seu nome? — indagou o policial, assustando a pessoa que tinha falado.

Ele arrancou todos os papéis do muro, rasgou-os em pedaços e disse, sorrindo:

— Agora podem ir para casa. Não há mais nada aqui para ser copiado.

Saí do local, mas a imagem de Virgin permaneceu na minha cabeça por muito tempo ainda. No dia seguinte, durante nossa aula, passei a ver Miss Yu de um modo completamente diferente. Com um sorriso misterioso, escrevi a palavra "virgin" num pedaço de papel e perguntei:

— Qual é o significado dessa palavra?

— Por que está perguntando isto?

— Eu a vi escrita no Muro da Democracia.

— Viu?

— Vi sim, e gostei muito do texto.

Miss Yu sorriu e baixou a voz.

— Existe um motivo para eu escrever usando um pseudônimo. Você entende, não é?

— Pode ficar à vontade comigo.

— Eu sei que sim.

— Mas com uma condição.

— Qual?

— Pode me levar às suas reuniões? Eu gostaria de saber mais sobre democracia.

— Logo você, o filho do comandante mais conservador da China?

Fiz que sim com a cabeça.

Ela sorriu e me deu um abraço. Naquela noite, sonhei com Miss Yu de um jeito íntimo e constrangedor demais para comentar com ela ou com qualquer outra pessoa.

APESAR DE MAMÃE ACHAR QUE Miss Yu tinha o defeito fatal de ser jovem e atraente, sentia, de algum modo, que não havia nada de mal com ela. O espírito de caridade de Miss Yu como voluntária, abandonando o conforto de Hong Kong, também era admirável. O motorista que vinha buscá-la de manhã e a levava de volta para casa à tarde sabia apenas uma coisa ou outra de sua vida em Beijing, mas nada que pudesse levantar as suspeitas de mamãe que, a essa altura, estava muito satisfeita com o progresso de seu filho. Assim, na véspera do Ano Novo chinês, quando Miss Yu me enviou um convite para uma festa a fantasia, obtive prontamente permissão para comparecer. Decidi ir vestido de caubói, uma imagem que minha professora tinha pintado para mim numa das aulas sobre Búfalo Bill e o faroeste. Botei um jeans desbotado, um chapéu Stetson preto e um colete que um dos colegas de papai havia feito com a pele de um tigre branco das montanhas do sul da China. Mamãe amarrou um lenço vermelho no meu pescoço, e papai me deu um coldre para pôr na cintura.

Miss Yu veio me apanhar de táxi. Estava de salto alto e com um minivestido vermelho. Nos ombros, usava um xale de seda da mesma cor. Nós nos olhamos e rimos.

— Olá, caubói! Você está muito bonito — ela disse.

— E você está muito... mulher.

Ela riu.

— Você quer dizer sexy?

— É... mas está fantasiada de quê?

— De mim mesma.

— Mas você me disse que era uma festa a fantasia e que a gente tinha que se vestir como se fosse outra pessoa.

— Certo. Mas, sabe, no mundo ocidental, as mulheres têm a prerrogativa de serem caprichosas e mudarem de idéia livremente. Os homens é que seguem as regras.

Havia algo de meigo e infantil nela naquela noite. Ela estava com o espírito aberto e ria muito.

— Tan — disse ela, enquanto o táxi acelerava —, tenho certeza de que você vai gostar da festa de hoje à noite. Quero que você conheça pessoas interessantes.

— Mal posso esperar.

O táxi abandonou as ruas congestionadas de Beijing, que estavam com um ar de festa, apesar do vento forte que passava assobiando. As varandas estavam enfeitadas com lanternas coloridas e as bombinhas estouravam sem parar no ar frio da noite. A neve caía delicadamente no chão, desaparecendo rapidamente sob os pés das crianças, que faziam algazarra e corriam umas atrás das outras pelas ruas estreitas. Percorremos uma estrada de terra bastante acidentada que atravessava um campo de trigo e ia em direção a um vilarejo afastado. No meio do nada, surgiu um sítio. Duas lâmpadas fraquinhas tremeluziam. Um homem idoso estava de pé ao lado da porta, fumando seu cachimbo.

Andamos de mãos dadas pelo quintal de terra batida. A palma de sua mão era quente e macia. A escuridão disfarçou o meu rubor.

O velho fez uma reverência para Miss Yu e abriu a porta. Lá dentro, era um outro mundo — luz baixa, uma penumbra agradável e, ao fundo, uma música ocidental bem suave. Os móveis eram de madeira rústica. Encostada na parede, havia uma típica cama nortista chamada *kang*, feita de barro, com um forno aceso por baixo dela. Umas vinte pessoas estavam descalças, sentadas na espaçosa *kang*. A atmosfera era confortável e misteriosa. Em cima da cama havia também uma mesa baixa com comida e bebidas. Todos se levantaram para nos cumprimentar.

— Venham conhecer o Tan, pessoal. Este é Ko, professor de Direito da Universidade de Beijing, vestido de Lincoln. Esta é a famosa cantora Lu, o escritor Lin, e... — ela continuou me apresentando a todos na sala. Quando terminou, Miss Yu disse: — Tan é um rapaz muito inteligente e alguém para prestarmos atenção num futuro próximo. E então, vamos começar nossa reunião?

Enquanto nos sentávamos, perguntei rapidamente a ela:

— Por que é que você não me disse que era uma reunião política e não uma festa?

— Foi uma mentirinha para poder enganar a sua mãe. Você se importa?

— Nem um pouco.

Grande parte da reunião discorreu sobre a formação do Partido Democrático e a elaboração de suas diretrizes políticas. Eles discutiam animadamente todos os detalhes: uma revista, um informativo, as futuras sedes do partido em outras cidades. Por unanimidade Miss Yu foi eleita presidente e editora-chefe da revista, sobre cujo título o grupo discutiu acaloradamente. Quando foi levantada a questão do orçamento, o silêncio tomou conta do ambiente. De qualquer maneira, todos foram instados a dar a sua opinião. Havia muita energia no ar e todos estavam corados e radiantes. Não pude deixar de considerar aquilo uma experiência quase religiosa. A China do futuro podia estar nascendo bem diante dos meus olhos. Ainda assim, senti uma ponta de desconforto ao ver que esse grupo de livres-pensadores idealistas poderia estar destruindo os alicerces sobre os quais minha família tinha sido construída. Rapidamente rejeitei esse pensamento inadequado e me permiti admirar a bela Miss Yu com um toque de possessividade.

— Agora, vamos festejar — disse ela, puxando-me para fora da *kang*.

Dançamos, bebemos e conversamos. Miss Yu estava particularmente luminosa. Ela dançou com o professor Ko e encostou a cabeça em seu ombro enquanto giravam suavemente. Senti uma ponta de ciúme. Será que o professor era seu amante? Seria esse o motivo pelo qual ela estava vestida daquele jeito tão sexy? Os dois pareciam descombinados, como a Bela e a

Fera, mas a expressão do olhar no rosto de Miss Yu me convenceu de que ela estava apaixonada por aquele homem.

Ao voltarmos para casa, à meia-noite, Ko veio no táxi com a gente. Miss Yu beijou-me no rosto, eles me deixaram em casa e foram embora juntos. Toquei carinhosamente o ponto onde seus lábios haviam roçado minha pele, enquanto via pela janela traseira suas sombras se fundirem. Senti-me feliz e triste ao mesmo tempo. Uma sensação de perda me acompanhou naquela noite até eu adormecer.

Shento 山头

CAPÍTULO 13

1978

ILHAS JIUSHAN, LESTE DA CHINA

O PORÃO ESTAVA MOLHADO E ESCORREGADIO e ainda fedia ao atum fresco que havia sido descarregado. Caí de bunda no chão e corri para um canto escondido na sombra. Assim que me instalei, descobri que eu não era a única criatura viva naquele porão de nove metros quadrados. Meia dúzia de enormes ratos de navio, armados com olhinhos brilhantes e bigodes que espetavam, confundiram-me com um último pedaço de atum e começaram a mordiscar furiosamente meus pés, mãos, nádegas e coxas molhadas. As manchas de sangue pelo meu corpo acrescentaram um frenesi àquela atividade. Um deles chegou a subir no meu ombro e fitou-me olho no olho com uma curiosidade perigosíssima.

Os ratos não me assustaram. Em vez disso, decidi me mostrar amigo deles. Estendi um braço e deixei aquele que tinha escalado o meu ombro andar até a ponta do meu dedo e voltar. Quando a criatura repetiu o curto trajeto até minha mão, cerrei o punho e atirei o rato na parede. O bicho soltou um guincho sonoro e triste antes de cair no chão, morto. Percebendo que havia uma força maior do que eles em atividade naquele lugar escuro, os ratos correram em direção de um buraco que ficava na base do porão e desapareceram.

No silêncio, eu ouvia apenas o som distante das ondas e os latidos ocasionais dos cães policiais farejadores. Ainda devem estar procurando por mim. Será que viriam ao navio investigar se eu estava escondido aqui? Se me encontrassem neste porão minúsculo, bastariam duas balas e eu estaria tão morto quanto aquele rato estendido ali no chão.

Rezei para Buda, pedindo-lhe que me deixasse sobreviver por aquela noite e que me levasse, ao raiar do dia, para qualquer porto que houvesse na face da terra, qualquer um, não importando que a viagem fosse longa e difícil. Com as mãos postas em oração, apoiei-me, combalido, na parede gosmenta e fedendo a peixe do porão de carga. O medo e a solidão tomaram conta de mim.

O tempo passou e a brisa do mar tornou-se mais forte, embalando o navio como um berço sobre as ondas suaves. O mastro rangeu e cantou como se fosse um moinho girando a toda velocidade. A serenata da natureza confortou-me como a um bebê cansado e minhas pálpebras foram ficando cada vez mais pesadas. Tentando permanecer alerta, belisquei minhas coxas, fiz cócegas no nariz com uma mecha de cabelo, e finalmente lambuzei o rosto com a substância gosmenta e pegajosa que havia no chão de madeira e que tinha um cheiro tão forte que, em circunstâncias normais, poderia matar um cachorro. Mas, mesmo assim, só consegui manter os olhos abertos por apenas mais alguns minutos antes de mergulhar num pesadelo fantasmagórico e assustador.

Quando o dia despontou, fui acordado por um som ensurdecedor que vinha do convés acima de mim. Entreabri os olhos e deparei com uma quantidade enorme de cascalho e areia sendo despejados por um guindaste no fundo do porão onde eu estava. O pó que se levantava na luz brilhante dos raios de sol quase me sufocou. Cobri a cabeça com a camisa e rastejei velozmente para um canto mais seguro. Através das casas dos botões da minha camisa pude ver, cada vez mais alarmado, a velocidade com que o cascalho estava se amontoando no centro do porão e preenchendo todo o espaço. Em pouco tempo, o porão estaria cheio até a borda; eu ficaria exposto aos marinheiros e eles me pegariam. Ou então, ficaria sepultado para sempre debaixo dos calhaus pontiagudos.

Por um momento maravilhoso, o cascalho parou de ser despejado e consegui ouvir o que pareciam ser instruções lacônicas fornecidas ao operador do guindaste. Quando o carregamento foi reiniciado, tive que me desviar rapidamente para evitar ser soterrado pelas pedras que voavam para todo lado e pelo pó que se levantava, cegando-me. Num outro intervalo, o operador do guindaste mencionou o nome de um lugar, a Base Naval das Ilhas Jiushan, mas não entendi o que havia sido perguntado anteriormente.

Por conta das aulas de geografia, uma das minhas matérias preferidas, eu sabia que as Ilhas Jiushan eram um grupo de ilhas localizadas no mar do Sul da China, como um punhado de pérolas atiradas aleatoriamente ao mar, configurando um posto estratégico ideal para a província costeira da China, onde estavam situadas. Lá ficava a base naval da mais respeitada frota chinesa no Pacífico, dominando sobranceira o Estreito de Taiwan, o Arquipélago das Filipinas, o Japão, a Coréia do Sul, e Hong Kong.

Devia ser este o destino do navio! Isso fazia sentido, pois Jiushan tinha o melhor mar para pesca de toda a costa asiática do Pacífico. O atum vinha de lá e os navios voltavam com material de construção — um escambo perfeito para a nossa economia estatal, que era totalmente ineficiente. Não consegui conter minha animação. Talvez lá eu pudesse entrar para a Marinha e viajar nos navios. O perigo que me rondava ficou temporariamente diminuído com esta nova perspectiva, e minha vontade de sobreviver aumentou.

Quando despejaram o último carregamento e a cobertura do porão foi fechada, pensei que fosse morrer. O espaço que restou lá era apenas suficiente para eu poder ficar deitado. Não havia nenhuma fresta na cobertura. A luz tinha sido completamente bloqueada. Na escuridão, tentei respirar devagar e superficialmente. Quando senti o ar que entrava vindo não sei de onde, respirei mais fundo. Senti o cheiro do mar. Eu ia conseguir viver! Estava conseguindo respirar!

Continuei estendido, imóvel, esperando pacientemente que o navio iniciasse a viagem. Depois de horas de espera, o navio começou a vibrar e tremer, e finalmente se movimentou lentamente num ritmo uniforme, chocando-se contra as ondas que batiam no casco. Deitado de costas, com as pontas do cascalho espetando a minha pele, eu não sentia dor e nem desconforto. Pelo contrário, meu coração estava cheio de gratidão a Buda. Um filete de lágrimas escorreu pelo meu rosto. A escola-orfanato tinha ficado para trás, assim como Sumi, minha querida namorada.

Nunca tinha sentido o seu amor tão próximo e tão forte quanto naquele momento. Prometi a mim mesmo que um dia voltaria para buscá-la, no majestoso estilo aventuresco dos heróis, do jeito como eu tinha lido nos livros. Isto é, se eu sobrevivesse e me tornasse alguém na vida, é claro — algo de que duvidava muito pouco, mesmo naquelas circunstâncias.

Dormi, acordei e dormi novamente. O vento do mar se acelerava e o navio topou com uma forte tempestade. A chuva batia na tampa do porão como se fossem pedras caindo numa lata vazia. Algumas gotas escorreram pelas frestas da tampa e molharam minha camisa nos ombros. Levei algumas gotas de água à boca. O navio se arremessava contra as grandes ondas causadas pela tempestade e eu era jogado de um lado para o outro, o que me dava ânsias de vômito embora não tivesse nada no estômago. Quando a tempestade cessou e o vento abrandou, a viagem prosseguiu com seu balanço suave por sobre o mar calmo.

Quanto à fome e à sede, tive de seguir o velho princípio de controle e tolerância que me foi ensinado, quando criança, por meus velhos pais. Quando estiver com fome, desenhe um bolo na sua mente e finja que o está comendo. Quando estiver com sede, imagine que está caminhando num campo verde repleto de amoras maduras. Mas ficar imaginando o inalcançável apenas intensificava o meu desejo, fazendo meu estômago roncar em vão.

Muitos dias e noites se passaram até eu sentir que o navio ia parando lentamente. Ouvi as vozes dos marinheiros. Eles logo abriram a tampa do porão. Um velho marinheiro ficou de queixo caído ao me ver espremido num canto, coberto de areia. Acenando freneticamente com os braços, o velho gritou, chamando pela tripulação, que acorreu ao local. Tiraram-me do porão. O capitão deu ordem para que um grumete me jogasse um balde d'água, mas eu tentei fugir. Os marinheiros me cercaram e me aquietaram enquanto o jovem grumete lançou um balde ao mar, içou-o, e despejou a água em cima de mim, o que provocou uma rodada de assobios. Fiquei encharcado, pingando, e tremendo de prazer ao contato com a água refrescante.

— Ei, você não é o garoto do reformatório? — exclamou o capitão.

— É o matador dos outros três! Ele conseguiu escapar no nosso navio! — berrou um marinheiro.

— Vamos entregá-lo.

Implorei aos marinheiros que me ajudassem mas, em vez disso, eles me escoltaram para fora do navio até um prédio de três andares, todo de tijolos, e vigiado por dois fuzileiros navais. Os marinheiros me entregaram a um oficial bem alto, que me levou para uma pequena cela com as palavras DETENÇÃO TEMPORÁRIA pintadas na porta. Entregaram-me um uniforme de presidiário e fui levado para uma sala de audiência, onde um oficial idoso da Marinha estava sentado, fumando e empesteando a sala com aquele cheiro forte. Sobre a mesa, numa placa, estava escrita a palavra JUIZ.

— Qual é a acusação? — perguntou o juiz obeso dirigindo-se ao oficial.

— Fuga do reformatório de Fujian depois de matar três colegas de turma.

— Bela façanha para alguém tão jovem — disse o juiz, com ironia. — O que você tem a declarar, meu jovem?

— Sou inocente — respondi com firmeza. — Eu tive uma justificativa para as mortes. Eles estavam estuprando uma menina inocente, senhor juiz!

— É claro que estavam.

O homem, aborrecido, fez um gesto com a mão, como se aquela fosse uma mentira que ele já tinha ouvido inúmeras vezes. Balançou a cabeça e anunciou com displicência:

— Você não tem nada que o trabalho pesado não possa curar. Revisão do processo daqui a três meses. Até lá, o caso está adiado.

Bateu com o martelo e a audiência estava encerrada.

Eu deveria ter levado um tiro na cabeça no dia em que cheguei a Jiushan. Na justiça a ferro e fogo do comunismo, eu era culpado e tinha mais que morrer. Minha fuga até dobrou minha pena. Mas havia uma postura municipal que passava por cima até da Constituição da China e estabelecia que a execução poderia ser adiada indefinidamente, até mesmo para os réus de pena capital. O motivo estava longe de ser humanitário: era mais por força da grande escassez de mão-de-obra na região. Um porto da Marinha em mar aberto estava sendo construído e outras obras de infra-estrutura, como estradas e ferrovias, vinham sendo feitas. Os prisioneiros eram os escravos perfeitos — por que matá-los?

No dia seguinte, bem cedo, e logo depois de um café da manhã que consistia num pão dormido, embarquei num caminhão repleto de trabalhadores. O motorista deu um tapinha no meu ombro e disse:

— Você não vai curtir essa onda, não, garotão.

Ele estava certo. Eu era um dos milhares de trabalhadores que cavavam o solo e carregavam a terra em cestos de bambu por uma distância de um quilômetro e meio, para despejá-la numa área perto do mar, formando um aterro para servir de fundação para um porto. As horas eram longas e o trabalho opressivo. O sol era quente e úmido e, ao longo das fileiras em que os trabalhadores marchavam, guardas ríspidos e encolerizados ficavam postados com chicotes, prontos para usá-los a qualquer momento em que detectassem alguém fazendo corpo mole. Havia muitos trabalhadores, mas nós éramos minúsculos diante da incumbência que havíamos recebido, parecendo formigas correndo para lá e para cá, ocupadas em transportar comida para dentro do formigueiro antes da chuva cair.

Na primeira semana, fiquei vermelho como um siri cozido. Na segunda, minha pele descascou como a de uma cobra. Na terceira semana, eu ostentava um bronzeado escuro e parecia uma enguia do mar, especialmente quando o suor me encharcava da cabeça aos pés. Eu tinha apenas 17 anos, mas media um metro e oitenta e tinha ombros largos e a cintura estreita, como meu pai. Minha cabeça tinha sido raspada como a dos outros prisioneiros e minha careca fazia minhas feições fortes se destacarem ainda mais. Mas o que mais impressionava as outras pessoas era o meu ritmo de trabalho. Enquanto o resto dos homens andava, eu corria, e quando eles corriam, eu voava. Bati o recorde no carregamento da maior quantidade de terra para o aterro das fundações do porto. Depois de observar a marcha lenta dos trabalhadores cansados, indo e voltando, num processo de trabalho que não tinha a menor eficiência, arrisquei-me a sugerir ao guarda que, se todos se alinhassem e passassem o balde de mão em mão em fileiras arrumadas e ordenadas, seria tudo muito mais rápido, e ninguém poderia ser indolente sem causar uma interrupção no processo. No dia seguinte, formaram-se dez fileiras do morro até o mar. O mesmo trabalho foi realizado três vezes mais rápido. Eu incentivava todos eles com cantos de trabalho do povo das montanhas enquanto passava cuias de chá para os trabalhadores enfileirados. Meu entusiasmo chegou até a contaminar os guardas, que geralmente batiam em nós. Eles cantaram junto com a gente, e alguns até me ofereceram cigarros durante o meu intervalo.

Nove meses depois, fui julgado novamente. O promotor público leu a acusação sem nenhuma expressão na voz:

— Três assassinatos e uma tentativa de escapar da justiça.

O juiz bocejou diante da acusação. Depois, usando o mesmo tom de voz do empertigado promotor, elogiou meu esforço no trabalho. Fiquei feliz em ter minha ética de trabalho ressaltada e decepcionado quando o juiz declarou que o caso seria reaberto dali a três meses. Enquanto isso, ele entraria em contato com o reformatório para obter mais informações sobre o meu delito.

Quando faltavam apenas algumas semanas para a terceira audiência, o fogo da ansiedade queimava a minha alma como um sol escaldante em todo o seu fulgor. Eu estava passando pela maior provação de toda a minha vida. Acreditava firmemente que tinha matado aqueles criminosos, fazendo justiça e com todo o direito de fazê-la, do mesmo modo que a mão de um ladrão deve ser cortada fora e os olhos de um estuprador devem ser arrancados para que eles não possam repetir seus pecados. Acreditava que os meus motivos eram justificados e, se pudesse apresentá-los de um jeito convincente diante daquele juiz gordo, talvez — não, com certeza — ele daria ouvidos à razão e proferiria a sentença a meu favor, depois de avaliar as provas do crime.

Usando meu poder de persuasão, implorei ao guarda da minha ala que pegasse emprestado todos os livros da biblioteca sobre o Código Penal chinês e qualquer texto sobre direito criminal. O que ele trouxe de volta foi ridiculamente escasso. Um Código Penal desestimulantemente fino e que parecia ter sido roído pelos ratos e habitado por cupins. Mas o que encontrei em seu conteúdo foi ainda mais perturbador. No prefácio, fiquei sabendo que um criminoso, uma vez estando sob custódia com base em suspeita ou evidência circunstancial, teria como ônus provar a sua inocência. Ele era considerado culpado até conseguir provar que era inocente. O argumento da legítima defesa era uma tática incipiente que não era apreciada pelos juízes. Além do poder de julgamento do juiz para chegar a um veredicto final, também era sua atribuição a capacidade investigatória para coletar provas e construir o caso como melhor lhe aprouvesse. Naquela situação, os juízes eram como deuses. Eu viveria ou morreria conforme os caprichos daquele porco obeso vestido de juiz. Este pensamento me deu calafrios.

Examinei a parte das questões processuais e logo fui para a seção das penas de morte. Não me surpreendi ao saber que, se fosse considerado culpado por três assassinatos, minha sentença seria a execução imediata, com duas balas na cabeça. E também teria que pagar o custo das balas. Descobri ainda, para meu grande alívio, que um estuprador era, do mesmo modo, passível de ser condenado à pena capital. Surgiu uma esperança dentro de mim. Eu havia de fato matado aqueles três desgraçados num ato heróico para salvar uma vítima de estupro. Deveria ser enaltecido pelo sistema judiciário, já que havia não apenas poupado algumas balas para o país e que poderiam ser usadas nos seus inimigos, mas também evitado os morosos e entediantes procedimentos legais. Eu estava confiante de que o juiz daria atenção a esta argumentação e me absolveria, se lhe fossem apresentadas provas vindas de Sumi, a vítima do estupro neste caso. Mas como eu poderia obtê-las?

Na tênue luz da lua, peguei um toco de lápis que havia surrupiado de um funcionário enquanto ele cochilava. No papel higiênico áspero, escrevi uma carta para a garota de quem eu sentia saudade noite e dia.

Querida Sumi,

A milhares de quilômetros de distância, depois de uma viagem por mar dentro de um porão escuro e que me pareceu durar uma eternidade, aqui estou eu trancado na cela escura e úmida de uma prisão. Este não é o lugar de onde eu tencionava escrever para você. Também não é este o tom que eu teria escolhido para me dirigir ao meu querido amor, mas aqui estou eu, implorando que você me faça um favor que poderá me salvar da crueldade da morte aos 17 anos, antes que todos os nossos sonhos possam se tornar realidade.

Em breve, estarei enfrentando uma audiência no tribunal, acusado possivelmente do assassinato daqueles três animais que a atacaram com selvageria naquela noite que não consigo esquecer. Se puder provar ao juiz que as mortes foram provocadas pelo justificável ímpeto de defendê-la, minha querida, não vejo porque o honrado juiz não poderia se apiedar de mim que, ultimamente, tenho sido elogiado como um excelente trabalhador num grande projeto de construção da Marinha.

Por favor, descreva da forma mais clara e fiel à realidade os acontecimentos daquela noite, que sei que são constrangedores e difíceis de serem relembrados, e envie o seu relato ao gabinete do juiz.

Não importa a distância que me separa de você, eu sinto seu amor bem próximo do meu coração. Não importa a medonha condição em que eu mesmo me coloquei. Sinto que foi apenas uma honra e uma sorte poder ser capaz de salvar você. Amor é apenas uma palavra, Sumi. O que sinto por você é o maior de todos os amores. Expressando o meu sentimento em palavras simples, se eu tiver que morrer por você, morrerei sorrindo.

Ah, que saudade sinto de você! Especialmente diante das trevas do desespero e do possível fim da minha vida!

Para sempre seu,
Shento

P.S.: Se eu soar patético e exagerado, por favor me perdoe por isso. E também, lembre-se de escrever ao juiz, e não a mim. Aqui vai o seu endereço.

Acrescentei esta última informação e adormeci com a carta sobre o peito. No dia seguinte, usei todas as minhas parcas economias do trabalho mal pago — vinte *fens* por dia — e comprei cigarros para subornar um guarda e, assim, poder enviar a carta.

No dia do julgamento, pedi para levar o Código Penal junto comigo e mantive a postura firme e ereta diante do juiz obeso, que desviava o olhar.

— O que o indiciado Shento tem a dizer sobre as acusações? — perguntou o juiz.

— Eu sou inocente — respondi com firmeza.

— Você sabe que o nosso Código Penal é indulgente se houver sinceridade e franqueza na confissão, mas a punição será severa se houver mentiras para evitar a condenação. — O juiz me fitou. — Agora que você entende o procedimento, por favor me diga. Você se declara inocente baseado em que fato?

— Com base na defesa de uma vítima de estupro, senhor juiz. Eu matei aqueles três porque eles estavam estuprando uma moça chamada Sumi Wo, minha colega de turma no orfanato-escola. De acordo com o Código Penal da República Popular da China, o estupro também é um crime passível de pena capital. Se o indivíduo tiver a justificativa de ter causado a morte de estupradores em flagrante delito, ele deveria ser absolvido pelas mortes que ocasionou.

O juiz foi apanhado de surpresa por tal colocação da lei penal. Franziu as sobrancelhas e perguntou-me em tom grave:

— Você tem alguma prova para substanciar tal defesa?

— Eu creio que o senhor a tem, senhor juiz. — Meu tom de voz era calmo e confiante. — Há um mês, consegui enviar uma solicitação à vítima do estupro, pedindo que ela escrevesse um relato e o enviasse à sua pessoa. De acordo com o sistema jurídico da China, o papel de um juiz não é apenas o de julgar, mas também o de investigar. — Citei a frase que havia lido no Código Penal.

— De fato, eu recebi uma carta.

Ele semicerrou os olhos e franziu a boca.

— Então, por favor, absolva-me, meritíssimo — supliquei, cheio de esperança.

O grupo na sala normalmente silenciosa ficou ainda mais silencioso. O juiz olhou em volta, recompôs-se e golpeou seu martelo vigorosamente.

— Meu jovem, fico revoltado ao ver você mentir diante do tribunal sobre os acontecimentos que se passaram na noite em que ocorreram as mortes. A srta. Sumi Wo realmente escreveu uma carta endereçada a mim. — Ele ergueu a carta com seus dedos de lingüiça. — Mas ela nunca foi atacada ou estuprada. Na verdade, declara que você os matou por vingança pessoal.

— Não, senhor juiz — disse eu, chocado. — Não pode ser. Isso é mentira. A escola inteira pode testemunhar a meu favor.

— Onde estão as provas, meu jovem, já que você parece ter feito suas leituras sobre a lei? A regra número um são as provas. Provas convincentes e cabais. Sua amiga Sumi o entregou nesta carta assinada por ela e enviada a mim, a pedido seu. Este caso está portanto encerrado. Guardas!

— Não, por favor, senhor juiz. Sumi não mentiria desse jeito sobre mim.

— Não, ela não mentiu. Ela disse a verdade. Nos termos do Artigo 99 do Código Penal, você está condenado à morte e será executado hoje, ao meio-dia, em alto-mar.

Foi como se uma bomba tivesse explodido na minha cabeça.

— Senhor juiz, o senhor entendeu tudo errado. Sumi não mentiria assim. Por favor, deixe-me ver a carta.

— Guardas, retirem o réu do recinto!

Meus joelhos ficaram bambos e minha vista turvou-se. As palavras da sentença de morte soaram como um trovão. Debati-me como um animal apanhado numa armadilha e lutei para me desvencilhar. Senti uma pancada na cabeça ao ser golpeado pelo guarda com seu pesado cassetete.

DESFALECIDO, FUI JOGADO NO CONVÉS DE um barco da Marinha e, em seguida, algemado e acorrentado à balaustrada da popa. Quando despejaram água fria na minha cabeça, com o intuito de me despertar para enfrentar os momentos finais da minha vida, atirei-me de um lado para o outro, debatendo-me como um peixe apanhado na rede.

Agora realmente chegara a hora da minha morte.

— Viajei essa distância toda só para morrer assim desse jeito? Como um pirata, um ladrão? — berrei, com meus pulmões estourando de raiva e desespero.

O oficial enfiou três balas no tambor de um revólver antigo e mirou na minha cabeça.

Agora está tudo acabado — pensei. Mantive os olhos abertos, querendo morrer olhando para o mundo, por mais desgraçado e miserável que ele fosse. Mas o oficial abaixou sua arma e berrou:

— O que é isso que você está usando? É um cordão?

Ele deve ter escapado para fora da camisa enquanto eu esperneava.

Dois marinheiros se aproximaram para retirá-lo. Eu os chutei e lutei ferozmente com eles, vociferando:

— Não toquem nisso! Quero morrer com ele! É do meu pai.

— Do seu pai? — perguntou um marinheiro.

— Não dê ouvidos a ele — disse o outro marinheiro. — Arranque o cordão.

— Não! — urrei, mas fui dominado pelos dois homens, que arrancaram o cordão do meu pescoço.

— O ideograma Long está gravado nele — disse um deles.

— Deixe-me ver isso.

O oficial examinou o cordão.

— É pesado e parece de prata mesmo. O que quer dizer este ideograma, prisioneiro?

— É o sobrenome do meu pai.

— E quem é esse seu papai? — perguntou o oficial, curioso.

— O general Ding Long.

— Ah, muito bem, e eu então sou filho do presidente Mao! — escarneceu o oficial.

— Ele está amaldiçoado! Pode ficar com ele — esbravejei. — Ding Long matou a minha mãe e me abandonou como um filho enjeitado.

— Mas, ora, vejam só! E quem acreditaria em você?

— Não espero que vocês acreditem em mim. Ninguém acredita em mim. Agora só quero morrer. Ande, atire!

Mas os marinheiros pareciam ter ficado intrigados com a história que contei. O oficial sentiu o peso do cordão de prata em sua mão e um sorriso maldoso assomou aos seus lábios.

— Mas, por outro lado, talvez você esteja dizendo a verdade. Nós todos admiramos o tesão do general Ding Long, não é mesmo?

Os marinheiros caíram numa gargalhada maliciosa.

O oficial desceu a uma cabine abaixo do convés para se comunicar pelo rádio com o Comando Central da Marinha no litoral. Quando voltou, tinha uma expressão grave no rosto.

— Deixem-me morrer! Atirem em mim! — gritei, me debatendo novamente e chutei um balde, fazendo-o rolar.

— Sinto lhe informar que não podemos fazer isso — disse o oficial, virando-se depois para os marinheiros. — Desamarrem-no.

— Por quê? — perguntou um marinheiro.

— O comandante em pessoa está vindo aqui para levá-lo embora. Depressa!

Imediatamente, os marinheiros fizeram o que lhes foi ordenado.

Não se passou nem meia hora e aproximou-se um grande cruzador militar, de onde saíram apressadamente três médicos carregando uma maca do exército. Eles me recolheram e retornaram rapidamente.

— Para onde estão me levando? — berrei. — E por quê?

— Você faz perguntas demais — disse um dos médicos, injetando um líquido amarelo no meu braço.

No instante seguinte, tudo ficou escuro.

Tan 唐

Capítulo 14

1979
BEIJING

Todos os meses, Miss Yu me entregava um envelope na escola que continha o último número de *Início da Primavera*, a revista mensal do seu grupo, que eu lia na privacidade do meu quarto. Os textos de Miss Yu eram poéticos e comoventes. Num dos números, ela defendeu a criação de uma editora que publicasse ensaios, textos teóricos e até mesmo de ficção para ampliar o leque de leitores da organização. Alguns meses mais tarde, foi publicado o primeiro romance, escrito pela própria Virgin, sobre uma moça que luta contra as restrições impostas às mulheres pela sociedade. Devorei o livro durante uma noite inteira sem conseguir dormir e chorei pela heroína. O romance logo causou grande sensação. Era comentado à boca pequena e distribuído em cópias feitas à mão.

Um dia, Miss Yu apareceu na sala de aula com olheiras escuras em torno dos olhos. Ela havia chorado.

— O que houve? — perguntei, depois da aula.

— Você ainda não sabe o que aconteceu? — perguntou ela em voz baixa, depois que todos os alunos tinham saído da sala. — A polícia derrubou o Muro da Democracia e o professor Ko está desaparecido.

— O que pode ter acontecido a ele?

— Deve ter sido seqüestrado e assassinado secretamente. — Havia uma raiva contida na sua voz. — Existe outra maneira melhor de o governo acabar com a nossa organização?

— Sinto muito.

— Não é culpa sua — disse ela.

Baixei os olhos.

— Mas sinto como se fosse.

No dia seguinte, ficamos sentados na sala de aula sem a presença da nossa professora de inglês. Aguardamos durante muito tempo, até que o diretor entrou na sala para nos dizer que Miss Yu tinha sido detida e que não deveríamos esperar que ela retomasse suas atividades. Atordoado, saí da sala imediatamente e pedi ao meu motorista que me levasse ao escritório do meu pai no quartel-general do Exército, que ficava a poucas quadras da escola. Passei por várias fileiras de guardas armados, que acenaram e me deixaram passar sem nenhum impedimento. A placa do carro — de número cinco — dizia tudo. A do presidente Heng Tu tinha o número um. Arrastei papai para fora da sala de reuniões.

— Filho, o que há de tão urgente assim que não possa esperar pelo fim da reunião? — indagou ele bruscamente, agora em seu gabinete.

— Preciso de uma ordem sua por escrito para liberar Miss Yu imediatamente.

— Meu filho, sinto lhe dizer que a coisa não é tão simples assim.

— Mas é claro que é, papai! Ela só está sendo usada como bode expiatório. Ela é cidadã de Hong Kong, e seus direitos ainda são protegidos pela lei internacional. Vocês não podem fazer nada com ela.

— Deixe-me verificar com o Ministério de Segurança Pública.

Papai caminhou em direção ao telefone.

— Não, pai, não há tempo para isso. Estou lhe pedindo um favor. Libere-a e mande-a de volta para seu país de origem. Você pode proibi-la de retornar ao nosso país, mas não a maltrate de jeito nenhum. Ela é minha professora e minha amiga. E é sua amiga também, papai. Temos que protegê-la.

— Deixe-me pensar sobre isso hoje à noite.

— Hoje à noite poderá ser tarde demais. Por favor, diga em que local ela está detida.

Papai respirou fundo.

— Ela está a caminho de Xinjiang.

— A Sibéria chinesa?

— Não há nada que eu possa fazer no momento. Foi uma ordem do próprio Heng Tu.

— Mas ele ouve o que você diz, não é?

Papai parecia confuso.

— Você não está entendendo direito.

— Estou muito decepcionado com você, papai — disse eu, com tristeza na voz, e saí.

Pedi ao meu motorista que me levasse à Delegacia Central de Beijing. Falei com o próprio chefe de Polícia, mas ele também não podia liberá-la e me disse que, a esta altura, o caminhão já deveria estar em Xibei. Só havia uma coisa a fazer.

Corri para casa e fui ao escritório de papai. Lá, numa gaveta, estava o carimbo de jade do oficial mais graduado das Forças Armadas. Usando o papel timbrado de papai, escrevi com muito cuidado e em seguida carimbei a carta com o selo oficial. Analisei rapidamente minha escrita. A letra poderia facilmente passar pela de papai, mesmo para olhos bem treinados, pois desde criança eu tinha me esmerado em imitar a sua caligrafia no estilo fluido e cursivo conhecido como "Cao". Saí em disparada para interceptar o caminhão militar na estrada para Xibei, a única que seguia na direção oeste. Passaram-se muitas horas até que minha limusine finalmente alcançou o caminhão empoeirado. Meu motorista deu uma guinada brusca na frente do caminhão, forçando-o a parar no acostamento. Saltei do carro, tendo nas mãos uma ordem oficial do comandante-em-chefe. De início, fui ignorado pelos soldados.

— Vocês sabem quem eu sou? — gritei. — E sabem o que tenho aqui nas mãos?

Isto chamou a atenção deles. Eles analisaram o documento e, em seguida, o meu rosto.

— Se não me entregarem esta prisioneira, vou fazer com que meu pai, o comandante-em-chefe, mande vocês para a Corte Marcial.

O motorista leu o papel. Reconhecendo o famoso carimbo, ele dobrou o documento, colocou-o no bolso e, relutantemente, entregou-me a prisioneira.

Miss Yu estava com um ar solene e pensativo. Não havia medo em seus olhos, embora ela estivesse com um aspecto mais envelhecido. Abracei-a, mas ela ficou como que congelada na minha presença. Rapidamente, insisti para que entrasse na limusine e levei-a para a estação ferroviária de onde partiam os trens para Cantão. De lá para Hong Kong, bastava atravessar uma ponte. Mas o trem só sairia dali a uma hora. A noite já tinha caído. Miss Yu estava chorando. Ela me pediu para dispensar o motorista por alguns minutos. No banco de trás, ela se despiu. Lentamente, tirou meu suéter e abriu o zíper da minha calça.

A princípio, aquilo me chocou, mas depois fiquei excitado. Seus seios eram firmes e fartos e sua pele tinha o toque da seda. Ela pôs seus mamilos na minha boca e eu os chupei avidamente. Meu coração pulava de desejo e meu sexo parecia que ia estourar. Miss Yu montou em cima de mim. Penetrei-a bem fundo e ela me cavalgou, gemendo com total abandono, como se estivesse morrendo. Nós dois gememos e gritamos de prazer. Miss Yu aconchegou sua cabeça no meu peito e soltou um suspiro profundo. Passei os dedos pelo seu cabelo e abracei-a com força.

Depois de termos recuperado o fôlego, ela fez um movimento e murmurou:

— Agora você é um homem.

— Tem algum problema um aluno amar a sua professora?

— Já não sou mais sua professora.

Ela me beijou com ternura.

— Há muito tempo que amo você — disse eu, acariciando seus seios. — Não queria que fosse embora.

— Vamos, meu amante, faça-me gritar de prazer novamente.

As palavras que vinham de sua boca delicada me deixavam tonto. Fizemos amor mais uma vez e ainda com mais paixão. Nosso orgasmo foi tão prolongado que ela quase perdeu o trem. Vestimo-nos com rapidez, corremos para a plataforma e nos abraçamos. Ela subiu no vagão. O trem saiu da estação e sumiu dentro da noite.

Capítulo 15

1979

ILHA NÚMERO NOVE

Minha cabeça latejava de dor, e as paredes do meu estômago pareciam coladas uma na outra, tamanha era a minha fome. Eu devia ter dormido durante muito tempo. A cama rangeu quando me virei. Meus olhos embaçados distinguiram um homem sentado numa cadeira, de frente para mim. As paredes brancas, sem janelas, tinham o pé direito alto.

— Quem é você?

Olhei para ele, franzindo os olhos, e examinei seu uniforme com atenção.

— Isso não importa. Você não está feliz por estar vivo?

— Acho que sim. De quem veio a ordem para me salvar?

— Não sei.

— Onde está o meu cordão?

— Não sei. Assine aqui — ordenou o homem, estendendo-me uma prancheta com um pedaço de papel.

— O que é isso?

— Uma declaração formal. Sem mais perguntas. Depois explico.

Olhei fixamente para o homem misterioso por um bom momento, e depois, esticando o braço direito, assinei o papel.

— Ainda sou um prisioneiro?

— A partir de agora, você vai trabalhar para nós.

— Que tipo de trabalho vocês querem que eu faça?

— Um trabalho digno — respondeu ele.

— E se eu não quiser trabalhar para vocês?

— Você nos deve a sua vida. Tenho em meu poder uma ordem pendente para a sua execução, emitida pelo Supremo Tribunal de Justiça Popular e que pode ser cumprida a qualquer hora e em qualquer lugar. Além disso, você acaba de assinar uma declaração em que se compromete, por escrito, a dedicar sua vida à nossa causa, com um voto de silêncio no que diz respeito ao trabalho digno que o aguarda.

— É bastante reconfortante saber disso!

— O sarcasmo não é bem-vindo aqui.

Ele tirou uma arma de dentro do seu coldre e colocou-a na mesa que estava ao seu lado.

— Por que você não atira em mim de uma vez?

— Eu poderia fazer isso.

Displicentemente, o homem disparou dois tiros para o teto. Os tiros ecoaram com grande estrondo.

— E agora, garotão, vamos falar mais um pouco sobre o nosso trabalho digno. Sua nova vida acaba de começar. Daqui a pouco, estaremos de saída.

— E para onde estou indo?

— Para a Ilha Número Nove.

NOSSA EMBARCAÇÃO NAVEGOU PELAS águas azuis do Pacífico, em direção ao mar aberto. O vento fustigava a minha pele, deixando-a insensível como se fosse de cera, mas o cheiro do oceano me revigorou. Eu já não me dava mais o trabalho de fazer perguntas sobre a vida misteriosa que tinha pela frente. Sabia que o homem que pilotava o barco não me daria respostas. Eu queria apenas viver, pois sabia como a vida era preciosa, e como ela podia me escapar de um momento para o outro.

Depois de um longo percurso sobre o mar calmo, avistamos uma pequena ilha montanhosa que cintilava à frente de um enorme sol poente, cor de gema de ovo. O barco diminuiu a velocidade e atracou num pequeno cais oculto no meio de um bosque de árvores muito antigas. Um jovem soldado me conduziu a um prédio de tijolos de estilo militar, onde um oficial de meia-idade com o cabelo grisalho, cortado rente, me aguardava. Ele fez um gesto para que eu me sentasse.

— Sou o sargento La, seu instrutor particular — disse ele. — Essa é uma unidade especial do serviço secreto chinês chamada *Jian Dao*, ou Adaga Afiada, e que pouca gente sabe que existe. De agora em diante, você é um de nós. Fora dos limites desta ilha, ninguém mais poderá saber disso, e você terá que carregar este segredo até o túmulo.

O sargento fez uma pausa antes de continuar.

— Este lugar está cercado por minas aquáticas e pelo torvelinho das poderosas correntes oceânicas profundas. Temos integrantes das Adagas Afiadas espalhados por todos os cantos do mundo. É de seu próprio interesse manter o nosso código de sigilo. Cada cadete é treinado individualmente de acordo com suas habilidades e, é claro, com o seu potencial. Você receberá instruções sobre todos os aspectos de sua vida, isto é, de sua nova vida, e sobre todas as formas de combate. E também aprenderá a usar os melhores e os mais novos armamentos que estão sendo desenvolvidos e aperfeiçoados. Algum dia, quando estiver preparado, você será de um valor inestimável para o seu benfeitor.

— E quem é ele?

— Não tenho permissão para revelar o seu nome, nem agora e nem no futuro. Todas as suas perguntas serão inúteis. Vamos dar início ao treinamento ao nascer do sol.

A Ilha Número Nove acordou ao raiar do dia. A bruma do mar parecia uma camada de vapor na beira da ilha, como se ainda estivesse presa à serenidade da noite. Coloquei-me em perfeita postura militar diante do meu treinador, sargento La, que vestia uma camisa sem mangas e uma calça larga amarrada por uma faixa de cetim na cintura de vespa.

— Você tem quatro anos de treinamento à sua frente. É apenas o sucesso ou o fracasso, está entendendo?

— Sim, senhor.

— Não escutei direito! Diga novamente até sentir seu estômago doer!

— Sim, senhor! Eu entendi, senhor! — berrei a plenos pulmões.

— Ótimo.

O sargento La continuou:

— Cresci na Província de Henan, ao pé do Templo Shaolin. Meu tipo de Kung Fu é, portanto, no estilo Shaolin. Posso ser brando como a água. — Ele movimentou seu corpo como uma cobra. — Ou rijo como o aço.

— O sargento La postou-se com as pernas afastadas. — Agora dê um soco bem no meu *dung tien*, no baixo ventre.

Hesitei, observando atentamente os olhos de La.

— Isto é uma ordem! Dê-me o soco mais forte que puder dar!

Arregacei as mangas, encontrei meu ponto de equilíbrio com os pés bem posicionados no chão, cerrei o punho, e ataquei o meu mestre. Meu soco era como uma pedra dura e era famoso por causar um grande estrago em quem merecesse recebê-lo. Mas, desta vez, senti alguma coisa diferente no contato. Sua pele era macia como massa de pão e os músculos da sua barriga sugaram o meu punho, liberando em seguida um rebote de energia que me fez rolar três metros para trás no gramado.

— Tome cuidado. Eu poderia ter quebrado o seu braço se tivesse usado um pouco mais da força do meu intestino. Se não for treinado adequadamente, você se torna rígido e inútil como um pedaço de pau. Pela sua estatura, cerca de um metro e oitenta, você deveria ter a potência de um touro enraivecido, mas tem apenas a força da arremetida de um carneiro. Vamos começar desenvolvendo mais a sua força. Flexões.

Ele afivelou na minha cintura um cinto pesado e volumoso, cheio de areia, e apontou para o chão.

— Você tem uma hora de exercícios. Nos primeiros 15 minutos, cinco quilos. No segundo quarto de hora, dez quilos. Nos dois últimos, 12 quilos e meio. Vou ficar observando lá do meu gabinete. Não me decepcione.

Nos primeiros 15 minutos, foi moleza. No segundo quarto de hora, eu já estava com os batimentos cardíacos bastante acelerados e urrava de dor. No terceiro quarto de hora, quase desmoronei e comi a poeira do chão. Mas persisti. Quando a hora finalmente se esgotou, fiquei meio morto, estendido na terra úmida durante uns bons vinte minutos.

— De pé!

La estava de volta, sorrindo.

— Limpe-se e vá para a aula agora. Hoje à tarde, vamos subir a escadaria que vai até o cume da montanha sem nome que existe aqui na ilha. Lembre-se de levar os pesos de cinco quilos para amarrar nos pés.

— Obrigado, mestre.

Consegui apenas esboçar um débil sorriso no meu rosto suado. Cambaleei de volta ao meu quarto para preparar-me para o meu primeiro período de aula da manhã: *A arte da guerra*.

A aula foi ministrada por um professor já idoso, o sr. Wang, que havia sido conselheiro sênior do Exército. Ele usava cavanhaque e fumava continuamente um cachimbo d'água. Seus livros didáticos eram amarelados e costurados com linha, e as páginas estavam rasgadas e gastas nas beiradas. Suas mãos tremiam enquanto ele lia o clássico *A arte da guerra*, de Sun Tzu, um texto muito antigo e de leitura obrigatória. Eu era um dos cinco alunos de sua turma, e achei a explanação do professor muito simples, mas esclarecedora. Sua primeira lição foi o ensinamento chamado *Um Forte Vazio.*

Zhu Guo Liang, célebre estrategista militar, estava certa vez rodeado por oito mil soldados inimigos que cercavam as muralhas da cidade. Ele estava encurralado e sabia que enviar um sinal de fumaça a um aliado distante em busca de ajuda apenas convenceria o inimigo de que ele estava se sentindo fraco e desesperado. Então, abriu os portões da cidade e sentou-se numa cadeira, no pátio de entrada vazio, dedilhando seu *pipa*, um instrumento semelhante a um alaúde, e cantarolando músicas de sua terra natal, de olhos fechados. Os batedores do exército inimigo ficaram surpresos ao depararem com Zhu se divertindo, indiferente ao assédio avassalador que ocorria naquele momento. Silenciosamente, saíram da cidade mais rápido do que haviam chegado, acreditando que o astuto Zhu tivesse preparado um contra-ataque de surpresa e estivesse apenas esperando que eles entrassem afoitamente. Ninguém poderia acreditar que Zhu contava com apenas duas dúzias de soldados dentro dos muros da cidade.

Aquilo foi tão inspirador que corri imediatamente à biblioteca com a intenção de consultar todas as obras escritas por Sun Tzu. Fui informado pelo bibliotecário que este autor havia escrito apenas aquele livro. A obra deveria ser lida lentamente para ser degustada com vagar e digerida com cuidado. Somente após muitas leituras é que a verdade se revelaria em sua totalidade ao leitor.

À tarde, o sargento La me fez percorrer a famosa escadaria que subia por trás da montanha que se erguia no centro da ilha. Onze quilômetros subindo e mais outros 11 descendo. Naquela noite, dormi um sono absolutamente sem sonhos até ser despertado ao nascer do sol pelas badaladas de um sino, que ecoava na distância.

No dia seguinte, um rapaz com doutorado em informática, obtido numa universidade americana, me deu uma aula introdutória em uma sala equipada com dúzias de terminais de computadores. No espaço de uma hora, apaixonei-me por aquela máquina que processava inúmeras informações ao toque de uma tecla. Ao fim da aula, ofereceram-me um terminal portátil para meu uso pessoal que podia ser conectado com a rede da ilha. Lutando contra o sono, fiquei acordado até de madrugada digitando lentamente no teclado de teclas macias, maravilhado com a mágica que se desdobrava ao toque dos meus dedos.

O tempo parecia escorrer como a água de um riacho. O verão logo chegou ao fim e o outono trouxe o ar fresco. Meu corpo tinha se fortalecido com o rigoroso programa diário de exercícios, e meu coração recobrou novamente a leveza que eu não sentia desde que tive que me separar da minha querida Sumi. Ficar isolado do meu passado e do resto do mundo parecia ser uma boa cura para mim. Mas a gente nunca consegue ficar totalmente livre dele.

De manhã, eu mergulhava de corpo e alma na disciplina e na prática das artes marciais, aprendendo *nan chuan, bei ti* (socos ao estilo sulista, chutes ao estilo nortista), e *xi ro, dong gong* (flexibilidade ocidental, rigidez oriental). À noite, dedicava longas horas ao aperfeiçoamento das minhas habilidades como atirador. Preferia armas grandes como a AK-48 automática e a beleza negra de aparência rude chamada Uzi. No restante do tempo, eu recebia instrução em áreas de conhecimento e campos de estudo como política marxista, pensamentos do presidente Mao, história do comunismo e relações internacionais. Mas não havia um só momento em que eu estivesse longe do meu amor, do meu querido amor — Sumi. Cada soco que eu desferia, cada chute que dava, cada bala que disparava, cada quilômetro que percorria, tudo aquilo para mim era secretamente um passo, uma aceleração rumo à meta final cujo objetivo era ser bem-sucedido naquele trabalho digno para o qual eu estava sendo preparado, com o único intuito de poder voltar para exigir o que era meu de direito — a minha Sumi.

Com três meses de treinamento, fui chamado a uma sala, onde um alfaiate tirou minhas medidas para confeccionar um terno muito elegante e uma camisa com punhos duplos para ser usada com abotoaduras. O alfaiate me mostrou um vídeo com vários estilos de roupas — todos os tipos de grifes, marcas, cortes e tecidos. Num período de cinco horas, fiz um curso intensivo sobre o mundo da moda. As palavras de despedida do professor foram:

— Você é o que você veste.

Minha vida monástica de disciplina e ordem foi interrompida uma noite quando uma mulher atraente de trinta e tantos anos apareceu no meu quarto. Ela tinha um corpo maravilhoso que me deixava tonto só de olhar. Disse-me que tinha sido bailarina de uma famosa companhia de balé de Xangai. Somente um tempo depois é que fiquei sabendo que ela estava cumprindo pena de prisão perpétua por duplo assassinato, envolvida num triângulo amoroso, e agora fazia parte da equipe de professores da ilha.

Ela me disse que estava ali para me ensinar alguns passos de dança de salão, coisa que eu poderia ter necessidade de usar em futuras missões. Eu aprendia rápido e, ao fim da noite, já conseguíamos valsar fluentemente, sem atropelos. Como era uma aula particular que se estenderia até que o aluno estivesse bem preparado, sugeri que ela ficasse mais um pouco para repassar alguns passos básicos comigo. Ela aceitou alegremente.

Por volta de meia-noite, na nossa última dança, a professora pressionou suas curvas macias contra o meu peito. Quando ela deu um passo para trás, vi seus mamilos marcando seu vestido fino e esvoaçante. Havia uma melodia em seus olhos. Ela sorria e sussurrava ao pé do meu ouvido e algumas vezes seus lábios roçavam levemente no meu pescoço suado. Quando a música terminou, fiquei meio chocado ao sentir que uma de suas mãos agarrava a minha bunda enquanto a outra alisava meu sexo, que pulsava e que chegava até a doer, de tão duro que estava desde que eu tinha posto os olhos nela.

Estávamos colados um ao outro. Puxei-a para a minha cama. O aroma feminino do seu corpo maduro era mais do que eu podia suportar. Logo fiquei arfando de desejo e ejaculei na minha própria calça. Que dedos diabólicos! Porém, minha juventude me permitiu uma segunda ereção em poucos minutos. Ela se despiu, subiu em cima de mim, e me cavalgou, olhando de frente para os meus dedos dos pés, que se contorciam de prazer. Com a visão de suas belas ancas, em meio minuto eu gozei loucamente dentro dela.

— Puxa! Com essa você podia ter quebrado o recorde dos cem metros rasos — disse ela, fazendo beicinho, com a bunda ainda rebolando em cima do meu membro já amolecido.

— Você não curtiu tanto quanto eu? — perguntei, chocado.

— Eu estava apenas começando — respondeu ela, bocejando.

Pela primeira vez, minha virilidade tinha sido desafiada, mas mesmo que ela me atiçasse e me incentivasse com suas mãos habilidosas e com sua língua lasciva, a minha cobra continuava enroscada, incapaz de dar um novo bote. A professora se levantou, declarando com autoridade:

— Para um principiante, você está indo muito bem. Com o seu potencial, estará no ponto num piscar de olhos.

Na noite seguinte, na segunda aula, minha professora de dança me ensinou algumas técnicas para controlar minha tendência a gozar rápido demais, que ela chamava de "estrangular a cobra" e de "puxar-segurar-e-enfiar", mas sua musculatura interna e suas nádegas giratórias logo me deixaram inutilizado, apesar de tudo.

Na terceira noite, ela me disse, no começo da aula, que isso era um assunto muito sério e que eu precisava me concentrar mais na técnica e no controle das minhas emoções. Em certas ocasiões, a habilidade de satisfazer uma mulher poderia significar uma questão de vida ou morte. Eu não apenas a levei ao orgasmo como também fiz com que lágrimas de gratidão lhe viessem aos olhos.

Na quarta aula, a professora entregou-se completamente ao ato. Fiz amor com ela cinco vezes. Quando terminei, ela tinha gritado, xingado, gemido e berrado e tinha repetido tudo isso de novo, embora não necessariamente na mesma ordem. Por fim, caímos no sono nos braços um do outro até o final da tarde, quando minhas novas investidas a acordaram e ela ficou uma hora a mais além do tempo. Algumas aulas foram perdidas, mas, no fim das contas, ganhou-se muito mais.

Naquela noite, finalmente sozinho, fui consumido pela culpa até concluir que o que eu sentia não era amor, mas apenas desejo. Portanto, nenhuma traição estava sendo cometida contra Sumi. Além do mais, eu acreditava que a minha recém-adquirida experiência — onde é que a língua devia tocar e onde é que as mãos deviam acariciar — fariam de mim um amante ainda melhor para Sumi, e que seríamos um casal mais feliz quando estivéssemos finalmente juntos. Mas, durante os dias que se seguiram, raramente deixava de pensar no perfume, no som da voz e no toque da pele da professora.

Minha primeira tarefa no trabalho digno para o qual estava sendo treinado aconteceu um ano depois da minha chegada, numa noite de muita neblina. O sargento La escoltou-me num barco até o continente. Depois, fui colocado num trem que ia para a província de Hunan, viajando num compartimento especial com uma placa que dizia: DOENÇA RARA. Entrei no trem carregado, numa maca, com o rosto todo enfaixado como o de uma múmia, apenas com os olhos e a boca de fora. Na estação ferroviária, fui transportado por dois atendentes, em meio a uma multidão enlouquecedora. Assim que embarquei no trem, um enfermeiro retirou as ataduras e me ofereceu um chá. O trem saiu se arrastando da estação. Uma hora mais tarde, chegamos ao sopé de uma montanha, e o enfermeiro voltou com um médico de jaleco branco. O doutor, um homem de bigode com um olhar maroto, fez um sinal com a cabeça e o enfermeiro se retirou. Ele mediu o meu pulso e auscultou as batidas do meu coração.

— Está tudo bem — disse ele. — Aqui está o meu diagnóstico.

E me entregou uma folha de papel.

— Este é o medicamento.

O médico apontou para uma maleta que tinha colocado aos meus pés.

— Você tem que usar o suéter amarelo que está aí dentro.

Assenti com a cabeça e o médico se foi. Dentro de dez minutos, dizia o papel, o trem ia entrar num túnel, onde pararia repentinamente. Eu tinha que pular pela janela, correr pelos trilhos, entrar no vagão adiante do meu, matar o passageiro que estava na cabine-leito e depois saltar do trem.

Fiz o que estava escrito na receita. Primeiro, vesti o suéter amarelo, que coube em mim surpreendentemente bem, e me sentei de olhos fechados, buscando a tranqüilidade interior através da meditação. Com o terceiro olho, imaginei fisionomias variadas — rostos jovens e velhos, simpáticos e antipáticos, ossudos e rechonchudos. Mas tive dificuldade em escolher um rosto em particular para o meu primeiro serviço. Como seria o rosto daquele indivíduo que ia morrer? Será que teria o rosto pálido? Será que ficaria triste, ou chocado? Ou será que ficaria feliz em morrer? Será que imploraria por sua vida?

Rezei, como numa oração: Querida Sumi, deixe-me executar este trabalho digno ao qual me propus para que eu possa viver para vê-la novamente.

O trem entrou no túnel e, com um guincho, parou subitamente. Pulei pela janela, tropecei nas pedras, abri uma janela do vagão que estava à frente e saltei para dentro. Para minha surpresa, sentada sozinha na cabine, havia uma moça. Seus olhos assustados se arregalaram com a minha aparição repentina. Uma mulher! Não podia ser! Isso estava absolutamente fora das minhas cogitações. Meu pulso se acelerou e minhas têmporas começaram a latejar. Sargento La, como o senhor foi cruel em testar a minha coragem com uma vítima tão jovem!

O que a moça fez a seguir me surpreendeu ainda mais. Em vez de correr, ela se levantou com uma exclamação, seu olhar se enternecendo com um lampejo de reconhecimento. Veio na minha direção, abrindo seus braços finos.

Você está aqui para matar um inimigo! A voz do sargento La ressoava na minha cabeça. *Este é um teste pelo qual tem que passar.* Não havia tempo para pensar. O trem estava começando a se movimentar novamente. Com a cabeça anuviada e tonta, saquei meu revólver e disparei bem no meio de seus grandes olhos inocentes. Um filete vermelho escorreu de sua testa antes que o impacto da bala a jogasse de volta ao leito.

Subitamente, um facho de luz se acendeu na parede, cegando-me como um relâmpago. *O que foi isso? Um flash de uma máquina fotográfica? Será que alguém tinha me visto?* Minha missão estava cumprida. Eu tinha que sair dali. Mas havia alguma coisa no jeito como ela tinha caído, com os olhos abertos, que me apertou o coração. Inclinei-me sobre ela e fechei suas pálpebras com a mão trêmula. Então, pulei pela janela e corri pelo túnel, não me permitindo nenhum outro resquício de sentimento. Na outra extremidade do túnel, um jipe estava estacionado num declive com o motor ligado. Ao volante, estava sentado o próprio sargento La.

— Por que demorou tanto?

Não respondi. Sem dizer mais nada, ele conduziu o jipe por uma estrada movimentada, desaparecendo por entre caminhões, mulas e crianças que pedalavam em suas bicicletas.

Tan 唐 | Capítulo 16

Virgin, Virgin... Que ironia! Minha iniciação, minha primeira viagem, foi um passeio tumultuado com uma virgem. Que palavra! Parecia tão bela, tão simples! Mas minhas lembranças de Virgin eram apenas parcialmente fiéis à definição. No banco de trás da minha limusine Red Flag, Virgin era linda, sim. Era poética, e até espiritual. Mas não era nada inocente. Até recordei vivamente algumas cenas excitantes de *O sonho do Pavilhão Vermelho*, obra-prima da literatura erótica, passada na dinastia Ch'ing. Excitação — uma palavra poderosa — era algo que eu estava vivenciando com freqüência cada vez maior naqueles dias. Tudo me excitava. Tudo à minha volta tinha um significado mais profundo.

Deitado na cama, com a cabeça ainda confusa, ouvi uma batida à minha porta.

— Pode entrar.

Papai estava de pé na soleira da porta, completamente uniformizado, algo completamente fora do comum àquela hora da noite — dez horas. Surpreso, levantei-me para cumprimentá-lo. Ele estava ali por algum motivo. Caso contrário, jamais viria ao meu quarto tão tarde. Com um pequeno movimento de cabeça, eu disse:

— Boa noite, papai.

Papai ignorou o cumprimento e perguntou firmemente:

— Você andou falsificando a minha assinatura no meu papel timbrado hoje?

— Sim, mas fiz isso por um bom motivo.

Sinceridade era o que se esperava de mim desde pequeno, e eu sempre encontrava nela a minha melhor arma quando todos os argumentos falhavam. Fazia muito efeito quando era necessário tocar no lado emocional da questão.

— Meu filho, não há motivo que seja bom o suficiente quando se trata de passar por cima da minha autoridade!

Papai levantou a voz.

— Você não entende? Tem consciência de que eu sou o chefe do Estado-Maior das três Forças Armadas?

— O senhor se recusou a ajudá-la, e ela é inocente! — protestei.

— Você ainda não consegue ver o que fez de errado, não é? Há um mandado de prisão contra você. A Polícia do Exército está aqui para levá-lo.

— O quê?

Eu devia ter ouvido errado.

— Arrume as suas coisas. Eles estão esperando por você lá embaixo.

O tom de voz de papai era calmo e seguro. Ele falava a sério. Eu não conseguia acreditar no que tinha acabado de ouvir.

— A Polícia está aqui para me prender? A mim, seu próprio filho?

Silêncio inabalável.

— Mamãe! — berrei, correndo para o andar de baixo e deparando-me com ela, que chorava desesperadamente.

— Mamãe!

Ela apenas balançou a cabeça, desolada.

Papai estava parado perto da balaustrada ornamentada da grande escadaria e disse:

— Tan, trata-se de uma ordem militar. Ninguém pode nem deve impedir isso.

Ele se recolheu ao escritório e fechou a porta.

Quando vi os dois soldados armados, entendi que era para valer. Tudo com meu pai era para valer. Mamãe me abraçava com força, como se não fosse nunca mais me soltar.

— Estou aqui — disse ela. — O que você fez? O que você fez? Diga à sua mãe que você não fez isso. Você não fez isso, fez?

— Mamãe, o que eu fiz foi para salvar Miss Yu. Não posso ir para a cadeia. Agi corretamente.

— Meu filho, enquanto eu estiver viva, você não vai para a cadeia. Pai, saia do seu escritório e faça alguma coisa com relação a isso! Você é o comandante-em-chefe! Tire esses soldados subalternos desta casa. Saiam!

Ela abanou os braços para os dois soldados como se estivesse enxotando dois animais.

— Sabem quem sou eu e quem foi o meu pai? — disse ela, num tom imperioso. — Quando ele estava lutando por este país, os pais de vocês ainda estavam usando fraldas, seus recrutas desclassificados! Saiam já desta casa!

Os dois soldados recuaram alguns passos empunhando as armas, levantando os ombros e balançando a cabeça.

— O que foi que ele fez? Ele tem apenas 17 anos! Vão embora daqui! — insistiu ela.

— Temos conosco uma ordem de prisão — disse um dos soldados. — Temos que levá-lo conosco.

Papai desceu as escadas lentamente. Pôs as mãos em torno dos braços de mamãe e lentamente afrouxou o seu abraço.

— Deixe que eles o levem.

— Não! E para que você serve? O comandante-em-chefe! Não pode revogar a ordem de prisão? O que ele fez de tão errado e de tão criminoso? Nós, essa família inteira, que lutamos por esse país, não podemos ser desculpados por uma pequena travessura cometida por um menor de idade? Que espécie de justiça é essa?

— Solte-o. Esta ordem vem de um escalão acima de mim — disse papai finalmente.

— Danem-se eles! Dane-se você! Ninguém está acima de você. Quem emitiu esta ordem de prisão? Quem?

— O presidente.

— O presidente Heng Tu, aquele anão?

— Shhh. Não fale assim na frente destes homens.

— Você não quer que eu fale assim na frente desses homens? Pois vou à Rádio Popular e vou informar ao mundo inteiro que espécie de sanguessuga esse homem é. Meu pai o tirou da prisão e fez dele o presidente. Vocês sabiam disso, soldados? Ele estava morrendo como um cão, apodrecendo naquela prisão. Que homem ingrato e sem coração! O que ele quer de nós? Ele nos usou de todas as formas que podia e agora emite um mandado de prisão para o nosso filho? Ele vai queimar no inferno durante muitas vidas pelo que está fazendo com a minha família. Vocês estão ouvindo bem, soldados? Ele nem sequer compareceu ao enterro do meu pai, aquele desgraçado!

Ela irrompeu em lágrimas novamente.

— Onde está o meu avô? Preciso telefonar para o meu avô!

Era a minha última cartada.

— Meu filho, você tem que ir — disse meu pai. — Eu resolvo isso depois.

— Não, papai. Você não pode deixar que eles me levem. Ligue para o vovô!

— Vamos indo, Tan Long — ordenou um dos soldados.

— Esperem, preciso telefonar para o meu avô Long.

— Por que é que ele não pode telefonar para o avô dele, seus animais ignorantes? — esbravejou minha mãe.

— Comandante-em-chefe, por favor, ajude-nos a cumprir as ordens do presidente — pediu um deles.

Papai fitou-o com um olhar severo.

— Você não tem que obedecer a este soldado raso! — vociferou mamãe, furiosa.

Papai mordeu os lábios e puxou-a para longe de mim, enquanto eu chutava e socava os dois soldados.

— Tan, você tem que parar com isso ou nós o faremos parar. Dê-me suas mãos — exigiu um deles, com voz firme e tranqüila, segurando um par de algemas.

— Isso é alguma espécie de brincadeira? Algemas? Afastem-se de mim e me dêem o telefone. Vocês sabem quem é o meu avô?

O soldado me empurrou, o que me deixou estupefato. Ninguém jamais tinha ousado fazer isso comigo antes.

— Não sabemos quem ele é e isso não nos importa. Estenda as mãos ou eu vou forçá-lo a fazer isso.

— Socorro! Mamãe! — gritei, olhando para a grande escadaria.

Mas papai já a havia afastado dali. Meus gritos ecoaram de volta, rebatendo nas portas que tinham se fechado.

— Socorro!

Ninguém ia me socorrer. Com brutalidade, os soldados seguraram os meus braços, juntando-os nas minhas costas. As algemas clicaram e se fecharam em torno dos meus pulsos.

Andando lentamente e arrastando os pés, segui os homens porta afora. Onde estava a liberdade? Onde estava a democracia? Onde estavam as pessoas quando eu precisava delas?

Senti medo e raiva ao mesmo tempo. Deixar o próprio filho ser preso, em nome de quê?

Eles me empurraram para dentro do jipe. Nem sequer me virei para olhar para a casa que eu chamava de lar — nem uma única vez.

O jipe sumiu dentro da noite escura.

UMA PRISÃO-FORTALEZA ASSUSTADORA erguia-se à frente do maciço monte Sishan. Todos os anos eu visitava esta parte dos subúrbios de Beijing, especialmente no outono, quando o Parque das Colinas Perfumadas estava atapetado com as folhas cor de fogo dos plátanos vermelhos. Uma vez, quando fui até lá no helicóptero de papai, o parque parecia um mar vermelho ou um incêndio que se alastrava pelos campos. Mas hoje, eu era um prisioneiro detido por alta traição. Que acusação ridícula! Tudo que fiz foi permitir que uma moça inocente retornasse ao seu próprio país. Sim, ela tinha publicado uma revista. Ela havia organizado reuniões políticas. Ela podia até mesmo ter disseminado as sementes da democracia. Mas o que fazia ela ser tão ruim assim? Na realidade, era maravilhosa com suas idéias, seus sonhos e sua beleza. Deveria ser elogiada como uma heroína. Eu ainda não sentia nenhum remorso por tê-la ajudado, e muito menos por amá-la.

Eles me conduziram através de pátios, muros e escadas até finalmente chegarmos a uma cela escura. Já não sentia mais medo, e sim orgulho. Sentia-me como um herói romântico.

A prisão ficou silenciosa depois que o carcereiro bateu a porta na minha cara. E também ficou escura, exceto pela luz fraca que havia no corredor, de onde se podiam ouvir os passos arrastados do vigia da noite. Fechei os olhos para que eles pudessem se adaptar à escuridão, mas não conseguia nem mesmo localizar a minha cama.

Tateando como um cego, encontrei um travesseiro fino e quase tropecei num balde, que presumi que fosse o meu penico. As paredes eram ásperas, como se estivessem inacabadas. Quem estava preso não merecia coisa melhor. A cela era úmida e estava até mesmo molhada. O chão era liso e frio, e devia ser de lajotas de cimento, pois podia sentir os rejuntes irregulares. Na parede do fundo, ao lado da minha cama, havia uma mesinha. Deitei-me e pousei a cabeça sobre os braços. A cama era de madeira dura, coberta por um colchão fino de bambu que estava encharcado de suor, e cheirava aos prisioneiros que haviam estado ali antes.

Desde que me entendo por gente, cresci ouvindo as pessoas me dizerem que eu não era um menino comum. Agora então, naquela noite, confinado numa cela fedorenta, eu ainda sentia que era especial, diferente do presidiário da cela ao lado, fosse ele quem fosse. Quando viesse o dia de amanhã, o sol nasceria novamente e eu seria libertado. Ou, se não fosse amanhã, seria daqui a alguns dias. No momento, eu era como um rato temporariamente preso numa gaiola de um laboratório científico. Estava ali para alguma experiência, para testar a minha constituição. Todos os grandes homens tinham que passar uma temporada na prisão. Isso está em todos os livros de história. As prisões punham os homens à prova e os fortaleciam.

Aliás, não ficaria surpreendido se a minha querida mãe — e eu me sentia tão culpado pela angústia que tinha lhe causado nesta noite — viesse correndo até aqui no dia seguinte, me trazendo algumas das comidas de que eu mais gostava ou até mesmo alguns livros. Meu avô banqueiro, todo sorridente e cheio de orgulho, poderia também vir me trazer alguns jornais, como o *New York Times* e o *Wall Street Journal.*

Eu não havia esquecido o meu pai que, sentindo-se tardiamente arrependido por não ter me ajudado logo de início, já tinha provavelmente planejado tudo para me liberar. Com seu jeito rígido e sério, viria com seu secretário para me pedir desculpas. Possivelmente, estava tendo insônia por causa da minha ausência e devia estar redigindo o mais sincero pedido de desculpas para vir pessoalmente entregá-lo ao seu filho.

Nenhuma das minhas expectativas tornou-se realidade nem no dia seguinte e nem no outro. Fui deixado ali sozinho sem nenhum contato humano. Minha mãe não entrou na cela correndo e chorando. Meu pai não me enviou seu pedido de desculpas, nem mesmo por escrito. E, o pior de tudo, vovô Long também não se manifestou. O que é que estava acontecendo? Eles tinham me abandonado. O mundo inteiro tinha se esquecido de mim. Ninguém se importava mais com o único herdeiro das dinastias Long e Xia.

Depois de três dias inteiros na prisão, comecei a sentir falta de ar, o silêncio tornou-se enlouquecedor, o desespero se intensificava e a solidão invadia todo o meu ser. Se tivesse que ficar mais um dia nesta antiga fortaleza sem sentir pelo menos uma leve lufada de ar fresco, enlouqueceria.

Por fim, um soldado com cara de cavalo abriu a porta com um molho de chaves que tilintavam e ordenou:

— Prisioneiro número 17, vire-se para a parede e coloque as mãos para trás.

— Para onde estou indo?

— Detento 17, fique com a boca fechada até que lhe seja dirigida a palavra, ouviu bem?

— O bastante para ficar surdo.

Pegando-me desprevenido, o soldado me deu uma cotovelada e um chute nas costas com suas botas de couro.

— Ai! — grunhi. — Por que você fez isso?

— Ofensa verbal é uma infração prevista no artigo número nove do regulamento interno da prisão.

— Seu animal! Espere só eu sair daqui.

O soldado bateu com as algemas de ferro na minha cabeça. Caí no chão, segurando com as mãos o ferimento, que sangrava.

— Qual foi a infração desta vez?

— Na verdade, o regulamento que diz que eu posso encher você de porrada não existe. Acabei de inventar agora, neste momento.

O soldado me algemou com um gesto brusco e me arrastou através do longo corredor, enquanto eu gritava por socorro.

Um enfermeiro foi chamado ao pequeno cubículo da sala de interrogatório, onde fez um curativo na minha cabeça com três pedaços de gaze grossa. Eu ainda estava fumegando de raiva quando os meganhas entraram e se sentaram de frente para mim, no outro extremo da mesa.

— Que espécie de tratamento é esse? Quero falar com o meu pai, o general Ding Long.

— Cale a boca e ouça — disse um deles.

— Não vou mais calar a boca! Sou inocente. Não fiz nada de errado. Deixem-me sair daqui! Tirem essas algemas de mim! — exigi.

— Meu jovem, o negócio talvez seja um pouco mais complicado do que isso.

— Complicado por quê? Você não vai poder mencionar nem ao menos um crime que eu tenha cometido contra o povo!

— Você é um rapaz inteligente. Por que não conta pra gente o que aconteceu?

— Não tenho nada para contar.

— A confissão vai atenuar a sua pena, e a mentira só vai servir para aumentar a sua culpabilidade. Você deve conhecer muito bem o nosso código penal, sendo filho de uma grande família revolucionária.

— Não tenho nada para confessar.

— Bem, se não confessar e não nos contar a verdade agora, talvez tenhamos que entregá-lo às autoridades de Hong Kong e deixar que o Tribunal Criminal Internacional se encarregue do caso.

— Seria ótimo se vocês fizessem isso. Eu sei que os juízes desse tribunal concordariam que Miss Yu merecia a liberdade e não a prisão ou um campo de concentração na Sibéria chinesa.

— Meu jovem, você não está entendendo direito.

O mais alto deles estendeu o braço e jogou uma foto na mesa diante de mim.

— Dê uma olhada nessa moça e me diga a verdade.

Era uma foto horripilante de uma moça caída numa poça de sangue, com um buraco enorme na testa.

— Quem é ela? — perguntei.

— Virgin!

— Ela está morta?

Senti náuseas.

— Completamente.

— Não, não pode ser!

— O médico legista confirmou que a hora do óbito foi quando você esteve com ela pela última vez, lembra?

— Não, não...

Comecei a tremer.

— Temos uma foto sua copulando com ela, e o legista confirmou a presença do seu sêmen escorrendo em abundância da vagina da moça.

Minha cabeça ficou quente como se eu estivesse com febre alta, meus braços ficaram dormentes, meu pescoço enrijeceu.

— Quem fez isso, quem faria tal coisa com ela?

— Já encontramos o nosso suspeito.

O homem sorriu, triunfante.

— E acreditamos que ele tenha agido sozinho.

— E quem é ele?

— Você!

— Eu?

— Sim, você. Nós também encontramos a arma que foi usada para matá-la.

— Não, eu não fiz isso!

A acusação abriu subitamente um clarão na minha cabeça. Eu já tinha ouvido falar muitas vezes como uma pessoa inocente podia ser forçada a confessar um crime que não havia cometido. Sou forte e não vou deixar esses safados virem com essa para cima de mim.

— Isso é uma grande mentira. Eu não fiz isso! Pelo contrário, eu a libertei e a vi entrar no trem. Vocês não vão me implicar neste caso. Eu a amava e ela me amava. Nós fizemos amor. Como pode alguém tão apaixonado matar o outro?

— Nunca se sabe. Ciúme? Talvez você tivesse descoberto que ela não o amava. Descobrimos que ela era uma mulher de vida desregrada, que dormia com qualquer um que compartilhasse sua crença na democracia. Você tinha motivo para matá-la porque ela estava fugindo, não das autoridades, mas de você, e com outro homem. As agressões verbais então se transformaram em agressões físicas. Você a estuprou e a matou. É assim que interpretamos o caso.

— Seus assassinos! Vocês a mataram! E eu vou fazer com que o mundo inteiro saiba disso. Farei um apelo à mais alta autoridade deste país para provar a minha inocência e vocês serão todos mandados à Guilhotina do Povo. Preciso falar com os meus pais. Deixem-me sair daqui.

— Sinto lhe dizer que não podemos fazer isso, senão o governo de Hong Kong vai nos responsabilizar pela liberação do principal suspeito.

— *Deixem-me sair daqui!*

Eu nunca havia me sentido tão enfurecido assim. Era como se o céu tivesse desabado na minha cabeça. Tinha que sair de lá. Precisava dos meus pais.

Pulei da cadeira, mas fui impedido por um soldado. Dois guardas me arrastaram de volta à minha cela. Retiraram as algemas, bateram a porta e a tranca fez um clique sinistro.

Virgin estava morta. Como podia ser? Como é que Buda pôde permitir isso? Como podia aquela perfeição ser destruída por uma reviravolta tão cruel do destino? Será que foi o meu ato que ocasionou a sua morte prematura? Ela tinha sido *yiaozhe*, como uma árvore jovem que tivesse seu tronco brutalmente cortado ao meio. E todos os seus sonhos, que prometiam florir na primavera, tinham caído por terra junto com a árvore. Tudo o que Virgin tinha sido jazia agora na terra para o descanso final, para apodrecer e virar pó.

Permaneci onde eles haviam me jogado, no chão de cimento frio, respirando ofegante, em espasmos, como um animal ferido — eu não era mais um menino. Um túnel escuro e frio estendia-se diante de mim, ao fim do qual eu não enxergava nenhuma luz, apenas trevas cada vez mais escuras, me puxando e me sugando para dentro e para baixo.

Acordei com uma luminosidade tênue na cela. Não consegui me lembrar por quanto tempo eu tinha dormido. Devo ter chorado, porque a gola da minha camisa encardida estava ensopada. Havia manchas de sangue nela. O rosto de Miss Yu aparecia na minha mente. Seus lábios quentes, suas mãos macias... Seus olhos sorriam e choravam, brilhando através das lágrimas.

Eu me sentia exaurido pelas emoções mórbidas que me consumiam por dentro. Minha cabeça, tão ágil e tão esperta, estava entorpecida e cansada. A desesperança intensificou a saudade que eu sentia da minha família. Devia haver um motivo do tamanho do Yang Tsé para que eles ficassem tanto tempo longe de mim. Mas qual era? A falsa acusação deve ter trazido nuvens escuras que agora pairavam sobre a cabeça deles.

Mais um dia passado na escuridão, no silêncio, no desespero. Tudo o que podia fazer era me sentar, dormir, pensar e chorar. Sabia que não tinha feito nada de errado, mas agora entendia aqueles que confessavam crimes que não tinham cometido simplesmente porque precisavam respirar, comer e se sentir vivos. Este pensamento fez com que eu me encolhesse todo e sentisse calafrios. Para me aquecer um pouco, levantei-me da cama e comecei a fazer flexões. Uma, duas, três, quatro... Eu ainda conseguia fazer cinqüenta. Meus músculos ficaram doloridos e minha respiração ficou ofegante, mas me senti melhor depois do exercício. Quase me senti novamente como era antes. Minha energia voltou e, com isso, também a minha convicção de manter a cabeça fria e de ficar alerta. Como era maravilhoso estar vivo aos 17 anos! Eu tinha certeza de que seria ainda melhor aos vinte, aos trinta, e a cada década que se passasse depois disso. Eu não queria que minha vida acabasse ali. Queria continuar para sempre, para sempre...

No nono dia, o mesmo guarda com cara de cavalo me levou novamente à sala de interrogatório. Minha mente estava lúcida, mas permaneci com os olhos baixos, movimentando-os mais lentamente. Colocaram uma folha de papel diante de mim. Alguém já tinha começado a escrever uma confissão, e tinha até mesmo iniciado a primeira linha com "Meu nome é Tan Long...".

— Você sabe para que serve este papel? — perguntou o oficial.

— O senhor poderia repetir a pergunta?

— É uma confissão. Você pode confessar agora e depois pode ir para casa, de volta ao seu maravilhoso lar.

— Minha casa... Quero ir para casa.

— É claro que sim.

— E o que eu devo escrever aqui?

— Que você matou a garota de Hong Kong por ciúme. Que teve relações com ela. Ela não pediu, mas você a forçou contra sua vontade porque ela era sexy e o vestido dela era muito curto.

O oficial riu descaradamente.

— Mais alguma coisa? — perguntei pausadamente, como se minha língua estivesse enrolada demais para se movimentar na velocidade normal.

— Adicione também alguma coisa que o seu pai ou o seu avô tenham feito para ajudar você a matar a moça.

Meu coração se acelerou. Eles não só queriam me pegar, mas queriam envolver minha família também.

— Mais alguma coisa?

— Não, isso é tudo por enquanto.

— Posso começar a escrever?

O oficial fez que sim com a cabeça.

Peguei a caneta e comecei a escrever. Depois de alguns minutos, virei a folha de cabeça para baixo e levantei-me da cadeira.

— Posso voltar para a minha cela?

— Claro, se você tiver terminado a sua confissão.

— Terminei, e vocês vão gostar muito dela.

Enquanto estava sendo levado de volta à cela, os três oficiais leram o que eu tinha escrito. Não era bem o que eles queriam. No papel, eu tinha desenhado um enorme pênis com dois colhões, acompanhado por três palavras bem picantes e explícitas: "Vão se foder!"

Eles não acharam nem um pouco engraçado.

Desde que tinha chegado à prisão, aquele foi o primeiro sorriso que consegui esboçar. Era uma pequena vitória, mas serviu para provar que eu ainda estava vivo e que tinha inteligência e humor.

Naquela noite, foram me pegar na cela e me empurraram para dentro de uma sala de tortura. Havia vários chicotes pendurados na parede. Um homem sem camisa e com o peito cabeludo dava longas tragadas num cigarro grosso, enrolado à mão. O lugar tinha um ar suspeito e cheirava a sangue. Mas não fui chicoteado. Em vez disso, tiraram a minha roupa e me penduraram pelos dois polegares, com os pés mal tocando o chão fedorento e ensangüentado.

— Nos velhos tempos, nós faríamos de você um eunuco. Mas vamos experimentar alguma coisa nova.

O homem peludo me agarrou por trás. Um outro homem se apresentou como sendo o médico. Ele se inclinou e agarrou o meu pênis. Na mão direita, segurava um pedaço de arame com a ponta afiada.

— O que é que você vai fazer? — berrei.

— Vou fazer você sentir um pouco de dor para ficar mais sabido.

Em vão, dei chutes no ar e esperneei, sem nenhum resultado. O homem do peito cabeludo era um gigante de força.

O médico mirou e enfiou o arame na minha uretra, como um acupunturista, e girou o arame lá dentro. Eu corcoveei com a dor que disparou direto da minha virilha até o meu coração. Mas o horror do que estava acontecendo ainda era o pior de tudo. O arame girou novamente. Gritei. Nunca tinha sentido uma dor tão lancinante. Debati-me e tentei chutar. O diabo do médico rodou o arame uma terceira vez, e foi tão fundo que atingiu a base do meu sexo, queimando como fogo.

— Confesse agora!

— Não tenho nada para confessar!

O arame girou novamente.

Urrei de dor.

— Não tenho nada para dizer!

— E agora?

O médico remexeu e cutucou o interior do meu sexo com o arame, enviando choques elétricos por todo o meu corpo.

— Por favor, pare com isso — solucei.

— Você tem alguma coisa para confessar?

— Não...

O médico deu mais algumas cutucadas com o arame.

— Sim!

— E o que é que você fez?

O médico girou o arame e o enfiou ainda mais fundo. O sangue começou a escorrer do meu pênis.

— Eu confesso! Matei a Virgin...

Sem retirar o arame, desamarraram-me e puseram uma caneta na minha mão direita. No papel, manchado com o meu próprio sangue, escrevi uma confissão que eu nunca imaginaria que fosse capaz de fazer. Quando tive um momento de hesitação, o torturador movimentou o arame novamente. Foi quando meu último resquício de força de vontade caiu por terra.

Sumi

叔米

Capítulo 17

Meu querido Shento, meu coração, minha alma:

Estou escrevendo estas palavras, não para que você as leia, mas para que sua alma as sinta. É um pedido de perdão. Perdão é uma palavra muito leve, e está longe de conseguir aliviar o peso da minha culpa. É um pedido de perdão carregado de tristeza, um pedido de perdão indigno e ignóbil.

Fui eu, maldita seja eu, que desviei você do caminho da vida e o condenei à morte ainda tão jovem. Eu devia ter avisado. Ou melhor, o meu criador, seja lá quem for, é que deveria ter avisado ao mundo sobre a minha chegada, minha chegada amaldiçoada a este mundo.

Certa vez uma vidente me disse que ela via três facas assassinas e ensangüentadas no meu destino. A primeira delas estava destinada ao meu pai. Ele aceitou o seu destino corajosamente quando foi executado, baleado na nuca por um soldado de uniforme verde, o agente do meu destino. Uma testemunha da ocorrência relatou que o cérebro do meu pai se esfacelou em mil pedaços que se espalharam por sobre o uniforme do carrasco, fazendo com que seu peito ficasse todo vermelho, como se o assassino também estivesse sangrado. A segunda faca foi cravada no coração de minha mãe. Foi o agente de segurança da Comuna que executou este ato. Minha mãe havia censurado os líderes comunistas por terem erroneamente rotulado ela e seu marido de "direitistas". Quem semeia ventos, colhe tempestades. Eles escolheram para ela uma morte lenta e dolorosa, deixando-a agonizar com o sangue jorrando da boca até ela se engasgar com seu próprio fluido vital.

A vidente me disse que a razão de eu ter nascido para carregar no meu destino as três facas era alguma dívida obscura, oculta nas vidas passadas dos meus pais. Todos temos um ciclo de nove vidas, cada uma delas representando uma recompensa ou uma punição pela vida anterior, conforme as boas ações realizadas ou os pecados cometidos.

Eu, a portadora das facas, seria o anjo da bondade, pois deveria salvar as almas condenadas dos meus pais.

Eu tinha seis anos de idade. Acreditava naquilo. Substituí as lágrimas da culpa por esta convicção. Depois, cresci, vivendo esta vida desgraçada no orfanato. Uma clareza me iluminou, a clareza que vem com o sofrimento — o sofrimento que nos fortalece. Questionei a sabedoria, a lógica doentia, a escolha aleatória, a insensatez. Eu não era a portadora escolhida daquelas facas assassinas. Não! Como poderia ser isso? Se as pessoas pudessem saber como eu amava meu baba *e minha* mama*, e como sentia saudade deles, mortos tão brutalmente, pouco depois de terem me dado a vida. Ah, maldito seja o criador! Malditos sejam os céus! Maldito seja você, Buda sorridente!*

Então você apareceu e — ah! — como me deu forças! Às vezes, eu me sentia inundada pela sua luz, pelo seu calor, fazendo com que eu me sentisse segura, ou pelo menos assim eu acreditava que fosse.

Sonhei com uma vida ao seu lado. Você era uma das rodas da carreta e eu, a outra. Juntos, lado a lado, superaríamos os altos e baixos da nossa estrada, suportando qualquer carga que a vida nos impusesse.

E então, naquela noite fatídica, quando meus gritos de pavor rasgaram o silêncio do campus, meu modesto sonho também ficou em pedaços.

Foi naquela noite fatídica que você os matou.

Foi naquela noite fatídica que você foi embora.

Foi naquela noite fatídica que uma outra vida começou a se agitar nas profundezas do meu ventre.

Meu amado, agora você já está avisado. Se você já se foi deste mundo, agora deve saber quem é realmente o assassino — sou eu. Sim, aquela que tanto o adora. Por eu o amar tanto, você foi escolhido para receber a terceira e última faca do destino manchado de sangue. E, como relata a Antiga Crença, não fui eu, a portadora da faca, a culpada, mas foi você mesmo. O pecador engendra o seu próprio castigo. O que foi que você fez em sua última vida para merecer este golpe da ira divina? O que foi que você fez, meu querido e maldito amante, meu coração?

Mantenho os olhos bem abertos, todos os dias, observando o mar. Meus ouvidos nunca se fecham, ouvindo sempre o barulho das marés e o sopro do vento. Nenhum corpo apareceu boiando na superfície do mar. Nenhum osso foi trazido à areia da praia. No entanto, existem mares além deste mar, e praias que ficam muito além destas praias.

Onde está você, meu amor?

Onde está você, meu Shento?

Sumi

Tan 唐 | Capítulo 18

Mal consegui abrir os olhos diante do sol ofuscante. Eu queria abraçá-lo por inteiro com os meus braços doloridos como se estivesse vendo um velho amigo. Tinha esperado muito por este momento. Uma eternidade que durou dez dias.

Mancando e sentindo muita dor, afastei-me da fortaleza. Minha mãe correu ao meu encontro, com um lenço azul na cabeça e óculos escuros cobrindo os olhos.

— Mãe! — disse eu em voz alta, apertando o passo pela estradinha de paralelepípedos para encontrá-la. Cada passo que eu dava desencadeava uma dor aguda dentro de mim, causando fisgadas insuportáveis na minha virilha. A lesão no meu canal urinário foi grave e a infecção que se desenvolveu tornou o ato de urinar um castigo intolerável e sangrento.

— Mãe! — gritei com a voz engasgada, enfraquecido pela dor.

— Tan, meu querido.

Sua voz estava rouca.

Ficamos abraçados e em silêncio. Não havia necessidade de dizer nada. O que não foi dito foi compreendido. O que precisava ser dito já tinha sido percebido.

O motorista, vestido com o uniforme verde do Exército, buzinou algumas vezes.

— Vamos logo! — bradou ele.

Olhei por cima do ombro de mamãe, estarrecido com a súbita grosseria do soldado que estivera trabalhando conosco durante os últimos anos.

— Não dê atenção a isso. As coisas não são mais as mesmas — disse mamãe. — Em casa a gente conversa.

Entramos no carro. Mamãe enxugou as lágrimas do meu rosto, fitando-me por um bom tempo.

— Tudo vai ficar bem daqui por diante, meu filho.

Ela me fez um sinal para ficar calado, apontando com o dedo indicador para o soldado que estava ao volante.

Franzi a testa. Alguma coisa de muito alarmante estava acontecendo. Minha mãe, a rainha de Beijing, estava com medo de quê? E por quê? Não tive que esperar muito tempo para obter a resposta.

O sentinela na entrada de Zhong Nan Hai não nos cumprimentou. Pelo contrário, cuspiu no chão ao nos ver e assobiou para os seus camaradas dentro do quartel. Um pelotão de soldados se espremeu nas janelas do alojamento, rindo e espiando com curiosidade. Mamãe desviou o olhar. O jardim, com os salgueiros que dançavam ao vento e o lago tranqüilo, estava tomado pelas folhas compridas de capim. O mato, sempre muito bem podado pela tesoura zelosa do velho jardineiro, agora brotava em todas as rachaduras e tinha até mesmo rastejado por sobre os sulcos que delimitavam os canteiros de lírios e rosas, invadindo-os. Os gansos bicavam os brotos das peônias e, no lago, que antes era um oásis, agora havia lixo e garrafas boiando na superfície. O carro parou, mas ninguém veio abrir a porta para nós. O motorista permaneceu sentado ao volante, acendeu um cigarro, e deixou que a fumaça tomasse conta do interior do veículo.

— Vou chamar alguém para ajudar você — disse mamãe, saltando do carro.

A rainha da alta sociedade de Beijing fazendo tudo sozinha em sua própria mansão! Era degradante.

Ela trincou os dentes e me puxou para fora do carro com uma força que eu não sabia que ela possuía.

— Meu velho, venha buscar o seu filho! — disse ela em voz alta quando entramos em casa.

Para minha surpresa, encontrei papai abatido, com a barba por fazer e sem uniforme, vestindo apenas uma camisa branca, a calça verde-oliva, e calçando sandálias. Sua cabeça estava curvada e seus olhos, semicerrados, como se temesse a luz do sol.

— Pai!

Dei um passo à frente. A onda de amor que tomou conta de mim me fez esquecer a dor que eu sentia entre as pernas, e tropecei. Papai apressou-se escada abaixo ao meu encontro. Eu nunca o tinha visto antes com uma aparência tão envelhecida e cansada. Será que estava doente?

— Meu filho, bem-vindo de volta ao lar.

O toque das mãos de papai ainda era firme como o de um soldado. Eu me encolhi. Ele me olhou preocupado, detendo-se com o olhar aqui e ali, como se tivesse localizado alguma coisa de diferente ou fora do lugar.

A pele do seu rosto, antes bem esticada, agora estava flácida. Seus olhos já não possuíam aquele brilho que era como a chama de uma fogueira — estavam injetados, reflexo de um estado de espírito inseguro e perturbado. O general Long, que há apenas alguns dias era um monumento de dignidade e de princípios, tinha desmoronado e estava reduzido a um espectro, assombrado por suspeitas e dúvidas.

— Pai, você está doente?

— Não, estou bem.

Conseguiu esboçar um leve sorriso, sombreado por uma pitada de constrangimento.

— E você? Estivemos todos tão preocupados com você!

— Eu estou bem. Estou muito bem.

Percebi que tinha a obrigação de parecer alegre e bem disposto, apesar de não saber exatamente por quê.

— Pai, sinto muito por ter causado problemas a você e a toda a família.

— Meu filho, vamos entrar e conversar lá dentro.

Ele conseguiu dar mais um débil sorriso, muito aquém da sua habitual gargalhada retumbante, que agradava aos homens e encantava as mulheres, e ajudou-me a subir as escadas até o seu escritório, enquanto mamãe me amparava pelo outro lado.

Quando a porta se abriu, vi uma cena que jamais esperei ver. Todos os móveis estavam amontoados numa das paredes e uma dúzia de baús estavam empilhados uns sobre os outros.

— Vamos nos mudar desta casa? E quem são estas pessoas? — perguntei ao ver cinco jovens soldados trazendo mais coisas para dentro do escritório.

— Vamos até a sala de música na ala oeste — disse mamãe.

— Quero ir para o meu quarto.

— Ele está vazio. Nós pusemos tudo o que era seu dentro dos baús. Verifiquei para que nada fosse deixado para trás.

— Estamos sendo despejados por causa da minha confissão?

— Meu filho, a situação é bem mais complexa do que isso.

Sentados no escritório, papai fungou e estava com a voz fanhosa, o que me espantou.

— Por favor, contem-me o que aconteceu — pedi.

— Talvez seja melhor você ler isso.

Papai me entregou o *People's Daily*. Na primeira página, em letras garrafais, a manchete alardeava: COMANDANTE-EM-CHEFE, GENERAL DING LONG, RENUNCIA AO CARGO.

O sangue me subiu à cabeça. O escritório rodava.

Meu pai renunciou ao cargo? O mais promissor jovem general do Exército chinês?

— Papai, sinto muito. Foi tudo minha culpa.

— Não foi, não. Você foi só o estopim da coisa. Caímos em desgraça aos olhos de Heng Tu. Tem havido uma guerra declarada contra nós esse tempo todo — disse papai.

— Que guerra?

— Leia a manchete seguinte.

Passei os olhos pelo jornal e exclamei, ofendido:

— Eles estão dizendo que o vovô deu um desfalque de vinte milhões de dólares? É mentira! Vovô nunca faria uma coisa dessas. Como é que podem ter posto a culpa nele?

— Pois eles o fizeram, apesar de o dinheiro ter possivelmente sido desviado há muito mais tempo. Não havia nenhuma auditoria sistemática no Banco — disse minha mãe. — Mas o motivo é muito simples: seu avô não concordou com algumas das políticas reformistas de Heng Tu e isso não agradou a ele.

— Mas por que você teve que renunciar ao cargo? — perguntei a papai.

Ele ficou em silêncio, olhando pela janela.

— Seu pai renunciou ao cargo para salvar a sua vida e a do seu avô — disse mamãe. — Eles estavam ameaçando extraditar você para Hong Kong para ser julgado lá e também prender o seu avô pela acusação infundada de desvio de verbas.

— Não sei como agradecer, papai — exclamei. — Você desistiu da sua vida e da sua carreira por mim.

Ele sorriu.

— Lembra daquele poema que diz: "Montado nos ombros de seu pai como se fosse um cavalo"?

— Claro que sim! "Na esperança de que seu filho um dia se torne um dragão" — concluí o poema.

— Não precisa me agradecer, meu filho. Basta apenas que você realize os meus sonhos.

— E que sonhos seriam esses?

— Os seus sonhos é que vão definir os meus — respondeu papai.

Com a garganta apertada pela generosidade do seu amor, fiz um esforço para me levantar e o abracei novamente.

Alguém bateu à porta. Era o vovô Long, com uma roupa cáqui e um cachimbo pendurado na boca, um novo acessório para compor a sua imagem de grande banqueiro. Ele correu na minha direção, me abraçou, e me deu dois beijos no rosto.

— Vovô, me desculpe.

— Não precisa se desculpar. Não vamos mais falar sobre este assunto desagradável. Estamos indo embora daqui. Vamos nos mudar para Fujian.

— Por que Fujian?

— Porque foi onde meu avô viveu e morreu. Vamos morar na antiga propriedade rural da minha família.

— E quando é que vamos para lá?

— Assim que você estiver em condições de viajar — disse mamãe.

— Ah, meu neto, tenho tanta coisa para lhe mostrar na minha cidade natal!

Aquele homem de cabelos brancos estava entusiasmado como uma criança. Papai sentia-se aliviado e estava radiante. Mamãe ficava tocando no meu corpo aqui e ali, com lágrimas nos olhos.

Depois de um repouso de duas semanas, a infecção foi debelada e o meu andar voltou ao normal. Agora, estava preparado para enfrentar a viagem de três dias para o sul do país. Na hora da partida, os antigos empregados, remanescentes dos tempos da revolução, foram embora de manhã bem cedo, sem nem ao menos se despedir, transferidos e realocados para servirem a outros revolucionários importantes.

Ajoelhei-me no meu quarto por um breve instante, não para me entregar a reminiscências e nem por um sentimento de nostalgia, mas para me despedir da minha infância. Adeus, Zhong Nan Hai, número 16.

Perguntei sobre o colégio. Mamãe me disse laconicamente que tinha recebido uma carta do diretor comunicando a sua decisão de não me aceitar de volta, sem dar nenhum motivo para isso. Não havia necessidade de nenhum motivo.

Os prêmios que eu tinha conseguido e o troféu de bronze do time de futebol — o primeiro do gênero na história da escola — seriam retirados das prateleiras. Não haveria mais nenhum vestígio de um rapaz chamado Tan Long. Para todos os efeitos, eu nunca tinha nem sequer andado pelos corredores da venerável escola. Meus dedos nunca tinham passeado pelas obedientes teclas de marfim daquele antigo e melodioso piano Steinway que ficava no palco do auditório.

Eu me sentia como um estranho. Se a vida fosse um espelho, minha imagem teria me chocado. Agora eu era uma pessoa ressentida, consumida pela culpa de ter causado mudanças catastróficas naquela vida que eu conhecia tão bem. Nada mais era certo e seguro, muito menos eu. A minha fortaleza — ou melhor, a suposta fortaleza do poder, da riqueza e do privilégio — tinha ruído, como um pagode que houvesse desmoronado num chão de areia. Finalmente entendi que tudo aquilo que era impossível de acontecer tinha se tornado possível.

Meu pai, o poderoso dos poderosos, tornou-se de repente apenas um pai amoroso, separando algumas relíquias dos seus velhos tempos de chefia, tentando pôr coisas demais dentro do espaço limitado de um baú. Mamãe, um furacão de temperamento difícil, a intocável rainha da elegância, estava sentada num canto da sala, batucando com os pés no chão, esperando impacientemente que o transporte chegasse. Ela vestia uma calça cáqui bem confortável e adequada à longa e cansativa viagem que teríamos que enfrentar num trem superlotado e cheirando a morrinha, segundo suas palavras. Mas, no fundo, eu sabia que ela estava vestida daquele modo para não se destacar do restante dos passageiros. Aquela não era uma ocasião em que quisesse ser notada. Queria passar despercebida. De uma hora para outra, ela desceu da Lua e pousou na Terra.

Meu avô, que já tinha visto as suaves ondulações das montanhas da Inglaterra e a Trinity Church em Wall Street, estava sentado na escada, enroscando os fios de sua barba, balançando-se levemente ao ritmo do relógio antigo. Não havia nele nenhum sinal de preocupação. Pouco se importava se a reserva de moeda estrangeira de seu país tinha caído a um ponto assombrosamente baixo ou se o governo talvez nunca fosse conseguir se recuperar de seu déficit orçamentário avassalador. Ele era o velho sentinela pronto para fazer a ronda na areia das praias de Fujian. Seu nome poderia ainda estar na nota de dez iuanes, mas sua cabeça estava muito longe, na casa onde ele tinha passado a infância. Ele sorriu, balançou o corpo e esperou. Parecia que não tinha perdido nada.

Uma van do Exército, normalmente usada para entregar as compras na residência dos Long, finalmente chegou. Mamãe levantou-se de um salto, batendo palmas. Sentei-me nos bancos duros junto com minha família. O motorista não nos cumprimentou, nem mesmo com um "oi". Assobiando, pisou no acelerador, dando guinadas bruscas e cantando pneus pela estrada esburacada que conduzia à estação ferroviária. Mamãe exibia um sorriso forçado e tolerante. Em outros tempos, teria repreendido o motorista se ele, acidentalmente, deixasse o carro passar por um buraco. Agora, na viagem mais cheia de solavancos que eu já tinha feito, mamãe sorria contente. Ela se segurava em papai, enquanto eu escorava o vovô, que cochilava e deixava a cabeça cair para a frente. Ele era a paz e a calma em pessoa.

Quando estávamos nos aproximando da estação ferroviária de Beijing, virei-me para mamãe e perguntei:

— Mamãe, por que é que você está se sentindo tão feliz em deixar tudo isso para trás?

— Meu querido filho, estou feliz por ter todos vocês perto do meu coração. Nada mais tem importância agora.

Ela sorriu, e suas lágrimas brilharam à luz da tarde.

Shento 山头

Capítulo 19

Duas semanas depois de ter retornado à Ilha Número Nove, fiquei chocado ao saber da renúncia do general Ding Long e da exoneração de seu pai banqueiro. Apesar de ter vibrado com a notícia, fiquei frustrado pelo fato de alguém ter me privado do prazer de me vingar do homem que me gerou e me abandonou. Senti um alívio, porém, ao saber que Ding Long ainda estava vivo. Assim, no dia em que eu escolhesse, ele seria justiçado pelo seu filho renegado. Fiz uma saudação ao retrato do presidente Heng Tu pendurado na parede e disse em voz baixa:

— Você foi o meu vingador involuntário.

Um ano depois da minha chegada, que caiu no dia do Festival da Lua — 15 de agosto, dia em que se celebra a deusa lunar do amor —, sentei no meu ponto predileto da ilha, uma pedra plana voltada para o Oeste, onde o pôr do sol pintava o mar de âmbar. O céu daquele lado da ilha me fazia sonhar. Meus pensamentos voaram para Sumi, que estava no Sul, onde o mar Amarelo se encontra com o mar do Sul da China e as águas passam de uma coloração parda a um azul profundo. Pensei na minha querida Sumi e no seu cabelo negro, escorrido e brilhante, segurando seus livros, com a cabeça apoiada na mão, enquanto lia e pensava em mim. Lembrei-me de como ela estava sempre mergulhada em seus pensamentos, com aqueles grandes olhos fitando o horizonte. Ela era a minha lua recatada.

Será que ainda era a noiva que me foi prometida naquela noite inesquecível? Será que eu ainda era o seu marido, os dois unidos em matrimônio pelo ato do amor? Onde ela estaria agora? Pensar que ela poderia estar nos braços de outro, amando outro homem, me dava um aperto no peito. Eu achava que, se ela ainda fosse tão bonita como sempre foi (o que era de se esperar) e tivesse se desenvolvido com o tempo, tornando-se uma mulher cheia de curvas e sensualidade, agora deveria estar rodeada por todo tipo de homem. Se eu não estivesse por perto e, principalmente, se ela achasse que eu tinha morrido, poderia muito bem se apaixonar novamente, mesmo sem querer. Faria isso devido a um enfraquecimento de sua força de vontade, rendendo-se à tentação. O que eu poderia fazer então? Minha cabeça estava a mil por hora em busca de uma resposta, e nenhuma delas vinha de uma forma que não fosse de natureza criminosa. É claro que eu teria que matar esse amante. Em meio a estas cogitações, saquei minha arma do coldre e atirei numa gaivota que passava. O pássaro caiu rodopiando do céu, soltando grasnidos de mau agouro e perturbando o silêncio que reinava no cume da montanha.

— Eu detestaria ser aquele pássaro — disse o sargento La, pondo a mão no meu ombro. Num salto, fiquei de pé e fiz uma grande reverência ao meu instrutor.

— Peço desculpas, mestre.

— E por que razão? Alguma coisa deve ter feito você ficar com raiva.

— Não foi nada disso... Estava só usando o pássaro como alvo.

— Duvido. A professora de dança não deve ter conseguido mudar você tanto quanto eu imaginava. Está sentindo saudade de alguém lá do Sul?

— Como o senhor adivinhou?

— Conheço esse olhar. Também já me apaixonei, mas ela se casou com o meu melhor amigo.

— E o senhor sente falta dela?

— Não, mas sinto falta dele. As mulheres são como flores que brotam da terra. Não importa onde você esteja, lá estão elas, e cada uma é diferente das outras. Mas os grandes amigos são difíceis de encontrar. Deixe disso, um homem como você pode ter todas as mulheres que seu coração desejar. Tire essa mulher da cabeça. Corte todos os seus relacionamentos do passado.

Dedique a sua mente e a sua alma ao grande líder. Transforme-se na Adaga Afiada que está predestinado a ser. O seu futuro — um futuro brilhante — está ao seu alcance.

Suas palavras me acalmaram e aquela promessa me aquietou. Tenho que trabalhar com afinco, pensei com os meus botões, para que um dia possa cumprir o pacto que fiz com Sumi de encontrá-la novamente, agora como adulto, homem feito, um homem com substância e coberto de glória.

Tan 唐

Capítulo 20

1979

BAÍA LU CHING, FUJIAN

O SOLAR DOS LONG ERGUIA-SE grandioso como uma divindade local, de frente para o mar, ao pé das colinas de contornos arredondados da Baía de Lu Ching, cobertas de flores do campo em formato de sinos, de pagodes e de gongos, algumas do tamanho de um chapéu de palha, outras tão pequenas como as patas de uma formiga. Suas cores tinham a variedade do arco-íris que tantas vezes enfeitava o céu azul depois de uma súbita pancada de chuva. Algumas tinham cores vivas e brilhantes de um dia de verão tropical. Outras eram discretas e melancólicas como um lago tranqüilo no alto de uma montanha.

Era difícil definir se a casa fazia parte da encosta do morro ou se as flores eram uma extensão da casa. Em plena harmonia, uma começava onde a outra terminava, em total entrega. O lugar tinha um perfume permanente que se misturava com o cheiro do solo rico. Mas aquele aroma permanecia no ar apenas quando não havia nenhuma brisa e quando nada no universo se movia, o que era um fenômeno passageiro, pois em Fujian, terra do mar e da montanha, quase nunca as coisas se mantinham imóveis. Vida é movimento e o movimento realça a vida.

Ao meio-dia, quando o sol fulgurava a pino e sem sombras, as ondas perseguiam galantemente a areia branca das praias da baía. Siris vermelhos de grandes patas e corpos diminutos corriam furtivamente para dentro de suas tocas, não ousando voltar à praia até que a lua se erguesse por sobre a maré vazante. Pequenos camarões pululavam na alegria do sol e depois eram levados pela água de volta ao nascedouro ondulante que era o mar azul.

As marés produziam um vento suave que fazia as folhas das palmeiras farfalharem. Estas, por sua vez, traziam o rico aroma para a terra, empurrando-o morro acima, para além dos cumes, subindo as montanhas da região oeste, onde os tigres vagavam e os macacos lançavam seus gritos.

Na varanda espaçosa, de olhos fechados, vovô estava sentado numa cadeira de bambu aspirando o primeiro sopro da brisa do meio-dia, como se estivesse absorvendo o espírito da deusa Mazu que, na mitologia local, cuidava dos pescadores que flutuavam em suas pequenas sampanas, na superfície agitada do oceano.

— Ostras... não... camarões graúdos e enguias... sim.... Ah, aqui estão eles, os mexilhões, daqueles pequenos e coloridos que você suga depois de quebrar suas caudas — disse vovô animadamente, analisando as criaturas do mar com o seu nariz. Depois, abriu subitamente os olhos e declarou aborrecido: — Agora o vento mudou e só sinto o cheiro do lodo.

Vovô era novamente um menino da aldeia. Sentir o cheiro do mar era para ele um ritual diário. Sua autonomeação como homem do mar e filho das montanhas fortalecia sua decisão de tornar-se um recluso, sem se importar com a vida, sem se importar com nada. Mas isso mudou poucos dias depois da nossa chegada, quando a família acordou ao som da banda de música folclórica local — o "*dia-dia*" da trombeta de bronze, o "*gu-gu*" da flauta de bambu, o "*ua-ua*" de um *erhu*, o violino de duas cordas, o "*ta-ta*" dedilhado do *pipa*, o "*cuan-cuan*" penetrante de gongos do tamanho de panelas *woks*, e o "*tum-tum*" dos tambores feitos de couro de búfalos da região. Enormes varas de bambu estalavam como foguetes e morteiros. Nas árvores próximas, os pássaros alçavam vôo de seus ninhos.

— Ó filho dos Long, que há muito tempo não vemos por aqui, por favor, chegue até a porta para aceitar nossas boas-vindas — disse em voz alta um homem gordo de cerca de cinqüenta anos, liderando o que parecia ser a aldeia inteira num cortejo organizado em duas colunas.

Vovô alinhou a família na varanda e nós todos fizemos reverências ao povo da aldeia, que também fazia o mesmo. Esfreguei os olhos, ainda não totalmente desperto, quando o homem se apresentou.

— Meu nome é Fu Chen, e sou o líder da aldeia. Estamos muito honrados que o senhor tenha escolhido se aposentar em sua cidade natal. Estamos aqui para lavar seus pés — declarou ele com muita sinceridade, fazendo reverências o tempo todo.

— Não precisa — disse vovô, meio mal-humorado, e inclinou-se ainda mais do que o homem gordo.

— Precisa sim. Sou neto dos Chen. Meu avô cuidava dos porcos da fazenda Long.

— E eu sou bisneta dos Tang, que administravam o sítio da região oeste, próximo ao rio. Minha família inteira foi alimentada pelos seus antepassados — disse uma velhinha sem dentes. Ela vestia uma blusa vermelho-fogo e limpava as mãos continuamente no avental.

— Nós somos descendentes dos Liang, os pescadores que alugavam as redes de pesca de sua família — disse um rapaz forte, bronzeado pelo sol implacável do mar.

— Silêncio! — anunciou o líder gordo, antes que todo o restante da vila continuasse se apresentando. — Agora daremos início à cerimônia do lava-pés.

Pegou um balde cheio de um vinho local de cor marrom-escura, conhecido como *Fujian lao jiu*, e o despejou sobre os pés de todos os membros da minha família. O cheiro ativo da bebida fermentada atacou as minhas narinas como se fosse uma vingança, e a textura grudenta do líquido penetrou por entre os dedos dos nossos pés.

— Os habitantes daqui acreditam que a melhor forma de dar as boas-vindas a um filho da terra é limpar os seus pés da poeira coletada durante a viagem de mais de mil quilômetros — explicou vovô.

— E qual seria a melhor maneira de se despedir de alguém que vai embora?

— Também é despejar um balde desta bebida nos seus pés.

— E por quê?

— Para fortalecer os pés, pois eles acreditam que esta bebida espanta o frio dos ossos. Você conseguiria agüentar até mesmo a tempestade mais violenta.

— E o que mais se faz com o *lao jiu*?

— As mulheres grávidas bebem um barril inteiro disso para fortalecer o bebê e mais outro barril depois que ele nasce. E os siris também o bebem para que os homens possam comê-los embriagados e crus.

— E tem alguma coisa que essa bebida não faça?

— Não.

A música continuou a tocar e pouco depois começou a fazer sentido até mesmo para mim. Ela tinha uma sonoridade do tipo *iei-iei-ia-ia*, repleta da energia e da vida particulares daquela região do interior do país. Tinha o ritmo do mar e o contorno escarpado das montanhas. As melodias floreadas me fizeram pensar nas canções entoadas pelos animais ocultos na folhagem espessa das colinas, nos sussurros do mar calmo e no troar do oceano quando ele se agitava em tufões encolerizados. Entendi tudo: a música, as pessoas que cantavam e a beleza da terra que lhes servia de inspiração. Todos esses elementos eram um sonho, uma vida, uma canção chamada Fujian.

Os habitantes da aldeia trouxeram para a varanda tigelas e vasilhas com o seu melhor tofu (e o mais fedorento também), polvo em conserva, macarrão de arroz e um barril de *lao jiu*. Não perguntaram por que a minha família havia retornado àquela casa. Podia ser que soubessem, mas não pareciam se importar com isso. Só se importavam com o fato de sermos representantes do puro sangue dos Long. Quando se nasce um Long, morre-se um Long, assim como os Chen, os Liu, os Liang e os Chang do vilarejo permaneciam sempre dentro de seus clãs. Podia-se vagar pelos caminhos da vida pelo tempo que fosse, contanto que se retornasse, vencido ou vencedor. Você era um bom filho porque tinha honrado a sua terra natal — e seu retorno a ela dizia tudo.

O gordo Chen convidou vovô para uma refeição leve que consistia de água-viva recém-pescada, temperada com fatias de cebola e gengibre colhidos em sua própria horta. Os Liang convidaram-no a ir à casa deles para comer mexilhões frescos, dos coloridos, cozidos no fogão de barro construído sobre o penhasco, na direção do sol nascente. O pescador Lao perguntou se vovô gostaria de comer, ao pôr do sol, ostras cruas, apanhadas na hora; eles poderiam sugá-las vivas, de dentro de suas conchas. O povo da aldeia fez tantos outros convites que vovô não conseguiu se lembrar de todos.

À tarde, um grupo de mulheres, cantando, fez fila diante da nossa porta com vassouras e esfregões, oferecendo-se para limpar a casa que há muito não era habitada. Todas estavam vestidas com roupas vermelho-fogo. Quando perguntei qual a razão de tantas roupas vermelhas, elas sorriram timidamente e explicaram:

— É porque somos mulheres casadas.

Era um distintivo de honra. Apenas as mulheres casadas podiam se vestir de vermelho. As viúvas não tinham essa sorte. As moças em idade de casar evitavam a cor vermelha, com receio de serem confundidas com as mulheres casadas, afastando assim a visita de possíveis pretendentes. As viúvas usavam apenas cinza e preto. Elas andavam pelos limites da vila, falavam apenas em sussurros, nunca encaravam um homem e nem falavam com ninguém, a não ser que lhes fosse dirigida a palavra. Eram as sombras e as trevas, pois os habitantes da aldeia acreditavam que elas haviam contribuído para a morte prematura de seus maridos. Elas é que tinham afundado os barcos dos seus homens, elas é que tinham feito com que os raios atingissem a cabeça de seus maridos, e até mesmo atiçado as ondas do mar para afogarem seus companheiros embriagados. Era sua própria falta de sorte, e não a falta de um marido, que as fazia serem o que eram. Cobertas de vergonha e humilhadas, elas continuavam a viver para sofrer e sofriam para viver. Sua próxima chance de sorrir novamente seria quando um filho homem se casasse, se tivessem sorte de ter um. E, durante a cerimônia, as viúvas deveriam se afastar dos que festejavam, pois, mais uma vez, acreditava-se que elas poderiam destruir o que houvesse de bom reservado para seus filhos órfãos de pai. Elas só tinham permissão para alimentar os aleijados, os leprosos, os cegos e os surdos da vila, que apareciam na festa para mendigar uma boa refeição em troca de uma canção de boa sorte para o casal. Assim era aquele pequeno mundo para onde eu havia me mudado.

Compareci a muitos dos convites feitos ao vovô, que agora passava os dias visitando cada casa como se fosse um dever, como descendente que era do clã dos Long que um dia tinham reinado como os maiores proprietários de terras e de empresas pesqueiras da região. Se deixasse de visitar alguma casa, aquela família se sentiria ofendida e guardaria rancor por ter sido menosprezada. A visita podia ser curta, apenas para uma xícara de chá ou para uma tigela de macarrão de arroz, mas era a tradição naquela localidade.

Mamãe transformou-se numa dona de casa exemplar. Limpava todos os cantos da antiga casa enquanto cantarolava sua sonata de Chopin favorita. Levantava-se com o sol, vestia seu avental colorido, apanhava água fresca no poço profundo do quintal, limpava a cozinha e areava o fundo do *wok* antes de preparar o café da manhã. Caso eu estivesse lá embaixo, na praia, ou do lado de fora da casa, nos campos coberto de flores, sabia que a comida logo estaria pronta quando a chaminé soltasse fumaça. Aí então, era hora de voltar correndo, porque, se eu me atrasasse e a comida esfriasse, mamãe me lançaria imediatamente um olhar severo.

Papai estava tentando encontrar uma nova vida. Ele ouviu dizer que, não muito longe dali, na península de Lu Ching, havia um quartel do Exército abandonado que tinha sido utilizado durante algum tempo como um orfanato, mas o governo cortou as verbas e o estabelecimento foi fechado. Papai estava interessado em explorar a possibilidade de montar uma empresa no antigo complexo. Alguns funcionários da municipalidade lhe informaram que ali também havia uma fábrica de atum enlatado que poderia estar à venda. Será que deveria pesquisar sobre isso? Mas onde conseguiria o dinheiro para financiar a compra?

Os dias tornaram-se compridos e as noites eram ainda mais longas. Eu estava sentindo falta do meu colégio, mas esta situação não perduraria por muito tempo. Um belo dia, um homem de quarenta e poucos anos, vestindo uma túnica estilo Mao muito bem arrumada, veio mancando até à nossa porta e se apresentou como o diretor Koon. Seu sorriso revelava dois reluzentes dentes de ouro, mas seus modos logo demonstraram que ele era um homem instruído, diferente dos pescadores da vila. Escolhia cuidadosamente as palavras, talvez com um pouco de cautela demais. Achei engraçado conversar de maneira tão educada enquanto olhava para o mar e sentia o cheiro das montanhas.

— Ficamos sabendo que você está na última série do ensino médio. Gostaria muito de ter a honra de convidá-lo para ser o vigésimo estudante do nosso honrado Colégio da Baía de Lu Ching.

— Muito obrigada, senhor diretor — disse mamãe animadamente.

Papai e vovô tinham descido ao primeiro andar para conhecer o meu futuro educador. A presença deles deixou o homem nervoso.

— Devo dizer que, apesar de termos o nível de uma escola oficial, existem lacunas em algumas das matérias principais.

— Por quê? — perguntou mamãe.

— Bem, muitos professores tiveram que abandonar a escola devido aos baixos salários e abriram seus próprios negócios. Os senhores entendem, a nova política de reformas do nosso governo está acabando com a educação, apesar de ser uma questão de suma importância. É por isso que alguns dos alunos nunca se formaram e nenhum deles jamais ingressou numa faculdade. Mesmo assim, quero estender as mais calorosas boas-vindas a você pelo seu comparecimento às aulas — disse ele, olhando para mim. — A única outra escola fica muito longe, a quilômetros de distância. Devo dizer, no entanto, que ela é bem maior do que a nossa.

O sr. Koon baixou os olhos, fitando os próprios pés.

— Sinto muito ouvir isso. Como é que vocês poderiam compensar essas matérias importantes que faltam? — indagou mamãe, interessada no assunto.

— Bom, precisamos de mais professores.

— E vocês têm?

— Um.

— E, com o senhor então, são dois? — perguntou ela.

— Não, sou só eu mesmo.

— Só o senhor?

— Sim, e me desculpem por ter demorado tanto para vir vê-los. É que eu estava fazendo uma mesa e uma cadeira para o seu filho.

Senti-me lisonjeado por este ato.

— E de que professores o senhor precisaria? — insistiu mamãe.

— Eu dou aulas de chinês, inglês, geologia e ciências políticas. Tenho rezado por um professor de Matemática e, se tivermos sorte, esperaremos apenas até o próximo semestre para termos um professor de música.

Vovô sorriu e disse:

— O senhor aceitaria alguns voluntários? Eu posso ensinar matemática. Meu filho é formado em história pela Universidade de Beijing, e minha nora é pianista concertista. Tan ficaria orgulhoso em ser o seu vigésimo aluno.

O diretor Koon ficou profundamente emocionado.

— Não consigo nem acreditar no que estou ouvindo.

— Se o senhor não fizer nenhuma objeção — disse vovô —, podemos começar amanhã mesmo.

Balancei a cabeça, olhando para a minha família; os três se cumprimentavam alegremente.

— Eu poderia também completar os estudos em casa.

— Tan, queremos fazer de você o primeiro universitário da Baía de Lu Ching — disse o diretor Koon.

— E não pode ser em qualquer universidade — disse mamãe.

— Tem que ser na Universidade de Beijing — acrescentou papai.

— Na Faculdade de História — completou vovô.

Eles tinham ficado durante muito tempo em silêncio com relação ao meu futuro, mas agora estavam tagarelando como um bando de passarinhos ao nascer do sol. A esperança era algo palpável no ar salgado que vinha do mar.

No dia seguinte, quando minha família e eu comparecemos ao Colégio da Baía de Lu Ching, conhecemos as três figuras mais importantes da cidade de uma tacada só: o diretor da Escola, o secretário do Partido Comunista e o monge-abade do templo da vila. O sr. Koon detinha todos os três títulos. Ele sorriu e explicou:

— Minha formação é de professor, o destino me fez ficar viúvo, e sou político porque ninguém mais queria ocupar o cargo. E assim ganho em dobro para compensar o minguado salário de professor.

Deu de ombros e prosseguiu:

— Isto aqui já foi um templo. Durante a revolução, a Comuna queria destruí-lo, mas o povo supersticioso da vila resistiu. Então, numa solução conciliatória, eles o transformaram em escola e puseram uma tabuleta na porta, fazendo daqui também a sede do Partido Comunista.

Com orgulho, ele correu os olhos pelo bangalô de seis cômodos que estava sob sua responsabilidade.

Fiquei pasmo com a mentalidade de loja de conveniência do comunismo popular de uma cidade do interior. O que é que Mao acharia de dividir o travesseiro com o bom e velho Buda? Um pensamento chocante. Como é que Buda se sentiria com relação a adaptar um homem vestido com uma túnica no estilo Mao e transformá-lo num sacristão do templo?

O sr. Koon mostrou a papai os livros de história, indicou ao vovô o gigantesco ábaco para ser usado na sala de aula e apresentou a mamãe um órgão vertical de madeira que estava acumulando poeira, silenciosamente, atrás do altar dourado de Buda. Quando Mamãe pisou nos pedais, um som cheio e forte como um rugido saiu apitando dos tubos ocos.

— Shhh! Aqui não, por favor. Assim vamos perturbar Sua Santidade.

O monge Koon juntou as mãos e inclinou a cabeça.

— Por favor, vamos levar o órgão para a sala que estiver mais afastada de Sua presença.

— Por quê? — perguntei, curioso.

Mas o monge agora estava ocupado, rezando de olhos fechados. Captei apenas o final da oração.

— Por favor, perdoe-nos por nossos pecados.

Ele era um monge de verdade.

Prometi a mim mesmo que ficaria em silêncio durante o resto da visita. Ocupei-me em ver, ouvir e aprender. Tudo aquilo era novo para mim. A escola era, ao mesmo tempo, o templo e a sede do Partido Comunista. Então, por qualquer delito, você podia ser expulso da escola e já estava encarcerado na prisão comunista.

A nova equipe de professores da família Long dava aulas para as turmas mais novas, enquanto o sr. Koon supervisionava os alunos antigos. Ele entrou sorrindo e mancando na sala de aula, parecendo uma sampana sendo jogada de um lado para o outro pelas ondas do mar. Deu início à aula de um modo não-convencional — fazendo uma oração silenciosa.

Perguntei-me qual seria a sua tendência mais forte — budista ou comunista. Uma parte deste homem manco deveria contradizer a outra, mas de um jeito ou de outro elas coexistiam em harmonia dentro dele.

— Turma, eu tenho boas notícias para vocês. Temos aqui um ótimo aluno que veio da cidade de Beijing para juntar-se a nós a partir de hoje. Por favor, dêem as boas-vindas a Tan Long.

A turma a que ele estava se dirigindo contava apenas com seis alunos, e não havia nenhuma menina. Os meninos estavam sentados desleixadamente, como um grupo de soldados totalmente à vontade. Assim como seus pais e irmãos, eles fediam ao peixe que pescavam, armazenavam e depois comiam e com que também sonhavam. Suas roupas estavam rasgadas e remendadas, e seus modos eram de pescadores cansados. Um deles cuspiu na minha direção.

Fiquei de pé educadamente e me inclinei. Pensei no conselho que mamãe tinha me dado: em qualquer situação, sempre vale a pena ser o mais bem-educado possível.

— Qual é o problema? Vocês trabalharam muito para descarregar a pesca de ontem à noite? — perguntou o professor, fazendo um sinal para que eu me sentasse.

Foi coxeando lentamente até um dos alunos. Puxando-o pela orelha, ele o fez abaixar até os seus pés.

— Ai! Pare com isso! — gritou o menino que era alto, esfregando a orelha, que ficou vermelha.

Um segundo aluno foi agraciado pelo professor com uns beliscões no nariz para que se sentasse direito. Um terceiro levou um tapa com as costas da mão. Não foi preciso dizer nada ao quarto aluno para ele saber o que fazer. Este ficou de pé e disse educadamente:

— Tudo bem, tio, o senhor não precisa me bater.

— Muito bem, meu filho, da próxima vez levante-se quando houver um convidado na sala de aula — disse o monge.

O quinto pulou da cadeira reclamando, depois de levar um chute com o pé aleijado do professor.

Agora devia ser o comunista se manifestando dentro do professor, pensei. O monge que havia nele tinha voado pela janela. Eu nunca tinha visto ninguém encarnar tantos personagens diferentes.

O professor deu um sorriso malicioso e ordenou:

— E agora, alunos, digam: "Bem-vindo à nossa cidade, sr. Long."

Silêncio.

O professor esbravejou:

— Será que eu vou ter que pegar as minhas agulhas de acupuntura para dar um jeito em vocês?

Num instante, os cinco alunos balbuciaram suas boas-vindas.

— Agora podemos iniciar a nossa aula de inglês.

Um sorriso emoldurou o seu rosto.

— Hoje vamos aprender as formas dos plurais irregulares de alguns substantivos. Primeiramente, qual é o plural de *fish*?

Nenhuma resposta.

— Que história é essa? Por que é que vocês todos estão calados? Vocês não conhecem a palavra *fish*? — perguntou ele à turma.

— Você! Responda!

Ele apontou para o menino alto.

— Não sei.

— É claro que não. Você nunca abre o livro. Mas deveria saber, porque você tem cheiro de peixe. Quem é que sabe a resposta?

— Eu sei — disse eu, levantando a mão. — O plural de *fish* também é *fish*, f-i-s-h.

— Muito bem. Por isso é que eu disse que era uma boa notícia o fato do Tan estar aqui com a gente, caso contrário essa turma não ia nem sair do lugar. Viram como a pronúncia dele é boa?

Pouco antes da aula terminar, uma menina alta e esbelta abriu a porta e sentou-se na cadeira ao lado da minha.

— Ora, ora, ora! Vejam quem está aqui agora.

O professor dirigiu sua atenção para a menina. Arrastando o pé aleijado, ele foi mancando até perto dela e pousou a mão no seu ombro.

— Qual foi o problema? Tomar conta do neném anda atrapalhando os seus estudos?

— Desculpe o atraso.

— Desta vez você está desculpada. Deixe eu lhe apresentar o nosso novo aluno: Tan.

Estendi a mão para ela. Ela levantou os olhos, conseguiu abrir um pequeno sorriso, mas não apertou minha mão. Em vez disso, inclinou-se o suficiente para esconder o rosto, que ficou vermelho que nem a flor que ela usava na trança.

Titubeei um pouco, sem saber bem qual era o costume da terra quando se é apresentado a uma moça que não aperta a sua mão. Inclinei-me duas vezes. Na terceira vez, percebi que ela olhava furtivamente para mim. Que rosto ela tinha! Afilado, com as maçãs salientes e um nariz reto e alto. Seu rubor, tão tímido, apenas realçava o seu encanto difícil de descrever em palavras, e ela exalava um perfume embriagador. Inspirei. Seu perfume penetrou nas minhas narinas e me inebriou. Esqueci-me de desviar o olhar que, de acordo com as regras locais, era o que se esperava que um homem estranho fizesse. Mas ela também se esqueceu disso. Nossos olhares permaneceram fixos um no outro, comunicando-se através do brilho que havia neles. Esquecemos do tempo. Esquecemos do mundo. E, no entanto, isso durou apenas um breve instante do tempo real, o que ficou comprovado pelo fato do professor não ter percebido nada de extraordinário.

— Caso você esteja curioso para saber, esta é Sumi Wo, a única aluna daqui que poderia competir com você — disse o professor, com um sorriso orgulhoso e paternal. — Para lhe dar um exemplo, enquanto o restante da turma ainda está no plural de *fish*, ela, a nossa dona sabe-tudo está no sexto livro de inglês. Sumi, você poderia dar as boas-vindas ao Tan em inglês?

Sumi... Que nome!

Ela sacudiu a cabeça ligeiramente para afastar a franja de sua testa estreita enquanto um olhar tímido, porém desafiador, insinuou-se nos seus grandes olhos. Seus lábios se abriram lentamente e, com uma pronúncia quase perfeita, ela disse:

— Bem-vindo ao Colégio da Baía de Lu Ching, camarada Tan Long. É uma honra conhecê-lo.

— A honra é toda minha — respondi, também em inglês.

— Não, por favor, a honra é toda minha.

— O seu inglês é muito bom.

— E o seu é melhor ainda.

— Você sabe elogiar.

— Você merece.

Sumi e eu tínhamos nos esquecido da sala inteira, inclusive do professor. A turma, boquiaberta, ficou nos ouvindo conversar num idioma que, para eles, era muito estranho, porém agradável de se ouvir.

Quando o diálogo — Sumi com um sotaque britânico perfeito, e eu com o sotaque americano — terminou, estávamos os dois tremendo de excitação. Ela sorriu, e seu rosto parecia uma daquelas flores exóticas das montanhas. Retribuí com outro sorriso, como um rapaz bobo e desajeitado procurando pelo fio de raciocínio que tinha se perdido. Sentado ao lado de Sumi o dia inteiro, o tempo voou.

Ela parecia absorta em seus estudos, enquanto eu ficava procurando algum pretexto para falar com ela. Ela apenas sorria, e todas as minhas tentativas falharam, como mosquitos voando na direção de um lampião de querosene. Mas como era muito teimoso, consegui enfiar um bilhete na sua mão antes do fim da aula. Ela o pôs no bolso e fez um aceno de despedida. Com vontade de ir falar com ela, fiquei olhando-a afastar-se na luz do dia que esmaecia.

Sumi

叔米

Capítulo 21

Meu querido Shento,

Mal consegui disfarçar meu rubor ao pousar meus olhos num rapaz que veio da cidade, chamado Tan Long. Suas covinhas, seu rosto largo, seu nariz, sua masculinidade — eu só tinha visto isso antes em apenas outro rapaz do meu passado: em você, meu amado.

Por que você e esse rapaz da cidade são tão parecidos, não só fisicamente, mas também no espírito? Ele também tem uma generosidade que é como um sol brilhante nascendo para todos, com sua luz iluminando até os que não têm nada.

Por que estou ficando vermelha novamente ao pensar nele? Por que estou sentindo o mesmo nó na garganta que senti quando bati os olhos em você pela primeira vez, meu querido Shento?

Parece que o amor busca as suas próprias sombras. Será que Tan Long seria a sua sombra, um gêmeo que você me enviou para me consolar? Se isso for verdade, você estaria renunciando ao seu direito sobre mim? Lembre-se que me disse que nunca nos separaríamos, na vida ou na morte.

E agora estou aqui, viva, e você está morto, como foi publicado no informativo da escola, executado com três balas na nuca pelas três vidas que você tirou.

Por que este rapaz veio da cidade para cá? Isso é coisa sua? Eu não deveria ficar vermelha. É uma coisa imprópria, não é mesmo? Você matou por mim, e eu estou viva, e fico corada na presença de outro rapaz. Será que isso é justo? Será que estarei presa ao seu domínio para sempre? Ou será que não?

Sumi

Tan 唐

Capítulo 22

Com a chegada da família Long, o Colégio da Baía de Lu Ching, antes tão sem vida, pareceu ter tomado um novo impulso. O som do concerto de Chopin fluía como seda dos foles do órgão, preenchendo todos os espaços do ambiente até o teto de bambu, subindo pelo telhado com beiral em curva do templo-escola e pairando por sobre as palmeiras que se erguiam displicentes e margeavam aquele ponto panorâmico da baía.

Mamãe lustrou cada centímetro do órgão, que reluzia à luz do sol filtrado pela janela, depois fez a música jorrar do interior do instrumento. As crianças banguelas do vilarejo — com o coração repleto de uma alegria que não conheciam antes — se amontoavam ao seu redor, esfregando o nariz, coçando o bumbum pelado. Até mesmo seus irmãozinhos de colo, amarrados às suas costas, ficavam em silêncio.

Papai redescobriu sua paixão pela história, a gloriosa história da China, na qual a nossa família teve uma participação considerável. Seus alunos o acompanhavam durante a hora do almoço à beira do penhasco, caminhavam com ele pela borda do lago e o seguiam até mesmo ao banheiro externo onde as varas de bambu bloqueavam o vento, mas não a visão. Aquela era basicamente uma escola de meninos, onde as meninas raramente estavam presentes, mesmo que não houvesse falta delas na vila.

Os nativos não acreditavam em instrução feminina. As mulheres eram patrimônio de seus pais até que estes encontrassem maridos para elas que, depois do casamento, se tornavam patrimônio dos maridos. No caso da infelicidade de uma viuvez, elas se tornavam propriedade dos seus filhos homens, que iam mandar nelas e usá-las até o dia em que morressem. As mulheres daqui vieram ao mundo para suar, sofrer e morrer felizes mesmo assim. O estudo, para elas, seria um completo desperdício.

Carregando seu ábaco para todo lado, vovô fez da matemática uma matéria tão divertida que todos os seus alunos foram para casa e pediram a seus pais pescadores que lhes dessem alguns trocados. Vovô montou um banco simulado e pediu aos alunos que fizessem depósitos nele. Ele os ajudava a calcular os juros acumulados a cada dia. Quando um dos meninos perguntava como é que o banco gerava rendimentos, vovô fazia uma analogia dizendo que era como plantar sementes de arroz. Uma semente plantada seria multiplicada em cem grãos. E por aí a coisa ia indo. Os meninos captavam rapidamente o conceito, no entanto ficavam sem entender por que seus pais sempre guardavam o dinheiro — difícil de ganhar — debaixo do travesseiro. Por que é que ninguém abria um banco aqui, para que seus pais não precisassem trancar o quarto quando saíssem para o mar?

Franzindo as sobrancelhas espessas, vovô muitas vezes se perguntava a mesma coisa. Um banco para a próspera aldeia de pescadores não seria má idéia. Conversou conosco sobre isso, mas todos nós o desestimulamos. A idéia, porém, havia se enraizado na cabeça dele. O velho banqueiro tinha ainda mais teimosia do que anos de vida. A culpa, aliás, era da idade, pois quanto mais velho ficava, mais cabeça-dura se tornava. A semente continuava a crescer.

Sumi, a menina misteriosa, também tinha plantado uma semente na minha cabeça. Eu pensava muito nela, especialmente quando o mar se acalmava e murmurava suavemente, e quando a lua brilhante tocava o universo com sua luminosidade.

Durante alguns dias, não a vi na escola. Então, um belo dia, ela chegou atrasada e voltou correndo para casa mais cedo. Tentei atrair sua atenção, mas ela apenas sorriu. Não respondeu ao meu bilhete que dizia apenas, em inglês, que deveríamos estudar juntos. Eu não podia perguntar aos outros alunos por ela. Todos pareciam muito ocupados com as suas próprias vidas. Chegavam à escola cheirando a peixe, depois de terem ajudado seus pais a descarregar a pesca da noite anterior, e pegavam no sono durante a aula, sendo volta e meia acordados pelo professor.

Eu estudava dia e noite, tentando recuperar o tempo perdido. Meus colegas de Beijing estavam bem encaminhados, rumo ao sonho de ingressar numa universidade. Além de professores particulares, para orientá-los com as matérias do currículo, também tinham empregados para lhes servir chá. Eu não tinha nada disso, e esse nada era provavelmente o que me incentivava, pois eu queria ter tudo de volta. Começar do zero é ter que lutar com as costas para a parede num beco sem saída. Não há espaço para erros, nem é possível dar-se ao luxo de bater em retirada.

Não precisava que meus pais me dissessem isso. Eu sabia. Seus gestos e olhares me diziam que este povoado era apenas uma miragem e que eu tinha apenas uma opção na vida: a Universidade de Beijing. Qualquer coisa menos do que isso seria uma vergonha para meu pai, para o pai do meu pai, e para todos os meus antepassados. Eu queria mostrar aos meus pais que eu podia me reerguer, como a mítica fênix que ressurgia das cinzas, para voar ainda mais alto. Eu compreendia, e eles também, que estávamos nos escondendo ali, e que aquilo representava apenas uma segurança temporária. Se os partidários de Heng Tu quisessem nos perseguir, poderíamos nos refugiar nas montanhas a oeste ou pular dentro de um barco de pesca e viajar até as ilhas do arquipélago de Taiwan que cintilavam por sobre o mar. A idéia era essa — uma bela idéia.

Aquele era o momento de testar a minha fibra de homem. Para isso, deixei de lado meus pensamentos com relação a Sumi — minha única fraqueza — e tentei ocupar a cabeça com as fórmulas de matemática, química, física e também com o inglês. Mas, a cada dia de aula em que ela não comparecia, ficava enormemente decepcionado. Apesar de estar bastante ocupado com os meus estudos, muitas vezes me perguntava quando a veria novamente.

Certo dia, lá em casa, me pediram para ir comprar o molho de peixe preparado por uma senhora com sardinhas miúdas moídas num pilão, o molho mais saboroso que minha família jamais tinha provado. A lojinha ficava na rua principal do vilarejo, pavimentada com seixos rolados — outro presente do mar — e polvilhada com areia trazida pelos pés dos pescadores que retornavam da pesca. Os comerciantes de cereais colocavam grandes boiões contendo trigo, aveia, arroz agulha e gordos inhames na entrada de suas vendas. O dono da loja de doces era também o ferreiro, e a barbearia ostentava grossos feixes de incenso e maços de cédulas de dinheiro para serem queimados em louvor a Buda. A loja de bebidas exibia os maiores barris de beberagens coloridas que eu já tinha visto. Surpreendentemente, não havia nenhuma peixaria. No entanto, havia três açougueiros, cada um apregoando suas mercadorias mais alto do que o outro quando passei na frente de suas lojas. Um deles veio correndo até onde eu estava, no meio da rua, entregou-me um pernil de cordeiro envolto numa folha de bananeira e disse:

— Pague quando puder.

Aceitei o pernil e paguei a ele ali mesmo, na hora. No entanto, o que eu mais gostava era ensopado de carne de cabrito bem macia, fatiada, servida com molho picante. O açougueiro, vendo em mim um comprador em potencial, e que além de tudo pagava à vista, ofereceu:

— Que tal uma cabeça de carneiro? É muito nutritiva, e o miolo do carneiro é muito bom para os homens... se é que me entende... — disse ele, piscando o olho. — Aposto que sua mãe ia gostar de preparar este prato para o seu pai.

Dei um sorriso e saí andando. No caminho, vi crianças correndo na minha frente carregando seus irmãos menores. Cheguei finalmente à lojinha onde se comprava o molho de peixe e que também vendia legumes e verduras. Vi-me diante de uma senhora que franziu o rosto e tinha o nariz todo enrugado.

— Para você é de graça, jovem Long — disse ela, movendo a boca desdentada como se estivesse mastigando o ar.

Isso foi outra coisa que reparei. Havia muitas pessoas sem dentes. Onde estavam os dentistas?

— Não precisa, tenho dinheiro. Diga quanto é, por favor.

— Sei que pode pagar. Seu avô foi banqueiro. É só um gesto de agradecimento por vocês estarem ajudando na escola.

— É nossa obrigação contribuir para a melhoria da comunidade — disse eu, com sinceridade.

— Gosto de ver um rapaz tão novo e tão bonito falando como o pai. Escute só, meu filho, já que está pagando, vou lhe dar a garrafinha com o molho mais fresco que tenho aqui. A mão dessa velha já não presta mais. Não estou conseguindo moer a sardinha com a mesma rapidez de antes.

Ela balançou a cabeça e seus brincos de prata tilintaram.

Agradeci fazendo uma reverência, segundo a tradição local. Todos faziam reverências, e tudo era preparado com o molho de peixe. Afinal de contas, tratava-se de uma vila de pescadores. Ao me virar para ir embora, ouvi uma algazarra e uma gritaria na rua onde as crianças estavam brincando.

— Essas crianças!

Ambos esticamos o pescoço para fora da loja para ver o que estava acontecendo.

— Deve ser uma cobra de novo.

Ela voltou para dentro e sentou-se novamente.

— Mas não estou vendo nenhuma cobra.

— Os cachorros devem tê-la comido.

— Parece que estão correndo atrás de alguém.

— Ah, aquela menina órfã, coitadinha! Deve ser ela que estão perseguindo.

— Órfã?

— É, a menina... Como é mesmo o nome dela?

Vi um grupo de crianças jogando areia numa menina que tentava fugir e cobria a cabeça com um lenço.

— Ai, que cabeça inútil a minha! Não consigo me lembrar do nome da pobre menina.

Ela deu um tapa na própria testa.

— Ah!... Sumi. Esse é o nome dela!

— Sumi Wo?

— Isso mesmo, aquela coitadinha da menina órfã. Ela foi confiada à administração da nossa vila depois de terem fechado a escola-orfanato que ficava perto do mar.

— E então?

— Por que está tão interessado?

— E então? — insisti, sem olhar para a velhinha, que parecia gostar de conversar.

As crianças eram cruéis. Atiravam pedras na menina que corria pela sarjeta na direção do fim da rua, onde havia uma pilha de melancias. Ela parou por um instante para ver se as crianças ainda a estavam perseguindo. Era ela mesmo.

— Por que perseguem essa menina? — perguntei.

— Assim como as viúvas, os órfãos são considerados uma maldição para a nossa aldeia. Mas eu não penso assim. Nossos antepassados daqui diziam que as viúvas e os órfãos trazem má sorte e maldição para as suas famílias, e que são metade diabo, metade gente. Também não concordo com isso. Quanto mais velho você fica, mais estranho você se torna. Não acredito mais em nada disso. Eles são apenas seres humanos. E a menina... como é mesmo o nome dela?

— Sumi.

— Isso mesmo, Sumi. Ela é um doce de pessoa. Quando chegou aqui na vila, morava no templo onde hoje é a escola. Disseram que foi estuprada, ou coisa assim. O líder da aldeia, o sr. Chen, o comerciante gordão, queimou cem iuanes em incenso e em cédulas de dinheiro e contratou um grupo de ópera local para oferecer uma apresentação a Buda, na esperança de livrá-la da maldição. Mas Chen tinha um pensamento mau com relação a ela. Sabe... ele tem um filho maluco que às vezes come o próprio cocô, e ninguém — ninguém mesmo — nesta cidade ou em qualquer outra deixaria que sua filha se casasse com ele, não importa quanto dinheiro seu pai tenha. E acredite, ele tem bastante. Basta olhar para a sua pança, uma pança daquele tamanho é um claro sinal da riqueza de uma pessoa, não é mesmo, meu rapaz?

— É também um sinal de péssima saúde.

— Menino, de onde você tirou essa idéia? Bem, de qualquer modo, ele a aceitou em sua casa e botou a menina para cuidar do seu filho, que é uns cinco anos mais novo do que ela, na esperança de que um dia o rapaz ficasse melhor e dormisse com ela. Então ela teria um filho, de preferência um garoto, para que a família Chen tivesse continuidade, sabe como é, não?

— É inacreditável. Como alguém pode comprar uma menina e fazê-la sacrificar a vida por alguém assim?

Caminhei um pouco pela loja.

— Bem, o gordão achou que estava fazendo isso por generosidade. O dinheiro pode comprar tudo.

— Mas não os seres humanos.

— Ah, pode, sim! No começo, ele deixava ela freqüentar a escola. Ouvi dizer que é boa aluna, mas agora andam dizendo por aí que ele não quer que ela fique andando na rua, porque seus seios já estão do tamanho de uma concha grande, e seus olhos ficam olhando para todo lado. Os homens sentem que a fruta já está madura a quilômetros de distância. Seus quadris estão ficando mais largos... Você sabe do que estou falando, não é?... Talvez não devesse lhe dizer isso. Quantos anos você tem, aliás?

— Já tenho idade suficiente.

— Vou confiar em você. Pois então, ele a mantém trancada dentro de casa, e ela não gosta disso. Ele bate nela e ameaça casá-la com aquele seu filho retardado, arrumando uma certidão de casamento com o malandro daquele professor que vocês têm lá na escola.

— Mas isso é desumano!

— Eu diria que sim, mas a questão ainda é um pouco mais complicada do que isso. O gordão achava que estava fazendo um grande favor em sustentar o filho dela. Foi uma espécie de barganha, um acordo, por assim dizer. Caso contrário, o bebê teria morrido.

Ela movimentou os lábios novamente como se estivesse mastigando o ar, e seu pescoço, com toda aquela pelanca pendurada, parecia o pescoço de um peru.

— Sumi tem um filho?

— Tem, ela foi estuprada em algum lugar por aí e ficou grávida. Todos queriam que ela se livrasse do bebê, mas ela se recusou a abortar e se escondeu nas montanhas. Aí então, o gordão lhe disse: "Vou criar o seu filho e você cuida do meu", e é claro que ele nunca falou nada sobre casamento.

— Como é que a vila inteira pôde aceitar isso?

— Ah, a vida deles se resume a respirar. A única coisa que querem é que esse tipo de coisa não aconteça com eles. Cada um segue o seu caminho. Principalmente porque o gordão é dono de uma empresa de pesca e contrata os habitantes da vila para trabalhar para ele. E fica de olho na menina todos os dias. Acho que ela não está conseguindo mais ir à escola escondida. E o pessoal daqui tem medo dele porque ele empresta dinheiro a juros, e se disserem alguma coisa e ele não gostar, é o fim.

— E como a senhora sabe de tanta coisa?

— Estou viva e respirando. As fofocas me mantêm ativa. Olhe só para mim, tenho noventa anos e ainda não morri. A deusa da vida ainda não está precisando de mim, mas esse dia vai chegar, tenho certeza.

Ela sorriu, e seu rosto parecia um feixe de gravetos encarquilhados. Seus olhos desapareceram, e só dava para ver suas narinas e seu pescoço de peru.

— A senhora poderia me fazer o favor de dizer onde ela mora?

— Não tem erro. É naquela casa com as paredes de pedra e o telhado vermelho.

Andei tropegamente de volta para casa com o coração apertado, sentindo o peso do drama de Sumi. Fiquei muito triste por ela. Não, a palavra tristeza não exprimia sequer uma fração do meu sofrimento. Como podia uma moça linda como ela estar subjugada a um destino feudal ridículo? O que me chocou ainda mais foi que, aparentemente, a vila era muito calma, não se percebia nenhuma marola, nem a menor crispação. Ninguém parecia se importar ou perceber que entre eles havia alguma coisa de errado. Dentro de mim, o mito de Sumi se aprofundava e se ampliava a cada dia.

Sumi. Pronunciei seu nome com ternura para o vento do mar. Sumi! O que sinto por você é uma mistura de milhões de pequenos sentimentos, um sem-número deles. Ah, Sumi, minha pobre menina!

As montanhas suspiram e o mar geme de dor
O coração de quem ama parte-se à noite
Apanhe os seus sapatos
Pois a viagem de mil quilômetros
Vai começar sob seus pés
Uma alma que anseia no sopé da montanha

Um poema bastante irregular em termos de ritmo, forma e sonoridade. Uma atrocidade que vovô rasgaria em pedaços num rompante. Mas o poema me satisfez. Fiquei aliviado por ter conseguido me expressar daquele modo, e a sensação era a de ter tirado um peso do meu coração. No dia seguinte, ia esperá-la na beira da estrada e lhe entregaria o poema. Se ela não aparecesse, então seria no outro dia, ou no outro. O sol poderia se pôr para sempre e o mar poderia se aquietar de vez, mas estava determinado a entregar a ela aquele pedaço de fogo ardente que saiu de dentro de mim, do jeito como foi escrito, sem revisão, com todos os erros que pudesse ter, para lhe mostrar o fundo do meu coração naquele momento particular, e o horizonte das grandes esperanças que eu depositava nela.

O POLIVALENTE SR. KOON ME PREPAROU, com aulas particulares, como o único aspirante deste lugarejo que poderia disputar o troféu de uma vaga numa universidade. Ele tinha enviado um requerimento para a administração do município, que ficava a quilômetros de distância, pedindo o material didático preparatório e as diretrizes para a importantíssima prova do vestibular em âmbito nacional. Percebendo que eu fazia grandes progressos, o sr. Koon ficou muito entusiasmado. Sua perna defeituosa agora dava passadas um pouco mais largas, e às vezes ele esquecia que era monge e soltava palavrões como um pescador para elogiar os meus esforços.

Um dia, depois que todos os dorminhocos já tinham ido embora, o sr. Koon me disse:

— Inscrevi dois alunos da nossa escola para participar do vestibular deste ano. Aqui está a confirmação da inscrição.

Sua empolgação transparecia claramente em seus olhos e na perna manca, que ele ficava balançando o tempo todo. Ele me mostrou o papel da Comissão Nacional do Vestibular Unificado.

— Devo ser um deles. Quem é o outro? — perguntei.

— Sumi Wo.

— Mas eu não a vejo há semanas. Por que o senhor fez a inscrição dela?

— Vou fazer uma visita a ela e conversar com Chen — respondeu ele.

— Ótima idéia.

Meu pulso se acelerou. O sr. Koon me surpreendeu. Ele não estava apenas respirando para viver. Ele se importava com as coisas que aconteciam ao redor dele. Mas será que teria coragem de fazer isso?

— E o senhor não tem medo do Chen? — perguntei.

— Não se esqueça de que eu sou o secretário do Partido Comunista desta cidade.

— Mas isso não quer dizer muita coisa nos dias de hoje, não é mesmo?

— Bem, quando o gordo quer que eu ponha o selo oficial nos seus documentos para fazer negócios fora do município, isso significa bastante coisa. Ainda somos um Estado comunista.

Nunca tinha visto o sr. Koon tão animado.

— Posso ir junto com o senhor?

O sr. Koon pensou um pouco, e em seguida fez que sim com a cabeça.

— E por que não? Vamos lá agora mesmo.

Coloquei meus livros na pasta, levantei da cadeira num salto e segui o homem manco pela trilha estreita que conduzia à cidade. Meu poema estava dobrado entre as páginas do meu dicionário de inglês. O telhado vermelho, símbolo dos meus desejos e da minha paciência, abriria agora suas portas proibidas, porque o camarada comunista mais importante da vila assim o desejava. Fiquei divagando sobre a minha boa sorte, e não pude deixar de sorrir ao ver as duas sombras que projetávamos no chão da estrada: a minha, alta e ereta; a do sr. Koon, gingando num ritmo seguro e determinado. A poeira se levantava em volta dos seus pés, e havia um leve molejo nas suas passadas.

A casa de pedra era sólida, e a fachada lavada pelas chuvas tinha uma coloração verde-esbranquiçada. As telhas vermelhas que revestiam o telhado pareciam escamas de peixe com um colorido vibrante. A construção tinha dois andares e ficava encravada no aclive do terreno, como uma tartaruga marinha agarrada à terra. Nem mesmo o tufão mais avassalador conseguiria arrancar aquela carapaça de pedra da encosta. O precavido proprietário tinha plantado *bailan*, árvores de folhagem espessa, como um escudo para protegê-la contra o vento. E a porta da frente, emoldurada pela raríssima pedra verde das montanhas, era feita de madeira de lei da melhor qualidade, tratada e trabalhada na direção dos veios.

Koon bateu na porta e, de uma pequena abertura na parte inferior, surgiu um cachorro que ostentava um saco com duas bolas de tamanho considerável entre as patas traseiras. Aquela imagem parecia significar que ele era o garanhão da cidade, e que todas as cadelas da redondeza eram suas namoradas. Ele tinha o mesmo ar do dono — gordo, rico, bem-alimentado — e não o de um cachorro vira-lata à cata de siris e peixes na praia ou de cobras no meio da rua. Era um cão impaciente. Seus olhos faziam as perguntas, e não sua boca. Ele nos olhava de um modo preguiçoso e vago, como se fôssemos apenas mais duas pessoas que tivessem vindo pedir empréstimo, dois pobres pescadores da cidade, que ele muitas vezes tinha de expulsar da propriedade. *Caiam fora daqui, que eu quero voltar a dormir*, parecia dizer.

— Tem alguém em casa? — perguntou Koon.

O cão começou a rosnar, obviamente irritado com a nossa intenção de quebrar o protocolo. Revirou seus olhos, lançando o mesmo olhar dominador com que fazia suas cadelas se agacharem no chão, reduzidas à submissão.

Dei dois passos para trás, ao contrário do aleijado, que bradou novamente:

— Tem alguém em casa?

A voz do sr. Koon pareceu irritar o animal, que investiu contra ele. Mas Koon não se intimidou. Cuspiu, abaixou-se e chutou a terra com a perna aleijada, levantando um semicírculo de poeira que fez o cão espirrar e coçar o focinho com a pata. Uma voz de mulher respondeu por trás da porta fechada.

— Quem é?

— O secretário do Partido Comunista.

— Ah, só um segundo.

A porta se abriu. Uma mulher rechonchuda de uns quarenta anos, com um vestido vermelho-fogo, sorriu com a flor das montanhas presa ao seu cabelo untado de brilhantina.

— Bom-dia, sra. Chen.

Koon fez uma reverência.

— Sim, em que posso lhe ajudar?

Devia ser a mulher do gordo, pois tinha a cintura grossa e os pés e mãos pequenos. A saia e a blusa justas que usava marcavam os seios fartos e a bunda avantajada. A gordura era valorizada nesta cidade. Os outros habitantes da aldeia eram peões magros, trabalhadores, que comiam três *liangs* de comida por dia, cerca de 250 gramas, e perdiam quatro nas idas e vindas para o trabalho. Ela devia ser a mulher mais glamorosa e sensual da cidade. Uma mulher bem-cuidada era uma mulher gorda e maquiada.

— Estou aqui para falar com o seu marido sobre Sumi.

— E o que o senhor tem para falar com ele sobre um assunto a respeito do qual ele já lhe deu todas as respostas?

Ela era baixinha, mal-educada e falava com as mãos na cintura.

— Eu não sei a resposta. E é por isso que nós estamos aqui.

— Ela não vai mais à escola.

— Quem foi que disse?

— Ela mesma.

— Será que posso perguntar isso a ela?

— Não, ela está ocupada agora.

— Antes de ir embora, eu tenho que perguntar isso a ela. Preciso de uma resposta dita por ela.

— E quem foi que disse isso?

— Sou eu mesmo que estou dizendo.

— E quem é o senhor para vir à nossa casa com esse estranho, filho dos Long, para me ameaçar, eu, uma pobre dona de casa? Saia já daqui!

— Sumi, apareça — disse Koon em voz alta, sabendo que não chegaria a lugar nenhum com aquela gorda.

— O senhor está perdendo o seu tempo. Vou contar ao meu marido o que está acontecendo e o senhor vai se arrepender.

— Quem vai se arrepender é a senhora. Vou fazer um relatório sobre isso para a administração do partido e vamos ver quem vai ganhar essa parada.

— Meu marido conhece todos os *tao kai* da Comuna e desta província. O senhor não nos mete medo. O Gordo faz o que bem quer, e ninguém o incomoda por isso. Entendeu bem?

— Sinto lhe informar que o caso não vai ser tão simples assim — retrucou Koon.

— É sim, o caso é muito simples. Se ela freqüentar a escola, quem é que vai cuidar do filho dela? Me diga então agora.

— Ela pode levar o neném para a escola, e ninguém vai se incomodar com isso — disse eu, intrometendo-me na conversa para ajudar.

— E quem é você para me dizer isso?

— Sou um colega de turma de Sumi.

— Sei muito bem quem você é e de onde veio. Você está fugindo do governo, todo mundo sabe disso. A família inteira está coberta pela vergonha e caiu em desgraça. É por isso que você está aqui. Não se meta a engraçadinho comigo. Ponha-se no seu lugar, senão vai sofrer por isso.

Fiquei estarrecido com aquela revelação. Então, quer dizer que eles sabiam de tudo a meu respeito? E por que todos agiam como se tudo estivesse correndo normalmente?

— Deixe-o em paz. Ele não veio aqui para discutir com ninguém. É comigo que a senhora vai ter que discutir — disse Koon. — Deixe-me falar com Sumi ou vou registrar uma queixa.

— Desapareçam daqui!

Ela deu meia-volta e bateu com a porta na nossa cara.

Ficamos sem saber o que dizer. Enquanto pensávamos sobre o que fazer, a porta se abriu novamente. Era Sumi. Um dos lados de seu rosto estava coberto de hematomas e seus olhos estavam vermelhos de chorar. Nos braços, segurava um belo garoto robusto de olhos grandes e nariz arrebitado, que esperneava muito. Ele chorava porque sua jovem mãe também chorava. Ela se inclinou e disse, quase implorando:

— Não vou poder ir à escola. Obrigada por vir me convidar novamente.

— Você está inscrita para prestar os exames do Vestibular Nacional Unificado. Veja, aqui está a confirmação — exclamei.

Ela levantou a cabeça, limpou as lágrimas para clarear a visão e olhou fixamente para o papel que estava na minha mão.

— É mesmo? Estou inscrita para fazer a prova? — perguntou, mais animada.

— É. Veja você mesma.

Com sofreguidão, ela leu a breve descrição do teste e viu o seu nome escrito no documento.

— Não acredito.

— Você tem que acreditar. Nós vamos ajudar você a se preparar — disse eu.

Koon balançou a cabeça, concordando.

Foi então que vi um adolescente vindo por trás de Sumi, correndo em sua direção, com uma cadeira de madeira erguida no ar para golpeá-la. Seguindo o rapaz, estava a gorda, que obviamente tinha ido lá dentro para instigá-lo.

— Vamos! Acerte ela! Eles vieram aqui para levar a sua noiva embora! — berrava a mulher.

— Ninguém *pegar* minha noiva! Ninguém *pegar* minha noiva!

O rapaz retardado não conseguia pronunciar as palavras direito, mas entendi o que ele disse e me adiantei, empurrando Sumi para o lado, bem a tempo de ela se esquivar do golpe. Mas o rapaz era forte. Ergueu novamente a cadeira do chão e investiu contra mim. Agarrei a cadeira no ar e apertei o braço direito do garoto com tanta força que o capeta gritou que nem um bezerro desmamado, berrando por sua mãe.

— *Mama, mama*! Dodói, dodói!

— Vocês são gente ruim e vieram para cá só para nos fazer mal. É guerra o que querem? Esperem só até o Gordo voltar para casa. Você machucou o seu único filho. Ah, vai pagar por isso!

A mulher socava o meu peito, chorando e gritando.

— Por favor, vocês têm que sair daqui! Por favor, vão embora — implorou Sumi, com seu bebê aos prantos. Mas segurou firmemente o cartão de inscrição na mão.

Koon empurrou a mulher gorda para dentro e disse:

— Estamos indo, mas a senhora tem que mandá-la de volta para a escola.

— Nunca! O senhor não é monge coisa nenhuma! O senhor é muito grosseiro e mal-educado. Não devia se intrometer nos nossos assuntos de família. Nós compramos a garota e ninguém tem nada a ver com isso. Saiam daqui! E você, jovem Long, não toque na noiva do nosso filho, seu desgraçado!

Koon me puxou e saímos correndo feito dois soldados batendo em retirada. Eu sabia que tinha arrumado confusão com o homem mais temido da cidade, mas também ganhei alguma coisa com isso: consegui ver Sumi novamente e, além do mais, consegui fazer o meu poema chegar às mãos dela.

— Temos que fazer alguma coisa — disse Koon. — Sinto muito ter envolvido você nesta questão.

— A gente fez o que tinha que ser feito, mestre Koon.

— Mas você precisa tomar cuidado com o Gordo. Ele vai contra-atacar e dar o bote como uma cobra venenosa.

— Eu não tenho medo dele.

— Ótimo. Tudo bem. Mas ele vai dar o bote quando você menos esperar.

Ainda dava para ouvir o cachorro latindo e a gordona gritando.

— Estou preocupado com a Sumi.

— E eu também.

— O que vai acontecer com ela?

— Não tenho a menor idéia.

— O senhor acha que a gente piorou a situação para ela?

— Não, acho que fizemos o que tínhamos que fazer.

— Mestre Koon, é realmente uma sorte ter o senhor como nosso professor.

— A sorte é minha de ter você aqui ao meu lado.

Trocamos um aperto de mão. Olhei para trás. O telhado vermelho agora parecia uma fortaleza, uma prisão.

No dia seguinte, o muro da escola, onde geralmente havia cartazes de propaganda política, estava coberto com um enorme cartaz verde tão chamativo e deslocado quanto uma verruga no rosto de alguém. Ele anunciava que o sr. Koon estava oficialmente destituído do cargo de secretário do Partido Comunista da Vila da Baía de Lu Ching. O cargo remunerado seria assumido imediatamente por Lou Fu Chen, o Gordo. O cartaz dizia ainda que o sr. Chen, um influente homem de negócios, tinha se filiado ao partido a partir daquela data, e que administraria as questões políticas da vila conforme estava estabelecido no manual do partido. O sr. Chen tinha aceito o cargo sem receber remuneração, um gesto altruísta merecedor de todos os elogios. Quase como uma nota de pé de página, o cartaz mencionava que o sr. Koon havia sido exonerado do cargo pelo possível desvio de verbas do partido. A comunicação estava assinada pelo chefe regional do partido no município, acompanhada de um extravagante selo oficial no canto inferior direito.

Eu sabia do poder do sr. Chen, mas não poderia prever que sua reação seria tão rápida e hostil. Vi meus colegas de turma no meio da aglomeração que se formou diante do cartaz. Eles riam e davam tapinhas nos ombros uns dos outros.

— Eu não disse que o aleijado escondia o jogo? — comentou um dos estudantes.

— Essas notícias do partido são sempre a mesma merda. Que diferença faz se o nosso líder político é o Gordo ou o Aleijado? — disse um outro menino.

Fui correndo para a sala de aula. Lá estava o sr. Koon sentado no seu canto de sempre, com o olhar pacífico de um monge em estado de beatitude. Fumava seu cigarro de palha, deixando a fumaça azulada subir em espiral pelos raios de sol da manhã que brilhavam através das janelas. Cantarolava uma canção local, de um jeito muito parecido como quando estava oficiando no altar. Sua cabeça estava raspada, apesar das raízes do cabelo não estarem cauterizadas como as de um verdadeiro monge. Ele parecia o Koon de sempre.

— Mestre Koon, lamento muito que tenham demitido o senhor — falei. — É verdade o que eles disseram?

— Sim e não.

— Como assim?

— Sim, eles me demitiram. Não, eu não embolsei o dinheiro. As contribuições do partido que coletei foram usadas para comprar madeira para fazer novos bancos e carteiras para os alunos.

— Eu acredito no senhor. E o que vai fazer agora? — perguntei, preocupado.

— Sempre posso sair boiando na água rasa dentro de um cesto de madeira para catar mariscos no meu tempo livre. O que mais me dói é que tiraram de mim o maior salário que eu tinha, dentre os três cargos que eu ocupava. O Gordo sabia que se eu perdesse o emprego no partido, eu naturalmente ficaria em uma situação ruim e me sentiria inclinado a aceitar a oferta do pai da minha falecida esposa para vender caixas de incenso numa outra cidade. Mas quer saber de uma coisa? Quanto mais ele tentar fazer isso, mais quero ficar aqui e garantir que Sumi volte para a escola. Ele pode até comprar o emprego no Partido Comunista, mas ninguém vai me botar para fora desta cidade.

— Tem alguma coisa que eu possa fazer para ajudar o senhor?

— Você já me ajudou bastante. Não quero que se envolva ainda mais neste assunto. O Gordo é conhecido aqui por essas bandas por ser ruim como uma cobra, um pão-duro, um capeta. Ele joga sujo. Como acha que ele conseguiu ser proprietário de uma frota de barcos de pesca?

— O que foi que ele fez?

— Nada que Buda aprovasse. Não me admira que todo aquele dinheiro não tenha podido comprar um filho saudável para dar continuidade ao nome dele. Lembre-se de que a virtude é a melhor cura para qualquer mal, mas apenas os virtuosos sabem disso.

— Então o senhor vai continuar aqui?

— Até que você e Sumi consigam entrar para a faculdade.

— Muito obrigado. Vou ajudar em tudo o que puder.

— Meu filho, a sua única missão é entrar na faculdade. Não perca tempo. O seu destino é ser alguém importante, sabia?

Diante daquele homem aleijado com estatura de gigante, eu me sentia pequeno e insignificante. Foi então que comecei a me preocupar com a punição que o Gordo me aplicaria.

PAPAI TINHA CONSEGUIDO OBTER MAIS informações sobre a fábrica de atum que ficava no litoral. Um outro veterano do Exército lhe informou que, mediante um pequeno investimento, ele poderia exportar qualquer coisa através de canais não-oficiais, nos barcos que trafegavam pelo Estreito de Taiwan ou que iam para o sul, na direção da colônia de Hong Kong — em outras palavras, fazendo contrabando. Certo dia, papai teve uma idéia brilhante: medicamentos fitoterápicos à base de ervas medicinais. O negócio era começar vendendo barato, um comércio bem popular, arrumando alguns médicos da localidade para receitá-los. Mas vovô dizia que a medicina moderna havia progredido muito no exterior, e que não havia muito mercado para medicamentos à base de ervas. Por que não tentar criar ostras, ou montar uma fazenda de cultivo de pérolas? Papai poderia reunir todos os veteranos do Exército da região e montar uma sociedade de participação nos lucros. Havia uma grande demanda por pérolas em Hong Kong e Taiwan, conforme papai me contava todas as noites quando estávamos sentados na varanda. Imagine só o brilho nacarado de uma pérola verdadeira! Papai começou a ler sobre o cultivo e o comércio de pérolas e visitou as fazendas de criação de ostras que tinham se instalado ao longo da costa.

Vovô continuou a dedicar-se à sua idéia de abrir um banco para prestar serviços às cidades costeiras da província de Fujian, e foi ao governo do município para se informar sobre como obter uma autorização para fazer isso. Aquela cidade pesqueira de atividade crescente estava precisando de um banco. Disseram a ele que a única condição para obter uma autorização seria uma reserva de capital obrigatória de 250.000 iuanes. Ele suspirou, desapontado. Onde poderia conseguir esse dinheiro todo? Se ele fosse dono de um banco, poderia financiar a empresa de comercialização de ostras de seu filho, mas sem o capital inicial, ele não poderia sequer pensar em abrir um banco.

À medida que os homens da família Long iam ficando cada vez mais envolvidos com seus diferentes empreendimentos, passavam a suspirar mais e a falar menos. Muitas vezes, vovô ficava olhando para o atracadouro distante, onde os peixes eram descarregados e comercializados. Todas as noites, os caminhões transportavam carregamentos de peixe para a cidade. Ele contava nos dedos o número de carregamentos a cada dia. Todo esse dinheiro poderia ser colocado no banco para gerar mais dinheiro, e ele poderia usá-lo para financiar outros empreendimentos, e logo uma economia de mercado se instalaria na localidade e se alastraria como um incêndio num campo aberto. E ninguém poderia impedir isso.

Vovô lembrou-se do importante conceito que havia aprendido em Oxford sobre capitalização. Não demorou muito para que encontrasse a resposta. Um dia, ele se levantou de um salto da mesa do jantar, geralmente silenciosa, e declarou:

— Eu quero hipotecar essa antiga casa para conseguir o capital inicial.

— A nossa casa? — perguntei.

— É. Vou falar com o Gordo para pedir um empréstimo, oferecendo a nossa casa como garantia. O que é que vocês acham?

— Ótima idéia. Mas será que ele vai concordar em emprestar o dinheiro? — Papai se empolgava com qualquer coisa que pudesse injetar algum dinheiro vivo em sua ostreicultura.

Mamãe permaneceu sentada em silêncio, sorrindo. Ela ficava feliz ao ver os homens da casa felizes. A última coisa que queria era vê-los definhando em silêncio.

— Não, não — protestei com veemência. — Eu não acho que isso seja uma boa idéia. Aliás, acho uma péssima idéia. Veja bem, ele não lhe emprestaria o dinheiro porque o senhor competiria com a sua atividade de agiota, ou ele lhe cobraria juros extorsivos, o que não seria lucrativo para o senhor. Ele é uma cobra venenosa, o senhor sabia?

— Uma cobra venenosa? Eu nunca tinha ouvido falar isso dele. Todos dizem que ele faz empréstimos a juros razoáveis — disse vovô.

— Pode ser, mas o senhor tem que tomar muito cuidado.

Eu não tinha contado nada a eles sobre meu atrito com a esposa tinhosa daquele homem. Vovô, ignorando a questão, estaria apenas instigando a vingança que estava demorando a chegar. Só havia uma solução para o problema. Aliás, a oportunidade parecia caída do céu. Era agora ou nunca.

Shento

Capítulo 23

1980
ILHA NÚMERO NOVE

Treine um soldado durante mil dias e o avalie em apenas um. Este era o lema da Ilha Número Nove. Um ano havia se passado, as marés tinham enchido e baixado, as folhas das árvores da ilha tinham caído e brotado novamente.

A cada dia, eu executava uma bateria de exercícios avançados de artes marciais, formulados especialmente para se adaptarem ao meu progresso e aos meus músculos que se desenvolviam. A mente pune o corpo. O corpo aperfeiçoa a mente. Neste círculo vicioso, a mente se fortalece e o corpo enrijece, independentemente das tempestades, dos raios e trovões, do calor escaldante ou do frio do inverno. No final, minha mente se rendeu a um entorpecimento, desconectando meu corpo da terra que estava debaixo de mim, do céu que estava acima e do mar que me cercava. Eu era um monge purificado, sem peso, livre dos fardos terrenos.

Esta era a essência das artes marciais, elevando-me acima de tudo, sem me deixar conspurcar pela lama da vida, distinguindo-me como uma esguia flor de lótus que paira acima da mediocridade e da banalidade. O tempo, quando não era levado em consideração, fluía livremente como um rio que não é observado ou medido por minutos e horas decorridos, mas pela força de vontade que se formava e se afirmava. Minha força de vontade era como nenhuma outra, uma vontade de ferro, de aço temperado.

No segundo ano depois da minha chegada, o sargento La me informou que eu tinha atingido o nível da Leveza, a terceira mais alta honraria na sua disciplina e estilo de Kung Fu, depois da Transcendência e da Superação.

Eu poderia até ter atingido o nível da Leveza, mas ainda não havia conseguido superar meus sentimentos. Continuávamos separados, Sumi e eu, e a declaração que eu tinha assinado, jurando me dedicar ao trabalho digno de uma Adaga Afiada, me obrigava, pelo código de honra, a evitar escrever para ela ou perguntar sobre ela.

O código de honra era uma coisa; a saudade de Sumi era outra. Em alguns dias sombrios e melancólicos, eu chegava ao ponto de fazer a débil tentativa de enviar uma mensagem dentro de uma garrafa. A idéia não era tão absurda. Eu achava que se pusesse algum dinheiro com a carta, o pescador ou garoto de vila de pescadores que a encontrasse boiando na água do mar teria algum lucro ao enviá-la ao endereço designado. E Sumi saberia que eu tinha sobrevivido. Isso era pedir demais? Escrevi não apenas uma, mas muitas vezes. Enrolei cédulas de dinheiro por fora da carta de poucas páginas, procurei garrafas com tampas que se fechassem hermeticamente para que a água não entrasse e nem borrasse a tinta. Mas o ato de lançar a garrafa ao mar nunca era concretizado. O código de honra e os olhos argutos do sargento La me impediam de fazer isso. Eu era um *Jian Dao*, e a lâmina tinha dois gumes. Então, as garrafas vazias ficavam alinhadas no parapeito da minha janela.

Tan 唐 | CAPÍTULO 24

AO RAIAR DO DIA, DESCI, ÁGIL COMO UM gato, as escadas que rangiam do antigo solar da família, carregando o pequeno baú que mantinha escondido debaixo da minha enorme cama de madeira. Peguei emprestada uma bicicleta do sr. Koon, que me deu um dia livre na escola e concordou em me dar cobertura caso meus pais perguntassem onde eu tinha ido.

A bicicleta era praticamente uma antiguidade; faltavam até alguns raios da roda. Imaginei que, se a estrada não fosse tão esburacada e cheia de pedras, os raios que ainda restavam seriam suficientes para agüentar o meu peso. Botei um chapéu de palha na cabeça e uma camisa branca de manga comprida abotoada até o pescoço. Minha calça de algodão estava bem passada e meus sapatos de couro tinham sido recentemente engraxados. Tudo isso era raro na Baía de Lu Ching, e também um possível motivo de risos na vila, onde a roupa habitual dos homens era a pele bronzeada, um short de brim rústico e os pés descalços. Os homens daqui preferiam morrer a serem vistos usando tanta roupa.

Meu destino, Linli, a sede administrativa do município, ficava a uns trinta quilômetros de distância. Para minha infelicidade, o calor do sol ardia na pele como picadas de abelhas e, além disso, soprava também o vento sul, o que me obrigava a pedalar com determinação contra a ventania. O bauzinho que eu tinha amarrado no bagageiro da bicicleta só fazia aumentar o peso. Quando cheguei à agência do Banco do Povo, situada num prédio de tijolos de dois andares no meio da cidade, estava encharcado de suor. Meu traje formal parecia as penas de uma gaivota depois de cair dentro d'água. Mas continuei vestido. Uma entrevista com o gerente de um banco estatal, como qualquer outro contato profissional, exigia que eu agisse com toda a educação e propriedade, especialmente pelo fato de eu ter apenas 17 anos.

A cidade de Linli, no calor do verão ao meio-dia, parecia um castelo de areia um pouco desgastado pelo vento da praia — vazia, irrelevante e podendo desmoronar a qualquer momento. Cachorros vira-latas esfomeados, com as costelas à mostra e cicatrizes resultantes de tentativas mal-sucedidas de roubar comida, deitavam-se à sombra das paredes sujas do mercado, buscando alívio para o calor do sol.

Um homem idoso, todo enrugado e usando chapéu, suava muito, e o suor escorria pelos sulcos de seu rosto, como num sistema de irrigação. Por trás da banca onde estavam expostas suas cebolas modorrentas, ele estreitou os olhos para mim. Disse que, àquela hora, todos os gerentes dos bancos estavam tirando um cochilo com a cabeça apoiada na mesa. Quando acordassem, permaneceriam no local de trabalho apenas por mais algumas horinhas, jogando pôquer para matar o tempo e enganar o calor.

Suado e com sede, encostei a bicicleta nos degraus da entrada do banco, aguardando o fim da sesta. O universo inteiro parecia ter se aquietado, imóvel, apenas respirando. A sonolência me fez bocejar. Tirei a camisa, pendurei-a no guidom da bicicleta e deixei-a secando ao sol. Depois, tirei os sapatos, que estavam com o cheiro da estrada que eu tinha percorrido.

Repassei meu discurso várias vezes. Meu maior obstáculo seria convencer o gerente do banco que eu era o legítimo dono dos títulos que guardava no meu baú. Os títulos haviam chegado ao prazo de vencimento, e eu pretendia resgatar todos. Mas era uma quantia vultosa. Mil ou dois mil iuanes não causariam nenhum problema ao banco, mas um milhão de iuanes?

Quando a pesada porta de madeira do banco se abriu, aprumei o corpo, mantendo as costas eretas. Minha camisa branca estava apenas um pouco úmida de suor nas axilas. Meus sapatos estavam bem amarrados, e eu tinha lavado o rosto no rio que corria ali perto. Fui recebido por um funcionário que bocejava e dava tragadas no seu cigarro enquanto coçava a bunda. Seu rosto estava marcado pelos veios irregulares da madeira áspera da mesa por sobre a qual estivera dormindo.

— O que quer? — grunhiu ele.

— Meu nome é Tan Long e vim tratar de negócios com o seu banco. Posso falar com o gerente, por favor?

O funcionário suspendeu a calça, que escorregava o tempo todo de seu corpo magro, esfregou os olhos e disse:

— O gerente está muito ocupado e cuida apenas dos correntistas preferenciais. Qual é o assunto?

— Eu quero falar com ele. Você não vai se arrepender de chamá-lo para falar comigo.

— O gerente trata apenas com clientes que tenham investimentos que excedam a dez mil iuanes, nada menos do que isso.

Ele arqueou as sobrancelhas com desdém.

— Então, meu senhor, ele vai ter mais de cem motivos para me atender.

Por um pequeno instante, abri o meu baú, que estava lotado com os títulos que eu tinha guardado quando era menino, deixando o funcionário dar uma rápida olhada no conteúdo.

— Por aqui, por favor.

Para minha surpresa, o gerente daquela agência era uma mulher de uns quarenta anos, bonita e despachada. Para uma mulher conseguir aquela posição numa cultura dominada pelos homens, ela tinha que ser pelo menos dez vezes mais inteligente que seu concorrente masculino.

— A que devo sua presença, meu rapaz? — perguntou ela, com todo o respeito, oferecendo-me um cigarro Sphinx com filtro, uma marca fumada por apenas alguns poucos privilegiados na China.

— Você fuma?

— Claro que sim — menti.

— Um rapaz que fuma e entra aqui com uma mala cheia de mistério...

Ela era poeta.

— Diga-me qual é a origem da mercadoria, qual é o valor dela, e o que posso fazer por você.

Ela falava rápido também. Inclinou-se sobre sua ampla mesa, acendeu primeiro o meu cigarro e, em seguida, o seu.

Despejei o conteúdo do baú em cima da mesa.

— Vim aqui para resgatar títulos do Fundo Patriótico vencidos no valor de um milhão de iuanes.

A mulher se levantou, jogou fora o cigarro e quase pulou por cima da mesa, vindo para cima de mim como se fosse me morder.

— Um milhão? Trata-se de um investidor com uma visão de longo alcance... De onde é que você tirou toda essa sua confiança?

— Herdei do meu avô.

— Sei, sei... E como é que eu posso saber se você obteve isso de uma maneira honesta, por assim dizer? — perguntou, folheando uma pilha de títulos.

— A senhora não teria como saber — respondi honestamente. — E não preciso provar que sou titular deles. São títulos negociáveis, como está indicado no verso dos certificados.

— Ah! As letrinhas miúdas...

— Eu li tudo o que está escrito e a senhora também deveria ler.

— Meu jovem, não foi isso o que eu quis dizer.

Ela deslizou para fora de sua cadeira e caminhou até a porta para fechá-la. Seus quadris, firmes e redondos, rebolavam para a direita e para a esquerda, num balanço que fazia esquentar o sangue. Seus seios, um pouco caídos, ainda davam sinais de uma sensualidade voluptuosa. Ela se virou lentamente, fechou as cortinas e, nesse meio tempo, exibiu uma fatia do paraíso ao mostrar, pela abertura do seu vestido tradicional, *chi pau*, um pedaço de sua coxa de pele muito branca.

— O que é que a senhora está querendo dizer então?

— Eu estou me referindo a eles.

Ela levantou um pedaço da cortina, deixando-me ver a placa da delegacia de polícia.

— Você não vai querer ir até lá para provar que é o titular, vai?

Fiquei surpreso com a insinuação. Ela era uma mulher perigosa. Levantei-me, pronto para sair correndo do escritório, mas ela bloqueou a porta, inclinando a cabeça e jogando o cabelo escuro para o lado.

— No entanto, se não há com o que se preocupar, então um pedido de desculpas seria apropriado agora. O que achou que eu iria fazer, entregá-lo?

Ela riu.

Eu sabia o que ela estava querendo dizer, e devia ser o pior. Por que estava brincando comigo?

— A senhora não vai me enganar com isso. Não há necessidade desta exigência para resgatar o valor dos títulos.

— Para proteger os interesses do banco, nós é que fazemos as leis aqui — disse ela. — E se os certificados tiverem sido roubados?

— Não foram — respondi.

— Acredito. Aliás, eu poderia até me responsabilizar por você. Por um determinado preço.

Ela sorriu para mim.

— E qual seria esse preço?

— Metade do que você tem aí.

— Metade? Nem daqui a um milhão de anos.

— Pense na possibilidade de você não conseguir nada por eles.

— A senhora está me ameaçando de novo.

— Não, estou apenas negociando. A comissão vai valer a pena, pois ela vem com outros serviços incluídos — disse ela, tirando o casaco e revelando dois mamilos pontudos sob a blusa de seda. — Relacionados ou não relacionados com a transação.

— Por um preço? E qual seria o preço?

— Você aprende rápido.

Pensei um pouco, em silêncio.

— Dez mil iuanes para a senhora se eu sair daqui com um cheque do banco.

— Vinte — retrucou ela.

— Quinze. Tenho um longo caminho de volta para casa.

— Negócio fechado.

Ela estendeu a mão, mas fiquei impassível. Mesmo assim, ela agarrou a minha mão e a apertou entre as suas.

— Lena Tsai. Por falar nisso, qual é mesmo o nome do seu avô?

— Preencha o cheque primeiro.

Ela chamou o funcionário e mandou que ele conferisse as pilhas compactas de títulos.

Quando ele voltou à sala, Lena preencheu alegremente dois cheques, um de 15 mil iuanes, e outro de 985 mil.

— Você acha que a minha comissão foi excessiva? — indagou ela.

— A renda de uma vida inteira de um professor conseguida em meia hora? A senhora é quem vai me dizer isso.

— Você não pensaria assim se tivesse que lidar com aqueles nojentos lá do outro lado da rua. Agora, seja um bom menino e me diga quem é o seu avô. Estou morrendo de curiosidade.

— Hu Long.

— O ex-presidente do Banco da China?

Saí correndo porta afora e disparei chacoalhando na minha bicicleta, quase um milhão de iuanes mais rico do que quando entrei. O vento havia mudado com a maré. Tive que encarar outro vento de frente no caminho de volta para casa. A bicicleta finalmente não agüentou mais o meu peso, e o pneu da frente murchou ao topar com uma valeta escondida que eu não tinha percebido. Joguei-a no mar, deixando-a afundar nas águas do Pacífico. Continuei num passo apressado, assobiando durante o trajeto inteiro. Fiz uma pequena parada na agência dos correios da cidade, onde comprei um envelope de papel reforçado, enfiei o cheque dentro e, em voz baixa, solicitei ao funcionário que o enviasse à minha casa no dia seguinte sem que o remetente fosse revelado. Por este serviço sigiloso, botei uma nota de dez iuanes na mão do funcionário, que sorriu de orelha a orelha diante daquela gratificação equivalente ao seu salário mensal.

Na mesa de jantar, minha família toda tinha uma expressão tristonha. A comida permanecia intocada. Era um peixe inteiro, uma cavala, cozida no vapor com pedaços de gengibre e de alho salpicados em torno de seu corpo suculento. Havia sopa de almôndegas de peixe fresco com arroz e uns temperos da região.

Vovô estava silencioso, dando baforadas no velho cachimbo que ele tinha feito com a madeira de uma árvore que cresce à beira-mar, debaixo d'água, e da qual se faz o melhor cachimbo para se fumar. Papai lia um documento amarfanhado e amarelado, escrito com tinta vermelha já meio desbotada, no qual havia um selo oficial. Mamãe estava lambiscando o seu arroz, sentindo-se meio solitária no grupo silencioso.

— Algum problema? — perguntei.

— Onde esteve?

— Fui resolver um assunto para o sr. Koon.

— Talvez a gente precise sair desta casa em breve — disse vovô com tristeza. — Hoje de manhã cedo fui falar com o Gordo sobre a hipoteca da casa.

— E então?

— Ele foi bastante gentil, conversou comigo e achou que era uma boa idéia. Depois, à tarde, apareceu por aqui para me dizer que havia uma escritura guardada no arquivo do Registro de Imóveis do chefe do partido, que tinha efetivamente outorgado a posse desta casa em 1949 a um fazendeiro pobre quando o Exército Vermelho ocupou a vila.

— Mas ela sempre foi propriedade da nossa família — retruquei. — E além disso, a nova política de reformas restitui o imóvel ao proprietário original, tornando a transferência comunista sem valor e sem efeito.

— Mas o Gordo disse que ele, como chefe do partido desta cidade, não tinha comprovação deste documento de devolução. Disse também que não havia nenhum precedente em aplicar esta política, e que não faria isso por nós. Não consigo entender por que ele agiu deste modo. Era como se tivesse algum ressentimento contra nós — disse vovô, meio perplexo.

Aquilo era obviamente uma vingança contra mim. Agora, a minha família teria que sofrer esta desapropriação inconcebível.

— Talvez a gente precise de um bom advogado — disse mamãe.

— Não, vou falar com o sr. Koon. Vou ver se ele pode fazer alguma coisa — interferi.

Depois do jantar, fui correndo à casa do sr. Koon.

Koon morava num bangalô de frente para o mar. Ele e seu filho vieram me receber na porta de casa.

— O que o traz aqui, Tan?

— Vim pagar ao senhor pela sua bicicleta. Ela caiu do penhasco e agora está nadando no mar. Tome.

Tirei do bolso uma nota dobrada de cem iuanes, que foi rejeitada com veemência por Koon.

— Um dia, caminhando pela praia na maré baixa, encontrei aquela bicicleta. Ela veio do mar e voltou para ele. Deve ser lá o lugar dela. Por favor, fique com o dinheiro — disse ele.

— Não, eu insisto. Eu a atirei do penhasco.

— É um lugar adequado para ela. Agora me diga por que você está aqui quando deveria estar estudando? Sente-se.

Sentamos nos tamboretes que ficavam em torno da mesa redonda de pedra. Contei a ele toda a história. Koon disse apenas:

— Vou cuidar disso para você.

Uma pequena risada seguiu-se a esta declaração.

— Espere só para ver.

No dia seguinte, minha família acabrunhada recebeu duas notícias que os fez sorrir novamente. Chegou, pelo correio, um envelope com um cheque de 985 mil iuanes aos cuidados do vovô Long. A carta que o acompanhava dizia que quem o enviava era um sócio oculto de uma financeira. Vovô saiu dançando pela casa como se estivesse embriagado. A segunda notícia veio à tarde, quando o sr. Koon apareceu em nossa casa com um documento oficial do governo, carimbado com o selo vermelho do Partido Comunista. O documento dizia, em poucas palavras, que os proprietários originais de todos os imóveis desapropriados e outorgados aos fazendeiros pobres tinham o direito a reavê-los. O próprio sr. Koon tinha assinado o documento. Ele também tinha lavrado uma escritura restituindo a antiga casa à família Long. Ninguém na aldeia saberia que ele havia redigido os documentos com uma data anterior e colocado sorrateiramente uma cópia dos mesmos no arquivo do escritório do chefe do partido na noite passada, à meia-noite. Depois disso, jogou no mar a chave sobressalente do escritório que estava em seu poder. Ninguém ficaria sabendo de nada.

Na baía de Lu Ching, as mudanças não eram uma constante. A estagnação, sim. Durante milhares de anos, os habitantes da aldeia tinham cultuado o mesmo mar, a mesma montanha e a mesma terra, na qual a vila estava situada. Ocasionalmente, quando as coisas mudavam, os habitantes da aldeia não conseguiam digerir isso direito. Era como comer peixe estragado, o que causava uma revolução nos intestinos. Foi o que aconteceu com a passagem daquele cargo quase sem importância do sr. Koon para o Gordo. O povo do vilarejo não gostou da mudança. E não foi porque o Gordo tinha comprado o poder com dinheiro sujo, mas porque ele não prestava os mesmos serviços que o sr. Koon oferecia sempre com um sorriso. Uma certidão de casamento agora teria que esperar até que o Gordo estivesse de volta à cidade para assinar o documento. As disputas conjugais ficavam sem solução. As mulheres voltavam chorando para a casa de seus pais, deixando seus maridos rabugentos abandonados, sem saber o que fazer. Disputas por propriedades, pequenos furtos... a lista crescia cada vez mais. Os aldeões, incomodados, passavam por cima dele e iam diretamente ao centro administrativo do município. Com o tempo, o chefe municipal do partido sentiu que alguma coisa não estava cheirando bem. Abriu-se um inquérito oficial quando a mulher maltratada e espancada de um pescador jogou-se ao mar. Grandes enguias arrancaram a carne do seu corpo, que foi trazido de volta à praia alguns dias mais tarde.

O pai da mulher que tinha morrido era um comerciante de porcos que também ganhava a vida castrando leitões, coisa que ele ameaçou fazer com os bagos nojentos do Gordo. Se o Gordo houvesse investigado a queixa, ela talvez não tivesse sido espancada e tirado a própria vida, envergonhada e desolada.

Rodeado pelas crianças da vila, o pai da moça ficou aguardando na frente da mansão de telhado vermelho do Gordo, afiando o seu instrumento de trabalho, uma bela faca curva que reluzia brilhantemente ao sol. De vez em quando, pegava uma folha de capim, jogava-a para o alto e a cortava em pleno ar. Ele era conhecido naquela região do litoral por saber executar seu serviço de um jeito indolor. Mas qualquer um que o tivesse visto trabalhando, sabia que isso não passava de ilusão. Era como se os leitões pudessem farejar o homem a quilômetros de distância. Eles arrastavam as patas traseiras, escondiam-se, e tremiam na presença dele. Quando as cabeças dos leitões eram enfiadas dentro de um tubo de bambu para abafar seus berros, tinha-se a certeza de que aquilo devia doer muito.

O Gordo, apavorado com a aglomeração que tinha se formado diante de casa, ligou para a administração do município, pedindo que enviassem uma milícia para controlar o tumulto. Eles retiraram o furioso comerciante de porcos da propriedade do Gordo, mas o homem, transtornado pela perda da filha, voltou à noite, bradando:

— Ei, você aí. Desça aqui. Não vai doer nada, seu porco obeso!

O assédio continuou por vários dias, até que o sr. Koon conseguiu persuadir o homem a parar com aquilo e desistir.

Ninguém sabia o que o sr. Koon tinha sussurrado ao pé do ouvido do comerciante de porcos. Mas todo mundo podia adivinhar. Naquela cidade retrógrada, os homens comparavam o tamanho de seus colhões em público, a céu aberto, e ruidosamente. Para ser mais preciso, eles os pesavam, mediam e deixavam que as pessoas os pegassem para testar a sua solidez. Um testículo rijo era superior aos moles e escorregadios. Os grandes e rijos eram o sonho de todos. A maioria acreditava que os pequenos e rijos eram melhores do que os grandes e macios, mas havia diferentes correntes de pensamento. Colhões grandes, rijos ou macios, eram muito importantes, independentemente de qualquer outra coisa. Os homens muitas vezes entravam no mar, sentavam nos bancos de areia e deixavam seus bagos serem mordiscados pelos peixes pequenos, acreditando que aquelas mordidinhas fariam com que eles aumentassem de tamanho.

Um homem que não tinha filhos era um homem incapaz de ter filhos. Portanto, deveria haver algum problema em seus testículos, mesmo que fossem grandes e rijos. Isso era ainda pior do que não ter nenhum testículo. E, baseado nesta teoria, o homem dos porcos pode ter sido persuadido a desistir do seu intuito. Porque o Gordo obviamente se desgraçou ao ter um filho retardado e, na vila, ter um filho débil mental era a mesma coisa que não ter filho nenhum. Com o auxílio do sr. Koon, o homem dos porcos já devia ter chegado à conclusão de que o Gordo já era mesmo um fracasso sem testículos e que não valia o esforço.

O castrador de porcos caiu no chão diante das paredes da casa do Gordo, enlouquecido. Enquanto ia sendo levado embora, ouviram-no murmurar:

— Ou a renúncia ou os seus bagos!

Ainda assustado, o Gordo renunciou ao cargo no dia seguinte. Mas não era assim tão simples. Aquilo demonstrava sua intenção de faltar com o seu compromisso para com o partido, um comportamento no mínimo questionável. E o Partido Comunista não queria perder aquele boi gordo capitalista, ou qualquer outro boi, especialmente na época em que as contribuições ao partido estavam diminuindo como a maré vazante. Como todos sabiam, nada no mundo comunista era simples e fácil. Uma renúncia assumida era considerada um ato de traição. Quem renunciava era enforcado e o corpo era deixado lá, dependurado. Eram chamados de covardes e traidores. E, se pudessem fazer essa pessoa sofrer de algum modo, eles o fariam.

O Gordo tinha escolhido a saída mais fácil, tomando a decisão de defender seus bagos inúteis, ignorando os conselhos do chefe municipal do partido, que se sentiu bastante humilhado e astutamente usou de suas prerrogativas. Em toda a sua carreira política, disse consigo mesmo, ninguém havia abandonado o partido por causa de um par de colhões. Ele deixou o caso pendente, sob a alegação do lento processo burocrático de aceitação da renúncia, e manteve o Gordo em seu cargo, esperando que o ensandecido homem dos porcos se recuperasse logo e voltasse a empunhar a faca novamente em busca daquilo que mal dava para se enxergar por entre aquelas duas pernas gordas. Neste meio tempo, o chefe municipal do partido emitiu uma ordem aos municípios vizinhos para que não fornecessem mais nenhum alvará ao Gordo para realizar qualquer negócio que fosse.

Depois disso tudo, o Gordo raramente se aventurava do lado de fora da mansão de telhado vermelho. Quando o fazia, era sempre ao meio-dia. As crianças zombavam dele, berrando o nome do vendedor de porcos. O Gordo olhava ao redor nervosamente e corria. A pele de seu rosto perdeu o viço e seu andar, antes vigoroso e saltitante, havia perdido um pouco da velocidade. Antes, ele fazia negócios no cais todos os dias, com a calculadora numa das mãos — uma invenção em que ninguém na vila confiava — e um pequeno ábaco amarrado em torno de sua cintura grossa para apaziguar os nativos, que insistiam em conferir a precisão da calculadora. Agora, mandava a sua esposa em seu lugar, e ela corria para cima e para baixo com as papeletas das ofertas e dos lances pelas cargas da pesca diária, trazida pelos navios que retornavam ao porto.

DURANTE VÁRIOS DIAS NÃO FOI POSSÍVEL ver Sumi. Isso me deixou muito frustrado, e o Gordo, embora já estivesse bem abrandado, ainda não tinha se transformado num homem arrependido. Havia até boatos de que ele tornara Sumi sua amante para produzir ele mesmo a sua própria terceira geração. A vila estava fervendo, mas ninguém levantava a tampa para deixar o vapor sair. Eu sabia que a novidade acabaria se dissipando e que todos acabariam falando disso como se fosse um acontecimento do ano passado. Os habitantes da aldeia veriam Sumi grávida, uma parteira tiraria o fruto do seu ventre, e o bebê choraria. Pelas costas, os aldeões diriam que o bebê era filho do Gordo, apesar de ele apresentá-lo como seu neto. Com o tempo, o boato acabaria se esvaindo. Sumi seria mantida como um acessório fixo da casa e viveria sendo alvo de olhos que se reviravam, de sussurros. Ganharia o honorável título de Segundo Quarto, em contraste com a primeira e legítima esposa, que seria chamada de Quarto Principal.

Entrei impetuosamente no escritório do sr. Koon.

— Não existe nenhuma lei que impeça tal coisa de acontecer?

Koon sabia o que estava me deixando aborrecido. Ele balançou a cabeça raspada e disse:

— A lei não permite isso, mas a tradição sim.

— Mas essa é uma tradição abominável! Vou ajudar Sumi com os estudos dela. Sei com toda a certeza que, com a nova política do governo, ela pode receber um auxílio se conseguir boas notas no vestibular. E se o Gordo quiser arrastá-la de volta para casa, o governo poderá intervir e colocá-la dentro de um trem — disse. — Esta é a única saída para ela.

— Isso faz sentido. A nova política de modernização do país está realmente direcionada para descobrir jovens talentos. Pode ser que isso funcione. Mas ela perdeu muitas aulas e não tem tempo de estudar para a prova.

— Se conseguirmos fazer com que o material chegue escondido às suas mãos, aí a escolha vai ser dela.

— Eu sei que ela vai gostar da idéia. Ela é uma das meninas mais inteligentes que já conheci. O lugar dela é certamente fora daqui.

— Como eu poderia arrumar um jeito de falar com ela?

— Ela fica trancafiada lá dentro o tempo inteiro, a não ser por uma hora por dia, ao pôr do sol, quando vai colher legumes e verduras na horta que fica no quintal do Gordo.

NAQUELE FINAL DE TARDE, FIQUEI ESCONDIDO atrás de um velho pinheiro, com uma pilha de livros amarrados por uma corda debaixo do braço. Na luz acinzentada, vi a silhueta de uma moça se inclinando sobre os canteiros de *bok choy* e de alho-poró, com seu cheiro forte e penetrante. Era Sumi, com um cesto de bambu pendurado no braço, escolhendo os melhores legumes e verduras e limpando a terra dos talos.

— Sumi?

— Quem é?

— Sou eu, Tan.

Houve um momento de silêncio antes que ela olhasse ao seu redor, sem se virar. Em seguida, veio apressadamente na minha direção.

— O que está fazendo aqui? — perguntou.

Seus olhos grandes ficaram ainda maiores.

— Ouvi vários boatos sobre você. É verdade?

— Não, são apenas boatos maldosos que o Gordo espalhou para sujar o meu nome.

— Sua única maneira de escapar daqui é entrar na universidade — sussurrei. — Aqui estão os livros para você estudar.

— Como é que você sabe que essa é a única saída?

— Você tem alguma outra idéia?

— Tenho. Estou escrevendo um livro sobre a minha vida no orfanato. Se puder me ajudar a encontrar um jeito de publicá-lo, será o fim das minhas dores de cabeça.

— Você está escrevendo um livro?

— Estou. Desde o dia em que um rapaz morreu por minha causa. Prometi a mim mesma que essa história seria contada.

— Que rapaz?

— Ah... isso é uma longa história!

Seus olhos estavam baixos.

— Quero lhe agradecer pelo belo poema. Ele tem uma jovialidade que me comoveu.

— Você fala como se fosse uma velhinha.

— Por dentro, eu me sinto como uma velha. Você vai entender quando ler o meu livro. Da próxima vez que você trouxer mais material de estudo para mim, vou lhe emprestar o meu manuscrito. Está vendo aquela janela lá em cima?

Ela apontou uma pequena abertura no sótão da casa e eu fiz que sim com a cabeça.

— Quando a lanterna estiver acesa à noite, você vai saber que estou estudando com você.

Eu sorri e apontei para a minha casa, encravada na montanha.

— Se você vir uma luz acesa lá, aquele é o meu quarto. Estarei lendo o seu livro.

— Agora a gente pode conversar até mesmo no escuro.

— Estou ansioso para ver sua luz acesa hoje à noite.

— Eu também.

Meu peito arfava de excitação. A atração que eu sentia por ela era nítida e palpável. Eu queria poder tocá-la, senti-la, sentar ao seu lado, ou alguma coisa assim. Qualquer coisa que fosse.

Naquela noite, estudei com muito mais afinco. Mudei minha mesa de lugar para ficar de frente para a janela. A chama da minha vela dançava com a brisa do mar. Fui cedo para o quarto para poder captar o primeiro vislumbre de luz no quarto dela. O relógio bateu meia-noite, mas ela ainda não estava lá. Fiquei impaciente, apaguei minha vela e a reacendi. Sua janela se iluminou. Ela estava me observando. Soprei a vela novamente.

Ela também. Era ela. Quase que simultaneamente, nós dois reacendemos as nossas velas.

Não vi a luz no seu quarto se apagar até o dia seguinte, quando a luminosidade prateada começou a se irradiar no horizonte, do lado leste. Eu tinha pegado no sono, mas ela não. Esfreguei os olhos, me perguntando o que estivera fazendo — escrevendo seu livro ou estudando? Ela tinha ficado acordada a noite inteira. Ah... minha dama da noite!

Sumi 叔米

Capítulo 25

Meu querido,

Meu coração está doce como não acontecia desde aqueles dias de puro mel que passamos juntos, quando você ainda estava vivo e vibrante. É o rapaz que veio da cidade, que se fez de herói por vontade própria, e que se lança ao perigo para salvar a pessoa horrível que sou. Isso só pode ser coisa sua. Nada sem a força motriz que você é poderia mover a terra ou abrir o mar como Jesus, o deus do mundo ocidental.

Você deve estar detestando o fato de eu escrever sobre um outro rapaz que está disputando o meu coração. Se ainda estivesse por aqui, isso levaria, sem dúvida, a mais uma morte. Mas você não está mais aqui. Perdão. Já lhe pedi perdão, meu querido Shento?

A verdade é que tenho conseguido me manter intocada, sem ser conspurcada pelas mãos de muitos animais cobertos de luxúria, incluindo o Gordo Chen, enquanto consigo levar a minha vida e tornar a vida possível para o nosso filho, Ming — minha luz, meu esplendor. Fui marcada, fui ferida, fui espancada e cuspiram em mim. Mas ninguém poderá fazer com que eu me rebaixe. Vivo à margem da vida, sobrevivendo à vergonha de ter que buscar abrigo sob o teto do Gordo Chen, mas, ainda assim, consigo manter a minha dignidade. É o que me faz andar com a coluna ereta e a cabeça erguida. É o que me permite olhar para mim mesma sem querer partir o espelho em pedaços e cortar minha própria garganta.

Agora você está morto, está acima desta vida. Que bom para você! Não precisa mais nem erguer um dedo. Tem uma eternidade de tempo. Posso lhe fazer uma pergunta? É uma pergunta que pode parecer um pouco chocante, uma pergunta difícil de fazer.

Será que algum dia vou poder amar novamente? Será que você me abençoaria se eu abrisse meu coração para outro amor?

Sumi,
Amando-o sempre

Tan 唐

Capítulo 26

Quando Sumi me deu seu manuscrito em troca de mais livros didáticos, ela me disse:

— Se não gostar, apague a sua vela uma vez. Se achar que é bom, apague-a duas vezes. E se achar que é ótimo, apague-a uma terceira vez.

Naquela noite, antes de começar a ler o livro, obriguei-me a estudar por três longas horas. Finalmente, peguei o manuscrito de Sumi, um amontoado de papéis amarelados, inteiramente escritos a lápis. Sua caligrafia chinesa me pareceu elegante e vigorosa. Sua autobiografia estava escrita em forma de diário. Li um trecho: "Eu não tinha consciência da minha beleza até que os olhos dos homens me falaram dela". Uma menina de seis anos, assustada e perdida, foi abandonada num orfanato à beira-mar, um buraco escuro cheio de baratas e crueldade.

Meus olhos percorreram as páginas com sofreguidão. Quinze minutos depois, eu já tinha lido vinte páginas. Essa foi a cota de leitura que estipulei para cada noite. Mas nada me impedia de adiantar o lote do dia seguinte.

Nunca tinha lido nada assim tão fiel à vida, uma narrativa com tanta sinceridade e com uma expressão tão íntima dos sentimentos! Todos os outros livros, na grande tradição da literatura chinesa, eram floreados e pomposos, uma mera exibição da amplitude do conhecimento do escritor, do seu domínio da língua e do seu manuseio de estilos sofisticados. A autobiografia de Sumi tocou meu coração desde o início, prendendo minha atenção até eu dispensar a disciplina que me impus e ler o livro inteiro. Eu sabia que ela estava me observando, pois a luz em seu quarto permanecia acesa. Às quatro da manhã, quando finalmente fechei o livro, dei um beijo na sua assinatura e o guardei. Apaguei a vela não apenas três, mas dez vezes. Vi a luz da sua lanterna se apagar e imaginei o que essa moça extraordinária estaria sentindo.

No nosso encontro seguinte, no jardim, Sumi estava extasiada, e eu, mais apaixonado do que nunca. Ruborizada, ela me perguntou o que eu havia gostado mais no manuscrito. "Tudo", foi a minha resposta. Disse que ela poderia inaugurar um novo estilo na saturada literatura da China. Ela perguntou como seria isso. Seria contar a história do jeito como realmente aconteceu, respondi. Menos era mais, como disse Hemingway — o autor americano mais lido no mundo. Ela gostou muito desta comparação e ficou pensando no que poderia fazer para conseguir publicá-lo.

— Existe uma maneira. Termine o livro e deixe a publicação por minha conta — disse eu, num tom firme e misterioso.

Ela sorriu.

— Minha mente me diz para não acreditar em você, mas meu coração quer acreditar.

— Ouça o seu coração. Quando o livro for publicado, vou querer uma coisa em troca.

— E o que seria?

— Um primeiro beijo.

— Gostei da palavra "primeiro".

O vestibular estava marcado para daqui a apenas três meses, em meio ao calor brutal de Fujian em pleno verão. A cada dia, enquanto eu metia a cara nos livros, sentia um nó na garganta cada vez maior. Tinha que fazer seis provas no espaço de três dias e tirar notas altas, já que meu pai ficou em primeiro lugar quando fez o vestibular para a Universidade de Beijing.

Todas as noites, a minha dama da noite estudava junto comigo até de manhãzinha. Quando eu ficava cansado, apoiava-me no parapeito da janela e contava as estrelas. Sumi era mais uma estrela no céu. Ela apagava sua lanterna para me avisar que estava lá. Quando ela apagava a vela duas vezes, eu apagava três. Ela apagava cinco vezes, e eu, seis. Às vezes, quando a noite estava muito silenciosa e o mar dormia calmamente, eu quase podia ouvir seus passos, fazendo ranger o piso de madeira, enquanto sua sombra ia e voltava. Eu sabia que ela estava exercitando o vocabulário de inglês. Isso renovava minhas energias e eu mergulhava novamente nos meus estudos.

Não esqueci a promessa que lhe fiz sobre o livro. Escrevi uma carta breve e sucinta para Lena, a gerente do banco que havia descontado uma porcentagem considerável do meu depósito. Uma semana depois, recebi uma carta dela, endereçada à minha escola — o que não era pouca coisa, levando-se em conta que o serviço postal da China mais extraviava correspondência do que entregava. Li a carta e abri um sorriso. Viva o dinheiro, qualquer tipo de dinheiro! O livro ia sair.

No mesmo dia, vovô recebeu uma carta da mesma gerente de banco. À mesa do jantar, ele nos mostrou a carta e disse alegremente:

— Parece que consegui fazer o meu primeiro empréstimo como diretor-executivo do Banco Litorâneo.

— Para quem? — perguntei.

— Para uma editora.

O velho sorriu orgulhosamente.

— Quem diria? Foi essa mulher do banco que me enviou o capital inicial para a minha financeira. Agora ela também está agenciando empréstimos para nós.

— O que o senhor acha do setor editorial? — perguntei.

— É um monopólio estatal. Mas pode ser um negócio com um grande potencial de expansão. A mídia pode ser o próximo grande negócio.

— O senhor é um velho muito sabido — comentei.

— Posso ser sabido, mas não sou tão velho assim. Eu me sinto jovem, sendo o meu próprio patrão.

O que vovô não sabia é que eu havia fundado uma *holding* — Editora Mar Azul — para fazer um empréstimo e publicar o livro de Sumi. Também pedi a Lena que contratasse um revisor aposentado para trabalhar no livro.

Sumi me entregou o manuscrito completo num dia e, no dia seguinte, eu o enviei para Lena como correspondência registrada.

O Banco Litorâneo fez um segundo empréstimo para o meu pai no dia em que ele recebeu o alvará do governo do município. Era o capital inicial de que ele precisava para arrendar toda a península onde ficava o orfanato, segundo me disse Sumi. Papai ficou frustrado ao saber que o terreno tinha sido comprado há apenas uma semana por um investidor anônimo, que cuidava de seus negócios através da gerente do banco. De qualquer maneira, o arrendamento seria válido por um prazo de 99 anos em condições mais do que favoráveis, em face do atual preço do mercado. E, melhor ainda, o proprietário oculto pediu uma participação de cinqüenta por cento em troca do depósito imediato e do aluguel.

— Hum... ele sabe negociar — observei.

— Parece ser um homem gentil querendo me ajudar a iniciar o empreendimento — comentou papai — e um homem astuto com um olho no nosso potencial de crescimento.

QUANDO CHEGOU O DIA DA PROVA, fiz uma proposta ao sr. Koon.

— Se o senhor conseguir tirar Sumi de casa por três dias para fazer os exames comigo no centro administrativo do município, prometo dar um novo banho de ouro na estátua de Buda e oferecer à escola um belo conjunto de cestas de basquete.

Koon olhou para mim, sem acreditar no que estava ouvindo. Um banho de ouro no Buda sorridente custaria no mínimo uns mil iuanes. E as cestas de basquete, outros mil. Nada tão bom assim jamais havia acontecido àquele templo e à escola. Ele aceitou prontamente o desafio, sem saber como conseguiria o que eu havia pedido. Naquela noite, o monge Koon rezou solitário no altar silencioso e teve uma idéia, como se o próprio Buda sorridente a tivesse soprado para ele. No altar, havia uma dúzia de oferendas — uma galinha pintada, patos assados, porcos de massa e um polvo cozido no vapor. Koon pegou o polvo e o levou para casa. No dia seguinte, foi pessoalmente à casa do Gordo levando fatias bem grandes do animal marinho.

— Vim aqui lhe entregar as preciosas sobras da oferenda — disse ele ao Gordo, que o recebeu na soleira da porta, sério. Acreditava-se que trazia boa sorte comer as sobras das oferendas.

— A que devo esta honra?

— Vim agradecer suas generosas ofertas ao templo — disse Koon, com sinceridade.

Desconfiado, o Gordo pegou o polvo e foi até a cozinha onde Sumi, com o menino no colo, preparava o jantar. Quando viu Koon, ela cortou um pedaço de peito de pato e o ofereceu ao professor. Depois de aceitar a carne, Koon enfiou outro pacote de carne de polvo no bolso do avental da moça. Não precisou dizer nada — estava tudo escrito no pacote.

Naquela noite, correu a notícia de que o Gordo estava com uma diarréia incontrolável. O monge foi informado, pois tinha retomado seu cargo de secretário do partido. Ele chamou uma ambulância. A família inteira, incluindo Sumi, foi enviada ao hospital do município.

— E quem vai tomar conta do bebê de Sumi? — perguntei.

— Quem mais seria?

— O senhor?

O sr. Koon fez que sim.

— Professor e babá. Dê o seu melhor para merecer isso.

Koon havia adicionado à carne do polvo uma boa dose de laxante e também de sedativos à base de ervas para que o Gordo dormisse por três dias e três noites. Embora se acreditasse que Sumi tivesse comido da mesma carne, na verdade ela tinha comido apenas a parte boa que estava no outro pacote. No dia seguinte, ela tirou a roupa azul do hospital e caminhou até o Colégio Central, no centro administrativo do município.

Fiquei entusiasmado com a engenhosidade de Koon, mas ao mesmo tempo preocupado, pois quando o Gordo acordasse, não deixaria Koon escapar desta tão facilmente. Eu não sabia que cartas Koon tinha guardadas debaixo de suas amplas mangas, mas estava certo de que Buda afastaria o que quer que pudesse nos acontecer de mal.

Sumi e eu ficamos de mãos dadas pela primeira vez enquanto esperávamos, nervosos, pela prova. Os jovens que moravam na sede do município estavam todos bem-vestidos; a maioria tinha vindo de bicicleta e alguns até de carro. Mas aquilo não me intimidou.

— Lembre-se: vamos conseguir! — disse a Sumi.

— Estou muito assustada!

— Não fique. Pense em mim e nas palavras "Universidade de Beijing".

Foi o que Sumi fez durante três exaustivos dias. Comparávamos as respostas depois de cada prova e apenas sorríamos. Quando os exames finalmente terminaram, Sumi me deu um beijinho no rosto e ficou vermelha; depois foi embora e tornou a vestir a camisola do hospital. Fiquei ali parado durante uns cinco minutos antes de montar na minha bicicleta e pedalar de volta para casa, assobiando, com o vento a meu favor.

ÀQUELA ALTURA, A GERENTE DO BANCO tinha se tornado o meu *alter ego* e minha procuradora para assuntos comerciais. Lena, uma combinação estonteante de beleza madura e sagacidade, era a representante ideal para mim. As férias de verão permitiram que eu fosse pedalando até a sede administrativa do município para conversar com ela.

— Como vai o meu livro? — perguntei.

Lena acendeu dois cigarros ao mesmo tempo e me deu um.

— Receio que não muito bem. A Editora Mar Azul está decaindo. O fluxo de caixa secou, os funcionários não têm sido pagos, e eles publicam livros de péssima qualidade, que nem os monges leriam.

— Então podem ter que encerrar as atividades?

Ela fez que sim com a cabeça, mas seus olhos se iluminaram quando acrescentou:

— Mas vejo uma boa oportunidade de negócio aí. Vamos comprá-la.

— Mas é uma estatal. Eu teria que assumir todos os problemas, como aposentadoria e moradia dos aposentados.

— Não se comprarmos apenas os equipamentos e os títulos sobre os quais eles detêm os direitos autorais.

— Aquisição de ativo. Genial. Vá em frente e feche o negócio. Eu lhe dou dez por cento de comissão pela transação.

Ela sorriu.

— Muito generoso de sua parte. Vou iniciar as negociações com a Editora Mar Azul sobre a compra da firma. Como você sabe, eles são meus clientes aqui do banco. Outra coisa: o Banco Litorâneo vai receber dez novos pedidos de empréstimo que encaminhei para ele. Quanto à ostreicultura do seu pai, recomendo que façamos um consórcio com a Agência de Importação e Exportação Agrícola da província de Fujian.

— Não gosto muito de consórcios. Quero liberdade total.

— Esta é a única maneira de exportar os produtos legalmente, já que a agência provincial detém as cotas de exportação, e nós não.

Balancei a cabeça, concordando.

— Mais uma coisa — acrescentei. — Será que a autobiografia pode ficar pronta daqui a um mês?

— Considere isso como líquido e certo.

Três dias depois, recebi uma carta de Lena informando-me que, pela quantia de cem mil iuanes, eu agora era dono da Editora Mar Azul, e poderia solicitar um empréstimo no valor total da aquisição, na agência do Banco Popular onde ela trabalhava, sem ter que pagar nada como entrada. Nem eu nem Lena sabíamos que o que havíamos adquirido valeria ainda muito mais no futuro. Tínhamos em nosso estoque um alentado catálogo de edições antigas das obras do presidente Mao e éramos os detentores dos seus direitos autorais; além disso, também tínhamos os direitos de tradução de todos os líderes comunistas. Disse a mim mesmo que, dali para a frente, nunca compraria mais nada com o meu próprio dinheiro. Lena havia me ensinado a primeira lição sobre capitalização.

Às vezes, eu ia de bicicleta até a cidade de Linli e ficava na biblioteca até o pôr do sol, lendo todos os jornais que me caíam nas mãos. Depois de muita pesquisa, resumi a China atual em duas palavras: anos dourados. Todas as empresas estatais estavam perdendo dinheiro. Todos os bancos estatais haviam recebido bastante autonomia para efetuar empréstimos, e estes eram, em sua maioria, empréstimos de risco para a nova geração de capitalistas, depois da inoperante Revolução Cultural. Quase todos os setores industriais necessitavam de uma injeção de capital e de eficiência. A economia estatal estava degringolando, e uma economia de mercado ainda incipiente estava surgindo. No fim das contas, tudo se resumia a uma palavra que ecoava: oportunidade, oportunidade, oportunidade!

No dia seguinte, fiz outra viagem ao escritório de Lena para lhe dizer que eu não queria mais operar como sócio oculto. Em vez disso, rebatizaria a minha empresa de Dragão & Cia. e queria que Lena fosse a presidente da firma. Solicitei que ela pedisse demissão do banco e trabalhasse unicamente nesta nova função.

— Mas você não está entendendo direito a situação. O meu cargo atual neste banco estatal decadente é que me dá poder e liberdade de ação — argumentou Lena.

— Você está equivocada. Acabo de criar uma nova estirpe de executivos que não precisa contar unicamente com seus contatos na esfera comunista, mas sim com seu instinto de sobrevivência e seu tino comercial. Se você acha que pertence a esta nova estirpe, então aceite o cargo.

Sem mais hesitação, ela aceitou a minha oferta.

A Dragão & Cia. foi fundada com um aperto de mão e um ativo de cerca de um milhão de iuanes, o equivalente a cinqüenta mil dólares.

O livro de Sumi seria o título de estréia da renascida Editora Mar Azul. O editor-chefe, professor Jin, também vítima da Revolução Cultural, revisou ele mesmo o fino volume. Quando se aproximou a data da publicação, ele telefonou para Lena para dizer que havia chorado muitas vezes ao ler o livro e que conseguiriam uma boa vendagem. Mas receava que os canais tradicionais de distribuição não estivessem disponibilizados, porque a história, que era de cortar o coração, expunha muitas das mazelas da China comunista, e as autoridades a impediriam de chegar até as grandes livrarias.

Dei instruções a Lena para que ela contratasse caminhões, tratores, bicicletas e entregadores para fazer com que os livros chegassem às pequenas livrarias em toda a província. Se isso funcionasse, eu faria a mesma coisa em âmbito nacional.

O velho editor então me perguntou se poderia ter autonomia para adquirir títulos no mesmo estilo de literatura. Ele previu que haveria uma forte demanda de livros mais reveladores sobre a Revolução Cultural, obras que as editoras estatais não ousavam adquirir. Mas a Mar Azul poderia fazê-lo. Entretanto, avisou-me que isto acarretaria grandes riscos. Tudo que lhe disse foi que sem arriscar, não há como lucrar.

Os resultados das provas saíram em agosto e foram enviados ao escritório do sr. Koon, que imediatamente acorreu à minha casa. Com sua perna defeituosa se arrastando pela estrada, eu vi a poeira que se levantava anunciando a sua chegada antes que eu pudesse vê-lo sacudindo o envelope na mão. Quando se aproximou da casa, quase sem ar, pediu que eu me ajoelhasse na varanda. Tentei agarrar o envelope, mas o monge me deu um tapa e pediu que eu rezasse com ele antes de abri-lo para saber o resultado.

— Que Buda nos ajude.

— Que Buda nos ajude.

— Por favor, abençoe este rapaz que pagou por um novo banho de ouro para que Vossa Santidade possa brilhar mais e também pela quadra de basquete. E abençoe a menina Sumi, que precisa tanto da sua ajuda!

— Ande, ande, vamos abrir — insisti.

O monge me deu uma joelhada com a perna aleijada. Depois de uma longa ladainha de orações ininteligíveis, Koon abriu o primeiro envelope.

— Quatrocentos e cinqüenta para o camarada Tan Long — anunciou ele e continuou a ler. — Também diz aqui que você e outro estudante da província de Fujian estão empatados no primeiro lugar. Parabéns!

Fiquei abestalhado. O primeiro lugar em toda a província? Minha cabeça esquentou e esfriou, minhas têmporas latejavam. Eu ia entrar para a Faculdade de Direito da Universidade de Beijing! Mas quem é que tinha empatado comigo?

— Vamos ver como Sumi se saiu — acrescentou Koon.

Desta vez fui eu que abri a carta.

— Ela tirou 450!

Soube, logo de cara, sem ter que ler o restante, que era Sumi que tinha empatado comigo. Saí pulando pela varanda de madeira que nem um sapo.

— Sumi conseguiu! Sumi conseguiu!

O monge gritou de alegria e pulou junto comigo, apesar da sua perna aleijada.

— Obrigado, professor. Nunca vou poder lhe agradecer o bastante — disse eu, segurando-o pelos ombros.

— Não, eu é que lhe agradeço por isso. Para mim, você não sabe o que significa fazer dois alunos entrarem na Universidade de Beijing no mesmo ano. Devo ter superado todos os professores desta província. Deve haver uma promoção a caminho para mim.

— Deixe-me entregar isto a ela — pedi.

Ele me deu o envelope, sorrindo.

Naquela noite, reuni a família em torno da mesa de jantar e anunciei que a terceira geração dos Long prosseguiria em sua trajetória, e que o meu destino era a Faculdade de Direito da Universidade de Beijing.

— E por que não a Faculdade de História, como o seu pai? — perguntou vovô, todo orgulhoso.

— Os advogados é que dão os melhores políticos e homens de negócios — respondi. — Desculpe-me por isso, papai.

— Pelo contrário, meu filho, estou muito orgulhoso de você ter escolhido o curso de direito. Os tempos mudaram. O direito tem sua utilidade agora. No meu tempo, a lei era o que quer que Mao dissesse.

— E agora é o que Heng Tu disser. Isso me dá ainda mais motivos para optar pelo direito.

A família inteira riu. Mamãe abriu um licor Mao Tai de cem anos. Brindamos várias vezes até ficarmos embriagados. Depois, então, começamos a chorar.

— Vou sentir tanta saudade de você! — disse mamãe.

— Você tem que tomar cuidado quando estiver de volta em Beijing! — lembrou vovô.

— Apenas seja você mesmo. A Universidade de Beijing é o lugar certo para você — acrescentou meu pai. — Apenas não lhes dê motivo para prendê-lo novamente. Você não pode se dar a esse luxo.

— Desde que saímos de Beijing, esta é primeira vez em que estamos alegres de verdade — comentou minha mãe, enxugando uma lágrima no lenço. — Estamos felizes até o fundo da alma.

— Por favor, não chore — pedi.

Vi que meu pai apertava a mão da minha mãe.

LOGO CEDO, NO DIA SEGUINTE, FUI pedalando minha bicicleta até a sede do município. Em cima da mesa do meu novo escritório — um prédio de paredes caiadas e telhas vermelhas que Lena tinha comprado discretamente, do outro lado da rua, em frente ao banco —, estava o livro de Sumi. Corri até ele e segurei-o nas mãos. Era lindo. O volume era fino e a capa tinha um *design* muito elegante.

— Quantos exemplares tem a primeira tiragem? — perguntei.

— Cinqüenta mil. Uma tiragem recorde para uma autora desconhecida — Lena comentou.

— Mas ele vai decolar — acrescentei, folheando as páginas.

— Vamos começar a despachá-los, como você sugeriu, à meia-noite de hoje em bicicletas, caminhões, tratores, e até mesmo transportados à mão, em cestos — disse ela. — Parabéns pelo seu primeiro livro, sr. Editor.

Naquela mesma tarde, enfiei cuidadosamente o resultado da prova entre as páginas do livro de Sumi. Ao encontrá-la colhendo legumes e verduras no jardim, escondi-me atrás de um pinheiro e imitei o pio da narceja. Ela olhou em volta e veio direto na minha direção.

Segurei o livro escondido por trás de mim, com um enorme sorriso estampado no rosto.

— Ai, não fique me fazendo adivinhar! O que é que você tem aí escondido?

Ela tentou me pegar, mas me virei e corri para o outro extremo do jardim, onde os ramos baixos e frondosos dos salgueiros balançavam ao vento.

Parei de repente, fazendo com que Sumi me desse um encontrão. Caímos na grama macia. Ela estava por cima de mim, seu peito contra o meu, sua boca a dois centímetros da minha. Roubei um beijo de seus lábios macios e ela não reclamou. Nossas línguas se tocaram e se entrelaçaram num embate doce e suave. Nossa respiração ficou ofegante e nosso peito arfava num ritmo louco. Ela tremia e eu a abracei com mais força.

Inebriados, nos acariciamos com a intensidade do calor de verão. As roupas leves que estávamos usando não ofereceram nenhum obstáculo. Somente quando recuperamos o fôlego foi que ela notou o pacote.

— Isso aqui é o meu livro? — indagou ela, rasgando o papel do embrulho. — Meu livro! Não acredito! — Folheou as páginas muito respeitosamente e respirou fundo.

— E tem mais uma coisa.

— O quê?

— O resultado do exame.

Puxei o papel de onde eu o havia escondido.

Os olhos de Sumi se arregalaram ao ver sua nota.

— Puxa, Tan! E quanto você tirou?

— Empatei com você. Parabéns!

Fundimo-nos um no outro com mais um beijo.

— Universidade de Beijing, lá vamos nós! — ainda consegui dizer, no meio de tudo.

— Universidade de Beijing, lá vamos nós! — murmurou Sumi por entre beijos.

O amor era tanto que cegava, sufocava. Estávamos perdidos em outro forte abraço quando ouvi passos pesados se aproximando. Abri os olhos.

— Seu filho de uma puta! — O Gordo estava de pé por cima de nós, segurando uma lança com a ponta afiada. — Tire as suas mãos da noiva do meu filho. Saia daqui antes que eu fure o seu coração.

Levantamo-nos com grande esforço.

— Não, seu animal! — vociferou Sumi. — Eu não sou a noiva do seu filho! E também nunca serei sua amante!

— Saia da frente — disse eu.

— Ele não pode mais fazer isso comigo! — exclamou Sumi. — Eu vou entrar na faculdade e não há nada que ele possa fazer contra isso.

— Sua putinha, você não vai a lugar nenhum. Eu vou matar vocês dois — disse o Gordo, brandindo a lança contra nós. Com toda a sua raiva acumulada, Sumi lançou-se em direção ao Gordo, empurrando-o e fazendo-o cair no chão. O Gordo afastou-a para o lado, levantou-se com dificuldade e ergueu a lança. Eu me atraquei com ele. Ele caiu para trás, e sua cabeça bateu com força numa pedra. Seu corpo agora estava todo mole e flácido, estendido no chão. Sumi pisou no peito carnudo do homem e pulou em cima dele. Eu nunca a tinha visto assim tão enfurecida.

O Gordo não revidou. Ele se contorcia, revirava os olhos e sua boca espumava. Tinha falta de ar e apertava o peito. Sumi disse, com a voz trêmula:

— Ele está morrendo. Saia correndo daqui agora! Você é inocente. Eu assumo a responsabilidade.

— Não, a responsabilidade é minha.

— Não, você não é responsável por isso! — Sumi me puxou pela gola da camisa e me sacudiu. — Para uma pessoa que está indo para a Faculdade de Direito, você deveria saber que isso foi um ato de legítima defesa. Ele estava tentando me matar! Me estuprar! Não tem lugar para você aqui! Está me ouvindo? Vá embora, por favor!

— Mas tenho que ajudá-la.

— Já me ajudou o bastante. Vá embora agora, seu maluco!

Saí numa corrida desabalada em direção ao mar. Atrás de mim, podia ouvir Sumi gritando desesperadamente por socorro.

— O Gordo está tentando me matar! Socorro! O Gordo está tentando me estuprar!

Ouvindo os passos dos habitantes da aldeia, mergulhei no mar e nadei, costeando o litoral por algum tempo antes de voltar para casa.

Naquela mesma noite, o sr. Koon veio me trazer ótimas notícias.

— O Gordo morreu de ataque cardíaco enquanto tentava estuprar Sumi no jardim. Agora, ela vai poder ir para a faculdade.

— Obrigado pela notícia.

— Agradeça a Buda. É ele que tem a balança da justiça — disse ele, olhando para o céu.

O NOSSO ÚLTIMO VERÃO NA BAÍA DE LU CHING foi repleto de poemas e de amor. As emoções subiam e baixavam como as marés no litoral. A temperatura em declínio e o outono, com o solitário mugido dos búfalos, fizeram com que nossos corações se aproximassem ainda mais.

Mesmo assim, nunca descuidei dos meus negócios. Lena me informou que as vendas do livro estavam aumentando rapidamente nas cidades do litoral de Fujian. Uns vinte mil exemplares já haviam sido arrebatados por leitores ávidos. Em meados de agosto, Lena me relatou que estávamos recebendo pedidos de compra das livrarias estatais em toda a região. Essas lojas, sempre em déficit, tinham ouvido falar do sucesso do *best-seller.* Os funcionários comunistas fizeram vista grossa, para também poderem ter lucros. A nova política reformista permitia aos gerentes das lojas ganharem gratificações se conseguissem boas vendagens.

— Incrível — disse eu a Lena.

— Quer saber de uma outra coisa? — observou ela. — As pessoas que não têm dinheiro para comprar o livro fazem cópias a mão, copiando página por página.

— A mão?

— E em algumas escolas do ensino médio, eles estão fundando clubes de leitura. Eles lêem e choram pela pobre órfã. Mas choram principalmente pelo namorado que morreu por ela.

Calei-me com relação a isso. Decidi não deixar aquele pequeno inconveniente me incomodar. Afinal de contas, um homem morto era um homem morto. Depois de mortos, os homens geralmente adquiriam uma reputação melhor, obtinham mais consideração e mais méritos do que mereciam, só porque já tinham morrido. Eu era, agora, o amor da vida dela. O motivo pelo qual seu namorado tornou-se esse grande herói não foi sua coragem, mas sim a beleza dela. Sua raridade tornava todos os homens corajosos. Ela era uma pérola que fazia brilhar todos os que estavam ao seu redor.

NÃO FIQUEI SURPRESO QUANDO FOMOS aceitos na venerável Universidade de Beijing. Eu aprenderia as regras e os protocolos de bater o martelo e das togas escuras, enquanto Sumi entrava no panteão dos literatos da China.

Quando chegou a hora de irmos embora para a faculdade, Sumi e eu levamos para o sr. Koon, em sua humilde morada, dois patos que grasnavam e cujas asas estavam atadas com fitas vermelhas, um espesso maço de tabaco de folhas largas e duas garrafas de licor Mao Tai.

O monge ficou muito emocionado.

— Vocês querem saber uma coisa? Eles estão me promovendo a chefe do Conselho de Educação do Município — disse ele, com orgulho. — Mas, sabem do que mais? A qualidade de um professor se mede pelos seus alunos. Pensei nesta frase muitas vezes, desde que recebi a notícia. É a pura verdade! A pura verdade! Agradeço a vocês dois por terem vindo para a nossa cidadezinha.

O monge desamarrou os patos que grasnavam e deixou-os voar encosta abaixo.

— Vão! Voem!

Emoldurado pela luz do pôr do sol, ele parecia feito de ouro. Koon, que era devoto de Buda, havia de alguma maneira se tornado um Buda. Seu sorriso era o de um salvador sem pecados e seus gestos eram cheios de amor. Ele compreendia, perdoava, aceitava, e aspirava a coisas mais elevadas, como as montanhas que estavam por trás dele.

— Até a vista, professor.

Nós dois o cercamos e lhe demos um abraço bem apertado.

— Até breve! — disse ele, carinhosamente. — Lembrem-se! Tan, você é a montanha. E você, Sumi, é o mar.

O monge deu uma garrafa de água para Sumi e um saco de areia para mim.

— Levem isso com vocês, e quando chegarem a Beijing, despejem no solo. Deste modo, vocês vão prosperar.

— Ah, ia quase me esquecendo! Aqui estão cinco mil iuanes.

Enfiei um pequeno envelope vermelho nas mãos de Koon.

— Nossos negócios estão crescendo. Meus pais e meu avô não vão mais poder ajudá-lo. Eles querem que o senhor aceite este dinheiro para contratar três novos professores no ano que vem. E, a cada ano, o senhor vai receber a mesma quantia para que a escola permaneça aberta para as crianças.

Koon me fez três profundas reverências.

— Sou muito grato a vocês, as crianças agradecem, e a Baía de Lu Ching também agradece a vocês.

A OSTREICULTURA DE PAPAI EMPREGAVA, em sua maioria, veteranos do Exército por um salário mínimo, mas papai prometeu a eles uma parcela dos lucros quando o negócio se tornasse rendoso. Ostras grandes eram mercadorias em alta no sudeste da Ásia, e as pérolas eram cobiçadas no mundo todo. Os temores de papai tinham se acabado. Ele, que costumava planejar guerras e batalhas, achava que nunca conseguiria se encaixar neste pequeno vilarejo, por isso cuidou de cada detalhe do empreendimento como se estivesse comandando uma ofensiva militar.

O banco de vovô já havia feito, a esta altura, dez empréstimos. Ele comentou conosco, mais de uma vez, a sorte que estava tendo pelo fato da gerente do banco da cidade, que se chamava Lena, estar encaminhando as oportunidades de negócios para ele. Ele previu ter lucro no primeiro trimestre do ano.

O sucesso deles me fazia feliz. Quanto mais, melhor, pois seja lá o que fizessem, eu ganharia cinqüenta por cento de sua boa colheita. Gostava do meu papel de sócio oculto. Podia dormir enquanto meu investimento inicial crescia. E isso era apenas uma pequena fatia do meu empreendimento. Havia ainda a minha própria Dragão & Cia. Eu tinha grandes planos para ela, mas, por enquanto, Lena a administraria com suas mãos hábeis, enquanto eu freqüentasse a faculdade.

Dois dias antes da minha partida para Beijing, minha família de empresários interrompeu todas as atividades em que estavam envolvidos. Vovô levou-me para um passeio no alto da montanha, com intuito de visitar a sepultura dos nossos antepassados. A colina era coberta por uma vegetação exuberante, esculpida na forma de uma poltrona com vista para o cenário perfeito do sereno Oceano Pacífico.

— Olhe só, meu neto. Isto é a perfeição, em termos de *feng shui.* O oceano nos promete uma interminável abundância de boa sorte. O morro por trás de nós nos dá apoio com a solidez da terra. Isso é um *feng shui* para um imperador! O livro dos nossos antepassados profetizou que, na sexta geração, haveria dois imperadores nascidos no clã dos Long. Você é a sexta geração.

— Eu?

— Sim, você.

— Mas o senhor disse dois. E eu sou o único filho.

— Isto significa apenas que, se você tivesse um irmão, ele também reinaria.

— O senhor acredita nesta profecia?

— Está no destino da nossa família. Esta sepultura fica diante do amplo horizonte do mar. As montanhas atrás de nós são a nossa cadeira de balanço e o mar, o nosso peito. Quanto mais largo for o peito, melhor.

Analisei cuidadosamente as palavras do meu avô.

Ele me abraçou e eu o beijei na testa cheia de rugas. Tudo isso aconteceu em meio ao silêncio das montanhas, diante do mar calmo.

Na véspera da nossa partida, minha família estava sentada na varanda iluminada pela lua, aproveitando a brisa suave do litoral. Nós bebemos e mamãe nos trouxe os frutos do mar mais frescos que havia — caranguejos vermelho-fogo e ostras suculentas. Conversamos sobre a minha infância, rindo e chorando até que a lua mergulhasse por detrás dos pinheiros. Somente quando o primeiro galo cantou e a temperatura caiu é que nós, com muita relutância, fomos nos deitar. Eu logo empreenderia uma viagem de mais de 1.500 quilômetros e esta viagem, no coração de todos, era o retorno à cidade que nos havia rejeitado. Tudo que eu fizesse dali em diante nos afetaria profundamente. A batalha precisava ser vencida, porém o único a lutar era eu — a sexta geração.

Fui dormir com este pensamento na cabeça. Eu era o filho afortunado. Se não tivesse deixado Beijing, teria rido de tal superstição, mas agora, tendo vivido a vida de um chinês de verdade, provado o sal do mar, apalpado os torrões do solo e sentido o perfume desta terra fértil, tinha aprendido a não rir dessas coisas. Eu era a sexta geração, a ponte para a continuidade. Agora, via o meu lugar na história.

Algumas horas mais tarde, a Baía de Lu Ching estava em festa com o som dos tambores, dos gongos, dos fogos de artifício, e o alegre som *iei-iei-ia-ia* de uma banda tradicional composta por dez músicos. A vila inteira havia comparecido à nossa porta. As mulheres casadas, que não haviam perdido seus homens no mar, vestiam seus vermelhos festivos. Os homens que não haviam saído para pescar naquele dia fumavam seus grossos cachimbos. As crianças corriam por toda a parte, perseguindo os cães que, por sua vez, perseguiam os esquilos. Inúmeros presentes — cestas de ovos, sacos de amendoim, galos balançando suas cristas vermelhas, patos grasnando desorientados, sapos saltitantes de longas pernas amarrados uns aos outros pela boca — tudo isso estava disposto na nossa varanda.

— Acordem, seus preguiçosos, nós estamos aqui para levar vocês para a cidade grande. — Era a voz do sr. Koon, o organizador da festividade. — O trator já está aí aguardando.

Ele me puseram na parte de trás de um trator todo sujo de lama, que era de longe o transporte mais sofisticado da vila. Enquanto estava sentado lá, acenando para a minha família e para os habitantes da aldeia, vi um outro cortejo comemorativo que vinha da mansão do telhado vermelho. Era Sumi, sorrindo. Ela estava com uma grande flor da montanha presa na cabeça, um símbolo da vila. Seria eternamente a mais altaneira flor das montanhas.

Numa despedida com muito choro, nós, a primeira dupla de estudantes universitários de toda a história da vila, iniciamos nossa viagem na rua calçada de pedras do povoado. O trator seguia rugindo, bufando e engasgando, soltando baforadas de sua fumaça densa e assustando os pássaros, que voavam na direção do mar. A música foi aos poucos diminuindo de volume e o som da maré alta abafou as exclamações, os gritos e os "Vivas!". Cutuquei Sumi com o cotovelo e apontei para o mar.

— Olhe bem para ele, pois em breve a gente não vai vê-lo mais.

— Você se engana, Tan! Eu cresci com o mar. Nunca vou me esquecer das ondas, das praias e dos seus mistérios, aonde quer que eu vá — disse ela.

Quando o trator fez a última curva e a Baía de Lu Ching desapareceu de vista, Sumi segurou a mão de Ming e sussurrou:

— Até logo, Oceano Pacífico!

Peguei o menino nos braços e disse:

— Por que a gente não dá a esse garotão um apelido cheio de promessas e recordações? — Tai Ping, o Pacífico.

— Tai Ping. Gostei desse nome! É assim que vamos chamá-lo, para que ele sempre saiba que também tem uma relação com o mar.

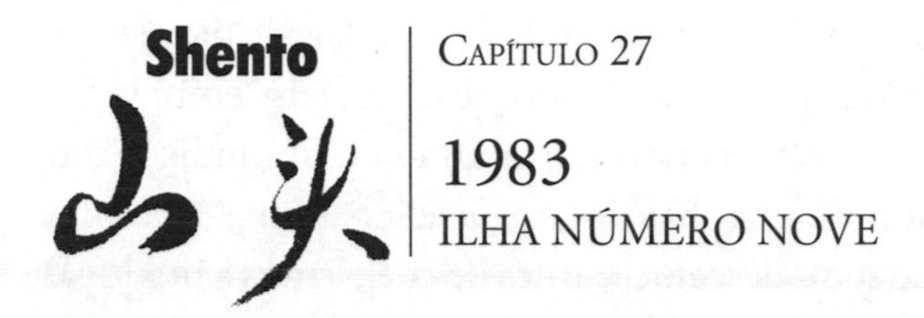

Capítulo 27

1983
ILHA NÚMERO NOVE

Quatro anos depois da minha chegada à Ilha Número Nove, o sargento La me chamou ao seu escritório e disse:

— Seu treinamento aqui está terminado. Não há mais nada que eu possa lhe ensinar. Hoje à noite, vamos mandá-lo de volta ao continente para desempenhar uma nova função.

Ajoelhei-me no chão diante dele.

— Sou imensamente grato ao senhor.

— Ser grato é uma coisa boa, mas ser útil é ainda melhor. Você vai embora daqui da ilha às sete horas.

Voei para Beijing naquela noite. A cidade brilhava, cheia de luzes. Enquanto o avião aterrissava, meu peito se apertava de emoção. Aquela era a cidade de Ding Long. Agora, porém, não era mais. Agora era a minha cidade. A cidade da minha vingança, do meu renascimento.

Desci a rampa do avião e respirei, pela primeira vez, o ar seco desta cidade do norte na claridade dourada do outono. As luzes fortes iluminavam as folhas vermelhas que cercavam a pista de pouso. Estiquei os braços e abracei simbolicamente o meu novo destino, e então, num impulso e por capricho, tirei cuidadosamente uma folha perfeita de um plátano próximo ao portão.

Coloquei-a entre as páginas do meu diário, dentro da minha sacola. Algum dia, quando encontrasse Sumi novamente, eu lhe daria esta folha.

— Camarada Shento!

Um soldado me fez continência. Retribuí a saudação.

— Por favor, venha comigo.

Um jipe estava parado ali perto. Sentei-me no banco de trás. O soldado colocou uma venda sobre os meus olhos.

O carro me levou pelo que imaginei ser a parte central e mais pobre da capital. Absorvi os ruídos — o *ding-ding* de mil campainhas de bicicleta, o barulho dos ônibus, os gritos em vários sotaques que me faziam lembrar dos bazares das aldeias. O olfato — meu sentido mais apurado — me indicou que o mar estava distante e que as montanhas tinham ficado para trás. Subimos lentamente uma ladeira e depois descemos, antes de chegarmos a um lugar calmo, onde só se ouvia o canto dos pássaros. Estava doido de vontade de abrir os olhos e ver o mundo. Mas precisei esperar até ser conduzido a uma sala onde um soldado me tirou a venda dos olhos. Fui cumprimentado por um oficial de meia-idade, cujo corpo parecia uma azeitona, que me sorriu gentilmente.

— Bem-vindo, soldado. Sou o general Wu.

— Foi o senhor que salvou minha vida naquele barco?

Senti uma onda de gratidão e me ajoelhei humildemente diante dele. Ele me fez levantar do chão.

— Fique de pé, soldado. Não vamos falar do seu passado, falemos apenas do seu futuro. Seu caminho para a salvação e a glória está na sua disposição em servir ao seu futuro benfeitor com absoluta lealdade.

— Não vou decepcioná-lo, general.

— Espero que não. Você vem com as melhores recomendações do sargento La, em quem temos total confiança. Você tem alguma idéia do motivo de estar aqui?

— Não, general.

— Está aqui para proteger o presidente. Está pronto para esta responsabilidade?

Senti arrepios que me subiram pela espinha. Não podia acreditar no que estava ouvindo. O presidente! O homem que havia destruído o poder do clã dos Long! Prestei continência.

— Sim, general!

O CORONEL PAI DA GUARNIÇÃO MILITAR da cidade de Beijing era um monge vegetariano. Eu não sabia direito como me comportar diante dele. Deveria reverenciá-lo com um *kowtow* ou bater continência? O coronel acordava todos os dias às cinco da manhã e ia dormir às nove da noite. Entoava cânticos, meditava e fazia suas refeições vegetarianas sozinho, no quarto, com o cheiro de incenso evolando-se pela janela afora. O coronel dizia que era um celibatário, não um monge, pois esta não era uma denominação bem vista na estrutura do poder comunista. Ele me lembrava um eunuco da corte de uma dinastia de outrora.

O coronel era um homem sério, e seus olhos eram mais misteriosos e perspicazes do que os das outras pessoas. Quando olhava para mim, eu me sentia como se fosse a única pessoa existente no mundo. Sua compleição esguia me fazia pensar nos famintos cães montanheses de pernas compridas que eu encontrava nos atalhos das montanhas, ao relento, com as barrigas fundas, as orelhas erguidas e os olhos alertas, sempre atentos às presas e, mais ainda, aos predadores.

O coronel era o melhor e o pior dos instrutores. Cuspia em quem era inferior e louvava os superiores. Ele observava silenciosamente os novos recrutas — os corpos musculosos e a inteligência efervescente. Éramos a elite do país, escolhidos dentre milhões de uma estirpe inferior. Um grupo seleto desses recrutas serviria de cavalos puro-sangue com quem ele poderia contar para oferecer total segurança ao seu deus, o presidente.

Na terceira noite, 15 recrutas do grupo inicial de cem foram devolvidos como mercadoria avariada para o local de onde vieram, depois que o coronel fez uma inspeção no alojamento e encontrou seus sapatos espalhados e misturados debaixo das camas. Sua lógica era a seguinte: os minutos a mais que levariam para encontrar os sapatos poderiam ser fatais para o presidente.

Nas semanas seguintes, nós, os novos recrutas, fomos testados como ratos de laboratório — exames de sangue, testes de capacidade pulmonar e de resistência, aptidão para a leitura e domínio de dialetos variados. Tudo o que podia ser testado e avaliado estava incluído na sua área de interesse. Num dado momento, o monge apertava seus olhos frios e fitava um determinado homem. No instante seguinte, aquele soldado estava eliminado. O coronel dizia que sua visão interior lhe enviava sinais sobre seus objetivos.

Na véspera do nosso terceiro mês naquele quartel, o coronel abriu uma garrafa de Mao-Tai, um licor refinado, e o aspergiu na cabeça de todos.

— Vocês têm a minha bênção agora. Hoje à noite, quero que saiam e se divirtam. Vocês conseguiram vencer todos os obstáculos. Meus parabéns. Agora saiam e se divirtam. Cada um de vocês vai encontrar, à guisa de gratificação, uma carteira cheia de dinheiro debaixo dos seus travesseiros.

Os 51 homens remanescentes pularam e soltaram exclamações de comemoração, depois correram aos alojamentos. Contei o dinheiro que estava cuidadosamente dobrado dentro da minha nova carteira de couro. Mil iuanes. As notas tinham cheiro de novas. O sol estava se pondo e o céu a oeste estava tingido de cores que combinavam com a excitação da noite. Tínhamos vivido como monges durante os últimos meses. Trabalho árduo, tensão e estresse preencheram nossos dias, que se iniciavam ao raiar do sol e terminavam quando o coronel determinasse, o que geralmente era por volta da meia-noite. Naquela noite, a diversão nos aguardava.

Um veterano da Guarnição Militar se ofereceu para nos levar ao local mais badalado da cidade — o Clube Flor Silvestre. Conduziu os soldados para dentro de um ônibus e buzinou para que eu me juntasse a eles.

— Vamos! — gritou ele, me chamando, enquanto os outros soldados assobiavam e soltavam gritos de alegria.

Fiquei para trás no quartel, acenando-lhes com a mão. Não me sentia nem um pouco solitário. Já tinha ficado sozinho por bastante tempo. Decidi escrever uma carta para Sumi. Este seria provavelmente o único tempo livre que eu teria até minha próxima missão. Alguns outros homens também tinham optado por não sair. Perguntei-me se também teriam alguma namorada preenchendo seus pensamentos.

Sentei-me à mesa e escrevi uma carta breve, mas incisiva, endereçada à Comuna onde se localizava a escola-orfanato. Pelo que sabia, Sumi devia achar que eu estava morto. Eu precisava entrar em contato com ela o quanto antes. Não conseguia suportar a idéia de que ela lamentasse a minha ausência pelo resto da vida ou, pior ainda, que outra pessoa pudesse roubar o seu coração. Onde ela estaria agora? Passei o resto da noite sonhando com o dia em que nos encontraríamos novamente. Como desejei que esse dia chegasse logo!

Pouco antes do amanhecer, o grupo que saiu em busca de diversão voltou se arrastando ao quartel — estavam bêbados, falavam alto e cheiravam a perfume. Um rapaz baixinho estava tão bêbado e tão desorientado que caiu de cara no chão, depois de mijar nas calças. Outro me beijou no rosto e me acordou, dizendo:

— Belezinha, vem aqui com o papai, vem!

Empurrei-o para longe de mim.

— Já está tarde.

— Você perdeu uma ótima noite, Shento. As meninas sabiam cantar e dançar e, quer saber, tinham uns peitos tão maravilhosos que quase não voltei para o quartel — declarou um outro, também embriagado e falando em voz alta.

Cobri a cabeça e voltei a dormir. Duas horas depois, o toque do clarim nos despertou. O coronel apareceu na porta do alojamento com uma lista na mão.

— Quem ouvir seu nome ser chamado, por favor, retire-se do alojamento.

Eu e outros nove fomos chamados.

— Quanto aos outros, podem começar a fazer as malas para voltar para casa.

A confusão se acalmou quando o coronel prosseguiu.

— Aqueles cujos nomes não foram chamados foram reprovados no último teste de força de vontade. Rapazes, vocês fracassaram vergonhosamente diante de uma pequena tentação.

Olhei para o céu e disse baixinho para mim mesmo:

— Minha querida Sumi, você foi uma bênção para mim.

Naquela manhã, fui chamado ao escritório espartano do coronel. O que o monge tinha para me dizer transformaria a minha vida para sempre.

— Você vai acompanhar o presidente à praia de Beidaihe, onde ele vai ficar uma semana de férias.

— Vou cuidar da segurança pessoal do presidente? — perguntei, extasiado.

— Esta manifestação infantil não deve se repetir. — O coronel franziu a testa. — De agora em diante, como agente de segurança, você terá de viver de acordo com o nosso lema. E qual é o nosso lema?

— Morrer pelo presidente sem nenhum momento de hesitação!

O TREM PARTICULAR DO PRESIDENTE HENG TU saiu da cidade em disparada, e eu fazia parte de sua comitiva. Sorri quando ele me dirigiu um aceno casual ao ser escoltado até seu vagão. Numa cerimônia inesperada, o coronel me levou à cabine presidencial e me apresentou ao grande homem.

— Shento é seu novo soldado, meu presidente — disse o coronel Pai, fazendo uma reverência.

— Seja bem-vindo, meu rapaz. De onde você vem?

Inclinei bastante a cabeça, quase tocando os joelhos.

— Venho de Jiushan, meu caro presidente.

— Eu lhe agradeço por vir cuidar da minha segurança pessoal — disse o presidente Heng Tu. — Você é um rapaz à moda antiga.

Ele sorriu.

— Acredito nos valores antigos e protegerei o senhor com a minha própria vida. Sinto-me honrado por isso.

O presidente assentiu, e o coronel Pai me levou para fora da cabine. Estava com a cabeça tão quente pela empolgação de conhecer Heng Tu pessoalmente que, na pia do banheiro, tive que jogar um punhado de água fria no rosto para me refrescar.

O trem viajou por planícies de campos verdejantes. Surgiram então as montanhas do norte e o trem resfolegou, seguindo seu caminho através de vários túneis, movendo-se lentamente montanha acima. A equipe almoçou enquanto todo o gabinete do presidente, que também estava a bordo, reuniu-se no vagão central.

Uma montanha imensa apareceu no horizonte. O trem passou por um declive e desapareceu dentro de outro túnel. O comboio se arrastou silvando e finalmente parou. As luzes se apagaram. A escuridão e um calor sufocante envolveram o trem expresso, e o cheiro desagradável que subiu dos trilhos invadiu minhas narinas. O instinto me disse para fazer alguma coisa. Quebrei a janela da minha cabine e pulei no chão escuro e pedregoso. Tirei uma pequena lanterna do bolso, mas não a acendi. Corri o mais silenciosamente que pude, contando os vagões até chegar ao do presidente. Era o terceiro depois do meu, eu lembrava bem. Na escuridão, caí uma vez, arranhando o joelho. Levantei-me e corri novamente. Quando alcancei o terceiro carro, estilhacei a janela e atravessei a vidraça cheia de pontas e cacos de vidro. Numa das mãos, eu segurava minha pistola. Na outra, a lanterna, que usei apenas uma vez para iluminar o rosto assustado do presidente. Agarrei o baixinho, coloquei-o no ombro e escapei pela porta. Alguns tiros foram disparados enquanto corríamos pelos trilhos, dentro do túnel escuro.

— O senhor está bem? — perguntei a ele.

— Estou. Você é o novo rapaz que está na equipe?

— Sou.

— Obrigado — disse Heng Tu, com dignidade, apesar da posição embaraçosa em que estava.

Corri ladeira abaixo seguindo os trilhos, com o presidente chacoalhando no ombro. Ouvimos mais tiros atrás de nós. Foi então que as luzes do trem se acenderam.

Pus o presidente no chão e fiz uma barreira com meu próprio corpo, enquanto ouvíamos passos que vinham em nossa direção. Era o coronel Pai.

— O senhor está bem, presidente? — perguntou o coronel, apreensivo.

— Estou bem. Nem um arranhão. Este rapaz me salvou.

— Sr. presidente, temos que retornar ao trem — disse o coronel.

— Não, não podemos voltar para lá! — objetei.

— Obedeça às minhas ordens! — disse o coronel Pai rispidamente.

— Por favor, eu lhe peço... — disse eu, com meus pés firmemente cravados no chão.

No instante seguinte, ouviu-se uma forte explosão e uma bola de fogo veio rolando da cauda do trem em nossa direção. Botei o presidente no ombro novamente, virei-me e corri na direção oposta. Se eu não saísse de lá rapidamente, uma segunda bomba poderia explodir e estaríamos mortos e soterrados sob os escombros. O teto do túnel rachou e grandes pedaços de pedra e alvenaria caíram sobre nós como uma chuva. O chão tremeu. O túnel estava ruindo. Corri ainda mais velozmente. O presidente gritava, apavorado.

— Vamos conseguir escapar — disse eu, ofegante. — Vou levá-lo para um local seguro.

Após uma corrida exaustiva e infindável, vi uma luz no fim do túnel. Quando alcancei a boca, fiz ainda um esforço adicional, subindo um morro até um ponto onde pudesse ter uma boa visão da área. Deixei Heng Tu escondido atrás de uma rocha e corri os olhos pelo local. Vi um rastro de poeira que se levantava numa estrada na montanha. Dois carros disparavam ladeira abaixo, escapando do local do atentado.

O ataque tinha sido arquitetado pelos correligionários do general da Reserva Ding Long, segundo me disseram mais tarde. Nove soldados ficaram soterrados sob os escombros, dois ministros foram mortos a tiros e seus corpos foram encontrados carbonizados. O presidente teria sido o terceiro a morrer se eu não o tivesse levado para um local seguro.

— Como você previu o ataque? — perguntou o coronel Pai.

— Fui criado nas montanhas — respondi.

Sem nenhuma cerimônia especial, fui promovido ao posto de coronel, e o presidente Heng Tu me condecorou com uma medalha de ouro por meu ato de heroísmo.

— Meu filho, de agora em diante, quero que você fique no comando da minha segurança pessoal. Você aceita?

— Claro que sim, sr. presidente.

Inclinei-me e fiz uma mesura demorada.

— Será uma honra para mim.

Quando disseram a Heng Tu que eu precisava de alguns fios de cabelo branco antes que meu nome pudesse ser cogitado para comandar a segurança da presidência, sua resposta foi seca e direta:

— Logo vão aparecer. Não se preocupem.

Sumi

叔米

Capítulo 28

Querido,

Estou iniciando um novo capítulo na minha vida.

Você sabe para onde estou indo. Sei que sabe. Você anda ocupado, brincando de Buda, me dando a força necessária para extrair o último suspiro daquele homem abominável. Você não sente orgulho de mim, por eu não ter tentado fugir ou deixar que outra pessoa me defendesse?

Agora, todo o horror se acabou. Sou uma mulher independente. Não só em espírito, mas também na condução da minha própria vida. Além de cursar a faculdade, pagando eu mesma meus estudos, também poderei pagar uma babá, Nai-Ma, para cuidar do nosso filho, que estou levando comigo. O dinheiro — sinto vergonha de mencionar essa palavra tão vulgar — veio da publicação da minha autobiografia. Também vai servir para pagar o aluguel de um pequeno apartamento fora do campus da universidade. Minha própria casa! Isso é um sonho realizado e sei que você sabe dar valor a isso.

Verdade seja dita, o vazio da sua presença é parcialmente preenchido pela presença do seu filho. Ele já está crescido agora e vai ser muito feliz na cidade grande.

Dê-nos a sua benção, acompanhe-nos, e esteja sempre conosco, aonde quer que formos.

Sumi

Tan 唐

Capítulo 29

1980
BEIJING

A Universidade de Beijing ficava na zona oeste da capital. Sua arquitetura era muito semelhante à da Cidade Proibida, com telhados dourados, telhas vermelhas e leões de pedra guardando a entrada esculpida. Havia algo de secreto naquele visual antigo — distante da realidade, ainda sonhando com seu passado glorioso.

Imaginei Confúcio, antigamente, sentado numa esteira de bambu, cercado por discípulos, ponderando sobre questões filosóficas de sua época enquanto preparava o chá, sem noção dos dias e dos séculos que já haviam decorrido. Naquela época, pagava-se pelos estudos com fatias de carne de porco seca e o objetivo dos discípulos era viver a vida como sábios itinerantes, difundindo as verdades de seu mestre. A filosofia daquele tempo ainda estava viva no campus: harmonia entre todos e obediência a nossos líderes. Sem uma filosofia tão eficiente assim, eu não poderia imaginar como dez pares de pés fedidos poderiam coexistir à noite em um dormitório de vinte e poucos metros quadrados e como, durante o dia, o mesmo grupo conseguia se aglomerar, como sardinhas em lata, nas salas de aula, ouvindo professores veneráveis e desdentados declamando os mesmos *slogans* que um dia haviam gritado nas ruas — a verdade comunista.

— Não agüento mais essas intermináveis palestras de apologia das virtudes do comunismo — declarou Sumi um dia, não muito depois da nossa chegada, andando comigo pelas margens do lago Weiming. — Eu deveria estar estudando filosofia e literatura, além dos clássicos chineses e estrangeiros. Em vez disso, tudo o que eu faço é ler material de propaganda política na biblioteca.

— Já ouviu falar no Clube da Árvore Venenosa? — perguntei. — É um clube secreto cujos membros trocam livros proibidos.

— É mesmo? Vamos entrar para esse clube então.

— Você tem que contribuir com um ou dois exemplares antes de poder participar da troca secreta de livros.

— Você sabe que eu tenho um livro — disse Sumi, sorrindo.

— É isso mesmo, *A órfã.*

Naquela noite, eu a levei para uma colina onde havia um bosque, na parte de trás do campus. A lua redonda enviava seus raios por entre a densa folhagem, e uma brisa refrescante fazia as folhas dançarem como borboletas. Numa clareira, havia algumas dezenas de jovens sentados, ouvindo um músico que tocava uma canção antiga na flauta de bambu, traduzindo muito bem a atmosfera criada pela lua e pelo ritmo do vento.

Sumi e eu nos sentamos do lado de fora da roda. Havia canecas de cerveja na grama. Surpreendi-me ao ver o quanto os rapazes e as moças bebiam. Secretamente, levavam cerveja para dentro de seus dormitórios, roubando-as na cantina — haveria uma punição grave se fossem pegos — e muitas vezes dançavam bêbados em cima das mesas. Bebiam nos aniversários e nos feriados, e boa parte deles tomava cerveja em qualquer dia que fosse.

A música parou. As pessoas batiam com as canecas umas nas outras, brindando ruidosamente. Começaram então a se misturar e a conversar.

Um rapaz alto veio até nós e nos cumprimentou.

— Vocês são novos por aqui? Bebam alguma coisa. Logo em seguida vamos ter a leitura de algumas passagens de *Anna Karenina.*

— Queremos participar. Essa é Sumi, primeiro ano do curso de letras. Eu me chamo Tan Long, e estou no primeiro ano de direito.

— Meu nome é Fei-Fei, estudo filosofia e estou no último ano. Sou o presidente do Clube da Árvore Venenosa. É um prazer conhecer vocês dois.

Ele estendeu a mão. Sumi e eu estendemos as nossas mãos ao mesmo tempo. Fei-Fei apertou a de Sumi primeiro, segurando-a por tempo demais.

— Ela é bonita — disse ele, sorrindo, e depois apertou a minha mão. — E você é um rapaz bonito também — um casal perfeito. Mas os dois estão perdoados por sua perfeição — acrescentou. — Qual é o livro que você trouxe?

— *A órfã*.

— E você?

— *A órfã*, também.

— Que incrível! O mesmo livro, na mesma noite, trazido pelo mesmo casal. Camaradas, vocês não poderiam ser mais casados do que isso! Mas, sinceramente, nunca ouvi falar desse livro antes.

Fei-Fei deu outro grande gole na cerveja.

— Fiquei curioso. Por que o mesmo livro?

— Eu sou a autora.

— E eu sou o editor.

— Ora, ora. Agora sim!

— Sumi entregou o livro para Fei-Fei, que o folheou displicentemente.

— Vejamos... Editora Mar Azul. Já ouvi falar dela. Agora, Sumi, você poderia fazer a gentileza de ler um trecho do seu livro para nós? Mas apenas as primeiras cinco páginas, por favor.

— Não posso ler um capítulo inteiro?

— Não, lembre-se de que você está competindo com autores do calibre de Tolstoi, Nabokov e Dumas.

Fei-Fei subiu em um engradado de cerveja vazio, no meio do grupo de gente embriagada.

— Amigos! — anunciou, em voz alta. — Companheiros amantes dos livros! Hoje tenho aqui uma pessoa que acabei de conhecer e que será minha futura amiga, Sumi Wo, a autora do livro *A órfã*, o qual eu ainda não tive o privilégio de ler. Quero dar a ela dez minutos do nosso tempo para que seja ouvida. Certo?

— Mas e *Anna Karenina*? — alguém perguntou.

— Tolstoi não está aqui, mas Sumi está — alegou Fei-Fei.

— Mas ela não é nenhum Tolstoi!

— Ela não é boa o bastante nem para ser a criada de quarto dele! — berrou um outro.

— Rapaz, eu não apostaria a sua cerveja nisso, pois a nossa Sumi é uma beldade e tanto. Até mesmo o nosso barbudo Tolstoi gostaria dela.

— Vamos lá, vamos fazer com que isso seja o mais rápido e indolor possível.

— É, vamos logo com isso. Você fala demais, Fei-Fei.

— E você bebe demais — retrucou Fei-Fei. — Da próxima vez, você mesmo é que vai ter que pagar pela sua cerveja.

Balancei a cabeça, temendo pelo futuro dos literatos da China. Fei-Fei fez uma reverência, retirando-se de cena e Sumi colocou-se em destaque no centro do palco. A luz do luar recaía perfeitamente sobre seu rosto, e a platéia majoritariamente masculina ficou em silêncio — uma calmaria temporária que logo foi interrompida por gracejos e assobios.

— Que curso você está fazendo? Você pode se sentar ao meu lado quando quiser na aula de química — disse um rapaz.

— Eu tenho uma história para você escrever. Venha tomar cerveja comigo amanhã no prédio número cinco.

— Cale a boca, seu bêbado imprestável — berrou Fei-Fei, jogando uma caneca vazia em cima dele.

Apesar de ser a primeira vez que ela lia em voz alta diante do público, Sumi estava calma. Começou com uma voz suave.

Eu não tinha consciência da minha beleza até que os olhos dos homens me disseram. Não tinha nem pai nem mãe para pentear o meu cabelo, nem para me cantar canções de ninar, nem para me dizer para olhar minha própria imagem no riacho da montanha. A beleza não era importante, viver é que era importante. Pois eu, aos cinco anos de idade, tive que viver sozinha num orfanato localizado numa península solitária, que se estendia obstinadamente em direção ao Oceano Pacífico. Quando cheguei, penduraram uma tigela de metal enferrujado no meu pescoço e me deram uma colher de pau, grossa demais para os meus lábios e grande demais para a minha boca. Se eu as perdesse, teria que comer com as mãos, disse-me o diretor.

Minha camisa era um trapo velho e duas vezes o meu tamanho. Tinha pertencido a uma mulher que se jogou no rio e cujas roupas ninguém na vila queria, nem mesmo as cinzas, depois de queimadas. Meus sapatos eram um par de sandálias de madeira, feitas com duas tábuas de pinheiro e dois pedaços de pano fixados com um prego. Meu cabelo estava cortado rente até a raiz, mas nem isso resolvia o problema das pulgas e dos piolhos. O pus escorria da minha cabeça cheia de bolhas.

Um dia, o diretor, um homem gordo, me deu um tapa por eu ter roubado dois pedaços de legumes em conserva. Não chorei. Ele me perguntou por que não havia lágrimas nos meus olhos. Eu disse que todas as minhas lágrimas já tinham secado. Mas a verdade era que as lágrimas não traziam comida...

O público estava em silêncio. Cinco páginas se passaram, depois dez. Quando o primeiro capítulo chegou ao fim, Sumi parou e enxugou as lágrimas na manga. Aplausos gentis e amáveis, iniciados por Fei-Fei, foram aumentando lentamente até o público se levantar e aplaudir de pé.

— Porra! Que vida desgraçada! Isso é ficção? — perguntou um deles.

— Não, essa menina sou eu, e essa é a minha vida. Quero apresentar a vocês o homem que teve a coragem de publicar essa autobiografia — Tan Long. Por falar nisso, ele também é o meu namorado.

— E aí, sortudo, levante-se para o pessoal poder vê-lo! — exclamou Fei-Fei.

Levantei-me e peguei na mão de Sumi.

— Onde podemos comprar este livro? — indagou Fei-Fei.

— É mesmo! Onde? — perguntou outra pessoa.

— Você pode encomendá-lo — disse eu. — No momento você o encontra apenas nas livrarias da província de Fujian.

— E o que vocês têm lá, um segmento editorial alternativo?

— Fazemos o que achamos que pode fazer diferença na vida — respondi.

Outras pessoas se aproximaram de Sumi, todas querendo pegar emprestada a cópia que ela tinha em mãos e perguntando onde ficava o seu dormitório, apesar de ela ter comentado sobre nosso namoro. Uma estrela estava nascendo bem diante dos meus olhos. O mundo dela era o lá de fora, o mundo de todos que a amavam e que gostavam do que ela escrevia. Fiquei observando Sumi com admiração e respeito. Ela ficou vermelha diante daquela grande manifestação de atenção, mas, mesmo assim, me procurava no meio do grupo e me acenava, sorrindo. Ela parecia dizer:

— Amo você. Você é a única pessoa que importa para mim.

Depois das últimas pessoas se dispersarem, Sumi ficou parada na minha frente. Seus olhos eram dois lagos reluzentes de amor. Suas bochechas estavam coradas de desejo, e seu olhar transmitia um carinho duradouro.

Juntos, corremos para dentro do bosque iluminado pela lua prateada e nos abraçamos. A lua era nossa testemunha e as árvores silenciosas nos observavam.

NO DIA SEGUINTE, O DESENGONÇADO E magricela Fei-Fei me parou a caminho do café da manhã.

— Conheço alguns dos jovens escritores mais talentosos deste país — disse ele —, mas eles não conseguem encontrar quem os publique.

— Que tipo de literatura?

— De todos os tipos. Poesia, prosa, contos, ensaios, romances...

— Estou aberto a novas idéias. A cerveja fica por minha conta quando quiser falar sobre livros.

— Negócio fechado — disse ele.

Fei-Fei não só tinha faro para descobrir um bom livro como também era o autor de sete dos tais livros que não conseguiam encontrar editora. Ele era um daqueles estudantes mais velhos que tinha sido enviado ao interior do país durante a Revolução Cultural e pagou seus pecados trabalhando exaustivamente. Agora estava cheio de coisas a dizer. O currículo universitário era apenas uma brincadeira para ele. Seu pai era o editor de um grande jornal e sua mãe era bailarina. Ele poderia ter qualquer emprego que quisesse. O governo lhe devia isso. Mas nenhum emprego sob o domínio comunista parecia se ajustar a ele. Sua amargura se manifestava com eloqüência em todos os seus escritos. O mais impressionante deles intitulava-se *Sob o sol escaldante*, um relato emocionante sobre a vida difícil no norte da China durante a Revolução Cultural, que narrava, com detalhes, como os funcionários do governo estupravam suas colegas de turma, sodomizavam seus amigos e roubavam seu dinheiro, suas namoradas, seus corpos, sua juventude — seus sonhos, enfim. Não era de se admirar que Fei-Fei interpretasse o papel de um homem que tinha passado por tudo e que odiava tudo.

Enviei os textos de Fei-Fei para Lena e pedi que ela os publicasse assim que fosse possível. Pouco depois de receber críticas entusiasmadas do revisor da Mar Azul, fui me encontrar com Fei-Fei, levando-lhe um adiantamento de mil iuanes, e lhe ofereci um emprego de caçador de talentos e editor para a sucursal da Editora Mar Azul no norte da China.

— Editor-chefe da Mar Azul no norte da China? — perguntou Fei-Fei dando um sorriso maroto. — Nossa, com essa, barrei meu pai.

— E logo, logo, vai superá-lo novamente com o dinheiro que vai ganhar.

Eu sabia direitinho em que ponto tocar.

O Clube da Árvore Venenosa floresceu como uma árvore na primavera, tendo Sumi como seu membro especial. Uma onda de clubes semelhantes brotou, como cogumelos selvagens depois da chuva, em centenas de estabelecimentos escolares de Beijing. Nas segundas à noite, Sumi fazia leituras na Faculdade Técnica Aeroespacial. Às terças, as leituras ocorriam na Faculdade de Medicina de Beijing e às quartas, na Escola de Arte. Às quintas e sextas, ela estudava comigo. Aos sábados à tarde, levávamos Tai Ping ao Palácio de Verão e alugávamos um barquinho a remo para passear no lago Qunming. O menino estava crescendo como um potrinho. Já estava com alguns centímetros a mais e usava um casaco acolchoado de algodão. Tinha olhos e nariz grandes. Muitas vezes, os passantes curiosos reparavam como pai e filho eram parecidos. Um dia, quando Tai Ping se lançou em direção aos meus braços, chamando-me de "*baba, baba*", senti uma onda de calor se espalhar pelo meu corpo. O menino era tão inocente e confiava tanto em mim! Fiquei curioso para saber quem o teria incentivado a me chamar daquele modo.

— Achei que seria bom que ele chamasse você de *baba* — disse Nai-Ma, com jeito de avó. — Você é melhor para ele do que um pai de verdade.

LENTAMENTE, *A ÓRFÃ* SE TORNOU UM *BEST-SELLER* nacional, apesar de não haver nenhuma lista oficial de campeões de vendagem. Fiquei sabendo disso quando Nai-Ma comentou:

— Sei de outra pessoa que também se chama Sumi Wo. É a autora do livro que a minha neta está lendo, *A órfã*. A boba da menina copiou o livro a mão.

Corri até a agência dos correios mais próxima, peguei uma nota de cem iuanes e pedi ao funcionário que enviasse um telegrama para Lena com as seguintes palavras:

> *Se ainda não o fez, por favor, mande reimprimir imediatamente mais cem mil cópias de* A órfã *para serem distribuídas na região norte da China por nossos canais de distribuição habituais. Tan*

Cinco dias depois, fui à estação ferroviária de Beijing para supervisionar pessoalmente a chegada do primeiro lote.

Naquela noite, no bar do Hotel Beijing, Sumi e eu celebramos a segunda impressão, ou melhor, a remessa de seus livros a um novo território, conseguindo chegar ao destino em segurança e sem nenhuma intervenção ou impedimento burocrático indesejados. Foi a primeira vez que tomamos vinho espumante e concordamos que não seria nenhum sacrifício nos acostumarmos com aquilo.

Shento

山头

Capítulo 30

Eu tinha grande respeito pela peculiaridade e pela importância da minha missão como segurança do presidente, que era quase uma vocação sagrada, muito além do alarido do mundo empoeirado e em contínua transformação que ficava do outro lado dos muros vermelhos de Zhong Nai Hai. Estava atento a cada detalhe dessa missão, todos os dias do ano, todos os segundos do dia do presidente. Nada me escapava. Inspecionava cada ministro e conselheiro que entrava ou saía pelo portão. Alguns reclamavam que eu tinha levado a palavra "segurança" um pouco longe demais. Mas sabia que, depois que o perigo entrasse pelos portões, poderia ser tarde demais.

— Tem certeza de que não está exagerando? — perguntou-me, um dia, o presidente Heng Tu, enquanto caminhava pelos jardins.

— O assassino mais perigoso é aquele que é seu amigo.

— Você desconfia demais de todo mundo.

— E o senhor desconfia muito pouco, presidente.

Eu revia o filme sobre o assassinato de Kennedy uma vez por mês para lembrar a mim mesmo que estava vivendo à beira de um precipício. Bastava um pequeno deslize e o presidente poderia morrer. Cada vez que eu assistia ao filme, sentia arrepios descendo pela espinha. Jurei para mim mesmo que isso nunca aconteceria enquanto eu fosse o encarregado daquela função.

Criei uma rotina diária, provando as três refeições do presidente antes que ele as ingerisse. Periodicamente, efetuava sindicâncias sobre a vida pessoal e pregressa de cada membro da equipe de funcionários, mesmo que alguns estivessem lá há anos. Em pouco tempo, fiquei conhecendo tudo detalhadamente. Sabia tudo sobre todos os amigos da equipe de funcionários, e mesmo sobre seus parentes mais distantes. Nome, idade, ocupação, residência, relacionamentos — eu sabia de tudo. Certa vez, um auxiliar de jardineiro me informou que sairia mais cedo para o aniversário de sua sogra, e eu disse:

— A não ser que você tenha se casado novamente, sua sogra atual, dentista, nasceu há 55 anos e duas semanas.

O rapaz ficou sem fala.

— Mas não precisa cancelar o encontro com a sua amante, aquela sua amiga de 27 anos que é garçonete.

— Não quero mais ir ao encontro, senhor.

— Mas deveria, porque está demitido.

Considerei uma sorte estar a apenas alguns centímetros do presidente quando ele sofreu seu primeiro enfarte. Fiquei ao seu lado durante os três dias em que esteve no CTI, recusando-me a dormir um segundo que fosse. Ele estava com a aparência envelhecida e muito abatida e parecia ser ainda mais baixo do que já era.

Quando finalmente despertou, eu lhe disse:

— Eu lhe darei o meu coração, se o senhor precisar.

Heng Tu sorriu e afagou meu ombro.

— Acho que não vai ser necessário. Pelo menos, ainda não.

Depois disso, colaborei com o médico pessoal do presidente para garantir o cumprimento da rígida dieta do velho senhor. E isso dava muito trabalho. O presidente era um trapaceiro. Certa vez, surpreendi-o à meia-noite na cozinha, ajudando o cozinheiro a fritar galinha *kung pao*, seu prato favorito, muito gorduroso, típico de Sichuan, sua terra natal, onde todos gostam muito de comida apimentada.

— Presidente, infelizmente não posso fazer o meu trabalho se o senhor não fizer a sua parte — disse eu.

— Deixe disso, meu filho. Já sou um homem idoso. Não tenho vontade de fazer dieta.

— O senhor quer que eu siga as suas ordens?

— Mas é claro que sim.

— Bem, então, a ordem que o senhor me deu foi a de cuidar da sua segurança.

Peguei a frigideira e despejei o conteúdo na lixeira.

— Isso é o que eu chamo de obedecer às suas ordens — observei.

— Mas o que fez com o meu frango delicioso? — exclamou o presidente.

— Seu coração não vai agüentar esse generoso punhado de sal que o seu cozinheiro acabou de adicionar. E a gordura que encharcava o seu frango ia entupir as suas veias como tufos de cabelo numa pia de banheiro.

— Mas estou com fome. Essa comida sem gosto que vocês têm me dado está me matando!

— Nada disso! Quem está matando o senhor é essa comida aí. Exijo que volte para o seu quarto. Vou levar um pouco de comida saudável para o senhor. Obrigado.

Heng Tu saiu arrastando os pés como uma criança, enquanto eu dava uma bronca no cozinheiro.

— Você vai matar o nosso presidente com essa comida, sabia disso?

O presidente fez um desvio, entrou na despensa e estava prestes a pegar um punhado de amendoins quando ouviu a minha voz novamente.

— Isso também não é bom, sr. Tu. Eu disse que a comida já estava vindo.

Daquele dia em diante, Heng Tu conseguiu manter uma vida saudável. O país estava em desenvolvimento com a sua política de Portas Abertas, e a economia crescia num ritmo de dois dígitos. Mais empregos foram criados nas empresas privadas e houve cortes nos empregos públicos. O povo vivia melhor. O mundo via o nosso país-dinossauro dar a volta por cima e sair da lama em que esteve atolado por muitas décadas, durante o governo Mao. Heng Tu foi quem sacudiu o sistema e merecia todo o crédito por isso.

Em 1984, o presidente Reagan convidou Heng Tu para uma visita oficial. Foi quando viajei aos Estados Unidos pela primeira vez. Tinha enviado uma solicitação à CIA e ao FBI para que uma equipe de agentes chineses pudesse inspecionar a rota da visita de Heng Tu alguns meses antes da viagem. Meu pedido foi grosseiramente negado por um presunçoso funcionário do Ministério da Fazenda. Ele me explicou que, quando estadistas estrangeiros punham os pés em solo americano, estavam sob a proteção da CIA. Os agentes de segurança chineses não eram nada mais do que um adendo desnecessário ao serviço de segurança americano, que tinha grande conhecimento e experiência no assunto.

Não gostei da idéia de ficar em segundo plano. Então, peguei um avião e fui para Washington e também para Dallas, como Adido Militar da Embaixada da China. Fui grosseiramente interceptado no Aeroporto Kennedy, em Nova York, pelo funcionário da Alfândega, que me disse para seguir uma estreita faixa vermelha pintada no chão até o escritório do Serviço de Imigração e Naturalização.

— Por quê? — perguntei, com o auxílio de um intérprete.

O funcionário do Serviço de Imigração, sr. Smith, não deu a menor atenção ao viajante que falava chinês. Revistou minha bagagem, que era muito simples, inclinou a cabeça para o lado, tentando verificar a semelhança entre a foto do passaporte e o meu rosto. Franziu a testa, mastigando chiclete e fazendo bolas.

— Qual é o problema? — perguntei.

— Um momento! Isso aqui é a Alfândega. O senhor tem que ter paciência.

Virou-se então para o intérprete.

— Diga a ele para calar a boca ou eu o mando de volta para o lugar de onde veio.

Só depois de uma longa e demorada conversa por telefone com a Embaixada da China em Washington, eles me deixaram passar pela Alfândega. Odiei minha experiência no aeroporto. As pessoas eram grosseiras e maleducadas; o aeroporto estava superlotado e era sujo.

Minha estada em Washington não foi nem um pouco melhor. No banheiro de um restaurante chinês, fui confundido com um garçom. Um homem branco e bem-vestido me deu dois dólares e me pediu uma toalha para enxugar as mãos. Quando percebeu que eu não entendia o que ele estava dizendo, puxou as duas notas de volta.

— O serviço daqui é péssimo — reclamou, ao sair do banheiro.

De fato, o serviço era péssimo, pensei com os meus botões, no vôo de volta para a China.

Uma semana depois, quando o presidente Heng Tu aterrissou na Base Aérea Andrews, em Washington, me coloquei nervosamente atrás dele. O presidente Reagan fez um discurso de boas-vindas mas, assim que Heng Tu iniciou seu discurso de chegada, os manifestantes que estavam atrás do cordão de isolamento da polícia iniciaram um protesto:

— Abaixo Heng Tu!

— Abaixo Reagan, amigo dos comunas!

— Abaixo o comunismo!

— Libertem a China! Libertem o Tibet!

Critiquei a CIA por permitir que isso acontecesse. A resposta ridícula do diretor foi:

— Nossa Constituição permite protestos de acordo com a lei. Desde que os manifestantes se comportem, não há nada que se possa fazer com relação a isso. Isto se chama liberdade de expressão, sabia?

— Mas estavam ofendendo o líder supremo da China.

— E estavam ofendendo Reagan também.

— Do que adianta ser presidente se o seu próprio povo pode falar com ele deste modo?

— E de que adiantaria ser presidente se o seu próprio povo não pode falar com ele deste modo? — retrucou o diretor da CIA.

A próxima escala do presidente Heng Tu era Dallas. Não consegui dormir naquela noite. A simples menção a esse nome fazia meu estômago revirar, e as imagens do filme do assassinato de Kennedy vinham imediatamente à minha cabeça. Eu quase sentia o gosto do sangue na boca.

O dia da visita de Heng Tu era um dia fresco de início de inverno. O sol brilhava e as ruas estavam cobertas de flores, exatamente como no dia em que JFK foi assassinado com uma bala na cabeça. Do mesmo modo, o presidente também vinha num cortejo de automóveis para um encontro com o governador. Eu havia organizado um círculo de proteção adicional, espalhando vários agentes chineses ao longo do percurso. Quase tive um ataque cardíaco quando um manifestante jogou uma banana, que eu pensei que fosse uma granada de mão. Ao ver que meus homens não conseguiram agarrar a pessoa que jogou a banana, passei um sermão nos agentes posicionados naquele ponto até que eles irromperam em lágrimas e soluços.

— Poderíamos ter voltado para casa sem o nosso presidente. É isso que vocês querem? — esbravejei.

— Mas foi apenas uma banana.

Dei um tapa no rosto do soldado e fui embora intempestivamente.

O resto da viagem correu sem problemas. Meu rosto saiu numa foto, bem atrás do presidente Heng Tu, que acenava para Reagan. A foto apareceu na capa da revista *Time*, que elegeu o presidente Heng Tu como o *Homem do Ano*.

Meu nervosismo com relação à viagem aos Estados Unidos mal tinha passado quando o presidente me fez outro pedido impossível. Quando se aproximava o seu qüinquagésimo sétimo aniversário, Heng Tu foi tomado por um desejo sentimental de visitar sua terra natal, a província de Sichuan, próxima ao Tibet.

— As folhas caídas devem retornar às suas raízes — me confidenciou o presidente. — Quanto mais velho fico, mais próximo de casa me sinto.

— O seu desejo é a nossa missão, sr. presidente.

Bati continência.

— Ótimo. Nesta viagem, quero que você fique um pouco afastado da minha comitiva e se misture com a multidão, com o povo da província. Preste atenção ao que dizem. Descubra o que estão pensando e o que estão comentando e me informe sobre isso diretamente. Quero saber a verdade que vai refletir a realidade.

— Mas o senhor está cercado de conselheiros e ministros.

— É exatamente este o motivo pelo qual estou lhe pedindo isso. Eles nunca me dizem a verdade.

No primeiro dia da viagem, o presidente quebrou todas as regras que eu havia elaborado para ele. Mandou o chofer parar onde ele queria e andou desprotegido por entre a multidão que o aclamava, apertando a mão dos habitantes do povoado, que conheciam sua família há muitas gerações. Estava feliz e sorria, com lágrimas nos olhos. As pessoas se aproximavam dele e lhe desejavam felicidades. Às vezes, o homenzinho se perdia completamente no meio da aglomeração.

No terceiro dia, sugeri que a visita do presidente à sepultura dos seus antepassados fosse cancelada.

— Por quê? — indagou ele.

— Porque não é seguro.

— Preciso prestar uma homenagem ao meu pai, e ao pai do meu pai. Deixe-me fazer isso. Se consegui sobreviver àquela viagem aos Estados Unidos, vou me sair bem aqui. Estou cercado pelo meu próprio povo.

— Sr. presidente, tenho agentes secretos indicando que há problemas — disse eu, mostrando uma folha de papel.

— Que tipo de problemas?

— Ameaças de morte.

— Pois vou provar a você que não passam de ameaças.

— Por favor, presidente, o senhor estará se arriscando seriamente.

— Tenho que visitar as sepulturas.

— Já que é tão importante assim, que tal mudarmos o horário da visita?

— Não, o nascer do sol é o horário tradicional para visitar os mortos. Quando o sol se põe, eles retornam à escuridão. Não posso mudar isso.

Fiquei preocupado por um momento, mas depois cedi.

— Se é assim tão importante, vou me encarregar pessoalmente da visita para fazer com que tudo ocorra na mais perfeita segurança para o senhor.

O cemitério era impressionante. Apesar de eu saber pouco sobre *feng shui*, conseguia sentir a beleza do local ao ver o sol nascente pegando fogo no horizonte perfeito. Uma montanha verdejante ficava atrás da sepultura, fornecendo um escudo às costas dos visitantes. A sepultura ficava de frente para o leste, captando o fluxo do bom *feng* — vento. O local ficava acima de um grande lago cheio até à borda com água resplandecente, fornecendo o elemento *shui* — água, indicando perpétua abundância. Quando o sol irrompeu ao leste, através da névoa matinal, formou-se um cenário de pura magia.

A ameaça tinha sido enviada por escrito dois dias antes. Nada de específico, mas era preocupante o suficiente. Meus homens tinham vasculhado e esquadrinhado cada centímetro do terreno em torno das sepulturas, que estava tomado pelas flores silvestres e arbustos espinhosos, e encontraram apenas os habituais e previsíveis sapos e cobras de jardim.

Uma multidão aguardava o visitante, mas o povo foi mantido a uma distância de sessenta metros da sepultura onde o presidente iria se ajoelhar diante de seus antepassados. Quando ele chegou, falou com as pessoas e acenou para a multidão. De repente, ouviram-se gritos entre o povo que lhe desejava felicidade. Meus homens pularam no meio da multidão em pânico enquanto mantive minha posição, próximo a Heng Tu. Fui informado de que um dos habitantes da aldeia estava tendo uma convulsão e sofria muito, pois havia mordido a língua e estava sangrando.

— Não estou acreditando nisso. Fiquem todos atentos! Sob nenhum pretexto, repito, em nenhuma circunstância abandonem suas posições! — bradei no meu *walkie-talkie.*

— Precisamos de um médico. Podemos pedir ao médico do presidente para vir socorrê-lo? — perguntou um dos agentes.

— De jeito nenhum.

— E por que não? — indagou Heng Tu.

— Isto é uma ordem! — disse eu com firmeza. — Tragam a limusine! Vamos interromper a operação.

— Socorra-o! — exigiu Heng Tu. — Shento, ajude-o! Este é o meu povo.

— Temos que retornar ao seu carro imediatamente.

— Não, ainda não me ajoelhei. E temos que ajudar este homem que está passando mal.

— Não podemos fazer isso. Temos que abandonar o local imediatamente.

O cemitério estava um caos. Meus homens ficaram perturbados com o alvoroço. Heng Tu não estava recebendo cobertura. O medo tomou conta de mim enquanto meus olhos vasculhavam toda a área à direita e à esquerda.

O presidente escapou à minha vigilância, puxou seu médico e correu até o homem doente.

— Não! — gritei, arrastando Heng Tu de volta, enquanto dava ordens a um outro agente:

— Soldado, ajude-me! Tire o presidente daqui!

Ao levarmos rapidamente o velho que esperneava para longe da multidão, ouviu-se uma forte explosão atrás de nós. As pessoas gritavam. Empurrei o presidente para dentro do carro e dei ordens ao motorista para que descesse a toda velocidade pela acidentada estrada de terra. Xinguei em voz baixa enquanto cobria Heng Tu com meu corpo, temendo que o susto pudesse provocar outro enfarte. Pelo *walkie-talkie*, fui informado de que tinha perdido dez dos meus melhores homens. O homem que supostamente estava passando mal era, na verdade, um homem-bomba que explodiu em pedaços.

Comuniquei ao presidente:

— Mais uma missão cumprida.

— Meu filho, eu deveria sempre dar ouvidos a você — disse Heng Tu, segurando no meu ombro.

Disfarçado de trabalhador itinerante, retornei mais tarde e misturei-me aos lavradores pobres que haviam migrado para as cidades. O que descobri me afetou profundamente. Famílias que desejavam ter filhos homens abandonavam ou vendiam as filhas mulheres para a prostituição, e os lavradores mal tinham o suficiente para comer. O milagre capitalista recaía apenas sobre algumas poucas pessoas. Mendigos e órfãos se espalhavam por toda a região das montanhas. O mais perturbador eram as centenas de milhares de veteranos do Exército que vagavam por todos os vilarejos e povoados, invadindo as cidades que ficavam congestionadas, depois de terem sido dispensados de sua função por causa da drástica redução de contingente. Como não tinham nenhuma outra qualificação, estavam perdidos e indignados. Bebiam, jogavam, estimulavam a prostituição e estavam prontos para uma rebelião. O homem-bomba era um deles, um pequeno detalhe que escondi do presidente ainda convalescente.

Meu relatório sobre o povo da cidade de Chengdu logo chegou à mesa de Heng Tu. O velho revolucionário, que vinha de uma família pobre de lavradores e tinha sempre visto a si mesmo como o líder do povo, chorou amargamente. Suas lágrimas borraram as palavras.

— Meu filho, obrigado por ter me contado a verdade. Alguma coisa vai ser feita com relação a isso. Agora, você precisa desempenhar uma outra função. Vai ficar no comando de uma operação de reorganização do Exército. Vejo que é solidário com eles. Quero que fiquem felizes, porque sem eles não sou nada, e a república pode desmoronar.

— Mas quem vai cuidar da sua segurança?

— Outra pessoa pode desempenhar esta função. Você tem que fazer alguma coisa maior do que isso, um trabalho mais abrangente, meu filho.

— Mas eu não confiaria a sua vida a mais ninguém a não ser a mim mesmo.

— Ninguém teria a coragem de discutir comigo, a não ser você, e gosto disso. É exatamente por isso que estou querendo que execute o trabalho mais importante que alguém poderia fazer por mim. Você é como se fosse a minha represa. Eu preciso de você para conter a inundação.

Ele fez uma pausa.

— Quero ouvir todos os detalhes do que descobrir, as soluções que tiver para me apontar e a lógica que existe por trás delas.

— Entendo perfeitamente, sr. presidente.

— Seu novo cargo será o de assistente especial do comandante-em-chefe, que sou eu.

Sob a égide do presidente que estava envelhecendo, viajei sozinho a recantos longínquos do vasto país, fazendo inspeções de surpresa aos comandantes regionais dos oito distritos militares. Uniformizado, passava uma imagem importante e cheia de dignidade, apesar da minha pouca idade. As mulheres se sentiam seguras com a minha presença e os homens pareciam estimulados com meu ar de dignidade. Mas isso não me poupava de ser tratado com frieza e até mesmo com grosseria em algumas das cidades que visitei.

Minha primeira parada foi no quartel-general do Comando Sudeste de Qunming, na província de Yunan. Meu coração cantava enquanto o avião sobrevoava as grandes montanhas. Todas as minhas recordações da infância retornaram como uma inundação. Eu estava certo de ter visto o penhasco do qual minha mãe tinha se lançado para a morte. As flores selvagens e amarelas que brotavam no calor do verão eram as lágrimas e os risos da minha infância, minhas únicas lembranças dela. A vila já não existia mais e a terra tinha voltado ao seu estado selvagem original. Um dia, voltaria para fazer o que se esperava de mim como um filho que ama seus pais — construir um mausoléu, queimar cédulas de dinheiro e acender varetas de incenso para acordar os espíritos do meu *baba* e da minha *mama*. Assim eles saberiam que consegui sobreviver e prosperar. Algum dia, quando eu tivesse alcançado a autoridade e a glória.

Nas ruas de Qunming, parei muitas vezes para olhar as crianças. Elas sorriram para mim, algumas sem dentes, outras com os narizes escorrendo. Eu podia ver a minha própria sombra voando como uma borboleta no jardim da minha memória.

O comandante regional, o general Tsai, era um homem corpulento com olhos que desapareciam no seu rosto a cada vez que sorria. Era um tipo racista que se referia aos tibetanos como bárbaros, mesmo na presença do solitário subcomandante tibetano, Hu-Lan, um homem baixinho, atarracado e de pele escura, que na verdade tinha pouco poder e ainda menos firmeza de caráter.

— Nós temos o controle total da situação — vangloriou-se o comandante durante o jantar. — No ano passado, tivemos que prender cerca de cem monges.

Ele riu, mastigando seu rosbife com molho de hortelã.

— Não se esqueça dos dez que tivemos que executar, comandante — acrescentou Hu-Lan.

— O senhor executou dez monges no ano passado? Por quê? — indaguei.

— Rebelião religiosa. Eles organizaram greves e protestos para incitar os sentimentos do povo local — respondeu o comandante. Ao sentir que eu havia ficado aborrecido, ele desviou o assunto, discorrendo sobre o que meio milhão de soldados baseados naquela região estavam fazendo, além de espancar os nativos.

— Estamos fazendo dinheiro — disse ele. — É por isso que temos o que temos. Olhe só para estes vinhos e estas peles. É o resultado dos nossos negócios. Estamos até pensando em montar uma agência de turismo do Exército para atrair alpinistas do mundo inteiro. O Tibet está em alta no momento. Imagine só os helicópteros, que agora estão ociosos, sendo utilizados para transportar os alpinistas até os acampamentos. Que qualidade e segurança esses montanhistas brancos teriam, sob a chancela altamente confiável do Exército do Povo! Nós não precisaríamos nem mesmo fazer publicidade.

— Dominaríamos o mercado e derrubaríamos as agências turísticas da China — acrescentou Hu-Lan, referindo-se ao monopólio estatal.

Adoraria dar uma bela lição naqueles dois presunçosos, mas estava no território deles. Era como se estivessem no seu feudo. O imperador estava longe e eles faziam o que queriam.

À noite, uma mulher da equipe de funcionários do hotel do Exército bateu à minha porta, com uma garrafa de bebida na mão. Ela exibia suas longas pernas, levantando a barra de sua saia curta. Fiz com que ela se sentasse na cama e indaguei se fazia isso com todos os que vinham para esse hotel-estância do Exército.

Ela sorriu, enroscando-se toda e disse:

— Você faz perguntas demais. A maioria deles apenas me come e depois cai no sono.

— Obrigado pela informação. Seu trabalho desta noite já terminou — disse eu, dispensando seus serviços.

A moça foi embora, sem entender muito bem.

No dia seguinte, o comandante regional piscou o olho para mim.

— O que o senhor achou do sabor local? Ela vem de uma família de cavaleiros tibetanos. Sabe cavalgar direitinho, não é mesmo?

Eu sorri.

— Venha aqui, comandante. Deixe-me ajeitar seu colarinho.

— O que há de errado com ele?

O homem atarracado se inclinou e arranquei as insígnias douradas de seu uniforme.

— O senhor é uma desgraça para o nosso Exército e para o nosso povo! — vociferei. — Sugiro que peça demissão. O senhor já atingiu a idade para passar para a reserva.

— Ainda não sou velho o bastante para isso.

— Mas já está podre o suficiente.

Quanto a Hu-Lan, o subcomandante tibetano, sugeri que fosse rebaixado a cabo e designado para proteger e vigiar o lendário templo onde o Dalai Lama um dia residiu.

O Comando do Nordeste não era nada melhor. A fronteira com a Sibéria tinha se tornado a terra dos contrabandistas. O comandante regional me recebeu em seu escritório muito bem mobiliado, com as paredes cobertas de cabeças de animais.

— As tropas russas da fronteira são um bando de bêbados miseráveis — informou ele. — Aposto que consigo comprar milhões de hectares da Sibéria deles com caixas da cerveja que o nosso Exército produz aqui.

— Mas ainda são nossos inimigos. Não temos uma relação diplomática formal com eles.

— Agora temos. O comércio entre chineses e russos é tão intenso que eu transformei nosso Exército em coletores de tarifas alfandegárias.

— O senhor não deveria relaxar a sua vigilância. A segurança da nossa fronteira e a defesa nacional podem estar em risco.

— Os russos não querem mais lutar. Tudo o que querem é ganhar dinheiro e mais dinheiro. Todos os dias, centenas deles pegam o trem e atravessam para o nosso lado para comprar *jeans* e relógios baratos. É um grande negócio.

O comandante me levou em sua Mercedes para uma visita pela fronteira, que tinha se desenvolvido como um bazar em expansão, com milhares de comerciantes falando chinês ou russo, ou uma mistura dos dois. Caminhões, carros e mulas transportavam *jeans*, guarda-chuvas e sacolas cheias de relógios que saíam do território chinês e atravessavam na direção norte da fronteira, voltando para o sul com jóias e peles da Rússia. A fronteira não existia mais.

No dia seguinte, vesti-me à paisana e voltei para uma segunda inspeção. Fui parado apenas brevemente por um guarda chinês, que me permitiu atravessar a fronteira depois de lhe pagar cem iuanes — o preço exigido em voz alta e clara pelo soldado que empunhava um fuzil.

À tarde, quando retornei do território russo, depois de perambular o dia todo pelo mercado da fronteira que parecia um bazar, a mesma quantia me foi exigida por um outro guarda. Mas, desta vez, ele me ofereceu alguma coisa também.

— Quer trepar com umas meninas brancas? — perguntou o guarda. Ele fedia a cerveja azeda e estava precisando fazer a barba.

— Claro — respondi.

— Quinhentos iuanes em dinheiro vivo.

— E onde é que a gente faz o lance?

— Onde mais poderia ser?

O soldado me levou através do portão, para a parte dos fundos de um gabinete do Exército. Lá, na penumbra, com música russa tocando ao fundo, havia uma dúzia de moças russas, que se levantaram quando eu cheguei e me cumprimentaram com voz macia, falando um chinês muito rudimentar, enquanto me acariciavam o corpo todo.

— Todos os chinas gostam muito de mim. Eu tenho seios grandes, sabe? — disse uma delas, alta e avantajada, falando chinês com um sotaque carregado.

— Tenho certeza que sim.

— E você, bonitão? Estou pronta para uma boa trepada, seu chinês safado. Gosta de mulher de boca suja?

— Não, obrigado. Acabei de escovar os dentes.

— Você é engraçado. Que serviço procura para comprar?

Ela soltou uma baforada de fumaça na minha cara.

— Estilo militar — respondi, lendo uma lista de preços pregada na parede.

— A gente tem isso. Mísseis nucleares.

A garota agarrou as minhas nádegas e se esfregou em mim.

— Quanto custa?

— Cem, como disse o homem do Exército. Mas isso só para ele. Eu trepo para viver.

— Eu tenho que pagar mais?

— Cem para míssil nuclear simples. Duzentos, para permissão para entrar pela porta traseira.

— Seu chinês é bom.

— Trepei bastante para pegar o jeito.

— Você trabalha para eles?

— Não, eles é que trabalham para mim.

Ela lançou um olhar ao guarda parado perto da porta.

— Você conhece o comandante?

— Se conheço? Que piada é essa? É nosso maior protetor. Esse é o negócio dele.

Paguei a ela duzentos iuanes e voltei ao meu quarto de hotel para redigir meu relatório. Ao voltar ao escritório e entregar uma cópia ao chefe do Comando Nordeste, avisei a ele que um longo período na prisão o aguardava.

— Nunca me ameace no meu território — reagiu o general. Ele cuspiu na minha direção enquanto eu saía de sua sala impetuosamente.

A viagem não foi inteiramente infrutífera. Fiquei impressionado com o Comando Noroeste, próximo ao deserto de Gobi, o ponto central de pesquisa e desenvolvimento nuclear da China. Os cientistas militares naquele isolamento árido e rodeado de areia pareciam entrincheirados numa longa e esquecida Guerra Fria. Exultaram de entusiasmo ao conhecerem o enviado especial do presidente. Um jovem cientista chamado dr. Yi-Yi me conduziu numa visita aos silos subterrâneos.

— Qual é o nosso poderio em termos de armas nucleares? — indaguei.

— Somos poderosos o suficiente, senhor. Sem entrar em grandes detalhes que poderiam entediá-lo, bastaria apenas apertarmos alguns botões e todas as grandes cidades do mundo explodiriam em um segundo — disse ele, demonstrando grande prazer nisso.

Fiquei feliz por não ter que rebaixar ninguém.

Na última etapa da minha viagem de inspeção, estive em Fujian, onde ficava o meu orfanato — o Comando Sudeste. Senti-me insultado pelo fato de o comandante regional nem sequer se dignar a vir me receber. Ele está ocupado demais, informou-me sua secretária. Não vi razão em insistir para que ela marcasse uma reunião. Visitei a Frota do Pacífico, que deveria estar protegendo o mar do Leste da China contra Taiwan. A frota, que um dia havia sido a única e última defesa chinesa contra os falcões da Guerra Fria, estava agora ociosa e solitária no estreito de Taiwan. Muitos navios estavam enferrujados e desgastados, e os marinheiros reclamavam por terem sido excluídos do comércio frenético que crescia no continente, apesar de alguns terem encontrado meios de fazer seus próprios negócios — interceptando barcos com contrabando entre Fujian e a ilha de Taiwan. O que mais me incomodou foi quando flagrei um grupo de jovens oficiais da Marinha aglomerados dentro de uma cabine sórdida, assistindo a um vídeo pornográfico num navio que tinha o nome do grande líder, "presidente Mao".

— Vocês gostam desse filme? — perguntei, sentando-me no chão com eles, depois de afastar algumas latas vazias de cerveja e pontas de cigarro.

— Se gostamos? A gente vive disso — respondeu um deles, sem se virar para mim.

— O que você diria ao presidente Mao se ele estivesse vivo e visitando esse navio?

— Junte-se à orgia!

A cabine inteira irrompeu em gargalhadas.

Enojado, perguntei mais uma vez pelo comandante regional, que novamente mandou sua secretária dizer que ele não estava.

— Onde é que ele está agora? — quis saber.

— Está ocupado com alguma emergência militar — disse a secretária, levantando os olhos.

— Não existe emergência nenhuma.

— É um assunto confidencial.

Descobri, no meu quarto de hotel, enquanto assistia ao noticiário local, que o comandante regional estava cortando a fita inaugural numa cerimônia de abertura de um empreendimento do Exército em parceria com uma companhia de Taiwan, especializada em imitações de sapatos italianos.

— Fazendo sapatos em parceria com o inimigo. Esta é uma emergência e tanto.

Escrevi meu último comentário sobre o comandante regional, recomendando que ele fosse rebaixado e destituído de seu posto e funções.

QUANDO RETORNEI, O PRESIDENTE me perguntou:

— Agora que você recomendou destituir metade dos meus comandantes, qual é o seu próximo passo?

— Reorganizar e unificar as três Forças Armadas. Do jeito que está agora, os comandantes regionais são os senhores da guerra. Eles têm autonomia demais e nenhuma responsabilidade. A mão esquerda não sabe o que a mão direita está fazendo. Em tempo de guerra, desabaríamos como um castelo de areia. Precisamos de um Exército menor e melhor.

Heng Tu balançou a cabeça, concordando.

— Sei como torná-lo menor, mas como torná-lo melhor, meu jovem coronel?

— Precisamos adquirir os melhores aviões de combate da América e também atualizar e modernizar as nossas frotas. Mas nossa maior força é nosso poderio nuclear, sr. presidente — disse eu com empolgação. — Temos um arsenal de primeira linha para lutar contra qualquer superpotência.

— Até mesmo contra os americanos?

— Sim, e também contra os japoneses e os russos.

O presidente Heng Tu exibia um sorriso de prazer em seu rosto, que desapareceu com sua próxima pergunta.

— E o que faremos com os milhões de soldados que você quer que sejam dispensados?

— A minha proposta é legalizar estas indústrias relacionadas ao Exército que têm surgido, e até mesmo iniciar novos empreendimentos comerciais, permitindo que os veteranos comprem ações da companhia e participem como acionistas. Quando as ações forem negociadas nas bolsas de valores, eles vão ganhar muito dinheiro e terão um meio de vida. Deste modo não vão se transformar num exército ocioso, pondo o seu poder em risco.

— E como pretende fazer isso?

— Forneça a eles permissões especiais e linhas de crédito generosas do Banco da China. Quero que eles se lembrem de nós. E vão se lembrar.

— Então, esta foi uma viagem bastante proveitosa.

Não o bastante. Eu havia procurado, em vão, por Sumi. O orfanato há muito havia sido destruído, assim me disseram, e os arquivos se perderam. Ninguém sabia para onde os órfãos tinham ido. E ninguém se importava com isso, tampouco.

EM UM MÊS, MEU PLANO RECÉM-FORMULADO para as três Forças Armadas foi oficialmente apresentado ao presidente. Os oito distritos regionais seriam reduzidos a um.

— Isso me parece uma boa idéia — comentou Heng Tu. — No entanto, minha mesa está coberta de reclamações sobre você, vindas de todos os comandantes regionais. Passaram por cima de você e vieram reclamar diretamente comigo.

— Já esperava por isso. Mas, assim que forem destituídos de seus cargos, ficarão impotentes. O que eles poderiam fazer?

— Há muita coisa que ainda podem fazer, meu rapaz. Estão entrincheirados em seus cargos há muito tempo. Estas cartas, na sutil terminologia militar, não são nada menos que um prelúdio para uma revolta. O chefe regional do Comando Nordeste chamou você de salafrário. O chefe regional do Comando Sudeste o chamou de idiota. Os outros lhe deram o título de "o dedo bichado de um pé ruim que precisa ser cortado".

— Mas isso é um elogio.

— O chefe regional do Comando Noroeste diz que, se você ousar voltar lá, vai mandar arrancar seus olhos e estourar seus tímpanos, para que não seja mais capaz de ver e ouvir.

— Mas os pesquisadores nucleares pareceram apreciar a minha visita.

— Eles têm duas caras. — O velho presidente deu de ombros. — Todos eles têm.

— O que o senhor acha dessas reclamações? — perguntei.

— Quando insultam o meu pé, estão insultando a mim.

— Temos que agir rápido antes que percamos o nosso poder com os militares.

— Meu filho, você tem o instinto de um general. Vou convocar todos os comandantes regionais para uma reunião daqui a duas semanas e farei com que aceitem o que vier para eles.

Na manhã do dia 26 de dezembro de 1986, uma neve rala se depositou como uma camada de poeira no chão gelado. Alguns flocos permaneceram na minha gola de pele. O frio que penetrava nos ossos me fez ficar alerta. E eu tinha que estar alerta, pois, naquele dia, os oito comandantes regionais militares estariam lá para uma reunião especial, do tipo que acontecera apenas duas vezes na história da China. Uma vez, quando os russos se alinharam na fronteira do Norte, e a outra, quando o Vietnã invadiu o Camboja.

Cada um desses titãs da China, com seus exércitos, poderia fundar um império sozinho. Muitas coisas poderiam resultar de uma reunião explosiva como esta. Um golpe de Estado era um palpite fácil. Eles poderiam enviar tanques para Beijing. Ou poderiam dividir a China em duas — o reino do Norte e o império do Sul, separados pelo rio-mãe, o Yang Tsé. Isso já havia acontecido no passado. A opção mais moderada era manter a situação atual.

Eu não fazia idéia de qual seria o discurso do presidente para se dirigir a esses homens de armas corruptos. Ele havia me dito apenas para ficar de sobreaviso. Mas senti que tinha de fazer alguma coisa. Meus homens assumiram o controle do aeroporto aonde todos os comandantes chegariam. Em cada um dos aviões que os transportavam, plantei um espião para monitorar seus passos. Suas limusines estavam conectadas a aparelhos de escuta ultrasensíveis, graças à KGB — ou seria a CIA? Qualquer coisa que dissessem seria usada como prova contra eles, caso fossem denunciados.

Uma bandeira vermelha adornava o salão de conferências. Na parede, pendia o retrato do eternamente benevolente presidente Mao, com seu sorriso de Mona Lisa. O presidente Heng Tu abandonou a cadeira de rodas que muitas vezes usava e preferiu entrar mancando, porém com a coluna ereta. Relutantemente, os oito comandantes que o aguardavam levantaram-se e aplaudiram a entrada daquele homem que era como um pai zangado que não queriam encarar.

A primeira entrevista de Heng Tu, realizada num aposento solene da Cidade Proibida, foi com o chefe regional do Comando Sudeste, o homem que cortou a fita na cerimônia de abertura. O general Fu-Ren era um sujeito baixinho que não parava de cruzar nervosamente suas pernas roliças. Aos olhos do presidente, seu anel de brilhantes faiscava ostensivamente. Fu-Ren tentava, sem sucesso, afrouxar a gola alta do paletó repetidas vezes, pois seu pescoço carnudo transbordava por cima dela, mesmo desabotoada.

— Veja bem, Fu-Ren. Se fica muito tempo sem vestir o uniforme, ele acaba não cabendo mais em você — comentou o presidente.

— Prefiro o terno e a gravata dos ocidentais, que podemos afrouxar para respirar melhor, a esse maldito fecho.

Ele franziu a testa, mostrando estar aborrecido com a gola da farda, que geralmente dava ao militar uma postura ereta e orgulhosa.

— Meu filho, quando estávamos na Grande Marcha, você era um menininho que eu carregava nas costas.

— Isso já é coisa do passado, sr. presidente. Precisamos seguir com a pauta da reunião. — Fu-Ren levantou os ombros gordos. — O senhor tem algum assunto para ser discutido?

— Tenho. Conte-me o que você tem feito com o seu exército e seus preciosos recursos. Esta é a sua oportunidade.

— Tenho supervisionado os mares do Sul e do Leste da China com muita atenção.

— Mais uma vez, meu soldado, confiei a você o nosso portão de entrada ao Sul, voltado para Taiwan, Hong Kong e Macau. Você deveria ser mais honesto comigo. É hora de abrir o jogo. Tenho pilhas de relatórios sobre sua conduta imprópria.

— Diga a esse idiota do seu coronel — qual é mesmo o nome dele? — que nos deixe em paz. Somos soldados, e os soldados têm maneiras de viver e de ganhar suas merecidas recompensas.

— Roubando e ficando com a sua parte?

— Presidente, em quem o senhor prefere confiar? Em seus soldados, que mantêm este país em segurança enquanto o senhor dorme aqui em meio a todo o conforto, ou em seu jovem coronel?

— Só dou ouvidos à verdade.

— Pois estou lhe dizendo a verdade. Está tudo correndo muito bem.

— Chegue mais perto, Fu-Ren. Tem uma sujeirinha no seu peito. Deixe-me tirá-la para você.

— Onde?

O presidente agarrou a farda do baixinho e deu um peteleco na fivela de metal da gola, que se fechou com um estalo. O rosto do gordo ficou vermelho.

— Não estou conseguindo respirar — disse ele, quase sem ar.

— Ótimo!

— Abra a fivela! — exclamou ele, tentando desesperadamente rasgar a gola da farda. — Socorro, socorro!

O presidente saiu da sala mancando e sem olhar para trás.

— Ajude a si mesmo. Saia daqui antes que eu mande expulsá-lo. Você é uma desgraça para o nosso país!

Fu-Ren espumava. Levou um minuto até que conseguisse rasgar a gola da farda.

Assisti a tudo pela minha câmera oculta de circuito fechado.

— Parabéns, presidente — comentei, baixinho.

Ele se dirigiu mancando para uma outra sala de conferências. Desta vez era o chefe regional do Comando Noroeste. Seu apelido era Dono da Bomba.

— Você faz alguma idéia — perguntou o presidente Heng Tu — de quantos mísseis nucleares sumiram?

— Nenhum deles sumiu.

O Dono da Bomba se fez de surpreso.

— Tenho uma lista aqui nas minhas mãos. Eu exijo nada menos do que honestidade total e absoluta de sua parte agora, neste momento, ou então poderá ser tarde demais.

— Presidente, por que o senhor está sendo tão duro comigo? Afinal de contas, sou eu que supervisiono a divisão mais vulnerável das nossas Forças Armadas. Se não fosse por nós, serviríamos de café da manhã para os Estados Unidos e de almoço para os japoneses.

— Talvez possa me contar sobre o lucro que conseguiu com o misterioso desaparecimento de mais de cinqüenta mísseis nucleares.

— Isso é mentira! Foi esse seu assistente que inventou isso!

— Ele foi enviado por mim.

— Ele andou xeretando sem a nossa permissão.

— Se não fosse por ele, eu nunca teria descoberto a verdade sobre vocês.

— Presidente, parece que o senhor já tomou uma decisão e prefere acreditar nele e não em nós — disse o Dono da Bomba, bruscamente.

— "Nós"? — indagou Heng Tu, em tom de desafio.

O comandante regional olhou para baixo, evitando os olhos do presidente.

— Eu quis dizer "eu".

— Pois é verdade — confirmou o presidente.

— E o que o senhor pretende fazer com relação a isso?

— Muitas coisas. Mas, antes de mais nada, percebi que você está com uns pêlos saindo do nariz.

O Dono da Bomba franziu a testa.

— Espere aí, deixa eu dar um jeito nisso para você.

O presidente arrancou as estrelas da gola da farda e depois cuspiu no seu rosto.

O comandante se encolheu.

— O senhor cuspiu em mim.

— Meu filho, você mereceu isso. Seu pai teria concordado comigo.

Mancando, Heng Tu saiu daquela sala e iniciou outra reunião. Ao meio-dia, já havia falado com todos eles. Estava enfurecido e indignado ao reuni-los todos novamente no salão do quartel-general do Comando Central. Àquela altura, os comandantes regionais pareciam um bando de ratos afogados. Alguns estavam aturdidos e estupefatos. Outros mantinham a cabeça baixa. Alguns outros tinham um ar preocupado. Havia uma sensação geral de que tinham fracassado. Estavam todos aguardando que o presidente lhes anunciasse o destino que teriam.

Finalmente, o velho abriu a boca.

— Eu tenho um plano completo de reorganização das nossas Forças Armadas. O autor deste plano é o amigo de vocês, Shento, alguém que tenho o orgulho de apresentar agora para explicar o nosso futuro com maiores detalhes.

Fiz uma reverência muito de leve e bati continência para todos. Passei uma hora explicando a lógica e a necessidade das mudanças.

As palavras de despedida de Heng Tu a todos eles foram:

— Agora voltem para casa e estudem esses planos. Dentro de seis meses, escolheremos um líder entre vocês para conduzir este Exército ao século XXI. A obediência a este novo plano vai determinar o seu futuro. Quero lhes dar uma outra chance. Até os cavalos merecem uma segunda oportunidade.

Sumi

叔米

CAPÍTULO 31

TAI PING ME PERGUNTOU: *"Por que estradas se bifurcam e rios se dividem?"*

"Por que passarinhos saem dos ninhos para fazer suas próprias casas?"

"Por que baba *Tan só vem nos visitar?"*

"Mama, *por que você dorme sozinha?"*

Sumi

Shento

山头

CAPÍTULO 32

MINHA VIDA DENTRO DO SILÊNCIO PROFUNDO de Zhong Nan Hai, a residência presidencial, era como cavalgar seis garanhões ao mesmo tempo. Cada cavalo exigia minha total concentração, mas oferecer a qualquer um deles minha dedicação exclusiva apenas me faria cair nesta corrida intensa e cheia de poeira. Eu sabia que precisava dominar todos eles se quisesse chegar ao final e vencer.

Todos os dias, acordava antes do nascer do sol e estudava os relatórios dos trinta ministérios do governo. Ao alvorecer, os acontecimentos do dia anterior estavam resumidos e encadernados sobre o tampo de mogno da minha mesa.

De todos, eu tinha uma fraqueza pelo mais volumoso, que era o do Ministério da Fazenda. Seus relatórios traziam boas notícias — crescimento de dois dígitos do PNB, o florescimento da Zona Econômica Especial de Shenzhen. O aumento vertiginoso das cifras de exportação de Fujian revelava a criação de um número recorde de empresas privadas. Firmas estrangeiras procurando oportunidades de negócios faziam pedidos formais para realizarem milhares de *joint ventures*. A lista era tão longa quanto o rio Yang Tsé. Ela iluminava meu rosto, mesmo nos dias frios do inverno de Beijing.

Em seguida, eu revia os despachos diários do Ministério das Relações Exteriores. Todos os países, inclusive alguns que anteriormente eram hostis, agora sorriam para a China. O gelo da Guerra Fria tinha se derretido. Propunham-se novos tratados e havia sugestões de novas relações diplomáticas. Gostei particularmente do relatório sobre Taiwan — que fazia parte do território chinês antes de os nacionalistas terem fugido do país em 1949 — no qual havia um pedido formal ao Ministério para que cessássemos o bombardeio diário à sua ilha dos portões dourados.

— Diga a eles para investirem no nosso futuro aqui — comuniquei ao ministro das Relações Exteriores. — Aí então interromperemos os bombardeios.

O Ministério da Agricultura informou que quatrocentos mil hectares de terras cultiváveis haviam sido convertidos em projetos habitacionais. Em todo o país, árvores antigas estavam sendo derrubadas para acompanhar o ritmo desenfreado das construções. O ministro da Agricultura elogiou este fenômeno como um ato heróico, mas o ministro do Meio Ambiente declarou que isso era um desastre.

— Estamos perdendo nossa proteção ambiental mais rapidamente do que nunca, e isso não tem preço. Por favor, promulguem leis para deter esta atividade desenfreada — disse ele.

Meu único comentário com relação a esta situação foi que os homens precisavam de abrigo para morar, e as árvores cresceriam novamente.

O arquivo do ministro da Segurança Pública sempre me deixava sóbrio com sua dose de fria realidade. Eu tinha uma aversão renitente a qualquer pessoa que usasse aquele uniforme, pois isso me lembrava do meu passado obscuro e secreto na prisão e, com ele, minha experiência de proximidade da morte, um verdadeiro pesadelo para mim. Mas eu precisava encarar estes relatórios, porque eles revelavam as rachaduras naquela represa chamada China, e se tais rachaduras não fossem consertadas, poderiam causar a inundação do caos. Todos os dias, havia a costumeira lista de atos ilegais e pecados morais sem os quais os seres humanos não conseguiam viver desde o tempo do homem de Pequim: prostituição, jogatina, bebida, espancamento de mulheres, assassinatos, seqüestros, drogas vindas do Laos e o contrabando no Triângulo Dourado. Nada de novo e nada de tão ruim, a não ser uma nota em especial, intitulada "Dissidentes e seu Relatório Antigovernamental". Mais de 350 clubes pró-democráticos haviam se formado pelo país. Mil revistas antigovernistas estavam sendo publicadas. Nos últimos tempos, havia surgido um bom número de líderes influentes que protestavam. Dentre eles, alguns escritores dos quais eu nunca tinha ouvido falar. Eu tinha uma solução simples para todos aqueles campeões da liberdade e da democracia: mandá-los para a região de Xinjiang, varrida pelos ventos, onde poderiam falar de democracia aos lobos do deserto e de liberdade às montanhas altas e cobertas de neve.

QUANDO REDIGI O PRIMEIRO RASCUNHO do meu novo plano militar, ocultei um pequeno detalhe do presidente. Na minha viagem pelo país fazendo rondas de inspeção, tinha compilado uma lista de jovens oficiais do Exército, baseados em postos remotos, que pareciam genuinamente ambiciosos e não estavam nem um pouco contentes em ver seus quartéis descambarem para a atividade do comércio popular. Esses jovens oficiais tinham um elo em comum: no fundo, eram soldados de coração.

Em reuniões clandestinas, compartilhei com eles a minha idéia de revitalizar o nosso Exército e orgulhosamente governar o mundo. Não disse nada sobre recompensas. Estava subentendido. Mencionar isso seria apenas instalar a impureza em sua busca pela glória.

Chamei minha organização secreta de Clube dos jovens generais, um título que todos os membros tinham a ambição de conseguir, mas que não tinham tido a sorte de alcançar até aquele momento. Eu telefonava todas as semanas para cada membro do clube, em absoluto sigilo. Se fossem descobertos me passando informações sobre seus próprios comandantes distritais, acabariam com uma bala na cabeça ou uma faca na garganta.

Meus telefonemas geralmente começavam com o capitão Ta-Ta, do distrito tibetano. Ele era um tibetano de ossatura larga e que conhecia as trilhas perigosas do Himalaia. Veio conversar comigo depois que mandei embora a prostituta em Qunming. Por esse único ato, Ta-Ta ficou sabendo que eu era um verdadeiro soldado. Nossos telefonemas geralmente tinham início com uma troca informal de gentilezas, e logo os assuntos mais sérios começavam a fazer parte da conversa.

Nesta ocasião em particular, eu queria saber da reação de seu comandante depois do encontro com o presidente.

— O comandante pegou um avião para algum lugar no interior do país — disse Ta-Ta.

— Descubra qual é o destino do vôo e me ligue. Como está o clima aí?

— Tenso.

Imediatamente, liguei para meu amigo Don Tong, da região litorânea de Fujian. Ele era um sargento baixinho e parrudo, subalterno a Fu-Ren, o comandante distrital mais corrupto de todos. Conheci Don Tong sentado ao sol, polindo sua pistola com orgulho enquanto todos os seus companheiros disputavam a imagem de uma mulher vestida apenas com um botão de rosa no umbigo. Fui até ele e lhe dei um tapinha no ombro.

— Estou aqui para lutar contra os japoneses, os americanos e os russos. Meus companheiros querem apenas brigar pela pornografia que vem de Hong-Kong. Isso me dá nojo — comentou ele com muita franqueza.

— Esse é o espírito da coisa. Um dia você vai lutar contra os seus inimigos — disse eu, e o recrutei na mesma hora.

Hoje, fui direto ao ponto.

— Onde está o seu chefe?

Don Tong era o ordenança designado para passear com os cães dele e ir buscar seu filho na escola. Ele conhecia em detalhes a rotina diária do seu superior.

— Hoje cedo, pegou um avião junto com seu primeiro secretário — respondeu Don Ton. — Ninguém sabe para onde ele foi. Terça-feira é geralmente o dia em que ele vai pescar, e à noite costuma freqüentar boates vestido à paisana e bebe saquê japonês.

— Quer dizer que o pobre homem quebrou a rotina, é isso?

— É, e isso é bastante incomum. Ele deixou uma ordem para que a gente permaneça onde está.

— Descubra para onde o seu chefe foi.

— Está certo.

Quando liguei para o distrito Norte, Hai To, um capitão do grupamento militar da fronteira, me relatou:

— O comandante foi levado às pressas para o hospital.

— Foi mesmo? Qual é o problema?

— Ninguém sabe.

— A mulher dele está em casa?

— Está.

— É estranho ela não estar ao lado do marido. Descubra em que hospital ele está e ligue para mim.

Alguma coisa estava acontecendo bem debaixo do meu nariz. Dois comandantes quebraram sua rotina diária de uma vida de corrupção e de luxo. Algo não cheirava bem. Minhas suspeitas fizeram com que eu me apressasse a completar a quarta ligação para o sargento técnico, o *nerd* do distrito Noroeste, dr. Yi-Yi.

— A segurança dos silos nucleares foi reforçada — disse o ph.D. em física nuclear. — Mas o nosso comandante está aqui. Seu avião está parado na pista.

— Como você sabe?

— Quando a areia do deserto vem parar nas nossas tigelas de arroz, todo mundo sabe que o comandante está indo para algum lugar.

— Então, quer dizer que hoje não tem areia nas tigelas?

— Tem sim. Muita areia. Outros aviões, semelhantes ao usado por nosso comandante, estão chegando.

— Quantos?

— Sete.

Não precisei fazer o restante das ligações. Agora eu sabia. Minhas suspeitas se confirmaram.

Tan 唐

CAPÍTULO 33

1984
BEIJING

NO VERÃO DE 1984, SUMI E EU NOS formamos com louvor. Fui considerado o Formando do Ano na cerimônia de formatura lotada. Qualquer cargo no funcionalismo público estava à minha disposição — assessor jurídico no Supremo Tribunal, cargos na Promotoria de Justiça, ou no Exército — mas optei por trabalhar para mim mesmo. Sumi, não tendo recebido nenhuma oferta de emprego devido ao conhecimento e à desaprovação da universidade com relação a seus textos, decidiu dedicar-se a escrever, assim como dirigir uma organização de caridade chamada Fundação da Árvore Venenosa, que ela havia criado para ajudar os pobres e os desamparados.

Minha primeira atitude como empresário independente foi fazer de Beijing a sede da Dragão & Cia. Eu previa que, em breve, estaria fazendo negócios com empresas internacionais como a IBM, a Coca-Cola e a GE, e então, fazia sentido instalar-me na capital. Outro fator a ser levado em consideração era que, historicamente, qualquer dinastia que escolhia Beijing como sede durava invariavelmente mais do que as que não o faziam. Dragão & Cia. era o embrião de uma dinastia, e optei sabiamente por não repetir o erro daqueles que apenas liam a história, mas nunca assimilavam as suas lições.

Na época de sua formatura, três anos antes, Fei-Fei, meu editor-chefe da Mar Azul para o norte da China, havia instalado uma gráfica na região, em vez de depender da que ficava no sul, em Fujian. Além disso, já havia publicado cinqüenta títulos.

— Todos os livros são campeões de vendas — dizia ele, orgulhoso. — Não paguei adiantamentos para reduzir os riscos e compro apenas os títulos que as pessoas querem ler, mas que o governo não aprova.

— Você precisa cortar esse seu cabelo comprido.

— Sr. Long — disse num tom formal. — Isso é parte do meu charme. Meu cabelo diz: eu sou Fei-Fei, o editor de espírito livre. O dia em que eu não tiver mais o cabelo comprido, pode me demitir.

— Muito bem então, o cabelo fica. Mas o seu espírito livre me incomoda um pouco.

— Você se refere às minhas namoradas?

Concordei com a cabeça.

— Não consigo evitar. E nenhuma delas é para casar.

— E também você bebe demais.

— Você quer que eu seja um monge? Isso faz parte da minha natureza. Os escritores se identificam comigo porque ajo como se tudo fosse aceitável. Quando eles se sentem assim, abrem o coração para mim. E alguns, até mais do que isso.

— Você está falando das jovens escritoras.

— Antes eu do que você, chefe. Cuide de controlar e engordar o seu lucro final, que eu cuido das outras coisas.

— Os tempos estão mudando. O governo logo vai começar a pegar no nosso pé se a gente continuar publicando o que publicamos. Não deixe que sua vida pessoal piore a sua situação quando os problemas chegarem. É com isso que estou preocupado.

— Chefe, chefe, chefe! A Editora Mar Azul vai continuar sendo de primeira linha. Quando o vento soprar na direção contrária, vou saber agir de acordo. Lembre-se, sobrevivi à Revolução Cultural. Isso deve significar alguma coisa.

Lena informou que a operação na região Sul estava crescendo como um salgueiro. A participação de cinqüenta por cento da Dragão & Cia. no Banco Litorâneo já havia triplicado o seu investimento. O valor total dos empréstimos do Banco Litorâneo havia alcançado a marca dos cem milhões de iuanes. Vovô Long insistia em uma percentagem para cada negócio que ele financiava. Minha boa participação de 25 por cento nas mais de cem empresas às quais ele havia feito empréstimos poderia, por si só, tornar-se em um modesto império. Vovô Long, um leal aluno da Casa N.M. Rothschild & Sons de Londres, tinha agora o banco que ele sempre tinha sonhado em abrir.

Lena também escreveu dizendo que ela havia contratado os melhores formandos da Faculdade de Economia da Universidade de Xiamen para auxiliá-la. E ficou feliz em informar que nossa participação de cinqüenta por cento na empresa de papai havia tido um retorno fenomenal de mais de vinte milhões de iuanes.

A firma de papai, orgulhosamente intitulada Veteranos & Cia., havia formado uma parceria com uma indústria química de Taiwan para produzir tecidos e materiais de construção para atender ao *boom* da construção civil no Sul do país. Meu investimento de cinqüenta por cento era o suficiente para votar a favor ou vetar qualquer empreendimento, mas até aquela altura, papai não havia me dado nenhum motivo para exercer esse direito. Aliás, ele merecia o prêmio de administrador do ano por sua enorme expansão empresarial e, mais importante, por sua contribuição a todos os veteranos que haviam sido dispensados do Exército.

Todos esses acontecimentos foram mais bem descritos na carta de mamãe.

Querido filho,

Sentimos sua falta, como sempre. Vovô está mais ocupado do que nunca brincando de financiador para os necessitados e os empreendedores. O pessoal daqui o chama de "Ábaco de Prata".

Seu pai tem agora mais de cinco mil funcionários trabalhando para ele. Já que todos os seus funcionários são veteranos, eles o chamam muito merecidamente de "general", e ele gosta disso. Os negócios do seu pai e os do seu avô estão prosperando tanto que decidimos convidar você a participar deles. Ambos concordaram em lhe oferecer uma participação minoritária de 25 por cento de suas respectivas quotas (como você sabe, eles têm sócios ocultos que detêm cinqüenta por cento da sociedade). À medida que for progredindo, que é o esperado, você se tornará um sócio igualitário. Achamos que esta oferta deve lhe dar mais do que o suficiente para constituir uma família.

O futuro da China está no Sul. O povo, a terra e o nosso acesso aos países do Sudeste asiático me convencem de que você terá sucesso aqui e não no Norte, onde ainda reina a burocracia. Sabemos que tem grandes ambições e aspirações ainda maiores. Meu conselho é que, se precisa começar a trabalhar em algum lugar, então, por que não aqui? Além do mais, aqui é o seu lar. Que lugar melhor para começar do que junto da família?

Ficaremos muito contentes de tê-lo de volta para participar desta sorte e fartura inesperadas que Buda trouxe para o nosso lar.

Espero que pense com carinho sobre nosso convite.

Com amor,
mamãe, papai e vovô

"Já sou sócio de vocês", disse a mim mesmo.

O que me incomodava eram as indiretas freqüentes de mamãe sobre constituir família. Ela ignorava o fato de que eu estava com Sumi. Nunca mencionou o nome de Sumi ou perguntou sobre ela, e menos ainda sobre seu filho, Tai Ping.

— Ah, essa moça rebelde que já tem um passado e um filho ilegítimo! — podia ouvi-la dizendo.

Eu não queria torturar mamãe antes da hora. Sumi e eu tínhamos combinado de nos casarmos dentro de dois anos. Meu plano era reaproximar as duas mulheres mais importantes da minha vida lentamente, ao longo do tempo. Eu estava certo de que, dando-se tempo ao tempo e mostrando-se as verdadeiras razões do sentimento, elas acabariam gostando uma da outra, se não por si mesmas, pelo menos por mim.

NOS FRENÉTICOS ANOS OITENTA, BEIJING ERA uma cidade efervescente, repleta de novos ricos, velhos especuladores, novos aventureiros e sonhadores que achavam que o dinheiro cairia facilmente no chão da árvore do capitalismo. Só se falava em dinheiro. O apelo sexual do capitalismo lubrificava as línguas de todo mundo. Já que o comunismo ainda era o poder dominante, era necessário comer pelas beiradas. Havia uma sensação de mistério e de aventura, e a atração extra de provar do fruto proibido que era o dinheiro. Caçadores de fortunas formavam seus próprios círculos sociais secretos, e seus clubes clandestinos redefiniam a estrutura da sociedade.

Misturei-me a esses novos empreendedores com gosto, e eles vinham até mim, pois eu tinha meu próprio poder — uma vultosa fortuna de origem desconhecida. Mais importante ainda, eu tinha o raro *pedigree* sangue-azul, que fazia de mim um sujeito confiável porque eles eram, afinal de contas, em sua maioria, da mesma classe social. Meu sobrenome, Long, ainda fazia ecoar o poder do passado assustador da China. A recente decadência da minha família apenas me fazia parecer ainda mais heróico. Eu era o Conde de Monte Cristo deles — o retornado. Falava com um toque do sotaque do Sul, o sotaque do homem de Hong-Kong. Se a ocasião exigisse, eu podia, sem esforço, passar a falar inglês com o sotaque que um americano descreveria como uma mistura de um leve *cockney* e a prosódia do sotaque chinês do Sul.

Foi meu inglês que me levou a conhecer um sujeito magro e alto chamado Howard Ginger, do *New York Times*, e um homem de rosto avermelhado e bigode, natural da Virginia, chamado Mike Blake, que eu considerava um companheiro de copo.

Howard dirigia seu escritório de um funcionário só, dentro dos altos muros do Friendship Hotel, levando a vida de um James Bond militante pela liberdade, de um estrangeiro indesejado e perturbador da ordem. Em suma, era considerado inimigo do país pelo mero fato de relatar a verdade. Ele era o diabo estrangeiro, perpetuamente seguido pelos agentes secretos da China, que tentavam impedi-lo de entrar em contato com os habitantes locais em busca de notícias constrangedoras sobre os mecanismos internos do governo.

Um dia, encontramo-nos no sofisticado bar do Hotel Beijing, um lugar para ver e ser visto.

— Fico cavando os podres do comunismo e por isso tenho mais proteção do que o presidente Reagan — disse ele, rindo de sua situação delicada e dando goles em seu martíni. — Um dia, eu estava no aeroporto de Xangai. O banheiro masculino estava cheio, então decidi entrar no feminino. Você devia ver as caras daqueles agentes quando saí e os encontrei bloqueando uma longa fila de mulheres irritadas, que queriam matá-los. Esses caras estão em todos os lugares aonde vou. Você não devia ser visto comigo muitas vezes. — Tomou um gole do seu drinque.

— Tenho minha proteção, não se preocupe — disse eu, referindome aos meus FDCs (filhos dos chefes), amigos cujos pais tinham grande poder.

— Algum dia desses, nem mesmo seus amigos FDCs vão poder salvá-lo. — Howard era um homem em estado de eterna preocupação.

— O que quer dizer com isso?

— O presidente Heng Tu foi eleito *Homem do Ano* pela revista *Time*. Logo, ele vai se tornar seu próprio inimigo, porque o povo vai esperar mais e ele, relutantemente, terá que dar mais. Mas há um limite para o que ele pode dar antes de se sentir ameaçado. Acho que atingiu esse limite agora.

— O que devemos fazer? — perguntei.

— Pedir mais.

— Mas você mesmo disse que isso apenas desencadearia um contratempo trágico.

— Se não pedir, nunca vai ter.

— Uma batalha sem fim.

— Tan — disse Howard dando um tapinha no meu ombro —, com todas as suas habilidades, você poderia ser um ótimo paladino da liberdade.

— Não quero nenhum envolvimento com política — retruquei.

— É o seu destino. Está no seu sangue. Não há como escapar.

Dito isso, ele correu ao encontro de seus amigos jornalistas americanos.

As conversas com Howard sempre me faziam pensar mais a fundo e ver mais longe. E, invariavelmente, elas cutucavam aquela velha ferida enterrada profundamente na raiz da minha masculinidade. Apesar de terem se passado anos desde o meu torturado e injusto aprisionamento, a raiva ainda ardia na minha alma. Eu temia que, um dia, aquela chama se expandisse numa bola de fogo, uma tempestade que apagaria todo o ódio que foi semeado e todas as lágrimas choradas. Mas, por enquanto, dizia comigo mesmo, era ao comércio que deveria dedicar a minha vida. Eu seria um Morgan chinês, um Rockefeller asiático. E essa banalidade do comércio não seria em vão. Era a base de um arsenal moderno, um meio para atingir um ideal nobre. Acumularia todas as moedas — dólares, iuanes, ienes, marcos, pesos, liras e libras. Um dia, todas elas seriam convertidas numa força inevitável para fazer ruir gente como Heng Tu e outros tiranos semelhantes ainda por vir. A democracia chegaria, concluí, não através dos canos das armas, mas dos cofres silenciosos dos grandes bancos.

Depois de um mês de ausência, Howard afinal apareceu no Friendship Hotel vestindo uma calça cáqui e um chapéu de feltro, fumando um charuto. Ele me deu uma cópia do *Times* daquele dia. Nele, havia um relatório perturbador sobre uma grande comoção militar que estava vindo ao nosso encontro.

— Isso não foi publicado no jornal chinês! — exclamei.

— É por isso que me pagam tão bem.

Howard inclinou seu velho chapéu com um sorriso malicioso.

— Mas mesmo meus FDCs não ouviram falar sobre isso.

— Porque alguns desses FDCs estão na própria lista dos que vão ser postos para fora.

— Onde você descobriu esse furo de reportagem?

— Dirigindo pelas estradas e seguindo um coronel muito misterioso chamado Shento.

— Shento? — Não era esse o nome do primeiro amor de Sumi? Eu franzi a testa, afastando rapidamente o pensamento indesejado.

— Ele será o assunto do meu próximo artigo. Fique de olho. Agora me pague um drinque.

Fiz um sinal ao *barman*, pedindo um martíni duplo.

Encontrei com meu outro amigo americano, Mike Blake, no bar do Friendship Hotel, naquela mesma tarde. Mike geralmente ficava no banco alto próximo à entrada, em cima do qual o homem da Virginia, para meu grande divertimento, parecia passar todas as horas em que estava acordado.

— O que um investidor ocupado como você faz num bar o dia inteiro? — perguntei a Mike, ao cumprimentá-lo.

— Poupando o aluguel exorbitante de um escritório — respondeu Blake, misturando seu drinque com gelo. — Além do mais, quem quer ficar sentado num escritório? Resolvo mais coisas com um drinque do que com cem telefonemas. — Ele acenou à garçonete, pedindo outra bebida forte. — O que tem feito ultimamente? — perguntou ele.

— Como homem de negócios que você também é, se precisa me fazer esta pergunta, é porque já está atrasado.

— Ande, ande logo! — insistiu Mike. — Conte-me tudo.

— Tenho recebido muitas propostas de negócios, mas nada me atraiu. Preciso de algo grande. Algo que se equipare ao legado do meu pai e dos meus avós. Algo que seja resistente e que dure. Algo que faça meu coração vibrar.

— Tenho o negócio ideal para você — disse Mike, pegando no meu ombro. — Uma idéia de fazer palpitar o coração. Roupa feminina.

— Conte-me. — Por mais que não compartilhasse dos gostos de Mike na vida, suas idéias para negócios eram sempre modernas, quando não absolutamente revolucionárias. Havia um jeito americano e espertamente cheio de recursos que eu considerava irresistível em Blake.

Ele se inclinou para frente, como se fosse contar um segredo.

— Desde que cheguei aqui, tenho notado que todas essas chinesas — baixinhas, altas, sulistas, nortistas — são lindas, mas todas carecem de uma coisa, um elemento crucial que as faria inigualáveis.

— E o que é?

— Dez entre dez mulheres chinesas com quem eu estive usam calcinhas largas de cores sem graça e sutiãs malfeitos e ásperos, com armações antiquadas e enferrujadas.

— Shhh. Não fale alto assim — disse eu, envergonhado, olhando discretamente ao redor do longo balcão de carvalho, repleto de fregueses locais e estrangeiros.

— Veja, por exemplo, aquela moça bonita no final do balcão. — Blake apontou com o queixo para uma moça esbelta, sentada entre um homem de negócios japonês e um homem de bigode louro de quem eu me lembrava vagamente como o diretor de um grande banco alemão. — Sua bunda seria muito mais atraente se ela estivesse vestindo a lingerie sedosa e sem costuras que nós fabricamos no Ocidente. O pior momento vem na hora H, quando a mulher se revela ao seu amante. Se tem uma coisa que acaba com o clima, são esses cuecões comunistas. Eles funcionam como um maldito cinto de castidade para afugentar os homens.

— Isso não serviu para afugentar você, não é mesmo?

— Não, mas sou um genuíno Don Juan, com um coração verdadeiramente romântico e olhos que enxergam através da Grande Muralha da lingerie chinesa e percebem a beleza interior.

Apenas balancei a cabeça.

— Qualquer homem aqui pode confirmar isso. Então, eis a minha idéia. Decidi ser o imperador da roupa íntima para todas as mulheres dessa terra. Imagine meio bilhão de mulheres vestindo lingerie sexy! — Seus olhos faiscavam. — Pense em todas elas implorando por aquele toque acetinado. Pense em todos os homens. Sou um enviado de Deus!

— E uma maldição para todos os maridos — completei. — Como é que eles vão ter dinheiro para isso?

— Para um visionário, você é excepcionalmente míope. Todos conhecemos Hangzhou, a linda cidade no Sul, a terra da seda e do cetim. Eles podem fabricar essas peças, rapidamente e por um bom preço. Tudo que precisamos fazer é arrumar as modelagens mais sexy possíveis. Poderíamos conseguir as licenças dos maiores estilistas do mundo.

— Você quer dizer pagar para usar seus nomes e modelos, mas produzindo as peças localmente?

— Isso economizaria não apenas os custos de mão-de-obra e materiais, mas traria o *glamour* e a moda diretamente aos nossos consumidores. O que me diz? Será que Dragão & Cia. e Virginia Incorporated poderiam se dar as mãos nesse empreendimento? Você cuida da fabricação, e eu das licenças, dos modelos e do marketing.

— Não é bem isso que estou procurando.

— Mas é alguma coisa, não é? — disse Mike.

Levantei os ombros e falei:

— Não ouvi você mencionar a palavra que começa com "C".

— Ah, o capital. Como é que pude esquecer? — Mike deu um gole na sua bebida. — Isso, você, meu dragão predileto, terá que levantar, antes que essa idéia possa dar frutos.

— É um negócio arriscado, sem contar que é absolutamente anticonfucionista, contrário aos princípios da decência e às virtudes da modéstia.

— Virtudes, princípios... que bobagem é esta? Será que Confúcio não acredita em conforto, elegância e beleza? Qual é a essência de Confúcio, no fim das contas?

— Harmonia.

— Isso mesmo. Harmonia dentro do coração de uma mulher, dentro de um quarto de dormir, que vai gerar harmonia dentro do Estado. Ah, meu jovem sr. Long, você será glorificado por este esforço revolucionário. Seus imperadores antigos vão sorrir dentro das tumbas pelo seu movimento em prol da beleza.

— Deixe-me pensar no caso.

— Não demore muito. O dinheiro não espera por ninguém. Esta é a única coisa em que se deve pensar agora na China. Os políticos vêm e vão — Mao Tsé-tung, Liu Shao-ch'i e Heng Tu. Todos vão desaparecer, e serão ainda mais odiados depois da morte. Mas as fortunas permanecem. Quando for a Nova York, tem que visitar o Rockefeller Center, no coração de Manhattan. É o meu lugar favorito, o símbolo do capitalismo e de um legado que vai durar para sempre. Não se perca pelo caminho da política. É suicídio.

No dia seguinte, Mike encontrou-se comigo no meu escritório, que ficava em um prédio de três andares com paredes de pedra à sombra do monumental Hotel Beijing.

— Já viu algo tão lindo assim antes? — Mike espalhou fotos de peças variadas de lingerie de seda, vestidas por modelos louras de olhos azuis, por cima da comprida mesa de laca. Olhei-as rapidamente antes de me virar para olhar para a praça Tiananmen.

— Pensou sobre a minha idéia de ontem à noite? — perguntou Mike.

— Pensei.

— E então?

— Mal pude parar de pensar nisso — respondi, ainda fitando a praça. — Consegui dormir apenas três horas... É um projeto tão raro e tão genial!

— Eu lhe disse...

— Vai ser grande e alto, estendendo-se a leste daqui.

— Ainda estamos falando de lingerie? — perguntou Mike, meio perplexo.

— Não, estou falando da sua outra idéia.

— Que outra idéia?

— O Rockefeller Center. Estou pensando em construir um, eu mesmo.

— Um Rockefeller Center em Beijing? — Mike coçou a cabeça.

— O Dragon Center, um monumento a todos os grandes ideais. — Semicerrei os olhos, vendo o futuro erguer-se diante deles. Rodei em minha cadeira giratória e fitei Mike com intensidade. — Diga-me que isso pode ser feito, meu amigo americano. Vamos construir este Dragon Center juntos. Deixe essa idéia de lingerie de lado e venha trabalhar comigo. Preciso de você. Afinal, foi você quem plantou essa semente em mim. Você tem a loucura que admiro, a visão intrépida de um americano. Por favor, meu amigo!

— Isso não será problema, mas você sabe que estou duro.

— Não diga mais nada. Essa quantia pode convencê-lo a se juntar a mim? — Empurrei um pedaço de papel diante dos olhos dele.

— Esta quantia me fará sentir muito bem, de fato — disse Mike, sorrindo. — Onde pretende construí-lo?

— Ontem à noite, depois da nossa conversa, foi como se um relâmpago tivesse me atingido. Fui à Livraria Si Dang e encontrei este livro. — Mostrei a ele um grosso livro de fotografias intitulado *Nova York arquitetônica* e o abri exatamente nas páginas do Rockefeller Center. — É uma inspiração olhar para o prédio principal, o rinque de patinação e os prédios menores cercando-os, formando um grupo de gigantes arquitetônicos que protegem o centro de Manhattan. Que majestoso! E escolhi este local aqui.

Botei o livro de fotografias de lado, desenrolei um mapa de Beijing e fiz um círculo em torno de duas quadras da cidade, bordejando a praça Tiananmen no lado leste, onde havia propriedades decadentes, que antigamente eram mansões espaçosas feitas de tijolos pertencentes aos príncipes da Manchúria, agora divididas e ocupadas por cortiços.

— Quero comprar toda essa área — disse eu.

— Isso são quarenta mil metros quadrados de propriedade de primeira, bem no centro da capital! O que pretende fazer com isso?

— Primeiramente, haverá a sede do Dragon Center. Pegaremos todo o andar superior do prédio mais alto de todos. Darei ao meu amigo Howard Ginger um bom espaço logo abaixo de mim. Deste modo, terei os olhos e ouvidos no *New York Times*, a distância de apenas um lance de elevador. Então, temos as companhias americanas de primeira linha, que disputarão um endereço maravilhoso como esse — GE, GM, Coca-Cola, Ford, Exxon e IBM, sem contar muitas outras.

— Você está louco.

— E tem mais. Vou construir um belíssimo hotel, talvez alguns hotéis, bem dentro do centro. Teremos *shopping centers* com lojas sofisticadas para a sua lingerie, e talvez salas de cinema com os mais recentes lançamentos de Hollywood. Também quero separar um espaço bem grande para as crianças correrem — áreas de recreação, jardins, lagos artificiais com passeios de barco. Durante a época de festas, vou contratar grandes cantores de ópera para apresentar aquelas canções de Natal.

— Nós as chamamos de cânticos.

— Cânticos natalinos. E adoro aqueles palhaços grandalhões com narizes vermelhos e sapatos enormes. Eu os vi uma vez numa revista estrangeira. Vamos ter isso também.

— E não se esqueça de fazer muitos banheiros públicos para os visitantes também — disse Mike secamente. — Beijing sofre de uma séria carência de banheiros públicos.

— Isso também. Ainda não terminei.

— Não me diga!

— Grandes e suculentas churrascarias com caubóis e *cowgirls* chineses servindo as pessoas com laços enroscados, como num rodeio. Diversão boa e saudável. *Pubs* e bares. Cerveja alemã, uísque escocês, vinho da Califórnia. Posso ver o centro subindo, cada vez mais alto, alcançando o céu como o dragão que lhe dá o nome.

— Isso tudo soa muito majestoso, mas onde está a grana? — perguntou ele.

— É claro! Eu tenho a grana.

— Quero dizer muita grana.

— Eu tenho muita grana.

— Nem tanta assim — disse Mike. — Você precisa de empréstimos.

— A visão gera visionários. Este é o melhor dos tempos e o pior dos tempos. Tudo é possível.

— Esqueça Dickens. — Mike esfregou o polegar e o indicador. — Dinheiro.

— Deixe os empréstimos por minha conta.

Eu tinha uma aversão confessa pela maioria dos FDCs. Abominava suas atitudes banais diante da vida e suas visões estreitas do mundo. Andava cautelosamente em torno deles, tratando-os como o que realmente eram: os males necessários da nossa era, os olhos e ouvidos dentro do santuário do nosso regime sigiloso. Mas nem todos os FDCs eram grosseiros. Era preciso ter um olhar mais cuidadoso. Havia de fato algumas pedras preciosas a serem descobertas, ainda que decididamente poucas. David Li era um deles, o gerente-geral da filial do Banco da China em Beijing.

Li, um homem corpulento de rosto quadrado, era filho do ministro da Segurança Pública. Como era de hábito e estava na moda, ele havia assumido um nome inglês, David, depois de se formar em economia em Princeton e em direito na Universidade de Beijing. Seu cargo atual era o resultado de um sistema de troca de favores existente, não tão secretamente, entre a velha geração de revolucionários, exigindo que seus herdeiros fossem colocados em cargos-chave para que quando esses filhos herdassem as posições de poder, parecesse que a ascensão era merecida. David conseguiu seu cargo atual porque seu pai havia arrumado uma posição para o filho do ministro da Fazenda. O nepotismo comunista era bem abrangente.

Depois de terminar a conversa com Mike Blake, peguei o telefone e disquei o número de Li.

— Bom dia, David — disse eu.

— É uma honra receber um telefonema seu, sr. Long — respondeu David.

— Você se lembra de ter mencionado há algum tempo que gostaria de fazer negócios comigo?

— Sim, e aliás eu ia ligar para o senhor para conversarmos sobre o financiamento de sua empresa de roupa íntima feminina, que Mike Blake mencionou de passagem.

— Estou impressionado. Você está mais uma vez à frente dos acontecimentos.

— Nasci para ser banqueiro e vou morrer banqueiro.

— Não é um mau caminho a se trilhar. Falando sobre vida e morte, é inevitável pensar na imortalidade. Tenho uma oportunidade para que os nossos nomes entrem para a história de modo monumental.

— Sou todo ouvidos, como sempre.

— Você já ouviu falar no Rockefeller Center?

— Sim, meus colegas da filial de Nova York falam dele com orgulho. Eu patinei no gelo lá, uma vez.

— Então suponho que saiba quem foram os Rockefeller.

— Certamente que sim! Eles foram os reis do petróleo do planeta.

— Mas você já teria ouvido falar neles, se não fosse pela existência daquele centro que atrai milhões de turistas todo ano?

— Não, não teria — confessou ele prontamente.

— E o Rockefeller Center não é apenas uma homenagem ao nome da família.

— Prossiga, por favor, sr. Long.

— O centro cobra os aluguéis mais altos do mundo por metro quadrado — disse eu, citando uma frase de *Nova York arquitetônica*. — E eles serão os donos para sempre. Todos os futuros Rockefellers viverão da renda dos aluguéis, que só aumentará a cada ano.

— Então quer construir um Rockefeller Center aqui?

— É isso mesmo, mas quero que seja ainda melhor. Vai se chamar...

— Deixe-me adivinhar... Dragon Center.

— Sr. Li, nós pensamos do mesmo modo.

Contei a David meu plano em detalhes. O outro lado do telefone permanecia em silêncio, exceto por eventuais exclamações entusiasmadas.

— Tudo o que lhe disse deve permanecer entre nós — solicitei.

— Como banqueiro, tenho meus princípios e minha ética. Estou preparado para levar muitos dos segredos dos meus clientes para o túmulo, sr. Long.

— Hah! Você vai precisar de um túmulo bem grande.

— Se não for pelos segredos que me foram confiados, pelo menos pelos sonhos que habitam a minha alma.

— Os homens só podem ser medidos pelo tamanho dos seus sonhos.

— Isso é verdade, sr. Long. Desejo, com cada célula do meu corpo, ser o financiador do seu Dragon Center. Mas, com uma condição. Quero ter uma pequena placa de bronze afixada na entrada do local, citando o Banco da China como o financiador, e eu, pessoalmente, como o gestor da transação.

— Concedido. Você terá uma grande placa com seu nome em ouro, e um busto de bronze na entrada.

O outro lado da linha ficou em silêncio.

— O que foi, David?

— Estou comovido com sua generosidade.

Naquela noite, retornei ao nosso novo lar, uma espaçosa casa num condomínio na zona sul de Beijing. Encontrei Tai Ping já adormecido depois de um longo dia na escola e Sumi escrevendo em sua mesa, esperando que eu voltasse, para que pudéssemos jantar juntos. Ela havia preparado quatro pratos, todos de frutos do mar: camarões fritos, carpa no vapor, lula salteada, e *escargots* do mar cozidos. O mar era sua especialidade, e ela fazia maravilhas com toques generosos de molho de soja e fatias simples de gengibre fresco.

— Sinto-me como um recém-casado — disse eu, sentando-me à nossa mesa de jantar no estilo da dinastia Ch'ing.

— Eu também — comentou ela, servindo-me uma tigela de arroz fumegante. — Você deveria ter vindo para casa mais cedo.

— Eu estava ocupado. Muito ocupado. Lembra-se de quando saí apressado para ir à livraria na noite passada?

— Lembro.

Ela encheu meu prato de comida. Entre bocados famintos e o manejar agitado dos pauzinhos, contei a ela sobre os meus planos para o Dragon Center.

— E o que vai acontecer com as pessoas que moram lá agora e com as firmas que ocupam aqueles prédios antigos?

Não me surpreendi. A pergunta fazia parte do seu espírito humanitário.

— Vou construir os mais lindos conjuntos habitacionais para eles, Sumi, logo depois dos subúrbios de Beijing — respondi. — Ônibus diretos vão levá-los e trazê-los para a cidade, para que não tenham mais que vir pedalando em suas bicicletas.

— Mas eles não têm como pagar pelas casas.

— Você já ouviu falar em escambo?

— Uma maçã por uma laranja?

— Exato. Eles terão novas casas, novas escolas, e novos *shoppings*, e eu poderei adquirir suas velhas casas na cidade. Eles vão fazer trocas comigo. Vou até oferecer empregos a eles no Dragon Center, depois que estiver funcionando. Eles serão a minha prioridade.

— Então você realmente está pensando nas pessoas.

— O dinheiro não é tudo. Mas ainda vou ganhar bastante dinheiro criando essas cidades-satélites. Logo serei dono de metade da cidade.

Sumi suspirou.

— Qual é o problema? — perguntei.

— Receio que você esteja caindo no buraco capitalista, onde só se pensa em dinheiro e não há nenhuma consciência.

— Mas você não ouviu o resto. Para as empresas cujos prédios serão demolidos, vou oferecer espaços dentro do centro. Se elas não puderem pagar, vou ajudar a recolocá-las nos subúrbios, onde será o futuro. Haverá uma imensa livraria ao nível da rua, e seus livros serão exibidos na vitrine da loja.

— Isso é ótimo. Mas não precisa me paparicar. Apenas, por favor, não traia o povo.

— Nunca. — Tomei sua mão. — Escute, amanhã tentarei chegar em casa mais cedo antes que Tai Ping adormeça.

Sumi abriu um sorriso pequeno, mas contente.

HOWARD GINGER CAIU NA GARGALHADA quando mencionei a idéia do Dragon Center no dia seguinte, tomando um drinque no bar do Friendship Hotel.

— Você enlouqueceu.

— Por quê? — perguntei.

— Dinheiro. Isso vai custar bilhões.

— Nós vamos arrumá-lo. Já tenho um grande banco na alça de mira.

— É bom mesmo. Você vai precisar de muito dinheiro.

— O que preciso, meu amigo, é de uma reportagem especial sobre o projeto.

— Você está me pedindo que faça concessões na minha integridade jornalística para que você consiga publicidade internacional gratuita? — perguntou Howard, brincando.

— É isso mesmo, e você não vai se arrepender.

— E o que eu ganho com isso?

— Um espaço comercial. Você vai poder escolher. Afinal, você representa uma das melhores agências de notícias do mundo.

— E vamos ter que pagar aluguel?

— Estou chocado com a falta de cerimônia da sua ganância jornalística. Este é um projeto colossal para indicar a chegada do capitalismo da China. Isso já não é um furo de reportagem suficiente para você?

— Claro que é. E prometo uma reportagem de primeira página, na parte superior, acima da dobra, quando chegar a hora. Será uma honra, sr. Rockefeller. — Ele afrouxou a gravata e remexeu seu drinque. — Tive um longo dia hoje, tentando arrancar mais notícias sobre os cortes militares da boca daquele ministro da Propaganda, que é uma múmia.

— E como foi?

— Quase mandaram me prender — disse ele, calmamente.

— E por qual motivo?

— Por escrever aquele relatório sobre a reorganização militar ainda não-divulgada. Disseram que eu havia infringido aquele absurdo código penal por divulgar segredos militares, e ao mesmo tempo negavam tudo que eu havia escrito.

— Eu detestaria perder um amigo como você. É melhor tomar cuidado.

— Você também — disse Howard. — Lembre-se, quanto maior o sonho, maiores os perigos.

PARA SUMI, ESCREVER ERA UMA ROSA com espinhos. Seus fãs, que a adoravam — as pétalas —, a inundavam com milhares de cartas de admiração e perguntas sobre seu próximo livro. Os críticos cruéis do governo — os espinhos — chamavam-na de “Prostituta Adolescente”, dizendo que sua vida era uma trajetória de pecados, e seu livro era uma mixórdia de pouco peso literário e ainda menos valor moral.

— O governo me odeia, mas o povo me ama — lamentou ela, num dia melancólico de outono, jogando fora a resenha literária do mês escrita por um crítico comunista muito duro. — Sou a carne perfeita para o sanduíche.

— Eu me pergunto qual dos dois sentimentos você valoriza mais, o amor ou o ódio.

— Ambos são o maior elogio literário para qualquer escritor desta terra.

— E também os fatores mais poderosos que impulsionam seu livro acima do recorde dos cinco milhões.

Eu tinha acabado de receber de Lena esses números.

— É mesmo? — Sumi não conseguia deixar de se empolgar com a enormidade daquele número. Para ela, um milhão era a soma de todas as estrelas do céu. Imagine cinco milhões...

— Você sabe que não escrevo pelo dinheiro — disse ela, com firmeza.

— Você certamente não escreve por dinheiro, mas o dinheiro vem porque você escreve.

— Dinheiro e dinheiro. Você é, como sempre, um homem de negócios.

— Preciso ser, pois milhões dos seus leitores estão aguardando pelos seus livros. Sem minha participação, eles nunca teriam lido suas palavras. E, por falar em dinheiro, acabei de receber uma fatura não paga de uma distribuidora de alimentos, declarando que você se esqueceu de pagar por um carregamento de comida que encomendou. Eles tomaram a liberdade de enviá-la ao seu editor.

Pesquei uma folha dobrada de dentro da minha maleta.

— Ah é? Deixe-me ver. — Sumi olhou rapidamente a fatura e enfiou-a no bolso. — Isso é coisa minha.

— As suas coisas são minhas coisas também. Você pode me dizer o que é que está acontecendo?

— Estou sem dinheiro — disse ela, com tristeza.

— Sem dinheiro? Mas e o pagamento de todos aqueles direitos autorais?

— Eu tenho gasto todo o dinheiro ajudando um orfanato perto de Tianjin. O inverno está chegando e aquelas crianças têm pouca roupa para vestir. Quando mando dinheiro para roupas, acaba a comida... Tem sempre alguma coisa faltando.

— O que aconteceu com o auxílio do governo?

— Não tem auxílio nenhum. A cidade de Tianjin há muito tempo quer se livrar do orfanato. Se fizerem isso, para onde é que vão as crianças?

Ficamos os dois em silêncio, lembrando-nos do tratamento brutal que ela tinha recebido na casa de Fu Chen.

— Então você tem mandado seus cheques dos direitos autorais para eles? — perguntei calmamente.

Sumi balançou a cabeça, demonstrando um sentimento de culpa.

— Quantas crianças há no orfanato?

— Exatamente trezentas, depois de terem morrido três de pneumonia.

— Mas, querida, você devia ter me contado isso. Eu teria ajudado. O que mais você tem escondido de mim?

Olhei bem dentro de seus olhos límpidos. Ela abaixou seus longos cílios.

— Isso aqui.

Sumi caminhou até a sua escrivaninha e tirou uma grossa pilha de papel de dentro de uma gaveta.

— Minha querida Sumi! — folheei as páginas. — Seu próximo livro?

— É sobre o orfanato de Tianjin. Tem crueldade, romance e, desta vez, tem também corrupção do governo, e das grandes — disse ela, com orgulho.

— Eu gosto desse tema. Aliás, adoro. Isso vende. Proponho comprar os direitos para o mundo todo.

— Eu incluí nomes de altos funcionários do governo — disse ela seriamente.

— Você cita nomes?

Sentei-me no sofá.

— Você está tirando o corpo fora?

— Não, mas para quem você está apontando o dedo, exatamente?

— São muitos nomes e é uma lista muito longa — disse ela, sentando-se ao meu lado. — Tenho provas de seus atos ilegais e, se tiver sorte, metade — ou mais — do governo de Tianjin vai para a cadeia. Está com medo?

— Não. Só quero estar preparado.

Beijei seu rosto de pele macia.

— Para mostrar minha admiração pelo seu ato heróico, proponho aumentar seu adiantamento.

— Aceito sua oferta, se meu texto for publicado como está escrito.

Ela roçou seus lábios nos meus.

— Uma escritora de *best-sellers* muito voluntariosa. Ninguém é bom o suficiente para revisar o seu texto?

— Não, não é isso.

Ela segurou meu rosto com as mãos e disse sinceramente:

— Eu só me importo com a autenticidade da voz das crianças. Elas não têm estudo. Elas falam de um certo jeito, com certos sotaques e uma sintaxe que é só delas, coisas que um revisor instruído consideraria impublicáveis. Mas insisto em que a linguagem seja publicada como é falada. As palavras grosseiras e as frases mal construídas vão dar o tom da verdade.

— Está feito, se você aceitar a minha condição.

— Que é...?

— Caso seja necessário, você deve aceitar a proteção que eu oferecer — disse eu num tom circunspecto.

— Vocês, homens, só pensam em coisas frias e sérias, não é mesmo?

Sumi acariciou meus cabelos com ternura.

— É verdade. Mas isso não quer dizer que a gente tenha coração de pedra.

Beijei seu pescoço, sentindo seu cheiro.

— Venha para a cama, meu amor — disse ela suavemente. — Tai Ping saiu com Nai-Ma para fazer compras.

Ela riu com alegria quando a levantei no ar num gesto teatral e a carreguei para dentro do nosso quarto.

A CONCLUSÃO DE SEU SEGUNDO LIVRO DEMOROU mais do que Sumi tinha previsto. Ela viajou muitas vezes ao orfanato para fazer pesquisas e conversar com as crianças. Tai Ping e eu ficamos bem. Nai-Ma, que morava conosco, cuidava do menino, e eu estava ocupado com os detalhes do Dragon Center. Mas, quando a dona da casa não está presente, parece que falta alguma coisa. Nós, os dois homens da casa, fizemos o melhor que pudemos para preencher os vazios. Divertimo-nos juntos — passeando no parque que ficava próximo, jogando futebol no *playground*, lendo um para o outro nossos livros infantis prediletos, e cantando as canções de ninar que nos induziam aos nossos sonhos — enquanto esperávamos pela volta de Sumi, que traria exuberância à nossa casa novamente.

Certo dia, no orfanato, Sumi recebeu a visita do sr. Ta-Ti, um homem de óculos, presidente da Associação de Escritores de Tianjin. Ela ficou surpresa quando o velho lhe disse que ela precisava ser membro da associação para poder escrever lá ou para escrever sobre Tianjin.

— Mas sou escritora, e sou livre para escrever sobre qualquer coisa e em qualquer lugar.

— Isso não está de acordo com as nossas normas. Sabemos quem você é. Seu estilo literário e o tipo de texto que você escreve não a qualificam como escritora. Além do mais, você só escreveu um livro, enquanto a maioria de nós já tem uma obra considerável.

— Mas as pessoas gostam do meu trabalho.

Sumi não disse que as pessoas detestavam os romances que os autores da associação escreviam por encomenda.

— É claro que as pessoas desejam ler sobre essas perversões. Na página 100, você descreveu nitidamente o seu próprio corpo de um modo asqueroso, que apela apenas aos desejos lascivos dos homens.

— Isso quer dizer que o senhor leu, então. Muito obrigada.

— Sim, e detestei cada palavra do livro. Não a consideramos bem-vinda em Tianjin com seu estilo vulgar. E muito menos queremos que você escreva sobre a nossa bela cidade. Se não sair de Tianjin dentro de um mês, a polícia vai prendê-la.

O homem cuspiu um escarro amarelo no chão e saiu intempestivamente.

Naquela noite, ligou para mim e chorou, relatando-me o ocorrido. Implorei que voltasse, mas ela disse que os insultos e as ameaças só fortaleceram sua convicção de ficar e revisar o livro até chegar à forma final.

EM TRÊS MESES, A DRAGÃO & CIA. JÁ HAVIA secretamente adquirido dois terços do terreno necessário para o projeto dos meus sonhos. A aquisição foi inicialmente vista com desconfiança por muitos proprietários das velhas casas de tijolos cinza, conhecidas como *si he yuan*, com quatro quartos e um quintal na frente. Mas elas foram vendidas tendo em vista a vida paradisíaca que eu estava construindo para eles no subúrbio — apartamentos com água corrente, banheiros particulares que não fediam, fogões que se acendiam com o riscar de um fósforo, e jardins floridos para se apreciar, ao acordar, em todas as manhãs ensolaradas.

Para o conjunto habitacional, escolhi um vilarejo pitoresco aninhado nas montanhas escarpadas do Oeste. Os terrenos lá eram baratos. Os habitantes da aldeia puseram seus ábacos mentais para funcionar e calcularam os ganhos e os gastos. O milho era bom e o arroz era precioso, mas nada era melhor do que o dinheiro vivo escondido debaixo de um travesseiro quente. Era a localização perfeita para minha futura vila, uma das muitas que estavam por vir. Um shopping aqui e um cinema ali, uma escola até o ensino médio completo e, quando muitas vilas-satélites estivessem construídas e orbitando dentro do meu universo imaginado, talvez uma universidade, com todos os diplomas acadêmicos necessários e desnecessários.

— Tan, tudo parece um pouco estranho e arrumado demais — disse Sumi ao telefone alguns dias antes do Ano Novo. Ela estava ilhada em seu pequeno quarto de hotel em Tianjin, a centenas de quilômetros de distância. — A pobreza, os crimes e o ódio sempre vão existir.

— Meu amor, você já está há bastante tempo lidando com esses órfãos. Quero você de volta aqui para a véspera do Ano Novo.

— Não posso. Quero organizar uma festa de Ano Novo para as crianças — disse ela, num lamento. — Só mais alguns dias e serei sua para sempre.

"*Sua para sempre*? Por que não agora?", pensei comigo mesmo.

Ding Long

丁龙

CAPÍTULO 34

1985
FUJIAN

AQUELE TINHA SIDO UM BOM ANO para o pai de Tan. Muito bom mesmo, pensou Ding Long, revendo seu balanço anual. Os livros estavam abertos e em ordem sobre a mesa de mogno de sua casa, que ficava de frente para o mar Amoy. Os lucros tinham aumentado e o número de funcionários, duplicado. Ding Long acendeu um charuto, o único do dia, por determinação de sua esposa, e inalou fundo. Estava prestes a pegar sua taça de vinho, que estava pela metade, quando ouviu um barulho vindo do aposento ao lado. Sem fazer ruído, Ding Long sacou seu velho revólver da gaveta de cima, caminhou silenciosamente até a porta, e abriu-a lentamente. Um homem estava sentado numa poltrona, e sua silhueta estava contornada pela luz do luar que entrava pela janela.

— Por que a escuridão? — perguntou Ding Long.

— Quero evitar olhos indesejáveis — disse o homem, levantando-se. A luz do luar denunciou sua estatura alta e seus ombros largos.

— Qual é o assunto? — perguntou Ding Long.

— Não pretendo lhe fazer nenhum mal, general. Por favor, feche a porta.

O intruso permaneceu imóvel.

Ding Long entrou cautelosamente no quarto, com o revólver ainda apontado para o estranho.

— Fui enviado pelo seu velho amigo, general Fu-Ren, comandante de Fujian. Ele solicita sua presença nesta reunião.

O homem entregou-lhe um pedaço de papel.

— O senhor tem que comparecer. Trata-se de um assunto de grande importância. Por favor, leia as informações detalhadas.

O homem saiu pela janela.

Ding Long acendeu uma luz. "Campo de Pouso Lan Xin às nove da noite", dizia o bilhete. "Destino: Lanzhou. Queime este papel depois de lê-lo."

O bilhete provocou calafrios em Ding Long. Alguma coisa estava acontecendo na área militar. Sabia que havia descontentamento com o presidente entre os comandantes. Mas por que este pedido? O que isto tinha a ver com ele?

LAN XIN ERA UMA PISTA DE POUSO camuflada, escondida dentro de uma cadeia de montanhas e construída durante os piores anos da Revolução Cultural, para se opor a quaisquer ataques dos Nacionalistas da República de Taiwan, que ficava a apenas um curto vôo de distância. O lugar cheirava à Guerra Fria. Ding Long bateu continência para o piloto, que fez o mesmo, como bom soldado.

— Bem-vindo de volta à corporação, comandante — disse o velho piloto.

— Já nos vimos antes?

— Dezembro de 1969. Cidade de Ho Chi Minh.

— Você deve ser o rapaz que me trouxe de volta pelo território inimigo quando eu estava ferido.

— Sim, sou eu, e tenho orgulho disso.

— Então isto quer dizer que estou em boas mãos.

— O tempo de vôo será de duas horas.

— Veja se pode reduzir isso à metade.

O piloto o fez. Quando chegaram, dois guardas escoltaram Ding Long ao subsolo, para dentro de um silo nuclear profundamente enterrado no solo. Numa sala de conferências toda branca, estavam sentados os oito comandantes militares em torno de uma mesa redonda.

— A que devo esta honra, generais? — indagou Ding Long, cumprimentando os homens e batendo continência. Eles responderam com entusiasmo.

Os oito homens estavam vestidos com o uniforme completo e tinham expressões solenes no rosto. Ding Long lembrava-se deles mais jovens e mais esbeltos.

— O nosso Exército chegou a um estado calamitoso, velho comandante. Precisamos do seu sábio conselho — disse Fu-Ren.

— Agora sou comerciante, e não alguém com quem vocês deveriam buscar aconselhamento militar. A não ser que haja algo que desejem me vender, estou indo embora.

Seu olhar correu rapidamente pelos rostos dos comandantes.

— Por favor, fique e nos ouça. Queremos reintegrá-lo como nosso comandante — disse o comandante de Lanzhou.

Houve um silêncio constrangedor.

— Vocês estão todos loucos? — disse Ding Long, com um ar severo. — Estão falando de um golpe de Estado!

— O senhor foi prejudicado por Heng Tu.

— É melhor pararem com isso — exclamou Ding Long. — Estou indo embora. Se Heng Tu ficar sabendo disso, mandará nos enforcar.

— É por isso que precisamos acabar com ele antes que nos derrube, como fez com o senhor — disse Fu-Ren.

O rosto de Ding Long se contraiu. Mas ele respirou fundo, acalmou-se, e se dirigiu para a porta. Apertou o botão. A porta não se abriu.

— Deixem-me sair.

— Ou o senhor sai daqui como nosso amigo ou morre como nosso inimigo — disse Fu-Ren.

— Isso é uma armadilha — retrucou Ding Long.

— Não, estamos aqui para nos vingarmos do seu inimigo — disse Fu-Ren. — O que Heng Tu fez a seu filho é imperdoável.

— Meu filho cometeu um crime. Eu tive que renunciar.

— Tenho evidências que provam o contrário. Tragam o homem aqui agora.

Um rapaz de rosto macilento entrou na sala. Ele parecia doente e pouco à vontade, transferindo o peso do corpo de um pé para o outro. Usava sandálias. A luz o fazia ficar ainda mais pálido.

— Este é o sr. Lo, fotógrafo oficial da polícia de Beijing.

O homem fez uma reverência e, cuidadosamente, colocou uma foto nas mãos de Ding Long.

— Já vi esta foto — disse Ding Long, furioso, jogando-a longe como se fosse veneno. Ele nunca esqueceria aquela foto lúgubre, a única prova que incriminava seu filho.

O homem apanhou a foto no chão e novamente passou-a às mãos de Ding Long. — Eu a ampliei. Por favor, olhe mais de perto e veja se esse é mesmo o seu filho.

Ding Long fitou o fotógrafo, e então examinou, com relutância, a foto ampliada. O rapaz na foto vestia o mesmo suéter amarelo que seu filho Tan estava usando naquele dia fatídico. Mas esta foto maior e mais nítida exibia claramente o que não tinha sido mostrado na foto original. O rapaz da foto tinha o queixo mais quadrado, a pele mais escura e um ar mais conturbado. Ding Long prendeu a respiração. *Meu filho foi falsamente incriminado.*

— Quem é ele? Quem é esse assassino?

O fotógrafo tremia. Seu rosto tornou-se mais pálido. Gaguejando, confessou:

— Um... um jovem cadete da unidade Jian Dao, da Ilha Número Nove.

— Qual é o nome dele? — perguntou Ding Long.

— Shento.

Ding Long ficou petrificado à menção daquele nome.

— Quem lhe pediu que tirasse essa foto?

— O homem lá de cima.

Ding Long lançou-se contra o fotógrafo, sendo detido pelo comandante de Fujian.

— O fotógrafo é apenas uma vítima. Ele não é nosso real inimigo — disse Fu-Ren. — Por que o senhor não se junta a nós e luta contra o nosso verdadeiro inimigo? Lembre-se, Heng Tu teria matado seu filho, caso o senhor não tivesse renunciado, desistindo da sua carreira gloriosa por um crime que o rapaz não cometeu. Está vendo? Foi tudo uma conspiração sórdida contra o senhor, meu querido comandante. Como é que o senhor pode ficar assistindo a isso sem fazer nada, deixando esse tirano respirar por mais um segundo que seja? Leve isto em consideração, por favor, general.

Ding Long cuspiu no fotógrafo assustado e foi embora. Desta vez a porta se abriu, antes mesmo que ele pudesse apertar o botão na parede.

Sentou-se ereto em sua poltrona durante todo o vôo de volta. Um bom soldado aceitava a derrota, mas nunca o engodo. Ao chegar em casa, acordou sua esposa. Sentado na cama, contou-lhe calmamente a terrível verdade daquela noite infeliz de muitos anos atrás.

A sra. Long ficou em silêncio.

— Eu também tenho uma confissão a fazer — disse ela em voz baixa. — Há alguns anos, sua secretária me entregou uma carta estranha, endereçada a você, vinda de um órfão chamado Shento, de Fujian. Ele declarava que era seu filho. Eu escrevi de volta, rejeitando-o... Sinto muito. Ele era uma ameaça ao nosso futuro...

Ela se aproximou do marido, que a abraçou com força.

Quando ela finalmente adormeceu, Ding Long foi à sua escrivaninha, retirou suas insígnias de cinco estrelas, símbolo de sua autoridade militar, apertou-as contra seu coração e fez uma ligação para os companheiros que aguardavam sua confirmação em Lanzhou.

Shento 山头

Capítulo 35

Os óculos de fundo de garrafa do dr. Yi-Yi faziam seus olhos, que não paravam quietos, parecerem menores, como os de quem estivesse eternamente despertando, mas nunca despertasse efetivamente, acrescentando um ar de inocência ao cientista de trinta e poucos anos. Com seu hábito de falar sozinho e fazer amizade com as árvores, que cumprimentava todas as manhãs a caminho do seu escritório, o dr. Yi-Yi era considerado um membro estranho, mas devotado, daquele campo fértil, repleto de ogivas nucleares.

Ele surpreendeu a todos ao assinar uma solicitação pedindo para tornar-se membro do Partido Comunista, quando as afiliações haviam se reduzido a um punhado insignificante de gente. Ainda mais surpreendente foi sua chorosa cerimônia e o voto de doar todo o seu salário ao partido. Ninguém se deu conta de que sua devoção fervorosa a uma coisa do passado indicava um problema mental do tamanho do desfiladeiro de um rio. Ele jurava que, um dia, uma de suas bombas explodiria os russos, que haviam tomado as terras do seu avô, na região Nordeste do país. Ele destruiria as ilhas do Japão, cujos soldados violaram sua avó no Estupro de Nanking; e incomodaria os americanos, que encheram de balas a cabeça de seu pai na Guerra da Coréia, fazendo de Yi-Yi um órfão.

Ele certamente não ficou satisfeito quando seu comandante decidiu abrir a base nuclear como plataforma de lançamento de foguetes para os mesmos países que estupraram, roubaram e destruíram a sua família. Permaneceu em seu escritório durante dias, sem comer, sem dormir, delirando sobre a genuína guerra nuclear total. Mas seus sonhos terminaram quando ele leu um relatório informando que a China fazia parte do Tratado de Não-Proliferação Nuclear, um acordo assinado por muitos países, porém sem a pretensão de ser aplicado por nenhum deles. Vomitou até as tripas e ficou com a garganta arranhada, sentindo muita dor e odiando tudo. Sua maldita úlcera se agravou, causando uma grave hemorragia interna. Seus companheiros chamaram uma ambulância e sua alma turbulenta se acalmou durante uma temporada tranqüila num sanatório à beira-mar, onde ele passou os dias olhando, melancolicamente, para o oceano.

Quando nos encontramos, durante a visita de inspeção, ele viu que falávamos a mesma língua, e que nossos corações batiam no mesmo ritmo. Meus planos clandestinos encaixavam-se perfeitamente à existência sorrateira de Yi-Yi. Em seu relatório semanal, ele listava todos os oficiais não-confiáveis que aceitavam trabalhos por fora e os cientistas negligentes que ficavam sentados, jogando pôquer no silêncio do depósito nuclear subterrâneo.

Quando liguei, perguntando sobre a localização do seu comandante, Yi-Yi prometeu que iria até o fundo das coisas, e foi. Desceu até os silos, através de uma passagem secreta, e esgueirou-se por trás da cortina do centro de comando do depósito, onde imagens de todas as instalações apareciam nos monitores. Lá, ele viu oito homens reunidos em segredo. Mas o inesperado nono rosto que ele descreveu me apunhalou o coração. *Meu maldito pai, finalmente o encontrei.*

Adiei um pouco informar sobre esta reunião secreta ao presidente. Respirei fundo para me acalmar, e então disquei o número do meu jovem general em Fujian e dei uma ordem simples:

— Separe todos os arquivos que você tem sobre Ding Long.

NA TARDE SEGUINTE, RECEBI O VOLUMOSO fac-símile da lista de crimes do ex-general. Meu coração se apertou enquanto eu dava uma olhada rápida no resumo. Marchei até a ala presidencial e inclinei a cabeça para os guardas, que me fizeram continência.

— Há mais alguém na sala, coronel.

— Faça-o ir embora, se puder.

— Sim, coronel.

O guarda entrou no escritório. Após um momento, a porta se abriu e revelou o presidente em sua cadeira de rodas, um pouco perturbado pela intromissão.

— É melhor você ter algo de muito importante para me dizer, meu filho — disse ele.

— Eu nunca teria perturbado sua reunião com o mestre de xadrez se não fosse por um motivo muito importante.

— E o que seria mais importante do que o meu jogo de xadrez? Pode me dizer, meu rapaz?

Empurrei a cadeira de rodas do velho para trás da sua pesada mesa que representava o poder — ela, um dia, pertencera ao Imperador Ch'ien-lung, da dinastia Ch'ing.

— Uma reunião secreta foi realizada no silo Número Oito, em Lanzhou, ontem à noite.

— Quem estava presente?

— Seus oito comandantes regionais.

— Reunindo-se às escondidas? E do que se tratava?

— Um encontro com o seu velho amigo, o general Ding Long. Um fotógrafo da polícia de Beijing estava lá para mostrar a Ding Long uma certa foto antiga.

O presidente remexeu-se desconfortavelmente em sua cadeira de rodas.

— Algumas coisas custam a morrer.

— Algumas coisas nunca morrem.

Heng Tu agarrou as rodas de sua cadeira e girou-as para encarar a janela, que emoldurava o sol poente.

— Você sempre me surpreende, meu filho. O que devemos fazer com relação a isso?

— Tenho uma rede de pessoas vigiando todo o clã Long. Ding Long tem se preparado para retornar desde o momento em que foi banido para Fujian. A família Long tem estado ocupada construindo um império. O Banco Litorâneo, encabeçado pelo velho Long, tem um patrimônio total de dois milhões de iuanes.

— Onde ele conseguiu o dinheiro para começar esse negócio? O velho banqueiro deve ter roubado aqueles vinte milhões de dólares.

— Vamos examinar isso novamente, mas minhas fontes revelaram que o velho Long tem um sócio oculto, que está sendo representado por uma ex-gerente do banco estatal chamada Lena Tsai. Há outras notícias perturbadoras. O Banco Litorâneo financia todas as atividades de Ding Long. Ele começou inicialmente com algumas fábricas, mas agora entrou no ramo de projetos militares e de infra-estrutura, negociando com armas, comprando nossos velhos aviões, e adquirindo usinas elétricas. Sua fortuna total está estimada em cerca de cem milhões de iuanes. Todos os seus funcionários são veteranos do Exército que ainda o chamam de "general". A CIA o considera um possível traficante de armas no Triângulo Dourado no mar do Sul da China. Pode ser que ele tenha adquirido mísseis nucleares do nosso arsenal de Lanzhou.

— Jogue uma rede para pescar todos eles — ordenou Heng Tu. — Mas lembre-se, soldados furiosos são inimigos difíceis.

MEUS JOVENS GENERAIS AGORA PASSAVAM de cinqüenta. Eles penetravam horizontal e verticalmente em todos os níveis das forças armadas. As cidades importantes eram o meu foco, mas nunca deixava surgirem sintomas de quaisquer males sem tomar precauções, mesmo nas menores cidades. Meus jovens generais eram como morcegos. Voavam baixo, caçavam a presa e depois batiam suas asas fantasmagóricas, guinchando de volta à escuridão.

A reunião conspiratória de todos os comandantes regionais no silo apenas intensificou as atividades de meus morcegos por todo o país. Eu havia ordenado que todos os comandantes fossem vigiados e grampeados com aparelhos de escuta e, se necessário, eliminados. Mas esta seria uma última opção, em caso de extrema necessidade.

Eu sabia de todos os passos que cada um dos oito homens dava. Nenhum detalhe passava despercebido: o que comiam, com quem dormiam e, é claro, suas longas conversas telefônicas.

No topo da lista da minha vigilância estava Ding Long. Eu me informei sobre cada detalhe dos negócios dos Long: sua compra de um aeroporto militar, seu comércio de armas, seus lucros clandestinos e seus subornos. Quanto mais sabia sobre Ding Long, mais o odiava. Quanto mais o odiava, mais desejava saber. A obsessão levava-me à loucura.

Faltando três dias para terminar o proveitoso ano de 1988, tive uma reunião em meu escritório com o tenente Bei, o jovem general de Beijing. Ele era um sujeito alto, com um diploma da Universidade de Beijing, atualmente ocupando um cargo no distrito militar como oficial de propaganda, pois era um homem que tinha jeito com as palavras.

— O que causou o seu atraso? — perguntei.

— Minhas desculpas, coronel. Mas há muitas coisas que esse jovem Long está planejando.

— É mesmo? Continue.

— Ele obteve um diploma da Universidade de Beijing, onde me formei com louvor.

— Como o pai dele.

— Rejeitou todas as ofertas de ambicionados cargos governamentais assim que se formou, e agora é o presidente da Dragão & Cia., uma *holding* que também tem sociedade com o Banco Litorâneo de Fujian, do qual seu avô é dono, e é o sócio oculto de seu pai em seus empreendimentos crescentes na indústria e no comércio.

— Como descobriu tudo isso?

— Tive que desemaranhar um pouco os fios da meada, mas está tudo nos arquivos da Junta Comercial. Porém, o mais significativo de tudo é que Tan Long vai apresentar em breve uma proposta para construir um complexo monumental no centro de Beijing.

— De que tamanho?

— Como uma montanha bloqueando o Sol. Os mais renomados arquitetos foram contatados e estão fazendo propostas para projetá-lo, incluindo I.M. Pei. Esta informação veio de um repórter americano, Howard Ginger, amigo de Tan, e meu também.

— Você tem algo de bom para usar contra ele?

— Certamente — respondeu ele inclinando bastante a cabeça. — O jovem Long é dono da Editora Mar Azul.

— Está publicando livros?

— Está. Livros e revistas muito perturbadores. Lixo antigovernamental e literatura pornográfica escrita por autores que estão na lista negra e que nossos editores estatais jamais publicariam. Seu livro mais sensacionalista, *A órfã*, lançou a editora e trouxe-lhes uma montanha de dinheiro. Foi escrito por uma moça chamada Sumi Wo, que...

— Você disse Sumi Wo? — exclamei, asperamente.

— Isso mesmo, Sumi Wo. O livro é uma autobiografia sobre sua vida como órfã em Fujian. E fala-se em adaptá-lo para um longa-metragem.

Agarrei-me à minha cadeira, sentindo-me meio tonto.

— Aconteceu alguma coisa?

— Nada. Tem certeza de que o nome da autora é Sumi Wo?

— Tenho. Ela ficou famosa.

— E conseguiria encontrá-la?

— Foi por isso que me atrasei. No momento, ela está em Tianjin, escrevendo seu segundo livro.

— Encontre-a. Imediatamente.

Minhas palavras foram quase inaudíveis.

Capítulo 36

1985
TIANJIN

O Ano Novo deixou meu coração oco. Um vento frio do norte, vindo do mar, varreu as ruas sujas e rachadas de Tianjin, tornando ainda maior o meu vazio, longe de Tan e do meu filho, e esta sensação quase ameaçava me engolir por inteiro. Vivi muitos desses feriados solitária e lamentei-os todos. Muitas vezes imaginava como seria ter um pai ou talvez uma mãe muito boa, que viesse para casa todos os dias sorrindo, me abraçando e perguntando por mim.

Naquela estada melancólica, no último dia do ano, pensei na minha irmã mais nova, Lili, que, segundo me disseram, foi doada e adotada por uma família rica em algum lugar no Sul. Ela tinha olhos grandes e o nariz sempre escorrendo, dentes pequenos, lindas covinhas fundas e a cicatriz que eu, a irmã mais velha, fiz atrás de sua orelha direita, devido a uma briga por causa de algum brinquedo. Lili ainda devia ter aquela cicatriz. Onde estaria agora? Será que ainda estava viva? A fome corria solta, e uma simples infecção tirava muitas vidas jovens e frágeis. Era estranho que eu mesma tivesse sobrevivido. Desejava sinceramente que minha irmã ainda estivesse viva, onde quer que morasse. E que estivesse bem.

A memória de Lili trazia as imagens igualmente fragmentadas dos nossos jovens pais. Papai — alto, bonito, todo vaidoso, com um belo sorriso, dentes grandes, cheirando ao mar de verão. Mamãe — pequenina, linda, com a fragrância do início da primavera. E então, um dia, eles nunca mais voltaram. Desapareceram. Desvanecidos na memória. Começando em lugar nenhum, terminando em lugar nenhum, a ilha da memória, envolta no isolamento, em meu passado enevoado e distante.

Mesmo agora, tinha dificuldade em tocar naquele buraco escuro, cheio de medo e de tristeza. Há muito aprendi a fechar os olhos da mente e a encarar a realidade — a vida de um animal abandonado dentro da jaula de um orfanato. Aprendi a engolir todos os pesares, grandes ou pequenos. Inventei um processo de despejar quaisquer sentimentos tristes em um ponto desconhecido no fundo da minha alma. Enterrá-los e matá-los com franca determinação. Com isso, sentia-me melhor.

Sentada no salão onde seria realizada a festa de Ano Novo, fui cercada por crianças do orfanato de Tianjin, que estavam ocupadas dando os toques finais na decoração da festa. Levantei o olhar do meu arranjo de lírios, girassóis, rosas, e minhas flores prediletas: tulipas amarelas com toques de laranja. O relógio de pêndulo aproximava-se lentamente das quatro horas, enquanto o aroma sedutor da comida infiltrava-se pelas frestas das portas. A comida estaria pronta em breve. Sorri. Red Red, um menino pequeno com cabelos longos e desgrenhados e dois dedos faltando, parou subitamente diante de mim.

— Moça, você parece uma flor.

— Ah, Red Red, guarde os elogios carinhosos para aquela menina lá, de vestido amarelo — disse eu, arrumando as tulipas.

— Estou com fome. Este cheiro está me matando — disse ele, inspirando fundo.

— Seja paciente. Faltam apenas uns poucos minutos antes de servirmos a comida. Por que não tenta adivinhar que cheiros são esses? — sugeri, com a intenção de distraí-lo.

— Porco com gengibre, carne com coentro, siris com alho, água-viva ao vinagrete. — Os olhos de Red Red estavam fechados, mas sua imaginação era viva. Ele fez uma pausa para engolir em seco. — A rabada está ficando um pouquinho queimada, e tem peixe cozido no vapor.

Fiquei espantada.

— Bom olfato.

— Isso vem dos anos de pedinte, cheirando as chaminés dos ricos, e raspando os fundos das panelas dos pobres. A gente aprende a gostar mais do cheiro do que da própria comida. Muitas dessas coisas eu nunca comi, mas sei como seria o gosto na minha boca.

Fechou os olhos novamente.

— Pare com isso. Você logo vai comer.

Um sino tocou. Um cozinheiro rechonchudo, com uma fantasia colorida de palhaço, escancarou a porta e anunciou:

— O jantar está pronto.

Ele saiu dançando, tocando seu sino ao ritmo da valsa que vinha do salão. Seus grandes sapatos, que pareciam pés de pato, batiam no chão, enquanto os órfãos o cercavam, dando vivas, puxando seus suspensórios vermelhos e dançando pela sala de jantar adentro junto com ele.

Lá dentro, havia uma mesa comprida com a comida que o nariz de Red Red logo reconheceu. Num prato gigantesco, havia uma enorme pilha de joelhos de porco bem cozidos. As rabadas reluziam com filetes de óleo. O cozinheiro as deixava queimar um pouco para concentrar o sabor dentro da crosta fina. Enquanto o óleo escorria, o sabor ficava mais acentuado. Uma carpa de um metro, recém-pescada, estava agora numa tigela, cozida no vapor. Seus olhos imóveis repousavam numa cama de fatias de gengibre e cebolinha picada. Sua cauda estendia-se além do prato em formato de barco, ocasionalmente dando alguns solavancos, sinalizando seu fim próximo.

Enquanto o resto do grupo fazia fila para a comida, Red Red permaneceu num canto com os olhos fechados. Fui até lá e o abracei, dando um beijo estalado em sua testa.

— Pode abrir os olhos agora. Prometo que a comida vai ser ainda mais gostosa do que o cheiro dela.

Red Red abriu os olhos um pouco.

— Será que estou no céu?

— Ainda não. Há coisas melhores esperando por você na vida.

— Não me importaria se não houvesse.

Red Red foi correndo para a mesa onde a comida estava posta.

Aquela seria uma boa festa de Ano Novo, pensei comigo mesma, observando as crianças comerem com entusiasmo, seus gritos de alegria rodopiando no ar como um bando de pássaros.

Tan 唐

Capítulo 37

Aluguei o luxuoso salão de recepções do Hotel Beijing e contratei a orquestra de câmara para tocar na sala decorada para o evento com renas, Papai Noel e imitação de neve. Haveria um banquete no salão contíguo. Champanhe francês foi contrabandeado de Hong-Kong, o salmão de Shandong nadava nos aquários do hotel e os caranguejos de Fujian rastejavam com suas patas grossas e suculentas. Havia também *de zhou pa ji* — tenras galinhas assadas, cada uma pesando não mais do que meio quilo.

O editor Fei-Fei, com um surpreendente talento de epicurista, orquestrou todo o evento. A lista de convidados, outra trabalhosa mas necessária atribuição de Fei-Fei, parecia uma relação de "Quem é quem" em Beijing: homens de negócios, altos funcionários, artistas, atores, escritores e alguns oficiais do Exército. Alguns eu conhecia, outros não.

— Você precisa conhecê-los — insistiu Fei-Fei.

— Mas isso é ridículo. Alguns deles são como fogo e água. Não deviam estar juntos.

— Você vai ficar maravilhado com o que dois drinques podem fazer com um homem — disse Fei-Fei. — Também convidamos funcionários da

Secretaria de Planejamento Urbano. Eu não ficaria surpreso se o seu projeto do Dragon Center fosse aprovado aqui mesmo, hoje à noite.

— Faça figa e não beba demais. Vou precisar de você pelo resto da noite.

— E quem é que vai buscar a futura noiva surpreendida em Tianjin? — perguntou ele.

— Você.

— Eu? Tudo eu? Onde está o seu diretor-executivo, Mike Blake?

— Ajudando os arquitetos com os toques finais da apresentação do Dragon Center. Além do mais, Sumi é sua escritora.

Ele cedeu.

— Tudo bem.

— Você vai sair às cinco da tarde de helicóptero. Ela vai ficar presa no hotel em Tianjin o dia inteiro, preparando uma festa para os órfãos. O vôo leva cinqüenta minutos. Esteja com ela aqui às oito. Isso dará tempo para ela ficar surpresa, se vestir e casar comigo por volta das nove.

— Parece ótimo, mas o que você vai fazer com aquelas pobres crianças?

— Traga-as. Aluguei um avião cargueiro militar com este propósito. Eles são muito especiais para Sumi. Ela não virá sem eles.

— Só você para conseguir armar uma coisa dessas...

— Isso é um elogio, suponho.

— Não, uma crítica. Convidar órfãos para o seu casamento....

Nós nos abraçamos e Fei-Fei agarrou meu braço.

— Cuide bem dela. É minha escritora predileta. Eu posso ascender e decair com ela.

— Eu também — disse eu.

Balançamos a cabeça em sinal de mútua compreensão.

MINHA FAMÍLIA VEIO LOGO CEDO NO DIA do meu casamento. Eu os sentei na minha sala de estar e lhes prestei minhas homenagens, cumprindo o ritual de passagem de menino para adulto. Pela última vez, como quando eu era garoto, mamãe lavou meu rosto com uma toalha, papai penteou meu cabelo e vovô fez minha barba. Então, preparei para cada um deles uma xícara de chá e as servi com uma reverência profunda. O menino estava crescido e eu agora estava pronto para ter a minha própria família.

Mamãe chorou, dizendo que nunca mais teria colocado os pés na cidade que nos rejeitou, se não fosse por esse meu dia especial. Ela evitou mencionar o nome de Sumi, mas pareceu ter acatado minha decisão. Eu tinha certeza de que ela choraria de alegria quando Sumi e eu finalmente estivéssemos casados. Papai iria sorrir e vovô desejaria em voz alta que gerássemos um bando de dragõezinhos para correr em volta dele e puxar suas orelhas e sua barbicha. Como bisavô, ele ficaria ainda mais entusiasmado ao ensinar aos seus bisnetos o valor dos juros compostos e a importância do Índice Dow Jones.

Tudo ficaria bem quando chegasse a noite. No meu caminho até o hotel, disse a palavra "esposa" cuidadosamente, como se provasse uma receita desconhecida. Balancei a cabeça, apreciando o sabor, e repeti a palavra, sorrindo. Esposa, ela é, e marido, eu serei. Meu coração palpitou com uma imensa gratidão enquanto eu entrava no meu quarto de hotel para me preparar para a noite. Olhei o relógio. Quatro da tarde. Daqui a cinco horas, alcançaríamos um outro marco na nossa vida.

Shento 山头 | Capítulo 38

Meu relógio de pulso marcava quatro horas. Franzi a testa quando vi a poeira que rodopiava enquanto o helicóptero aterrissava no heliponto da Base Naval de Tianjin. A água do mar se agitou quando as hélices rodopiaram no ar. Um oficial da Marinha indicou nossa posição com sua bandeira sinalizadora e o helicóptero pousou bem no centro de um círculo pintado.

— Para o Hotel de Tianjin, oficial — ordenei ao motorista, após saltar do helicóptero e entrar no jipe que me esperava.

— Sim, coronel. O trajeto vai levar vinte minutos.

— Faça em dez.

— Sim, coronel. — O motorista acelerou o veículo e saiu disparado do estacionamento, rumo às estradas pavimentadas da cidade.

Enquanto a cidade passava por mim voando, peguei o telefone celular do jipe.

— Já estou em terra firme, agora. Quero ser informado sobre o que está ocorrendo, por favor.

— Nossos homens estão em todos os andares do hotel. Todas as saídas estão bloqueadas. As crianças estão comendo e cantando.

— O que ela está fazendo?

A ligação ficou cheia de ruídos.

— Alô? Não estou ouvindo.

— Coronel, é a ponte pela qual estamos passando — disse o motorista.

— Estou ouvindo novamente — disse a voz no telefone.

— O que ela está fazendo? — perguntei mais uma vez.

— O alvo está falando com um menino e servindo mais comida a ele. Por falar nisso, é uma cabeça de peixe, coronel.

— Estarei aí dentro de poucos minutos e iniciaremos a operação. Não a deixe escapar.

— Claro que não, coronel.

— E cuide para que ela não corra nenhum perigo.

— De modo algum, coronel.

Fui levado à central de comando da operação, situada no segundo andar de um prédio de escritórios em frente ao hotel onde Sumi estava hospedada. Silenciosamente, peguei o binóculo do meu jovem general de Tianjin e respirei fundo. A vida parou naquele momento. Senti-me como um floco de nuvem, flutuando, sem raízes, sonhando. Minha cabeça estava quente, minha mente, confusa. Meus olhos a procuravam avidamente. Então eu a vi e prendi a respiração. A cascata dos seus cabelos, a face do amor e da beleza, seu corpo, um pouco mais cheio agora, e aquele sorriso. O aroma de Fujian voltou a mim. Sua fragrância não saía do meu pensamento. Senti-me enlevado por ela. Minha mente ficou vazia por um segundo. Continuei olhando, implorando silenciosamente que ela olhasse para mim.

Ela riu, serviu mais comida, acariciou as crianças e virou-se de costas para mim, continuando o que estava fazendo. De repente, parou, franziu a testa e olhou para cima. Olhou em volta. Subitamente alerta, olhou diretamente para as lentes do meu binóculo.

— Peguem-na agora — ordenei ao meu homem num murmúrio sem muita firmeza.

Capítulo 39

No salão de jantar, em meio à algazarra geral, uma menininha correu para perto de mim e puxou o meu vestido. Agachei-me para encará-la e perguntei:

— O que foi, querida?

— Tem um homem procurando por você — disse a menina. Faltavam-lhe muitos dentes.

Olhei para cima e vi um homem alto, de cerca de 25 anos, se aproximando. Ele estava com uma expressão séria.

Limpei as mãos numa toalha e fui falar com o homem.

— Em que posso ajudá-lo?

— Sou o chefe do Corpo de Bombeiros da cidade. Recebemos um comunicado de que há um incêndio no andar de baixo. Precisamos retirar todas as crianças do local, o mais rápido possível.

— O que devo fazer?

— Não grite. Apenas siga-me. Meus homens cuidarão de evacuar o prédio ordenadamente.

— Mas preciso ficar aqui e ajudar.

— Não, isso irá retardar a operação. Venha agora.

Uma dúzia de bombeiros cercou o salão. As crianças ficaram surpresas ao vê-los.

— Tem um incêndio? — perguntou uma delas.

— Tem. Precisamos sair do prédio agora mesmo.

As crianças se transformaram num enxame de abelhas.

— Para onde está me levando? — perguntei.

— Para o outro lado da rua — disse o homem.

A desconfiança começou a surgir em mim.

— Está me prendendo?

— Não, claro que não. Lá é mais seguro.

Fui levada para dentro de um prédio e, num escritório vazio, me pediram que aguardasse. Pensei nos meus órfãos, lembrando que sua primeira festa de Ano Novo estava sendo interrompida por esse incêndio, e suspirei.

Shento

山头

CAPÍTULO 40

ARRUMEI MEU UNIFORME, PASSEI A MÃO no cabelo, pus o quepe na cabeça. Não sabia quais seriam as minhas primeiras palavras ou o que eu faria. Ela estava a apenas alguns metros de distância e só uma fina parede nos separava. Girei a maçaneta e abri a porta, com a cabeça erguida. Olhei diretamente para ela.

Sumi se levantou, a princípio assustada. Depois, inspirou fundo, pôs uma das mãos no braço da cadeira para se apoiar e, com a outra mão, cobriu a boca. Porém, um pequeno grito escapou. Vi seu corpo oscilar como se fosse cair.

Corri até ela e a aninhei em meus braços. *Ah, Sumi.* Beijei-a sem pensar, loucamente, cegamente. Com a mesma paixão, ela me beijou também. Não falamos nada. Tudo o que precisava ser dito foi expresso pelo modo como nos colamos um ao outro.

— Mas como? — perguntou ela.

Descrente, Sumi estendeu o braço e tocou o meu rosto.

Entre lágrimas e risos, contei a ela sobre a minha fuga pelo mar, minha sentença de morte pendente na prisão, a longa procura por ela e os registros perdidos do Orfanato de Fujian. Em alguns momentos, eu conseguia ser coerente. Em outros, meu discurso era absolutamente sem lógica, uma louca torrente de palavras. Deixei algumas frases incompletas, perdido em pensamentos, mas quando ela tentava participar do diálogo e me contar sua história, eu a abraçava e colava sua boca na minha, e prosseguia delirando com a história da minha vida e com a razão de eu estar ali. Quando acabei de dizer tudo, um peso antigo saiu do meu peito.

— Eu sabia que você seria um grande homem algum dia. Eu sabia.

Os olhos de Sumi brilhavam de admiração e amor.

— Você não me contou nada ainda.

— Você ainda não me deu oportunidade.

— Sinto muito, meu amor. Meus ouvidos são todos seus agora.

Ela pareceu derreter quando me ouviu dizer "meu amor". Sumi começou sua história em *flashbacks*; eram jorros, informes, como um poema, imagem sobre imagem, toda a orquestra da sua vida desde aquela noite em que a vi pela última vez, petrificada à luz da lua. Às vezes, seu relato assumia a complexidade de uma sinfonia. Outras vezes, era uma melodia sussurrada. Ela encostou a cabeça no meu peito, que arfava ao ritmo de seus soluços. Chorei lágrimas que não sabia que tinha. E houve risos também.

— Ah, Shento — disse ela, sorrindo. — Tenho o melhor presente de todos.

Ela segurou minha mão.

— E o que é? — perguntei.

— Tai Ping. Você tem um filho.

Minha respiração ficou suspensa.

— Tenho um filho?

— Concebido no amor daquela triste noite em que você fugiu.

— Eu tenho um filho! — repeti, incrédulo.

— Nós temos um filho.

— Nós temos um filho. — Abracei-a com força, beijei-a; meu coração era um emaranhado de gratidão e possibilidades.

— Está feliz?

— Ah, Sumi! — Foi só o que consegui dizer. — Muito feliz!

Sumi me beijou suavemente, como uma canção singela. Beijei-a também, com ardor e intensidade. Ela cedeu, em resposta ao meu ímpeto. Rasguei seu vestido, arranhando de leve e sem querer sua pele macia com minhas unhas ásperas, e ela se acendeu. Abaixei a calça e levantei a bainha de seu vestido. Ela tremia, desejando me ter dentro dela, e aquela paixão chegava a doer. Num ritual de amor, de olhos fechados, chupei os dedos da sua mão esquerda, um por um, suavemente no início, depois com avidez. Peguei sua mão direita para repetir aquela deliciosa tarefa, e repentinamente parei, quando algo chamou minha atenção.

— O que é isso? — perguntei, levantando a cabeça. — Um anel de noivado?

Ela abriu os olhos, como se acordasse de um sonho.

— Está comprometida com outra pessoa?

Ela piscou os olhos, como se voltasse a si mesma, e fez que sim com a cabeça.

— Quem é ele?

— Eu o conheci muito tempo depois de você ter ido embora.

Ela envolveu seus braços ao redor do meu corpo, abraçando-me.

Fiquei em silêncio.

Sumi prosseguiu, calmamente:

— Eu esperei, esperei e esperei. Então, um dia, veio o investigador da sua prisão, depois o aviso da sua morte. Fiquei arrasada. Todos os dias, ficava parada na beira do mar — eu e o nascer do sol. Queria acabar com a minha vida. Queria morrer com você, e encontrá-lo de novo no paraíso...

Eu a segurei com mais força.

— E onde está esse homem agora?

Minhas palavras não foram ouvidas. Sumi tinha os olhos enevoados e distantes, como se rememorasse os dias dolorosos de seu passado.

— ...mas eu não conseguia. Todos os dias, sentia a deusa do mar, Ma Zu, abrir seus braços e sorrir carinhosamente para mim. "Venha, minha menina", dizia ela. "Venha para mim". A cada dia eu me sentia mais atraída. Num dia de tempestade, caminhei dentro d'água até senti-la na altura da cintura... Havia uma sampana que balançava na superfície. Um velho pescador me pegou em sua rede. Decidi que não podia morrer. Ma Zu não queria que eu morresse. Então, comecei a vomitar e a ter desejo de comer legumes em conserva. Tinha desejo por qualquer coisa salgada. Um dia, roubei alguns pepinos em conserva mofados na cozinha da escola. O diretor, um baixinho, me disse: "Está expulsa!" Puxa vida! Ser expulsa de um orfanato! Será que as coisas poderiam ficar piores ainda do que já estavam?

Continuei abraçado a ela, deixando-a falar, abrir-se, lembrar, chorar para que pudesse rir de novo. O passado havia se tornado uma parede negra, que bloqueava nossos olhos e separava nossos corações. Ela estava demolindo esta parede agora, tijolo por tijolo.

— E você sabe por quê? — perguntou ela.

— Por que o quê?

— Por que fui expulsa?

Balancei a cabeça.

— Estava grávida... do seu filho. — Ela recuou e olhou nos meus olhos. — Seu lindo filho. Tudo o que ele é, é você. O jeito como fala, como anda, o seu cheiro... Que nome grandioso! Pacífico.

— Ele deve estar crescido agora.

— Tem sete anos — disse Sumi.

— Não acredito que tenho um filho.

— Depois então, meu noivo me salvou das garras de outro demônio e me ajudou a entrar na faculdade. Ele publicou a minha autobiografia e criou nosso filho...

— Entendo.

— Não, você não entende. Você não pode entender a dor e o tormento. Dei à luz a Tai Ping na sarjeta de um hospital que me pôs para fora. Eles cuspiram em mim. Quase sangrei até a morte.

— Sumi... sinto muito.

— Então, apareceu um homem, a única luz no meu mundo de escuridão... sua boa vontade, sua generosidade, arriscando a própria vida... Você não entende, e não sabe como me senti ao vê-lo. Foi como ver você.

— Entendo.

— Não, não entende. Muitas vezes, naqueles dias soturnos, desejei que tivéssemos trocado de lugar, que eu tivesse levado aquelas balas na cabeça, e que você fosse o sobrevivente, andando com o nosso filho pelas montanhas, subindo até os cumes com ele em seus ombros fortes para ver a luz do sol do amanhã. Eu teria ficado feliz e satisfeita sendo um fantasma silencioso, protegendo vocês, desejando-lhes uma vida feliz, esperando que você encontrasse para Tai Ping uma mãe que cuidasse dele e uma esposa honesta que o amasse como eu o amava. Ela poderia até ser melhor do que eu de muitas maneiras, e eu ficaria com ciúmes, mas não com raiva, pois estaria morta, vivendo do outro lado da vida, e vocês todos pertenceriam à luz...

— Eu realmente entendo. Entendo sim. Sou grato a você. Quero que me leve até esse homem generoso e ao meu filho, e quero agradecer a ele pelo que fez.

— E depois?

— Depois, quero você e o meu filho de volta — respondi, falando baixo, mas num tom firme.

Seus olhos grandes examinaram os meus com muita atenção.

— Você ainda me ama? — perguntei.

— Amo.

— Você o ama?

— Amo.

— Tanto quanto me ama?

— Como eu queria que houvesse duas de mim! Uma para você e uma para ele.

— O que está feito pode ser desfeito.

— O amor é inesquecível, meu querido Shento.

Respirei fundo.

— Você foi minha primeiro, e ainda é. Preciso de você. Você tem que voltar para mim, senão minha vida não terá sentido.

— Ah, Shento. — Ela afagou meu cabelo consolando-me, como uma mãe. — Por favor, me dê um pouco de tempo. Ainda estou em estado de choque por saber que você está vivo.

— O mundo é nosso mais uma vez. Você é a escritora famosa que eu disse que seria.

— E você está no Exército, comandando milhares de homens, como previ.

— Quero falar com o homem com quem você está comprometida.

— Ele é um bom homem.

— Qual é o nome dele e onde ele mora? Posso me encontrar com ele amanhã.

— Ele mora em Beijing e seu nome é Tan Long.

Soltei-a e dei um passo para trás.

— Tan Long?

Foi como se tivessem enfiado uma faca nas minhas costelas.

— Ele é um homem de negócios muito bem-sucedido.

— O dono da Editora Mar Azul — disse eu, rispidamente.

— Você o conhece?

Desviei o olhar.

— Qual é o problema, meu querido Shento?

Ela estendeu a mão e afagou o meu braço.

Fiz um esforço para entender. O rapaz rico e a moça pobre, o editor e sua escritora preferida. Duas mentes inteligentes, solitárias, procurando suas almas gêmeas em Fujian, onde o rapaz rico havia se refugiado. Ela era romântica, vulnerável, uma flor silvestre das montanhas; e ele, um rapaz da cidade, impressionado por sua bela alma e sua fragrância madura. Minha cabeça latejava com pensamentos loucos e cenas de Sumi e Tan Long se abraçando, sentados no penhasco daquela adorável vila de pescadores no fim do mundo, tendo grandes sonhos, apaixonando-se mais e mais até que ela se entregasse, vibrante, ao desejo dele.

— Shento, diga alguma coisa.

Sacudi a cabeça para clarear a mente. Minha garganta estava seca. Uma pedra tinha caído no meu coração e a respiração se tornara difícil.

— Você está bem? — perguntou Sumi.

Olhei-a com desconfiança e distanciamento. Um momento insuportavelmente longo interpôs-se entre nós. Levantei minha calça e abotoei meu uniforme, com o austero silêncio e a eficiência de um soldado alerta. Nem por um segundo tirei meus olhos dela. Afivelei o fecho do meu colarinho e coloquei meu quepe.

— Não é gentil retribuir o meu amor com o silêncio, Shento — disse Sumi levantando-se e abotoando seu vestido. — Por que está indo embora tão de repente?

Segurei seu rosto com força entre as minhas mãos.

— O amor nos reuniu, mas o destino já nos separou.

— Só peço que me dê um pouco de tempo — disse ela, afastando-se.

— Nada pode curar uma dor tão intensa, e o meu amor por você apenas aprofunda esta ferida.

— Por quê, Shento? Você disse que entendia.

Ela começou a chorar.

— Eu poderia entender se fosse qualquer outro homem, mas não Tan Long.

— O que quer dizer?

— O pai dele pode lhe dizer o motivo.

— O pai dele?

— Sim, o maldito pai dele! Sou seu filho ilegítimo, e Tan Long é meu meio-irmão!

Sumi pareceu transtornada com esta súbita revelação. Houve um momento de calma, e depois ela disse cruamente:

— Como pode ser isso?

— É o destino — repeti, calmamente. — Mas vou lutar contra ele.

— Lutar contra ele? Como? — perguntou ela, enxugando os olhos.

— Os Long não me deram nenhum espaço para respirar nesse mundo. Eles mataram minha mãe e me mandaram para a morte naquele orfanato. E agora esse seu maldito filho está tomando o que é meu. É hora de acertar as contas.

— O que você vai fazer?

— Com relação a você, nada. Mas com relação a eles, tudo o que puder. Sumi, nesse mundo só há espaço para um filho do dragão. Ou ele ou eu. A escolha é sua.

— A vidente estava certa — disse Sumi, resignadamente. — Meu destino não é ser feliz.

— Pois ela estava errada. Você pode ser feliz de novo. Aquele mundo com que sonhamos está só começando. Volte para mim. Vamos construir uma família. Deixe-me cuidar de você e do seu filho. Tenho mais poderes do que você possa imaginar.

— Tenho certeza que sim. Você demonstrou isso muito claramente hoje. Mas, para o nosso amor e pelo bem do nosso filho, deixe-me conversar sobre este assunto com Tan.

Depois de uma dolorosa hesitação, concordei, com um movimento de cabeça.

— Mas você precisa prometer voltar para mim.

Ela olhou bem para o meu rosto e prometeu:

— Vou voltar.

Uma resposta tão simples. Fiquei comovido. Meus lábios tremiam, enquanto eu fazia um esforço para abrir um sorriso desolado, um sorriso triste, o melhor que consegui. Meus olhos ardiam.

— Acredite em mim, por favor, Shento.

Ela enxugou minhas lágrimas com a manga do vestido.

Fiz que sim com a cabeça, obedientemente, lutando muito para não tomá-la em meus braços novamente.

— Quando o sol nascer novamente, verei você em Beijing — disse Sumi.

Quando ela foi embora, a noite se foi também e o calor de seu cheiro logo deu lugar ao frio. Tomei o helicóptero de volta a Beijing, murmurando apenas uma palavra:

— Guerra.

— O que o senhor disse, coronel? — perguntou meu jovem general.

— Nada. Absolutamente nada.

Tan 唐 | Capítulo 41

O CLIMA NO SALÃO DE RECEPÇÕES DO HOTEL de Beijing estava impregnado da expectativa e da excitação da noite. As pessoas abriram caminho até mim e me aplaudiram enquanto eu rumava para o palanque. Esfreguei as mãos, cumprimentando com a cabeça e demonstrando reconhecimento à calorosa recepção. Metade dos homens mais poderosos da cidade estava ali. A outra metade não importava. Como consegui ter tanta sorte? — me perguntava, ao pousar os olhos em minha família.

No meio do grupo, vovô brindou em silêncio com uma taça de alguma bebida espumante. Papai acenou com seu charuto apagado, um velho hábito dos tempos do Exército. Com os olhos semicerrados, mamãe parecia distante, sorrindo para parte das pessoas que estava no local e dispensando um olhar condescendente à outra parte.

Com Lena à minha direita e meia dúzia dos meus executivos à minha esquerda, fiz um aceno com a cabeça ao maestro. A música foi diminuindo de volume. Dei uma batidinha no microfone. Alguém brincou:

— Cante uma música para nós, por favor.

— Tenho medo de afugentar vocês.

O povo riu.

— Chegamos ao momento da surpresa número um da noite. Ao meu lado, como vocês devem estar morrendo de vontade de saber, está o honorável I.M. Pei em pessoa.

A multidão irrompeu em aplausos retumbantes. O sr. Pei deu um passo à frente e fez uma reverência humilde.

— E ele está aqui por um motivo muito importante — continuei. — Senhoras e senhores, temos orgulho da nossa cultura milenar. Na melhor cidade do mundo, chamada Beijing, temos a Grande Muralha, a Cidade Proibida e muitas outras maravilhas. Mas este é o passado de Beijing, um passado glorioso. Hoje à noite, estou aqui para revelar a vocês o futuro desta cidade. Senhoras e senhores, apresento-lhes o Dragon Center.

Lena removeu um pano de cetim da mesa que estava à minha frente, revelando uma maquete detalhada do Dragon Center que reluzia com pequenas lâmpadas brilhantes. Em cima do prédio mais alto havia um dragão todo em luzes azuis. Era elegante, sublime, de tirar o fôlego. A multidão, animada, irrompeu em aplausos e aproximou-se da mesa onde estava a maquete.

Fui até minha família.

— Mamãe, papai, vovô. Este é o futuro dos Long. Agora vocês podem vê-lo com seus próprios olhos.

— Meu filho, isso é inacreditável.

Papai sorria, radiante.

— Meu neto, isso vai lhe custar caro.

— Vai ter lojas chiques e elegantes? — perguntou mamãe.

— As respostas são sim, sim e sim! — Abracei a minha família. — E, vovô, não se preocupe. Neste exato momento, o dinheiro está fazendo fila na minha porta: J.P. Morgan & Cia., de Nova York; Sumitomo Mitsui, de Tóquio; Rothschild, de Londres; o Deutsche Bank, de Frankfurt; o Banco Hang Seng, de Hong-Kong, e a lista continua... E, mamãe, todas as grifes do mundo (Paris, Nova York e Milão) têm se mostrado interessadas em inaugurar suas lojas aqui.

— J.P. Morgan & Cia. deveriam liderar o grupo investidor — disse vovô.

— Por quê, vovô?

— Outros bancos podem ter mais dinheiro, mas Morgan tem mais credibilidade.

— Há algumas coisas com as quais estou preocupada, meu filho — disse mamãe. — Você já notou que o seu Dragon Center vai lançar uma sombra sobre um terço da praça Tiananmen quando o sol estiver se pondo? E todos os prédios no seu Centro têm topos que terminam em agulhas. As sombras insultam a praça, e os topos pontiagudos insultam o céu todo-poderoso. As superstições dos chineses têm uma razão de ser.

— Mamãe, isso é o futuro de Bejing. Todos os prédios se estendem para alcançar o céu. Eles simbolizam o espírito humano voando cada vez mais alto. Além do mais, eles contrastam maravilhosamente com os telhados dourados e curvos da Cidade Proibida.

— Consulte um monge especializado em *feng shui* antes de começar — sugeriu ela.

— Tenho absoluta confiança em I.M. Pei.

— Foi ele que projetou aquele prédio do Banco da China em Hong-Kong em forma de espiral? — perguntou ela.

— Foi, por quê?

— Os tradicionalistas de Hong-Kong estão muito aborrecidos com isso, prevendo que um dia uma tragédia irá se abater sobre toda a ilha por causa daquele prédio desafiador.

— Mamãe, jogue fora as suas superstições. Não vê como as pessoas estão reagindo ao *glamour* e à glória do projeto?

— Eles não sabem nada sobre agulhas e sombras.

— Obrigado pelos seus conselhos, mamãe, mas este dragão vai voar, custe o que custar.

— Meu filho, não estou querendo desestimular você, é só uma precaução. Sou a única no meio de toda essa gente que tem coragem suficiente para lhe dizer a verdade. Seu pai e seu avô já caíram aos seus pés. Eles não falam mais com bom senso. Eu falo.

Abracei minha mãe novamente e afastei-me com relutância para cumprimentar a multidão que festejava. As palavras de congratulação borbulhavam como o champanhe que estava sendo servido. O prefeito atravessou a multidão para apertar a minha mão.

— A cidade vai dar todo o apoio a você para que este projeto se realize. Beijing precisa de algo assim — disse ele.

Repórteres de jornais e revistas do mundo inteiro vieram me entrevistar.

— Qual é a mensagem que o senhor está dando ao mundo com este projeto? — perguntou alguém da *Newsweek*.

— A mensagem é simplesmente que o gigante doente da Ásia está novamente de pé e já decolou.

O repórter anotou rapidamente as minhas palavras.

— Quanto tempo o senhor acha que a China vai levar para conseguir ocupar a posição que o Japão detém e tornar-se o país líder da Ásia e, por que não, do mundo?

— Mas já não somos?

Uma salva de palmas seguiu-se à minha resposta.

Olhei meu relógio novamente. O tempo estava se esgotando. Onde estavam Fei-Fei e Sumi? Será que ele estava bebendo? Eu tinha dito a Fei-Fei que só começasse a beber seu primeiro gim-tônica depois que voltasse de Tianjin. Eram cinco para as oito. Fei-Fei já deveria estar de volta ao hotel a esta hora. O que estaria causando o atraso?

Olhei ao redor. Fei-Fei não estava lá. Disse a mim mesmo para ter paciência. Aquela apreensão pré-casamento estava me atingindo mais do que eu imaginava.

Eram oito da noite. O gerente do hotel, vestindo um *smoking*, veio até perto de mim discretamente e sussurrou:

— Onde está ela?

— É exatamente o que estou me perguntando.

— Vou deixar tudo pronto e em compasso de espera até ela chegar.

— Boa idéia.

Às 8h15, um Fei-Fei desalinhado e despenteado finalmente apareceu. Meus olhos se acenderam ao vê-lo. Puxei aquele homem magro e desajeitado de lado:

— Onde está a minha noiva?

— Precisamos conversar — disse ele.

— Você precisa de um drinque?

— Sim, e você também, um bem forte. — Fei-Fei arrastou-me por uma porta até uma sala vazia. — Não conseguimos encontrar Sumi.

— Deixe disso! Eu o conheço! O editor-chefe e sua escritora predileta fazendo uma brincadeira com o dono da editora.

— Estou falando sério. Sumi desapareceu! — berrou Fei-Fei, sacudindo meus ombros com energia. — É verdade. Procuramos por todo o hotel.

Comunicaram que havia um incêndio, as crianças foram retiradas do local, e aí então ela sumiu. Seu quarto estava intacto. Tudo que ela tem está lá: seu manuscrito, suas roupas, tudo. Uma das crianças disse que ela saiu de lá com um bombeiro. Contatamos os bombeiros. Eles disseram que nenhum incêndio foi comunicado, e tampouco mandaram alguém ao hotel hoje à tarde. Aliás, todos os bombeiros estavam bebendo, jogando e celebrando o Ano Novo no posto do Corpo de Bombeiros.

— E a polícia?

— Eles não sabiam de nada sobre o assunto.

— Deve ter sido uma prisão sigilosa — disse eu.

— Não. Se fosse esse o caso, eles deixariam o público saber depois da prisão ter sido efetuada. Eu os ameacei, e o chefe de polícia disse que eu estava cometendo um engano. Eles não haviam detido ninguém. Então, eu os acusei de seguir Sumi enquanto ela estava em Tianjin, coletando dados sobre os podres da corrupção na cidade. Eles disseram que eu estava certo, mas que a investigação havia sido interrompida durante as festas de fim de ano. Apenas um homem devia segui-la, mas foi dispensado da tarefa por uma ordem superior.

— Uma ordem superior? — Meu coração se apertou. — E o misterioso bombeiro? Vou para a minha suíte agora. Encontre o David Li. Ele é filho do ministro da Segurança Pública. Traga-o até aqui.

— Sim, Tan.

Subi à minha suíte e tirei o paletó do *smoking*. Pouco depois, quando David Li chegou, peguei a mão do banqueiro e implorei:

— Preciso da sua ajuda.

— Mais um outro empréstimo bilionário? — perguntou ele, brincando.

— Quem me dera se fosse isso! — Passei-lhe o telefone. — Ligue para o seu pai e descubra para mim quem seqüestrou Sumi Wo em Tianjin, hoje à tarde.

O sorriso desapareceu do rosto de David.

— Só me dê um minuto.

Corri ao banheiro e joguei um pouco de água no rosto.

— Sr. Long — disse David, depois de 15 minutos ao telefone.

— Tan, por favor.

— Sr. Long, as notícias não são boas. As ordens vieram da Guarnição Militar. É tudo o que sabemos.

— Da Guarnição?

— Os homens do presidente, para ser mais específico.

— Há algum nome ou motivo? Qualquer coisa?

— A Guarnição não precisa de motivo. Eles são a KGB da China.

— Tem que haver um nome. David, meus acordos de empréstimos com você dependem do que você conseguir fazer por mim hoje à noite. Use todo o tempo que precisar e descubra.

— Mas eu tentei.

— Esta não é a resposta certa.

— Sr. Long...

— Por favor, David. Direi à sua esposa que você está no telefone com um banqueiro estrangeiro discutindo uns empréstimos importantes.

David Li, o banqueiro, filho do homem mais temido deste país, provou-me que todas as portas podem ser abertas por um preço. Vinte minutos depois, encontrou-me no salão lá embaixo.

— Shento — disse ele.

— Topo da montanha?

— É o nome de um jovem coronel.

— Ele tem sobrenome?

— Nada que eu pudesse descobrir. Fiz tudo o que era possível por você.

— Obrigado. Como sabe, eu sempre recompenso em dobro o que me foi dado.

— Fico feliz por ter sido útil, sr. Long.

— Por favor, me chame de Tan daqui por diante, porque somos amigos.

— Tan. — O banqueiro afrouxou a gravata e sorriu. — Amigos. Gostei disso.

Quando reuni minha família na suíte e dei a notícia do desaparecimento de Sumi, vovô serviu-se de outro drinque. Mamãe disse:

— Eu avisei. Essa moça traz confusão.

Papai baixou a cabeça. Ele fitava o chão.

— Quem é esse Shento? Você já ouviu falar dele antes? — perguntei a meu pai.

Houve um longo silêncio, e então ele respondeu:

— Ele é seu meio-irmão. E seu pior inimigo.

— Meu meio-irmão! — exclamei, incrédulo.

— Há muito tempo, conheci uma moça em Balan. Ela se matou quando a criança nasceu. Aquela criança era Shento. — A voz de papai estava triste e sombria. — Ele crê que eu o abandonei, mas na verdade eu achava que ele tinha morrido quando a vila foi queimada. Ele caiu nas mãos do nosso inimigo, Heng Tu, que o usou para incriminar você pelo crime que você não cometeu. Foi Shento que matou a sua professora, Miss Yu.

Passaram-se alguns segundos até que eu conseguisse falar novamente.

— Por que você não me disse isso antes? Agora meu meio-irmão seqüestrou minha noiva.

Tomei três doses de conhaque e saí intempestivamente do salão. Precisava fazer alguma coisa. Disse a Fei-Fei que cancelasse o helicóptero, telefonei para que meus homens continuassem a busca em Tianjin e mandei um motorista apanhar Tai Ping. Voltei para a festa, fingindo que nada tinha acontecido, dando tapinhas nas costas de uns e outros aqui e ali, conversando com meus convidados e até brindando com eles, ficando cada vez mais bêbado.

Então, puxei Fei-Fei de lado e sussurrei alguma coisa no seu ouvido.

— Tem certeza de que quer seguir por esse caminho? — perguntou ele.

— Você tem alguma outra idéia?

— Então é guerra.

— De fato. Que comece, então.

Bebi outro drinque, enquanto Fei-Fei saía apressadamente.

Fei-Fei distribuía um informativo para todos os jornalistas, nacionais e estrangeiros, no final da fila de convidados que se despediam do elegante e educado anfitrião e saiam do salão de recepções.

Shento

山头

CAPÍTULO 42

PASSEI A NOITE SEM DORMIR, SENTINDO a falta de Sumi. Quando a manhã chegou, fui acordado pelo meu secretário pessoal que me trazia uma pilha de jornais.

— Coronel — disse ele, com ansiedade. — Por favor, leia as manchetes traduzidas.

Sentei-me na cama e li o primeiro jornal da pilha. A primeira página do *New York Times* alardeava: "Líder democrata seqüestrada pelo governo chinês". Rapidamente folheei o resto da matéria. "... Sumi Wo, a autora do livro campeão de vendas, *A órfã*, foi dada como desaparecida na noite da véspera do Ano Novo. Fontes indicam que ela foi detida ilegalmente pela conhecida Guarnição Militar em uma operação secreta na cidade de Tianjin, liderada por um jovem coronel de nome Shento." Havia uma foto dela, a mesma foto da capa do seu livro. O britânico *Financial Times* previu que a China rumava para outra crise e Sumi era apenas uma arraia miúda para assustar os peixes maiores.

Atirei todos os jornais no chão, vesti-me apressadamente e fui ao meu escritório, onde meu jovem general de Beijing, tenente Bei, estava me aguardando.

— Quem você acha que deixou vazar a informação do nosso envolvimento no caso? — perguntei.

— Ainda estou verificando isso.

— Deve ter vindo de Tan Long. Passe-me a lista dos convidados que compareceram à recepção dele ontem à noite. Você tem essa lista, não é?

— Tenho, coronel. — O tenente procurou rapidamente entre suas anotações. — Aqui está. Trezentos dos seus amigos mais próximos, com seus títulos e filiações políticas.

— Por que não escolhe um nome? Esta é a sua área.

Devolvi a lista sem olhar.

— Sim, coronel. — Ele correu seus olhos pela lista e fez uma pausa. — O possível vazamento da informação deve ter vindo de David Li, o filho do ministro da Segurança Pública. Ninguém mais poderia ter sabido disso. David é o gerente do Banco da China e Tan é seu cliente. Eles são muito próximos.

— É hora de cortarmos alguns dos dedos dos pés e das mãos que trabalham para esse garoto Long. Faça uma lista de todos os sócios e amigos de Tan.

— Sim, coronel.

— Vamos acabar com eles um por um, até que ele se sinta sozinho no mundo. E não se esqueça de telefonar para nossos amigos de Fujian. Uma grande parte de seu Império do Dragão está lá — disse eu.

— Ah, só mais uma coisa — disse o tenente Bei. — O gerente geral do Hotel Beijing me informou que Tan Long apresentou, na recepção de ontem à noite, um projeto para construir um Dragon Center monumental. É um projeto de um bilhão de iuanes. Ouvi dizer que o pedido de aprovação da construção está sendo registrado nesse exato momento.

— Dragon Center, é assim que o estão chamando? Muito auspicioso, de fato — disse eu, secamente. — Ordene à Secretaria de Planejamento Urbano que suspenda qualquer decisão relacionada a este registro específico, e que reescrevam seus regulamentos para proibir quaisquer sombras sobre a nossa amada praça.

— Providenciarei isso imediatamente, coronel — prometeu o tenente Bei, saindo do escritório.

Meu próximo passo foi o controle de danos. Certifiquei-me de que meu uniforme estava em perfeito estado, dobrei os jornais cuidadosamente e entrei no escritório do presidente.

O velho estava sentado ao sol. A enfermeira me viu entrar e saiu silenciosamente.

— Feliz Ano Novo, sr. presidente — disse eu.

— Rapaz, você pegou a moça, não foi?

O presidente não se virou.

— Posso explicar tudo. A moça, Sumi Wo, já estava na minha lista de observação há alguns meses. Ela é um perigo em potencial à nossa estabilidade. Seu primeiro livro vendeu cinco milhões de exemplares, sem contar as cópias que foram feitas à mão. Nossas fontes mostram que seu segundo livro será uma revelação dos mecanismos internos do governo de Tianjin, e ameaçará a operação bem-ordenada do governo da cidade. Ela é a porta-voz de inúmeras organizações e revistas pró-democracia...

— Me parece uma boa moça. — O presidente me fez sinal para parar. Girou em sua cadeira de rodas, que se prendeu de encontro à mesa. Ajudei-o a virar-se até ficarmos cara a cara. — Seja mais discreto da próxima vez. Todos os principais jornais no mundo estão protestando. Isso não é compatível com a minha imagem de líder reformista. Você já fez melhor do que isso. Onde ela está agora?

— Foi liberada.

— Então por que você a prendeu, para início de conversa?

— Porque quero descobrir quem está por trás dela.

— E quem são eles?

— Seu velho amigo do Império do Dragão.

— Ding Long?

— Tan Long, seu filho. Ele é o editor do livro de Sumi Wo e de muitos outros títulos proibidos, através de sua editora Mar Azul.

— Ele é ambicioso demais para ser alguma coisa que preste. Achei que tinha voltado para Fujian com o resto da família quando eles se aposentaram.

— O dragãozinho conseguiu entrar na Faculdade de Direito da Universidade de Beijing, rejeitou todos os cargos estatais e abriu seu próprio negócio. Está propondo construir um Dragon Center monumental, que ofuscará a nossa amada praça Tiananmen.

— Monumental? Ofuscar? — O velho franziu a testa. — Isso não pode ser boa coisa.

— O prédio lançará sombras sobre um terço da praça, na parte da tarde.

— Isso é uma ofensa direta contra mim.

— Já bloqueei o projeto perante a prefeitura. Um novo regulamento está sendo redigido, neste exato momento, proibindo quaisquer sombras sobre a nossa praça. Ding Long também esteve aqui na noite passada. Eu não ficarei surpreso se ele estiver por trás de toda esta confusão.

Heng Tu sentou-se ereto, com os olhos chispando de raiva.

— As ervas daninhas estão se espalhando. Devíamos tê-las arrancado pela raiz desde o início.

— Nunca é tarde demais.

NAQUELA TARDE, NO MEU ESCRITÓRIO espartano, porém espaçoso, eu estava rodeado pelo ministro da Propaganda, pelo ministro da Segurança Pública, pelos comissários políticos do Comitê Central Comunista e por uma dúzia de jornalistas dos principais jornais do governo.

O veterano redator do Ministério da Propaganda, bem versado na arte dos sofismas comunistas, leu em voz alta o texto que ele havia cuidadosamente redigido para ser transmitido pela principal agência de notícias, Xinhua, para divulgação em todos os jornais do governo do país inteiro.

Por ordem do presidente, eu deveria dar a palavra final sobre cada linha a ser publicada. O protocolo da sutileza política da China foi ostensivamente exibido pelo fato de eu estar no centro da sala, sentado numa grande cadeira por trás da escrivaninha, em vez dos dois ministros já idosos, que mal conseguiam manter os olhos abertos, sentados no sofá, no calor do sol poente. Eles estavam lá porque eu precisava deles nesta batalha de palavras, uma medida que precedia outro expurgo político, um acontecimento tão comum quanto uma queimadura de sol no verão ou uma gripe no inverno.

O discurso estava salpicado de expressões batidas e cristalizadas como "elementos burgueses", "correntes anticomunistas", "anarquistas" e "estado caótico de uma democracia apodrecida". Era uma música antiga com novos significados. Eu amava cada uma daquelas palavras. Os dois ministros cochilavam.

— O que o senhor acha, senhor ministro da Propaganda? — perguntei, cutucando-o.

O ministro da Propaganda acordou de repente, limpando a baba que escorria com a manga da camisa.

— Estou plenamente de acordo. Acho que o tom é bastante forte para dar um aviso ao resto do mundo sobre qualquer outro ataque à nossa liderança comunista.

— Sim, isso deve calar a boca de todos eles — disse o ministro da Propaganda, despertado pela declaração repentina do ministro da Segurança.

— Então, está pronto para ser publicado, companheiros — disse eu. — Nosso presidente lhes agradece pelo trabalho bem-feito. Lembrem-se: editorial na primeira página, exatamente com estas palavras.

— Sim, coronel. — Cada um dos jornalistas pegou sua cópia e saiu.

Dei um tapinha do ombro do redator.

— Você não perdeu o jeito.

Agradecido, o homem fez uma reverência.

— Sinto-me honrado em poder servi-lo.

Pedi ao ministro da Segurança Pública que ficasse depois de todos terem saído.

— O que mais posso fazer pelo senhor, coronel?

— Não por mim, mas pelo presidente — disse eu, sentando-me no braço do sofá.

— O que mais posso fazer por nosso querido presidente? — emendou ele.

— Aconselhe seu filho, o banqueiro, a ficar longe de Tan Long — disse eu com seriedade.

— Meu filho? — perguntou o velho, alarmado.

— Foi seu filho que deu o telefonema que deflagrou toda esta confusão, não foi?

— Lamento muito, coronel. — O ministro fez uma reverência, tremendo.

— São rapazes muito jovens e inocentes. Mas eles têm que aprender.

— Sim, sim, eles têm que aprender. Eu mesmo vou puni-lo por isso. Por favor, dê-lhe uma chance.

— Farei isto, senhor ministro. Respeito o senhor e seu longo tempo de serviço à revolução. Seria uma pena ver seu filho prejudicado de uma forma ou de outra. Ele tem um futuro brilhante pela frente.

— Por favor, permita-me reparar o erro, coronel.

O homem fez uma reverência e saiu como se fugisse de um fantasma.

Sumi

叔米

Capítulo 43

O MAR ESTAVA TERRIVELMENTE AGITADO, como se estivesse bêbado. Suas ondas iam e vinham e bradavam num discurso incoerente. Gaivotas voavam seguindo o fluxo do vento tempestuoso. Algumas eram desviadas de seu rumo e caíam nas ondas de bordas brancas que se elevavam, emitindo perturbadores grasnidos de aviso.

Meu coração cantava a triste canção do mar. Tudo ao meu redor combinava com a melancolia do meu estado de espírito. Desde que deixei Shento, fiquei vagando sem rumo pela beira do mar, rodeada por uma escuridão apenas interrompida por postes solitários, cujas luzes fracas davam ainda mais profundidade à noite. Meu coração ansiava pelo mar, como se ele me chamasse: *Venha a mim, minha criança.* Como desejava poder mergulhar dentro de seu ventre! Assim, todas as minhas dores se amenizariam.

Apaixonada por dois irmãos! Eu amaldiçoava o meu próprio destino, as três facas cravadas nele. Quem eu deveria escolher? Shento, com sua crueza da gente das montanhas e sua sede desesperada? Ou Tan, com o coração amoroso que tranqüilizava minha mente, sem deixar espaço para a mágoa e a solidão, fazendo com que eu não precisasse de mais nada? Um morreria por mim. O outro não viveria sem mim.

Em algum lugar, nas profundezas da minha alma, uma pequena folha de remorso já havia crescido. Como pude fazer a promessa de voltar para Shento? Sim, eu sentia amor por ele. Sim, ele estava vivo e era bonito. Sim, ele se tornara um homem com poder e com um futuro que só poderia ser medido pelo alcance da sua ambição. Mas como poderia abandonar Tan, o amor da minha vida atual, meu apoio? Desejava que o tempo parasse e que eu deixasse de existir. Estava cansada, meus pés estavam frios, e minhas costas doíam. Meus olhos se embaçaram fitando o mar monótono que rugia.

Encostei-me num telefone público enferrujado e disquei o número que sabia de cor.

Tan 唐

Capítulo 44

Segurei Sumi em meus braços. Sentados no sofá da nossa sala de estar, a luz do sol nos inundou. Seus olhos estavam fechados, e, de vez em quando, ela se contraía enquanto dormia, sonhando. Graças a Buda, estava de volta aos meus braços, segura no meu mundo. Depois que ela me ligou da cabine telefônica à beira-mar, peguei um avião até Tianjin para ir buscá-la. Toda molhada e tremendo como um animal que levou uma surra, ela ficou em silêncio durante todo o trajeto de volta a Beijing. Eu lhe disse o que havia feito, e como havia alertado a imprensa sobre seu seqüestro. Ela balançou a cabeça levemente e caiu no sono.

Naquela manhã, o primeiro dia do Ano Novo, recebi uma pilha de jornais contando a história de Sumi: o *New York Times*, o *Yomiuri Shimbun*, de Tóquio, o *Financial Times*, de Londres, e alguns jornais franceses e alemães. A lista era longa. O poder desta nova arma era a mais velha espada da humanidade. Ouça as suas palavras, os homens sábios sempre diziam. As palavras podem matar. Eles estavam certos.

Por que não fundar eu mesmo mais jornais e revistas? Meus próprios veículos para informar as pessoas deste país? Talvez até estações de rádio e televisão. Poderia instalar uma rede de televisão e torres de rádio bem no topo do Dragon Center. Um encaixe perfeito. O céu seria o único limite à minha visão. Não, na verdade, o céu seria a minha extensão.

Apesar de tudo, eu estava empolgado com meus projetos para o novo ano. Queria compartilhar meus últimos planos com Sumi, mas deixei-a descansar. Quando ela finalmente abriu os olhos, suas primeiras palavras para mim foram:

— Você me ama?

— Claro, Sumi! Sempre! Aliás, ontem à noite eu havia planejado algo de muito especial para nós. Como você não veio, um enorme bolo de casamento se derreteu e duzentas pessoas festejaram num banquete sem a noiva.

— Bolo de casamento?

Mostrei-lhe a caixa de veludo com o anel e abri a tampa. Dentro, havia um brilhante reluzente.

— Eu ia lhe dar isso ontem à noite.

— Um anel de casamento?

— Sim, eu ia lhe fazer uma surpresa na noite passada — planejei um casamento completo para nós.

— Ah, meu querido! Meu querido Tan! — Ela se levantou e me beijou. — Sinto muito. Você pode me perdoar?

— Num piscar de olhos. Se eu puder me casar com você num outro dia.

Sumi desviou o olhar.

— Qual é o problema? Tudo vai ficar bem agora. Aquele tal de Shento não vai mais tocar em você. Mostrei a ele que os meus escritores não devem ser presos ou torturados. Além disso, estou pensando em abrir um processo contratando os melhores advogados do país para se dedicarem a este caso. Isso deflagraria...

— Pare, Tan. Não é tão simples assim.

— Mas é claro que é. O governo deveria dar mais liberdade a todos nós. Nós precisamos, o povo exige, e vou defender isso com você...

— Pare! Você não sabe o verdadeiro motivo da minha detenção.

— É porque você é como uma dor de dente para eles.

— Isso foi só uma fachada. — Ela pegou na minha mão. — Tenho uma coisa para lhe dizer.

— Eu também. Esse Shento, esse coronel da Guarnição, pode ser meu meio-irmão. Dá para acreditar?

— Ele é seu meio-irmão — disse Sumi. — Ele me contou, mas não é só. Lembra do rapaz que morreu por mim?

— Lembro... seu nome era Shento também, não era? — Eu franzi a testa.

— É o mesmo homem. Ele é o Shento que eu conhecia. Ele me descobriu ontem em Tianjin.

Levantei-me e comecei a perambular pela sala.

— Aquele rapaz, seu antigo namorado, é meu meio-irmão? Shento? Mas ele foi executado, você disse.

— Ele foi poupado no último momento. Alguém o salvou, sabe-se lá quem. O destino nos pregou uma peça, meu querido Tan. Não sei o que fazer.

— Este problema é nosso. Vamos resolver isso juntos.

Sentei-me, abraçando Sumi.

Ela sussurrou:

— Vou me mudar daqui.

— O quê? — Levantei-me de um pulo. — Você vai voltar para ele?

— Não. Vou para um lugar muito longe de vocês dois.

Havia uma determinação delicada em sua voz.

— E quanto a nós?

— Vou amar você para sempre.

— Você o ama também?

Ela hesitou e então disse suavemente:

— Sim, eu o amo.

— Como pode?

— Como posso não amar? — Ela balançou a cabeça. — Se ele não tivesse sobrevivido, eu teria ficado muito feliz em ser sua mulher. Estou indo embora apenas para salvar você...

— Aquele monstro a ameaçou com isso?

— Ele é capaz de cumprir sua ameaça.

— Não cederei a ele e nem vou desistir de você.

— Isto não é uma competição. Estou indo embora para que os dois possam continuar vivendo em paz.

— Você não pode ir embora assim, sem mais nem menos — disse eu, frustrado.

— O ódio da última geração não deveria continuar — disse Sumi. — Vocês dois são grandes homens. Lutar um contra o outro seria um desperdício. Tan, estou decidida.

Ela foi até a porta e pediu a Nai-Ma que preparasse Tai Ping para ir embora.

— Não vê o que arrisquei por você? — Eu sacudi os jornais. — As pessoas em todo o mundo sabem da sua detenção. Shento irá tremer diante dessa condenação internacional de um terrorismo equivalente aos atos da Gestapo.

Sumi pegou o *Times* e seu rosto empalideceu.

— Você não devia ter feito isso.

— Ah, mas tem muito mais ainda. Você sabia que foi ele que matou Miss Yu, crime pelo qual fui incriminado e que desencadeou a queda do clã dos Long? Será que ele gostaria de estar na primeira página amanhã?

— Você não pode fazer isso! Você não pode iniciar uma guerra. Se não for por mim, que seja pelo bem de Tai Ping.

Virei-me para a janela e ouvi a porta se fechar atrás de mim, enquanto Sumi partia sem fazer ruído.

Shento

山头

CAPÍTULO 45

AO MEIO-DIA, NA MAJESTOSA ENTRADA da Guarnição Militar de Beijing, um jipe do Exército pegou Sumi e meu filho e os conduziu através de inúmeros pátios, passando por velhos pinheiros, lagos com peixes coloridos e colunas de jovens soldados marchando para lá e para cá, patrulhando a sede do governo. Eu estava nos degraus da entrada do meu escritório no palácio, de uniforme, pronto para conhecer meu filho.

A porta do jipe se abriu e a mãe ajudou o filho a sair. Tai Ping ergueu a cabeça e olhou para mim.

— Quem é esse homem grande? — perguntou ele para sua mãe, em voz alta e clara.

— Seu pai — disse Sumi.

— Meu pai? Mas eu já tenho um pai... em casa.

— Tan Long ama muito você. Mas esse é o seu verdadeiro pai.

Eu me agachei e examinei meu filho.

— E quem é esse aqui? — perguntei.

O menino pareceu tomado de uma súbita timidez.

— Seu filho, Tai Ping — respondeu Sumi, orgulhosamente.

Meu filho me fitou por um bom tempo, até que seu rosto redondo se abriu num sorriso meigo. Sorri para ele e o pus no colo, sentindo seu coração bater de encontro ao meu corpo. Que momento especial! Um momento para ser saboreado! Quando ele começou a se remexer, relutantemente o deixei sair e me levantei. Esfreguei minhas mãos nervosamente, não sabendo o que lhes mostrar primeiro. Levei-os para dentro.

— Este já foi o escritório do primeiro-ministro da dinastia Ch'ing.

Meu menino estava impressionado.

— É bonito.

Ao lado do meu escritório havia uma sala onde estava, elegantemente exposta, uma coleção de espadas, lanças e adagas ornamentadas, usadas na dinastia Ch'ing.

— Você sabia que o último imperador era um menino como você? — perguntei. — Naquela sala — prossegui, apontando para ela — estão as armas que ele usava. Você gostaria de vê-las?

— É mesmo? Posso ver?

— Claro que pode.

Tai Ping saiu correndo sozinho, todo entusiasmado.

— Você veio para ficar? — perguntei a Sumi.

— Não, vim aqui dizer adeus.

— O quê? Mas e quanto à sua promessa? — indaguei.

— Não posso pertencer a dois homens ao mesmo tempo — disse ela, com tristeza.

— Então, vai voltar para ele?

— Não, não vou voltar para ninguém. Vou me afastar de vocês dois.

— Mas preciso de você! Preciso amar você.

— Estou perdida agora. Preciso de calma para encontrar a mim mesma e ao meu destino.

— Seu destino é comigo. Não vou perdê-la de novo, nunca.

— Isso é uma ameaça?

— Não, é a minha vontade. Foi o que me manteve vivo todos esses anos sem você.

Ela ficou quieta, evidentemente comovida com minhas palavras. Então, disse:

— Deixe-me ir ou me perderá para sempre.

— Como pode me negar a minha única alegria?

— Você pode avaliar o meu pesar, a minha dor? Tem idéia de como é estar dividida entre dois amores? Tem? Meu coração se partiu em pedaços. Vocês, homens, jamais conseguirão compreender. Eu só quero morrer! — Sua voz atravessou o pátio.

Dois guardas entraram, apressados. Fiz sinal para que fossem embora e trouxe Sumi até o sofá.

O pequeno Tai Ping entrou correndo.

— O que você fez com a minha mãe? Deixe ela em paz! — Ele começou a chorar e a bater em mim com seus pequenos punhos e só se acalmou quando Sumi o puxou para os seus braços.

Saí da sala, sem saber o que fazer. Esperei do lado de fora, com medo de Sumi ter enlouquecido. Só depois de um longo intervalo é que voltei, de mansinho, e perguntei:

— Você vai voltar?

— Não sei — disse ela, balançando a cabeça.

— Se você realmente precisa ir, por favor, fique comigo esta noite e o amanhã será todo seu — pedi.

— Prometa pôr um fim nessa rixa com os Long.

Fiz que sim com a cabeça.

Jantamos em silêncio e depois nos deitamos na cama como marido e mulher. Ela estava fria e de olhos fechados, enquanto eu maculava sua perfeição angelical com o meu desejo abjeto. Quando não consegui mais suportar seu distanciamento, enterrei meu rosto no doce vale entre seus seios. Nunca antes conhecera tal desespero — o fato de Sumi estar me ignorando era algo insuportável. E então, sua mão alcançou a minha cabeça e começou a afagar meus cabelos. Por fim, ela correspondeu ao meu ardor, levando meu rosto ao dela, beijando-me suavemente no começo, e depois ardentemente.

Quando a primeira luz do dia se anunciou sobre o telhado dourado e curvo do palácio, Sumi pegou Tai Ping e passou, andando nas pontas dos pés, por um guarda que dormia. Foram embora na luz da aurora, projetando compridas sombras no pátio de tijolos. O único resquício de sua presença foi uma mensagem sem palavras que deixou sobre minha escrivaninha: a marca de um leve beijo gravado a batom numa folha de papel de carta.

Tan 唐

Capítulo 46

2 de janeiro de 1986

BEIJING

A manhã estava úmida por causa da neve que caía. Não se via o sol no céu. Quando acordei, o dia acinzentado serviu apenas para piorar o meu humor. Sentia falta de Sumi, e isso era ainda mais intolerável num dia como esse. O vento uivava, fazendo voar o lixo escondido nas esquinas, e chorava como um fantasma agitando os fios elétricos e as árvores sem folhas. Dias escuros e melancólicos como esse eram um convite para o mal. A infelicidade se abatia sobre os desgraçados e a má sorte invadia os lares. As pessoas riam menos e choravam mais. Os bêbados escalavam a lua, e os loucos mergulhavam no mar. Este era o meu estado de espírito quando entrei no meu escritório naquele dia. Todos os meus gerentes estavam enfileirados na porta do escritório. Seus rostos refletiam a cor do dia.

— Sentem-se, meus amigos. Qual é o problema? — perguntei.

Fei-Fei olhou para Mike Blake, que olhou para Lena.

— O que foi? — insisti.

— Leia isso, por favor, chefe. — Fei-Fei colocou o *People's Daily* sobre a minha mesa. — O *People's Daily*, o *Guangming Daily*, e todos os cerca de trinta jornais oficiais deste país trazem a mesma manchete estampada na primeira página.

Sentei-me e li as primeiras linhas da reportagem:

CONDENADO FALSO RELATÓRIO ANTI-CHINÊS

O recente relatório acusando a Guarnição Militar da China de ter seqüestrado a famosa escritora Sumi Wo foi uma farsa elaborada por elementos anti-chineses que existem dentro e fora da China. Esta calúnia — que tem a intenção de macular a perfeita democracia socialista do país, propulsora do nosso fenomenal crescimento econômico e de um alcance recorde dos direitos humanos — será investigada a fundo. Os maus elementos envolvidos serão levados à justiça de modo que possamos proteger a integridade de nosso país...

— Isso não me assusta — disse eu, tentando melhorar o clima.

— Chefe, fique na sua por um tempo — pediu Fei-Fei.

— Ficar na minha? Que tipo de retórica é essa? — perguntei. — Logo você, o líder do segmento do pensamento liberal?

— Houve uma reunião de emergência do gabinete e de toda a equipe de propaganda da província — prosseguiu ele.

— Há um outro expurgo a caminho, e sempre começa assim — disse Lena, preocupada.

— E sempre termina com um bode expiatório sendo abatido para assustar os peixes grandes. Temo que dessa vez nós sejamos o bode expiatório — disse Fei-Fei. — Ninguém está seguro aqui — acrescentou ele, olhando para todos os presentes.

— Você tem a opção de voltar para o seu comércio de barcos na Virginia, Mike — sugeri a meu amigo americano. — E você pode voltar à gerência do seu banco em Fujian, Lena. Mas eu vou ficar aqui. Já fui expulso desta cidade onde nasci. Nada — disse, socando a mesa —, nada fará com que eu me movimente um milímetro daqui desta vez.

— Só queremos que você tenha cuidado — disse Mike.

— Por que não tentam ser prestativos e úteis em vez de serem cautelosos? — perguntei rispidamente. — Tenho notícias piores do que essa. Sumi e eu... estamos nos separando... Quer dizer, temporariamente.

— O que aconteceu? — perguntou Lena.

— Algo que ninguém aqui gostaria de saber — respondi, com resignação.

Lena veio até mim e me abraçou. Mike balançou a cabeça e disse:

— Desculpe, amigo. Vou lhe servir um drinque.

— Você nunca achou que casar com ela fosse uma boa idéia, não é mesmo? — perguntei a Mike.

Mike deu de ombros.

— Essa é a minha resposta de sempre quando se trata de casamento, mas nunca desejei que vocês se separassem.

— Vamos aos negócios. Sentem-se — ordenei.

— Os negócios podem esperar. Podemos voltar uma outra hora — disse Fei-Fei.

Mike e Lena assentiram.

— Não, fiquem e ouçam. Pensei em algo ontem. A Dragão & Cia. deveria atuar em mais áreas da mídia. Nós publicamos livros, mas quero que você, Fei-Fei, lance uma dezena de novas revistas: política, estilo de vida, moda, negócios, tudo. E jornais com todos os assuntos publicáveis. Sempre dei muito valor ao lema simples que o *New York Times* imprime no alto de sua primeira página todos os dias: "Todas as notícias que podem ser publicadas." Gosto disso. Tudo o que pode ser publicado.

— Mas essa não é a melhor hora — observou Fei-Fei.

— Pelo contrário, esta *é* a melhor hora. O crescimento econômico gera mais liberdade de expressão. Nosso regime político sufocante vai matar a determinação das pessoas e impedirá o *boom* que já estamos vivendo aqui. Tradicionalmente, o governo controla a mídia e diz às pessoas, a um bilhão de chineses, o que elas devem ouvir ou ler. Temos que mudar isso. Depende de nós. Quero publicar e transmitir a verdade. As pessoas têm o direito de saber a verdade, como é garantido pela Constituição.

— Você sabe muito bem que a Constituição de vocês é uma piada — disse Mike.

— Você tem razão. É uma piada agora. Mas também quero mudar isso, para reforçar a inviolabilidade do domínio da lei, e conter os absurdos dos nossos governantes corruptos. As mudanças começam conosco, não com eles. Queremos ter os nossos próprios canais de televisão, TV a cabo e estações de rádio. E sabe por que gosto tanto dessa idéia?

— Por quê? — perguntou Mike.

— Porque enquanto estamos fazendo algo importante para esse país, vamos ganhar dinheiro, muito dinheiro. A mídia será a grande indústria do próximo século. Comida, bebida e todas as necessidades básicas já foram providas. Um bilhão de pessoas no mundo têm fome de alimento para a alma. Elas querem ler, ver e ouvir coisas novas e significativas. Saia e encontre uma equipe de editores e escritores com novas idéias e estilos inovadores. Quero que as pessoas anseiem pelo nosso material impresso. Quero estabelecer uma marca, como o *New York Times*, *Forbes* e *The Economist*. Quero que as pessoas tenham orgulho de ler nossos jornais e revistas e que se sintam enriquecidas e privilegiadas por ter acesso ao nosso trabalho. Nunca nos abandonarão se conquistarmos seus corações. Fei-Fei, quero que você verifique as exigências de concessão para abrir estações de TV e rádio por toda a China.

— Vou fazer isso, sr. Long. Mas a censura do governo será o nosso maior obstáculo.

— Sei que todos faremos o impossível. O possível já foi feito. Você, Lena, por favor fale com David Li, o gerente do Banco da China, para ver se o dinheiro comunista pode financiar mais alguns dos nossos empreendimentos capitalistas. Venda a idéia, como você sempre fez tão bem.

— Vou verificar isto agora mesmo.

— E, Mike, já enviamos o pedido de licença para a construção do Dragon Center à prefeitura de Beijing?

— Foi entregue em mãos no escritório do diretor-geral da Secretaria de Planejamento Urbano ontem. Uma cópia foi enviada ao gabinete do prefeito. Espero receber a licença dentro de uma semana. Ainda devem ter vivo na memória o gosto da boa comida, dos bons charutos e da boa bebida que você serviu.

— Obrigado, Mike. Deixe todas as preocupações com o governo para mim. Temos os melhores advogados ao nosso lado. Lutaremos até o fim. Feliz Ano Novo para todos!

Shento 山头 | Capítulo 47

Pela primeira vez na minha longa carreira militar, dormi mais do que devia. Esfregando os olhos, pisquei à luz do sol que inundava o quarto sem ter sido convidada.

Sumi tinha ido embora. Ela foi minha, totalmente minha, mas apenas por uma noite. Pulei da cama e fui até a janela, esperando vê-la pela última vez, mesmo sabendo que nem sua sombra estaria mais lá. Ela tinha ido para algum lugar muito além dos altos muros imperiais que dividiam o meu mundo do dela. Beijei seu bilhete, tocando o leve vestígio vermelho dos seus lábios com os meus, dobrei-o e guardei-o cuidadosamente. Em silêncio, pensei no significado daquele bilhete. Era um beijo longo que queria dizer tudo? Ou um beijo lacônico que queria terminar tudo? Era uma sedução para abrir o meu coração ou um cadeado para selar minha alma? Quanta ambigüidade havia naquele simples gesto!

Mas este mistério não permaneceria encoberto por muito tempo. Meu desejo determinava que nada neste mundo passaria despercebido de minha vigilância, e a existência de Sumi era de absoluto interesse para mim. Seu lixo seria vasculhado, suas ligações seriam ouvidas, sua porta seria vigiada dia e noite. Qual seria o significado do poder se ele não pudesse assumir uma forma concreta ou um formato sólido? Para que valia o poder, se não fosse para servir a nós mesmos assim como serve aos outros e ao país?

Sabendo que Sumi, meu passarinho, estava presa na minha gaiola, voltei ao meu mundo, o mundo dos homens, da realidade.

— Qual a primeira ordem do dia? — perguntei a meu jovem secretário.

— Dois investigadores estão aguardando — respondeu ele.

— Faça-os entrar.

Dois homens do Ministério da Segurança Pública entraram e se sentaram.

— O que têm para mim?

— Todos os repórteres estrangeiros envolvidos no caso foram convidados a abandonar seus postos imediatamente — informou o homem mais alto.

— E...?

— Também recebemos cartas de protestos dos jornais onde eles trabalham, alegando que desrespeitamos a liberdade de imprensa.

— Não há liberdade de imprensa aqui. Eles não sabiam?

— Uma repórter nos deu as informações que procurávamos. A moça do *Yomiuri Shimbun* de Tóquio nos entregou o comunicado transmitido por Fei-Fei Chen, o editor-chefe da Editora Mar Azul, na noite em questão. Todos os jornais receberam uma cópia. Foi assim que a notícia se espalhou.

Ele me passou o papel dobrado.

— *Ipsis litteris.* Com as mesmas palavras — sorri.

— Com isso, podemos incriminar seriamente o instigador que está por trás deste relatório prejudicial. Fornecer informações do governo para um cidadão estrangeiro é crime de alta traição, passível de pena de morte ou prisão perpétua sem condicional, entre outras coisas. Ele também pode ser acusado de infringir o artigo 18 do Código de Segurança Pública — denegrir o orgulho e a reputação nacionais —, os artigos 19, 20, 21, 22 e, se usarmos um pouco nossa imaginação, poderemos ir até o artigo 35.

— Em resumo, podemos fazê-lo incorrer em todos os delitos.

— Sim, coronel.

— Vamos nos ater à alta traição. Gosto de coisas grandes. Você é promotor? — perguntei ao rapaz desengonçado.

— Sim, sou advogado formado. Quatro anos na Faculdade de Direito da Universidade de Beijing.

— Não gostaria de cuidar desse caso e ficar famoso?

— Será uma honra. Mas sou um investigador que trabalha para o Ministério da Segurança Pública. O poder da promotoria recai sobre o Ministério da Justiça.

— Mera formalidade. Sua transferência será efetivada imediatamente.

— Sim, coronel.

Ele se levantou e me bateu continência.

— Você parece ter a mesma idade de Tan Long. Você por acaso o conhece dos seus tempos da Faculdade de Direito?

— Sim, coronel, eu o conheço.

— Mas não é amigo dele, presumo.

— Não, absolutamente. Ele me roubou o título de monitor da turma na escola primária.

— Foi mesmo? E qual é o seu nome, Investigador?

— Hito Ling.

— Hito, nós podemos ser amigos, sabe?

— Eu gostaria disso, coronel.

— Ótimo. Quando poderia processar criminalmente Tan Long?

— Isso poderá vir mais tarde, senhor. Eu sugeriria prender Fei-Fei Chen primeiro. Se ele soltar a informação, poderá comprometer seu patrão, Tan Long.

— *A arte da guerra.* A estratégia de induzir a cobra a sair de sua toca — disse eu.

— Precisamente, coronel. Se seus homens forem incriminados, Tan cometerá mais erros em defesa deles. Então poderemos mantê-lo sob controle.

— Você conhece bem o caráter de Tan.

— Sim, ele considera a lealdade a maior de todas as qualidades. O incidente do Ano Novo é um exemplo perfeito. Fará qualquer coisa pelos seus amigos. E esta será a sua ruína.

— Enquanto você faz isso, quero que seja aberto um inquérito sobre todo o clã dos Long na Secretaria da Receita, em Beijing e em Fujian, em busca de quaisquer indícios de desvios ou irregularidades. Verifique com a Junta Comercial se há alguma infração dos regulamentos e com o Banco Central se há algum desvio de verbas. Por último, mas não menos importante, mande a Guarda Nacional e a Alfândega investigarem possíveis acusações de contrabando contra o pai — ordenei.

— Eu gostaria de supervisionar as investigações que o senhor mencionou e amarrá-las todas num saco só — disse Hito. — Estamos querendo enterrar três gerações numa só sepultura.

— Pois faça isso — assenti satisfeito. — A lei é poderosa.

— Se ela estiver do seu lado.

— Ela está sempre do meu lado, Hito.

Foi somente quando a noite chegou e tirei meu uniforme que permiti que Sumi voltasse ao meu mundo. Nada relativo a ela ou ao meu filho era trivial; qualquer detalhe importava. Ela havia alugado secretamente um apartamento na zona oeste da cidade — rua Ximung 28, apartamento 4 — vizinho ao de um professor aposentado de cabelos brancos. Sua rotina diária começava com a tarefa de levar meu filho à escola, que ficava a algumas quadras do seu refúgio; depois ela escrevia em sua mesa, de frente para a janela do lado sul, e então ia buscar Tai Ping e preparar a comida para os dois. Fazia poucas ligações telefônicas e apenas uma ida até a agência dos correios — o envelope era aberto e colado novamente. Não havia homens em sua vida.

Para preencher minhas noites solitárias, eu revia fotos dela tiradas clandestinamente: Sumi surpreendida por uma cesta de maçãs na porta do seu apartamento, outra foto lendo uma saudação de um vizinho inexistente que lhe arrancou um genuíno sorriso e ainda outra de grandes animais de pelúcia que Tai Ping trazia da escola. Eu adorava ouvir as fitas em que ele insistia que os havia recebido de seu professor, que o estava recompensando pelo seu esforço, e de Sumi ligando para este mesmo professor que, é claro, em combinação comigo, confirmou tudo o que o menino lhe havia dito. Todas aquelas fotos tornaram-se minhas companheiras nos sonhos, dando-me um motivo para viver e respirar, e paciência para esperar mais um dia, mais uma semana, mais um mês.

Tan 唐 | CAPÍTULO 48

A VIDA PERDEU A GRAÇA DEPOIS QUE Sumi partiu. Seus abraços, seus beijos, seus sorrisos e suas lágrimas, o conteúdo da minha vida, não passavam de recordações. Sentei-me em meu escritório, que dava para a área empresarial de Beijing, tentando reviver a sensação que eu tivera antes, observando-a fazer as coisas mais simples. Lembrava e relembrava o jeito como ela beijava o nariz de Tai Ping, o modo como mastigava o lápis e fitava o nada, procurando pela palavra perfeita. A maneira como escovava seus cabelos escuros ao sol da manhã, com as costas alvas voltadas para mim. O maravilhoso aroma escondido em seus lugares mais íntimos. Como eu a desejava!

Apesar de me sentir solitário com minhas lembranças, respeitei o pedido de Sumi para que a deixasse resolver seus problemas sozinha. Era um pedido sincero e profundo. Deixaria passar esse período desconcertante, esperando que cada dia fosse mais curto e cada noite mais calorosa. Como qualquer homem, no entanto, procurei prosseguir com a minha vida. Era uma vida celebrada por risos e drinques. Era pura conquista, era uma caça, era o que se pescava na rede. Eu podia ganhar no jogo da vida, mas também sabia que podia perder. Conhecia os riscos. Eles estavam nos meus cálculos e eu estava preparado. Eu podia até mesmo fazer um brinde a uma perda, pois sabia que na próxima rodada poderia brindar a uma vitória.

A vida sem Sumi e Tai Ping não deixava de ser agitada, e até mesmo colorida, sob outros aspectos. Todos os dias de manhã, eu abria pilhas de jornais nacionais para ler matérias que me rotulavam como um elemento maligno, uma formidável mente criminosa por trás do incidente do Ano Novo. Sem mencionar nomes, tornei-me a eminência parda de um movimento nacional subversivo contra o governo comunista. Era um absurdo atrás do outro. Era uma guerra contra os Long, e os rastros de Shento, o maníaco, estavam por toda a parte.

Outras más notícias também começaram a aparecer. Lena me informou que David Li tinha sido misteriosamente exonerado do seu cargo. O financiamento bancário para as novas revistas teria que ser avaliado por um novo executivo, que era claramente uma mera peça sem importância na máquina do governo. Telefonei imediatamente para a casa de Li.

— Foi aquele telefonema que dei na véspera do Ano Novo — disse David com tristeza.

— Foi culpa minha. Fui eu que impus isso a você.

— Não precisa dizer mais nada. Dei aquele telefonema como um amigo querendo ajudar outro amigo, e ponto final.

— Devo tudo a você. Venha trabalhar comigo. Você não vai se arrepender.

— Fico grato pela sua oferta, mas um velho amigo já me pediu para trabalhar com ele num empreendimento em Nova York, e aceitei o convite.

— Uma vida nova? Que maravilha! E quando você vai viajar?

— Amanhã.

— Então eu preciso vê-lo agora.

Mandei que minha secretária preparasse um cheque visado, peguei meu carro e fui até a casa de David, no centro de Bejing, a vinte minutos de distância.

— Por favor, aceite esta pequena demonstração da minha gratidão — disse eu, entregando o cheque a David.

— Vinte mil dólares! — exclamou ele.

— Certamente você já viu cheques maiores do que esse.

— Não posso aceitar isso.

— Se você rejeitar este presente, corre o risco de perder um amigo.

David apertou a minha mão.

— Então, fico com ele.

— Algum dia, quando o sol nascer novamente, vamos trabalhar juntos outra vez.

— Antes de ir embora, preciso lhe dizer uma coisa. O seu Dragon Center nunca vai ser aprovado pela Prefeitura. Acho que você sabe por quê.

— Não ouvi falar nada sobre isso.

— E nem vai. O projeto foi engavetado de vez.

— Mas trabalhamos tanto nisso!

— Tan, você é um homem que sabe das coisas. Então, faça o que um homem sábio faria. Seja firme, mas não seja duro, senão eles vão fazê-lo em pedaços.

Aquelas palavras novamente.

— E por que eu deveria fazer isso?

— A corrente está indo contra você. Por favor.

Abraçamo-nos, um abraço de companheiros, e nos separamos.

Fui embora no meu conversível, erguendo poeira atrás de mim. Queria ir direto à Secretaria de Planejamento Urbano para pedir uma explicação, mas dei meia-volta. Uma raiva desenfreada só levaria a uma solução ruim. Rumei de volta ao meu escritório, planejando o próximo contra-ataque.

Duas viaturas, marcadas com o emblema facilmente identificável da Polícia de Beijing, estavam estacionadas na frente do meu prédio, com os alarmes ressoando e as luzes piscando. Uma dúzia de policiais armados com rifles automáticos formava duas colunas na entrada do prédio, examinando todos os que entravam e saíam. Um grupo grande de pessoas se juntou, apertando-se uns contra os outros, para assistir ao desenrolar do drama. Entreguei meu carro ao manobrista e acelerei o passo. Ao passar pelo policial na porta, ele pediu minha identidade.

— Sou o presidente da Dragão & Cia. Deixe-me passar — disse eu.

— Ótimo, eles estão esperando pelo senhor — disse o homem. — Precisa vir comigo.

— Quem está esperando por mim?

— O senhor vai ver.

O policial me deu um leve empurrão. Olhei-o irritado. Entramos no elevador. Dois homens à paisana se juntaram a nós. Subimos, em silêncio. Não fiquei surpreso ao ver ainda mais policiais cercando o meu escritório.

Meus funcionários estavam amontoados num canto. Fei-Fei estava algemado, afundado numa cadeira.

— Por que estão prendendo ele? — perguntei, indignado.

— Quem é o senhor? — indagou o policial, com os olhos semicerrados.

— Meu nome é Tan Long, e sou o presidente desta firma. Sob que alegação estão prendendo Fei-Fei?

— Atividades antigovernistas. Alta traição.

— Vocês têm alguma prova disso?

— O senhor faz perguntas demais. Vá ao seu escritório e responda ao homem que está à sua espera.

O policial me empurrou com força. Quando revidei, outro policial bateu com a culatra de um rifle na minha cabeça, fazendo um corte em minha têmpora direita.

— Tan, tome cuidado! — berrou Fei-Fei.

Os outros funcionários gritaram.

— Vou liberar você logo, logo, Fei-Fei — gritei, cobrindo minha cabeça com as mãos. O sangue escorria pelo meu maxilar.

— Não se preocupe, Tan. Vou ficar bem. Eu...

Fei-Fei foi empurrado para fora do escritório pelos três policiais que o haviam algemado. As algemas estavam tão apertadas que suas mãos ficaram azul-escuras.

— Fei-Fei, vou lutar contra esses caras da nossa "Gestapo" até o dia em que eu morrer! — vociferei.

— Por favor, tome conta do meu pai.

— Eu prometo, Fei-Fei.

Fui forçado a entrar no meu escritório e deparei com outro funcionário do governo, exibindo um sorriso sarcástico em seu rosto comprido e fino.

— Que lugar estranho para nos reencontrarmos, sr. Long.

— Quem é você? — perguntei ao homem, que estava sentado na minha poltrona.

— Suponho que a sorte realmente faz as pessoas esquecerem. Fui seu colega de turma duas vezes. Na escola primária, você roubou minha posição de monitor da turma. Na Faculdade de Direito, você me venceu duas vezes no júri simulado.

— Ah... Hito! Saia do meu lugar.

— Que grosseria, sr. Long!

— Só sou bem-educado com os meus amigos. A que devo a sua visita?

Hito apanhou uma folha de papel.

— Isto é uma intimação. Ela lista mais de trinta casos de possível sonegação de impostos, fraude e várias outras acusações. Mas não estamos aqui para efetuar nenhuma prisão. Precisamos ainda de mais alguns dados sobre o caso.

— Nenhuma prisão? Que generoso de sua parte!

— Nenhuma prisão neste momento, mas esteja certo de que, quando todos os fatos estiverem esclarecidos, o seu dia no tribunal vai chegar.

— Deixe-me ver se entendi. Você já determinou que cometi sonegação de impostos sem nenhuma comprovação, e agora estão aqui para pescar coisas que possam substanciar a acusação?

— Bem colocado.

— Sua lisura e seu senso de justiça são admiráveis, Hito. Admira-me que tenha perdido de mim duas vezes.

— Você está com sorte. Em outros casos, prendemos e espancamos os homens, fazemos com que eles confessem, e então os colocamos na cadeia.

— Por algum motivo não me sinto com tanta sorte. Esta investigação tem alguma coisa a ver com Shento?

— Recebo ordens de superiores. Eles me dizem "faça isso", e eu faço. Eles me dizem "faça aquilo", e eu faço. Neste caso, disseram-me para dar uma batida no escritório e deixá-lo em paz. Estou fazendo exatamente o que me disseram.

— Nenhuma imaginação.

— Não há espaço para imaginação — disse Hito. — O escritório será temporariamente interditado.

— Isso é uma violação da Constituição. Vocês não podem me privar da minha propriedade — disse eu.

— E o que vai fazer com relação a isso?

— Vou levar este caso até o Supremo Tribunal para interromper esta perseguição — respondi. — E vou dizer a verdade ao mundo todo.

Hito fez um aceno para os seus homens.

— Tirem-no daqui e não o deixem levar nada.

Com um rugido, peguei minha pesada escrivaninha de mogno e levantei-a. Hito ficou sentado, imóvel, com um sorriso malicioso ainda estampado no rosto.

— Saia do meu escritório ou vou matá-lo! — gritei.

Uma dúzia de policiais pulou em cima de mim e arrastou-me para fora do escritório. Dei chutes a torto e a direito e me debati.

— Ninguém vai levar as minhas coisas! Ninguém! — gritei, até ser jogado na rua.

— Você tem sorte. Eu poderia ter atirado em você por causa disso — disse um policial.

— Vá em frente, seu cão nazista!

— A ordem que eu tenho é fazê-lo sofrer.

Mais uma vez, a culatra do rifle veio voando de encontro ao meu rosto. A dor e a escuridão me apagaram.

QUANDO ACORDEI, AO CAIR DA NOITE, estava num leito do Hospital Popular de Beijing, com uma dor lancinante na cabeça e esparadrapos e ataduras em volta do meu crânio. Lena estava sentada ao lado da minha cama, preocupada.

— Lena — murmurei, com a voz fraca.

Ela coçou a testa.

— Estamos ferrados. Eles acabaram com a gente.

— Não, não estamos.

— Congelaram nossas contas bancárias.

— Nós as conseguiremos de volta.

Ela fez que sim com a cabeça, olhou em volta e sussurrou:

— Na hora em que entraram no nosso escritório, telefonei para o seu pai em Fujian para alertá-lo.

Eu apertei sua mão.

— Com licença — disse uma enfermeira. — Tem alguém aqui para ver o senhor.

Era Sumi, parada ao lado da porta, parecendo abatida e preocupada.

— Tan, eu vi a notícia no Canal Central da TV do governo — murmurou ela, aproximando-se da minha cama.

Lena deu-me adeus e pediu licença, cumprimentando Sumi com a cabeça ao sair.

— Por que está aqui? — perguntei.

Sumi ajoelhou-se ao meu lado, encostando seu rosto no meu.

— Para ficar com você.

— Se soubesse que você voltaria para mim por este motivo, teria me machucado muito antes.

— Ah, meu querido, como eu amo você! — Beijamo-nos como sempre fazíamos mas, num dado momento, ela se afastou e disse: — Eu sei de quem é a culpa. E vou corrigir esse mal. Estou redigindo um artigo sobre abuso do poder público desde que vi a notícia na TV.

— Não, fique fora disso. A ambição política de Shento vai engolir você.

— Este louco precisa ser detido. Ele prendeu Fei-Fei, interditou seu escritório e espancou você. O que vai acontecer agora? Não posso deixar que ele faça isso comigo, com você, com o povo. Não posso mais ficar sentada em silêncio.

— Você está arriscando a sua vida, Sumi.

— Não vejo dessa forma. Você, Fei-Fei e meus leitores, milhões deles, fizeram de mim o que sou hoje. Sou a voz deles. Não posso ficar em silêncio.

— Você fala como Lu Xun — disse eu, referindo-me a um escritor da virada do século conhecido por sua luta contra a injustiça social.

— "Cerrando minhas sobrancelhas, fitando friamente a condenação da elite" — disse Sumi, citando-o.

— "Abaixando a cabeça, disposto a puxar o arado, como um boi, pelas pessoas comuns" — completei, suavemente.

— Então você me apóia? — perguntou ela.

— Estou ao seu lado, sempre. — Sentei-me, sentindo muita dor e apoiando-me no cotovelo. — Quero publicar seu artigo num livreto encadernado e distribuí-lo por toda a cidade, por todo o país. Vá para casa e escreva. Nossas gráficas não vão poder ficar abertas por muito tempo.

— Se eu for para casa hoje à noite, pode ser que nunca mais o veja. Vou ficar e escrever, aqui e agora, antes que seja tarde.

Sob a luz fraca da lâmpada de 15 watts, Sumi apoiou-se em sua escrivaninha improvisada — um travesseiro em cima do parapeito da janela. Inclinou a cabeça, esquecendo o tempo e o espaço, escrevendo com intensidade em seu caderno. Os pensamentos eram mais velozes do que suas mãos. Apressou-se em pôr no papel o que havia surgido em sua mente. Inclinava a cabeça para o lado, ponderando sobre um pensamento fugidio e piscava os olhos, agarrando um sentimento que voava. Estremeceu, chorou, depois encheu o peito com uma respiração profunda e continuou a escrever. Entre seus dedos, com a caneta e o papel, a poesia foi concebida e a magia nasceu.

— Esta é minha história. Este é o meu relato — disse ela. Entregou-me as páginas e enterrou o rosto nos meus braços.

Shento 山头 | Capítulo 49

Fiquei extasiado com a captura do dia. Meus homens haviam trancado Fei-Fei na prisão mais conhecida e repulsiva de Beijing, espancado Tan e lacrado o pequeno império do meu meio-irmão. Meus auditores trabalharam bastante, esmiuçando os arquivos das empresas, e meus jovens generais em Fujian, agindo sob minhas ordens, investigavam duas outras firmas relacionadas: Veteranos & Cia. e Banco Litorâneo. Nenhuma prisão deveria ser feita lá, ordenei. Um pouco de caridade. Um pouco de generosidade. Um pouco de paciência. Tudo isso levaria à minha sorte grande quando eu pegasse o maior peixe do lago — o diabo do meu pai.

Meu relatório do meio-dia para o presidente foi simples e objetivo. Heng Tu balançou a cabeça em aprovação, mas desta vez não terminou a leitura com a costumeira "hora do cochilo". Em vez disso, deu-me um aviso: "Para acabar com a erva daninha, arranque-a pela raiz. Não quero ver meus inimigos tomando a dianteira de novo nesta vida." Disse isso e moveu sua cadeira de rodas até seu local predileto, para cochilar ao sol.

No escritório, pedi à minha secretária, uma jovem de pele de porcelana, que me preparasse uma xícara de chá especial para comemorar. O sabor da bebida era sutil e suave e lembrava um dia ameno de outono. Mas meu momento sereno foi interrompido por um telefonema. O que ouvi me fez atirar o jogo de porcelana antiga contra a parede, num rompante.

— Mande Hito Ling vir aqui imediatamente — foi tudo o que consegui dizer para minha secretária.

Hito materializou-se diante de mim em poucos instantes.

— Arrume um mandado de prisão para Sumi Wo e prenda-a — ordenei.

— Sob qual alegação? — perguntou ele.

— Você é o homem das leis. Faça uma lei que se aplique ao caso. Quero Sumi aqui antes que ela fuja. Nossa enfermeira no Hospital Popular de Beijing nos informou que ela está lá agora. Prepare seus homens. Vou com vocês.

— Sim, coronel.

— Só mais uma pergunta: Onde é que a Editora Mar Azul manda imprimir seus livros?

— Na Gráfica Western Mountain.

— Muito bem. Vamos lá agora.

Sumi
叔米

Capítulo 50

Quando saí do Hospital Popular de Beijing, a noite havia caído e a escuridão envolvia tudo. Flocos de neve acrescentavam um toque de cinza ao céu, e as ruas se agitavam num movimento lento, com poças d'água e gelo derretido, enquanto milhares de pés cansados arrastavam-se cegamente rumo aos seus destinos.

Abracei a mim mesma, cruzando os braços sobre o peito, com um cachecol vermelho em torno do pescoço, esvoaçando ao vento. Sentia-me cansada, magoada e enraivecida. O vento frio irritou meus olhos enquanto eu procurava pela placa do ponto de ônibus com a luzinha que piscava. Encontrei-a sem dificuldade. Um grande grupo de pessoas havia se formado em torno de um ônibus elétrico listrado de vermelho e branco com um emaranhado de fios no topo, lutando para se espremer e entrar pelas portas estreitas. Uma criança pequena ficou com os dedos presos na porta. O sorriso de uma velhinha indicava sua pequena vitória no fim de um longo dia — encontrar um lugar para se sentar. Um velhinho tentou subir, mas não alcançou o degrau, e caiu sentado na neve suja com as mãos balançando no ar frio, enquanto a multidão corria atrás do próximo ônibus lotado, que passou direto pelo ponto.

Ajudei o velhinho a se erguer. Ele me olhou com um sorriso cheio de gratidão.

— Eu quase consegui entrar — disse ele.

— Foi mesmo — concordei, ajudando-o a se levantar.

— Obrigado, meu anjo.

— De nada. O senhor parece estar com frio.

— Está mesmo bem frio — disse ele, com a barba congelada.

Meu coração amoleceu. Tirei meu cachecol vermelho e amarrei-o em torno do seu pescoço. Um jipe do exército acelerou pela avenida molhada espalhando água e parou, de repente, cantando os pneus à nossa frente. Assustada, olhei para cima, piscando com os faróis que me cegavam. Um soldado de uniforme verde saltou da porta lateral do jipe e correu na minha direção. Soltei o velhinho e corri o mais rápido que pude, mas o soldado me agarrou em poucos passos. Esperneei e gritei. As pessoas olhavam, nervosas e silenciosas, com exceção do velhinho, que gritava:

— Solte-a! Solte-a!

O soldado me jogou rudemente no banco traseiro.

O velhinho continuou a berrar:

— Deixe-a em paz!

O jipe disparou na rua suja de lama e neve derretida, desaparecendo na noite. Eu xingava e gritava no banco traseiro.

— Deixem-me em paz!

— Acalme-se, Sumi — disse uma voz familiar, contendo-me em seus braços. Era Shento. Eu o repeli com uma força que não sabia que tinha.

— O que você quer de mim? — perguntei.

— O que foi que você escreveu e entregou a Tan Long na enfermaria do hospital? — perguntou ele.

— Nada.

— Você me traiu, não foi? — perguntou ele calmamente.

— Trair? — indaguei, levantando a voz. — Você prendeu meu editor sem motivo, fechou o escritório da editora sem razão e espancou Tan Long, um homem inocente, até ele perder a consciência. Você abusa do seu poder por vingança pessoal. Está se tornando um monstro. Vou lutar contra você até que o povo desperte. Vou lutar até que você não nos ameace mais.

— E quanto a nós?

— O Shento que amei já morreu. Estou de luto, não vê? Não medirei esforços para expor os seus atos até que o mundo saiba quem é você de verdade.

— Esse dia nunca vai chegar, Sumi — disse ele, na maior tranquilidade. — Estou levando você para um lugar calmo, onde não vai precisar mais ser essa ensandecida defensora da liberdade e vai poder ser apenas uma mulher, minha mulher, para sempre.

Dei um tapa em seu rosto.

Tan 唐 | Capítulo 51

Na escuridão e no frio da noite, a equipe de funcionários da gráfica Mar Azul entoava suas músicas prediletas, para lutar contra o cansaço e a sonolência causados pelo turno dobrado, enquanto imprimiam cópias da condenação de Shento, recém-escrita por Sumi. Eles cantavam e fumavam. Suavam e riam. Os supervisores serviam chá e distribuíam lanches aos trabalhadores. Ninguém parava para descansar por mais de cinco minutos. Havia um sentimento geral de excitação sob o teto da gráfica.

Geralmente, os funcionários eram um grupo de gente alegre, pois trabalhavam para um editor que lhes pagava um bom salário e oferecia a segurança de um emprego vitalício. Estavam satisfeitos porque suavam e eram recompensados de acordo com suas habilidades, e mais satisfeitos ainda porque seu querido editor-chefe proporcionava assistência médica e moradia para todos. Portanto, a notícia de sua prisão os deixou aborrecidos. Eles xingaram o governo e se ofereceram como voluntários para imprimir os milhares de panfletos necessários para lutar contra os poderes constituídos. Tinham uma crença simples: a de que, se trabalhassem muito e pusessem o material impresso em circulação, Fei-Fei seria libertado e tudo ficaria bem. Retomaram, então, sua paz de espírito, comprazendo-se inocentemente com canções que levantavam o moral, já que teriam uma longa noite pela frente.

No andar de baixo, onde ficavam a caldeira e outras máquinas movidas a óleo, o velho vigia, sr. Mei, encarou meio de lado aquele homem estranho que estava de pé a sua frente.

"Mais um estranho perdido nesta parte da cidade", pensou ele. A gráfica ficava na periferia dos subúrbios de Beijing. Todas as noites, os caminhoneiros transportavam legumes e verduras frescas do campo para a cidade. Começavam cedo, quando as estrelas ainda brilhavam no céu, e voltavam para casa tarde, quando a lua já estava alta. Muitos se perdiam por aqui, com o emaranhado de estradas recém-construídas complicando o trajeto. O velho vigia, que morava ali há trinta anos, sempre os ajudava a encontrar o caminho. De vez em quando, os motoristas deixavam um cesto de maçãs ou laranjas em sinal de agradecimento. Dia e noite, ele era a única alma acordada num raio de 15 quilômetros. A luz que vinha de sua moradia, um pequeno cubículo ao lado da casa de máquinas, brilhava como um farol para todos os que estavam perdidos na noite.

— Está perdido? — perguntou Mei ao estranho, um rapaz de jaqueta de couro marrom, com o cabelo cortado bem baixinho.

— Não, velho camarada — respondeu o rapaz, olhando por cima dos ombros do vigia.

— O que posso fazer por você então?

— Quero que o senhor guarde isso para mim. — O jovem entregou-lhe um pacote compacto embrulhado em papel vermelho.

— O que é isso?

— Um presente do seu velho amigo — respondeu ele.

— E como ele se chama?

— Não quis dizer.

— E você vem me entregar isso no meio da madrugada? — O velho examinou o presente e sorriu. — Bem, tenho mesmo muitos amigos que ajudei, mas isto é uma surpresa. Qual é o seu nome?

O rapaz hesitou.

— Isso não é importante. Seu amigo pediu que você carregasse o presente bem junto ao peito e que só o abrisse em seu quarto.

— Vou fazer isso. — O velho guarda curvou-se para agradecer ao rapaz sorridente e estava se virando para ir embora, intrigado com o mistério que tinha nas mãos, quando o jovem sacou uma arma. Puxou o gatilho três vezes. As duas primeiras balas atingiram o velho com força, atirando-o ao chão com o rosto para baixo, por sobre o pacote. A terceira bala desencadeou a explosão de uma lata de gás envolta pelo embrulho vermelho. Uma bola de fogo espalhou-se pelas máquinas a óleo num único movimento. O silêncio do fogo que tomava conta de tudo causou mais explosões; depois, um incêndio maior e mais quente transformou o porão num mar de chamas.

O rapaz pulou no jipe da Guarnição Militar que o esperava e acelerou em direção à estrada, rumando para o oeste.

Rapidamente o fogo devorou as vigas de madeira que sustentavam o maciço prédio de três andares da gráfica, e o teto cedeu. Os trabalhadores corriam desesperadamente, buscando uma maneira de apagar o incêndio, mas era impossível. As chamas precipitaram-se para o andar de cima, cercando os leais empregados num inferno colossal. Enquanto tentavam escapar pelas janelas e portas, eles ouviram um estrondo final. A explosão sacudiu a gráfica como um trovão, arrancou todas as vigas e colunas, tijolos e pedras, espalhando pedaços dos panfletos recém-impressos pela noite escura, e provocando uma chuva de chamas caídas do céu.

Shento 山头

CAPÍTULO 52

ÀS DUAS DA MANHÃ, NO SILÊNCIO DO meu escritório, o relatório do promotor Hito Ling foi sucinto: "Alvo eliminado."

— Nenhum caminhão saiu da gráfica?

— Nenhum.

— E o velho vigia?

— Explodiu em pedaços.

— Recolha os três cartuchos de bala que foram disparados.

— Isso será difícil.

Fitei-o silenciosamente.

— Sim, coronel — disse Hito.

— Outra coisa. Esta gráfica tem seguro?

— No valor de vinte milhões de iuanes.

— E qual é a seguradora?

— A Companhia de Seguro Popular.

— Congelamos todos os bens do jovem dragão. O que um homem desesperado faria para se manter? — perguntei.

— Queimar o próprio prédio e pegar o dinheiro do seguro. — Hito anotou rapidamente em seu caderno: sinistro fraudulento.

Concordei com a cabeça.

— Trabalhar para o senhor foi a experiência mais inspiradora de toda a minha carreira jurídica — disse Hito.

— Será também a mais recompensadora.

Visivelmente excitado pela declaração, Hito conseguiu proferir apenas um humilde "obrigado" e fazer uma reverência profunda.

— Agora, vá pegá-lo.

— Sim, coronel.

Tan 唐

Capítulo 53

Após dois longos dias no hospital, tive que lutar para ser liberado. A enfermeira-chefe, uma senhora de ossos largos, amarrou-me ao leito, apertando a fivela sobre meu peito.

— Já servi ao seu pai e ao seu avô. Ninguém consegue fugir da minha ala, está me ouvindo, Long Júnior? — resmungou ela.

Depois que ela saiu, consegui desafivelar as correias e me esgueirei para fora do leito. Apanhei o jaleco de um médico, que estava pendurado na parede, e desci as escadas mal-iluminadas, pulando dois ou três degraus de uma vez. Quando estava a apenas um lance da saída, ouvi passos descendo apressadamente pelo vão da escada. Pulei por cima do corrimão, desci correndo e me lancei em direção à rua movimentada. Lá fora, fiz sinal para um táxi, sem me dar conta de que ainda estava usando o jaleco, quando o motorista perguntou educadamente:

— Para onde vamos, doutor?

— Willow Bay District, número 141, por favor.

O táxi ultrapassou dois ônibus que atrapalhavam nosso caminho e acelerou na direção oeste, rumo ao meu bairro. Trezentos metros atrás, vi dois jipes do Exército se infiltrarem no trânsito.

LENA NÃO PARAVA DE CHORAR quando foi até minha casa.

— Qual é o problema? — perguntei.

— Alguém incendiou a nossa gráfica. O velho Mei, o vigia, e mais seis operários morreram queimados.

— Vou até lá agora mesmo — disse eu.

— Não dá. A área está isolada.

— Nada vai me impedir, Lena.

— Vou com você. — No caminho, Lena enumerou os nossos problemas enquanto eu dirigia, desviando-me do tráfego. — Perdemos a primeira batalha legal para liberar Fei-Fei sob fiança. Eles exigiram dois milhões de iuanes.

— E não podemos pagar dois milhões de iuanes?

Lena abaixou a cabeça.

— Eu bem que tentei, mas nenhum banco quis nos emprestar todo esse dinheiro.

— E os nossos depósitos?

— Todos congelados.

— Então venda a minha casa — orientei.

— O pagamento da hipoteca da sua casa venceu ontem.

— Pensei que eu a tivesse comprado à vista.

— Não, você me pediu para exercitar nosso poder de empréstimo.

— Então estamos falidos? Geramos centenas de milhões de iuanes e agora estamos falidos. Não há mais nada que possamos vender?

— Nada.

— E o meu relógio, o seu carro, o meu carro? E onde está Mike?

— Está em prisão domiciliar em seu quarto de hotel, aguardando para ser deportado.

— Por quê?

— Ele estava na Secretaria de Planejamento Urbano hoje de manhã fazendo perguntas sobre a proposta do Dragon Center. O guarda o botou para fora. Ele foi para o bar ao lado, ficou bêbado, invadiu o lugar e começou a quebrar tudo. A fiança foi paga pela embaixada.

— Lute para mantê-lo aqui.

— Nosso advogado se recusou a fazê-lo. Ele disse que, se o fizesse, poderia ser acusado de dar auxílio e ser cúmplice de estrangeiros.

— Procure outro advogado.

— Ninguém mais quer nos defender. Mike foi considerado *persona non grata* e será deportado junto com o resto dos jornalistas estrangeiros que cobriram a sua festa de Ano Novo.

— Por que simplesmente não me prendem?

— Bem, já começaram a fazer isso. Os negócios da sua família estão todos interditados a partir de hoje. O mesmo funcionário do governo, aquele com cara de cavalo, lhes fez uma visita, juntamente com um investigador da Inspetoria da Alfândega, à procura de possíveis acusações de contrabando contra o seu pai e irregularidades bancárias contra o seu avô.

Pisei no freio subitamente, por pouco não batendo num caminhão que transportava legumes e verduras. Respirei fundo e me concentrei, antes de pisar no acelerador.

— Você tem algo de bom para me contar? — perguntei.

— Nada. Desculpe-me por não poder ajudar.

Passei o meu braço direito em seu ombro e a abracei.

— Enquanto estivermos respirando, estaremos bem.

Ela concordou em silêncio, com as lágrimas borrando sua maquiagem.

Na gráfica, o ar estava pesado pelo cheiro sufocante da morte — morte da madeira, morte da carne e do osso, morte do papel. A gráfica estava arrasada, como se o fantasma da guerra tivesse passado por ali, deixando um rastro de destruição.

A polícia havia cercado o local com uma faixa amarela, alertando que qualquer invasor seria preso. Um oficial empunhou o rifle e berrou:

— Pare onde está!

Eu podia vê-lo e ouvi-lo, mas não me importei. Pisei no acelerador, passando por cima de uma pilha de escombros, ultrapassei a faixa e parei diante de um tronco de árvore queimado.

— Vou atirar, se você não abandonar o local do crime! — ameaçou o policial.

— Vá em frente — disse eu. — Sou o dono desse lugar. Tenho todo o direito de estar aqui!

— Você está infringindo a lei.

— E daí? Já não basta vocês terem queimado esse lugar, junto com sete vidas inocentes? — Fui até o policial e o empurrei. — Não é? Fale, seu desgraçado!

— Vou atirar em você! — avisou ele, recuando.

— Atirar em mim? Claro, vá em frente. Você não faria pior do que aqueles assassinos que queimaram esse lugar.

O jovem oficial ergueu o fuzil. Duas balas atingiram o chão diante de mim, fazendo saltar terra e cinzas. Continuei me aproximando.

— Vamos para casa. Por favor, Tan. — implorou Lena, puxando-me desesperadamente.

— Você é louco! O que quer? — perguntou o jovem soldado.

— Quero ver o velho morto. Devo isso a ele — disse eu, arfando. — Onde está ele?

— Ali — apontou o oficial. — Aquela pilha de ossos próxima à parede. Vá vê-los e depois saia do local.

Chutei as cinzas enquanto caminhava na direção da parede. No chão, espalhados, uma pilha de ossos. Ajoelhei-me e a tristeza tomou conta de mim. Poderiam ser os ossos de animais selvagens das montanhas que ficavam próximas dali. Recolhi alguns e examinei-os cuidadosamente.

— Você pode olhar, mas não tire nada daí — advertiu o policial.

"Os ossinhos pequenos devem ser os dedos, e este outro, uma costela", pensei. Peguei o crânio e montei os ossos com os dedos trêmulos. Lena escondeu-se atrás de mim, sem coragem de olhar.

— Chega, Tan. Vamos para casa — implorou ela.

— Espere — disse eu. Toda a parte do meio do corpo do homem estava desaparecida. Encontrei um osso do quadril a um metro de distância. No centro, havia um buraco perfeitamente redondo que só poderia ter sido causado por uma bala. Olhei para trás. O guarda estava acendendo um cigarro, com a cabeça virada para bloquear o vento. Enfiei o osso dentro da camisa e então, acenando silenciosamente para ele, fui embora.

Antes de entrar no carro, ajoelhei-me por um instante. Com a cabeça abaixada e as mãos unidas, murmurei uma oração simples, como um último adeus ao meu velho e leal vigia.

Só quando retornamos à minha casa, eu disse a Lena:

— O vigia foi baleado primeiro.

Ela ficou boquiaberta.

— Como é que você sabe?

Mostrei o osso do quadril.

— Tem um buraco de bala nele. Esta é a prova.

Lena cobriu os olhos com as mãos.

— Mantenha isso longe de mim!

— Você vai levá-lo ao dr. Min.

— O nosso autor? — perguntou Lena, segurando o osso cautelosamente.

— Ele é o melhor médico legista de Beijing. Peça a ele para dar uma olhada nisso hoje à noite.

Lena fez que sim com a cabeça.

— E quanto ao artigo de Sumi?

— Entre em contato com todas as outras gráficas de Beijing e peça-lhes que imprimam dezenas de milhares de cópias do artigo o mais rápido possível, a qualquer custo.

— Você ainda tem o original?

— Está bem aqui, na própria caligrafia dela.

Puxei do bolso uma folha de papel dobrada.

— Mas acho que ninguém ousaria nos ajudar agora.

— Eles provavelmente nos ajudarão. Nós já os ajudamos antes. Os gerentes da Gráfica Leste e da Gráfica Beijing me conhecem. Ligue para eles. Diga-lhes que preciso de sua ajuda agora.

NO DIA SEGUINTE, LENA chegou cedo à minha casa.

— Ninguém quer imprimir isso para nós.

— Mas eram todos nossos amigos!

— Não são mais. O gerente da Gráfica Leste me avisou que eu não falasse com mais ninguém sobre esse artigo. Há uma ordem da Guarnição Militar para que prendam qualquer um que coopere com a Mar Azul.

— Não me surpreende. Recebeu alguma notícia do dr. Min sobre o osso?

— Sim, aqui está.

Ela me entregou um envelope. O bilhete do médico dizia simplesmente:

CONFIRMADA PENETRAÇÃO DE BALA. RESÍDUO DE PÓLVORA ENCONTRADO NA SUPERFÍCIE DO OSSO.

LU MIN, MÉDICO-LEGISTA, FACULDADE DE MEDICINA DE BEIJING
DEPARTAMENTO DE MEDICINA LEGAL

— Viu só? Ele confirmou tudo — disse eu, irritado. — Os homens de Shento fizeram isso.

— E o que vai fazer com isso?

— Vou tornar público este massacre e a causa deste incêndio. Tenho as provas.

— Tan, o médico me implorou especialmente para que não revelasse o nome dele. Não quer parar num campo de trabalho forçado novamente.

— Entendo. Vou respeitar a vontade dele.

Dediquei o resto do dia a escrever meu editorial sobre a perseguição à Dragão & Cia., à Editora Mar Azul e à minha família, e sobre o incêndio criminoso e o assassinato dos meus funcionários. O texto era simples e direto. Como queria que Sumi estivesse ali para me ajudar! Ela levava tanto jeito com as palavras, tinha uma facilidade tão grande para tocar o coração de seus leitores! Mas eu não sabia onde ela estava. Já fazia dois dias que ela não me telefonava. Havia prometido voltar para mim, mas onde será que estava agora?

Fiquei confinado em casa, e notei, intrigado, um carro estacionado do outro lado da rua, à sombra de um salgueiro. Por que apenas um carro? Eu achava que Shento mandaria pelo menos uma dúzia deles para ficar sabendo, em detalhes, de cada movimento meu, cada respiração minha.

Quando a noite caiu, dei a Lena meu sobretudo e ela saiu dirigindo minha Mercedes vermelha. Quando o carro estacionado debaixo da árvore arrancou para segui-la, saí de casa de fininho, vestindo o casaco verde de Lena, forrado de pele, com a gola levantada para bloquear o vento em meu rosto. Andei costeando o muro da cidade lentamente, tentando imitar o andar de uma mulher. As ruas estavam desertas e o vento levantava a poeira. Entrei num ônibus lotado e saltei no Boulevard Long An, próximo ao edifício onde ficava meu escritório.

Enquanto mulheres e homens de negócios bem-vestidos passavam por mim, rindo em grupos, entrei furtivamente pela porta giratória do edifício e subi pela escada até o terceiro andar. O corredor estava deserto. Rasguei o lacre da polícia e abri a porta com a minha chave. Um cheiro desagradável impregnava o escritório. Ninguém havia desligado o aquecimento e o lugar estava quente como um forno. Diminuí a temperatura e fui até a copiadora. O escritório estava uma bagunça, com papéis espalhados por todos os lados e a mobília revirada e destruída.

Carreguei a copiadora com papel em branco e comecei a copiar meu editorial e o artigo de Sumi. Ficaria ali pelo tempo que fosse necessário para fazer o máximo de cópias possível. Depois, então, eu as espalharia por aquela cidade insana como flocos de neve caindo do céu.

COMO UM LADRÃO CARREGANDO UM OBJETO roubado, saí para o silencioso Boulevard Long An, com uma sacola grande no ombro. As luzes dos postes balançavam ao vento noturno de março e os fios elétricos uivavam como lobos solitários nas montanhas. Às quatro da madrugada, a cidade era uma selva abandonada. Todas as criaturas dormiam. Um ônibus dobrou uma esquina sem nenhuma pressa, como que indisposto a enfrentar um novo dia. Quando entrei, o motorista me perguntou com voz anasalada:

— *Nai zhan xia che*? Onde é que você vai saltar?

— Em qualquer lugar — respondi, acomodando-me num assento próximo à porta traseira.

Ele pegou uma garrafinha, tomou um grande gole e soltou um arroto.

— Sente-se aqui, seu bobo, e tome um gole.

Sentei mais perto e peguei a garrafa que ele me entregou. Era uma bebida barata, chamada *Gao Liang*. Tomei um gole e quase vomitei.

— Agora me diga o que tem aí nessa sacola.

— Uns panfletos.

— Arrá! Você é um desses militantes pela liberdade que vivem à noite e se escondem durante o dia.

— Eu...

— Não tenha medo. Vou parar em todos os pontos que você precisar.

O motorista serviu-se de outro gole imenso, que o fez engasgar e tossir tanto que teve que encostar a cabeça no volante por um momento para recuperar a respiração. O ônibus avançou, desviando para a outra pista, e depois voltou à mão correta.

— Está tudo bem com você? — perguntei.

— Claro que está. Você distribui os seus panfletos, eu dirijo meu ônibus. — Ele pisou no acelerador e o ônibus disparou. — Você precisa deixar uma quantidade maior por aqui — o motorista indicou um determinado ponto. — Os professores que moram nesta área vão querer ler isso. — Numa outra parada, ele deu sua opinião, embriagado: — Os mineiros de carvão daqui nunca lêem nada. O seu negócio aí vai virar papel higiênico.

Eu me inclinava para fora da janela, jogando um punhado de cada vez, enquanto o motorista percorria o Boulevard Long An, passando pelo parque do Lago, pelo Museu do Povo, pela Cidade Proibida, pela área comercial de Tong Dan, pelo bairro Si-Dan, pela praça Tiananmen e pelo bairro Hai-Dian.

— É uma pena você não passar pelo Palácio de Verão — disse eu.

— Vou fazer uma viagem especial. Não podemos perder todos aqueles turistas. Ah, e vou levar você para a famosa estrada da Universidade, onde estão todos os universitários liberais e curiosos. Nossa última parada será no Hospital Popular de Beijing.

— Isso vai cobrir a cidade inteira! — exclamei.

— Pelo preço de cinqüenta *fens.*

— Não sei como lhe agradecer.

— Já me agradeceu com sua boa companhia. Um brinde! — propôs, sorvendo a última gota da garrafa. Disse o nome de cada faculdade ao parar. — Universidade de Pequim, Faculdade de Medicina, Escola Politécnica, Faculdade de Letras, Faculdade de Agricultura, Faculdade de Geologia, Escola de Música.

Corri para cima e para baixo no ônibus, que havia se tornado meu caminhão de entregas particular. Ao chegarmos ao Hospital Popular de Beijing, minha última parada, as três mil cópias haviam se reduzido a uma pequena pilha.

— Por favor, aceite isso — disse eu, passando uma nota de cem iuanes para o motorista.

— Assim você me ofende, rapaz. Tire esse dinheiro da minha cara e me agradeça apenas como um amigo.

— Amigos, então. Meu nome é...

— Não me diga nada. Fica combinado assim: eu nunca levei você no meu ônibus e você nunca dividiu essa garrafa comigo. Continue lutando, filho.

O motorista levantou a mão em sinal de adeus. Saltei, e o ônibus moveu-se em ziguezague, em direção à luz da aurora.

Cumprimentei aquele homem valente. A esquina estava silenciosa, com apenas alguns pacientes no portão do hospital.

— Você está cumprimentando um ônibus? Ficou maluco? — Um velhinho morador de rua levantou-se do banco e jogou uma pedra no ônibus que partia. — Eles são a pior raça que existe. Saia daqui, ônibus 331! Não preciso de você... — Ele caiu de cara no chão frio, e ficou imóvel.

Abaixei-me para ajudá-lo a se levantar, mas ele reagiu aos berros:

— O que está fazendo aqui a esta hora da manhã?

— Estou aqui para deixar alguns panfletos para vocês — respondi.

— Ah, me mostre. Estou doido para ler alguma coisa, qualquer coisa. — O velho esfregou suas mãos sem luvas e ajeitou o cachecol vermelho-vivo, a única coisa em seu corpo que tinha uma cor reconhecível.

O velho estudou o papel sofregamente, parou e piscou, lembrando-se de algo. Virou-se e puxou a barra do meu casaco.

— Eu já vi o rosto desse anjo. Eu conheço ela — disse ele, apontando para a foto de Sumi no panfleto.

— Ela é uma escritora famosa. Não me surpreende que você a tenha reconhecido.

— Não, não, meu jovem, seja paciente. Vocês jovens estão sempre com pressa. Acalme-se e fale comigo. Não sou portador de nenhuma bactéria infecciosa que nem eles. — Ele apontou para o hospital. — Ela estava tentando me ajudar a entrar no ônibus. Dois homens grandes e fortes a agarraram e a empurraram para dentro de um carro. Eu berrei e gritei, mas ninguém mais se incomodou com isso.

— Tem certeza?

— Tem certeza? Tem certeza? Estou farto das pessoas repetirem isso para mim! Ninguém acredita em mim. Estou velho, mas não estou morto. Foi ela que me deu esse cachecol.

O cachecol vermelho de Sumi! Olhei a etiqueta: Chanel. Meu presente para ela no nosso aniversário de noivado.

— Acredita em mim agora?

— Acredito. Obrigado, vovô. Eu tenho que ir agora.

Fiz uma reverência ao velho em sinal de agradecimento.

— Ei, espere, seu jovem impaciente! Pegue esse cachecol e entregue a ela quando encontrá-la.

— Está frio. Fique com ele.

— Não, aquela boa menina pode precisar dele. Além do mais, estou acostumado com o frio. — O homem enfiou o cachecol nas minhas mãos.

Aceitei-o e ergui-o bem alto, berrando para a noite vazia:

— É guerra, Shento! É guerra!

O velho, intrigado, balançou a cabeça.

Lan-Gai 雷岗 | Capítulo 54

No campus da Universidade de Beijing, um jovem de vinte anos chamado Lang-Gai ficou perturbado com a notícia da prisão de Sumi e de Fei-Fei. Eles haviam sido os primeiros membros do Clube da Árvore Venenosa, do qual Lan-Gai continuava não apenas sendo um membro fervoroso, mas também o presidente. Furioso e à beira de um ataque de nervos, incapaz de permanecer deitado em sua cama quente, ele acordou cedo e, para espairecer, percorreu as trilhas geladas, numa corrida matinal em torno do Lago Sem Nome. Já estava correndo há meia hora e estava pronto para uma pausa quando pisou numa folha de papel molhada, uma das muitas que estavam espalhadas pela beira do lago. Abaixando-se, recolheu o papel e examinou-o. O nome Tan Long chamou sua atenção imediatamente. Leu o papel com cuidado. Era um belo texto em prosa. Era também um poderoso libelo acusatório, complementado por provas concretas e descrito com argumentos muito claros. O relato deixou Lan-Gai indignado, e o relatório do legista sobre o osso perfurado por uma bala fez com que ele quisesse berrar o mais alto possível e acordar todo o campus de mentes abertas e corações justos para a traição atroz praticada pelo governo.

Sumi, Fei-Fei e Tan Long eram seus ídolos. Para ele, os três eram grandiosos como gigantes. Agora, Fei-Fei havia sido preso e Tan estava sendo caçado. Lan-Gai ficou enojado por tamanho ultraje — alguma coisa tinha que ser feita.

Ele não tomou o café da manhã e nem compareceu às aulas matinais para poder tirar mais cópias do precioso panfleto e distribuir aos seus colegas. Ao meio-dia, quando Lan-Gai estava em cima da mesa central do grande refeitório fazendo um discurso, o sangue dos jovens fervia. Pela antiga universidade ouviram-se muitos gritos inflamados e até alguns professores podiam ser vistos entre os alunos, escutando e aplaudindo. O almoço foi esquecido e os alunos, mesmo sem terem sido convidados, revezavam-se subindo nas mesas para discursar. Rapidamente, organizaram um comitê para a Libertação dos Ex-Alunos e nomearam Lan-Gai seu presidente. Ele propôs escrever e enviar um comunicado aos clubes irmãos do país inteiro naquele mesmo dia.

— LIBERTEM FEI-FEI! BASTA DE TIRANIA! Democracia e eleições diretas! — bradaram os estudantes naquela noite, marchando diante da sede administrativa do campus, coberta por árvores frondosas, sob os olhos vigilantes da polícia da universidade.

Burlando o regulamento do toque de recolher, Lan-Gai saiu pela janela de seu dormitório, escalou o muro do campus e foi correndo até a agência da companhia telefônica para entrar em contato com todos os outros Clubes da Árvore Venenosa existentes nas aproximadamente trinta províncias da China. Falando em voz baixa, disse aos seus companheiros:

— Domingo ao meio-dia, vamos organizar uma homenagem em memória do velho vigia, sr. Mei, e de seus companheiros mortos. Vamos fazer uma manifestação nas ruínas da gráfica da Editora Mar Azul.

— Vamos organizar um outro evento às margens do rio Xangai simultaneamente — respondeu o líder da Universidade Fudan em Xangai, uma das maiores do país.

— Vamos realizar uma manifestação na beira da praia — prometeu o líder da Universidade Xiamen, em Fujian.

Mais tarde, naquela noite, Lan-Gai foi pedalando em sua bicicleta até uma reunião secreta, à qual compareceram os líderes estudantis de todas as universidades da área de Beijing. Agrupados na escuridão e no gélido ar noturno da cidade, eles discutiram os detalhes calorosamente.

O líder da Escola de Música de Beijing, um pianista de cabelos compridos, prometeu que a banda de instrumentos de sopro da sua escola tocaria música ao vivo. A Escola de Arte decoraria as ruínas queimadas com coroas fúnebres. A Universidade de Qinghua, uma escola técnica, construiria efígies do presidente Heng Tu feitas com palha e varas de bambu. Os estudantes da Faculdade de Medicina generosamente ofereceram-se para levar kits de emergência e prover os serviços de primeiros socorros que fossem necessários para tal evento. A Faculdade de Letras assumiu a responsabilidade de traduzir simultaneamente os discursos em todos os idiomas que fossem necessários para os possíveis ouvintes. Os alunos da Faculdade de Telecomunicações transmitiriam as mensagens através das ondas de rádio para todos os cantos do país.

— Mas, acima de tudo, precisamos que as pessoas compareçam a este evento. Quanto mais, melhor — disse Lan-Gai. — Prometo cinco mil estudantes da Universidade de Beijing. E vocês?

— Prometo mil participantes — disse o líder de Qinghua.

— Consiga dez vezes isso — encorajou-o Lan-Gai.

— Vou tentar.

Outros levantaram as mãos na penumbra.

— Cinco mil.

— Dois mil.

— Sete mil.

— Três mil.

— Agradeço a todos pelo apoio — disse Lan-Gai. — Agora precisamos decidir quem será o orador principal desse evento.

— Eu queria que Sumi estivesse aqui — disse alguém.

— Eu queria que Fei-Fei estivesse por aqui — disse outro.

— E Tan Long? — sugeriu alguém.

— Como vamos encontrá-lo? — perguntou uma moça.

— Se ele for realmente um batalhador, vai nos encontrar — respondeu um rapaz.

Tan seria um orador perfeito, pensou Lan-Gai. Seu editorial era tão poderoso, e seu *status* de fugitivo da lei daria à homenagem um nível emocional inigualável. Adoraria que Tan estivesse ali entre eles! Lan-Gai suspirou e concluiu a reunião anunciando:

— Vamos ler o editorial de Tan Long e alguns trechos do livro de Sumi. Cada um de vocês também deve preparar um discurso. Agora descansem. Vamos nos encontrar novamente no domingo.

Tan 唐

Capítulo 55

Enterrei um quepe militar na cabeça, tampando bem o rosto. O casaco verde de algodão acolchoado cobria as minhas costas. A gola, de pele de tigre, era alta o suficiente para cobrir o meu rosto até a altura dos olhos. As pesadas botas militares completavam o traje. Vestido assim, andei pelas ruas enlameadas da zona oeste de Beijing. Caminhava curvado, como se estivesse com frio. Tentava parecer pequeno, mas minha altura me traía.

Tinha comprado este uniforme verde de um veterano que tinha lutado na Coréia e perdido uma perna no Vietnã. E Shento não perdeu tempo em se lançar à minha perseguição. Minha foto estava espalhada por toda a cidade: nas esquinas, nos quiosques e nas paredes dos banheiros públicos.

Apressei-me por uma ruela estreita até uma estalagem, situada num pátio, onde se hospedavam feirantes do interior que vendiam legumes e verduras, comerciantes de pele de tigre vindos das montanhas, vendedores de gengibre do norte e vendedores ambulantes de camarão que vinham do litoral.

Havia oito camas e uma mesa. Sem janela e sem banheiro. Os viajantes faziam sua bagagem de encosto de cabeça, e usavam os travesseiros para pôr os pés inchados para o alto. Oito estranhos fumavam e contavam histórias de províncias distantes e casos de diversas regiões.

Permaneci com o uniforme verde, descansando meus pés, sabendo que todas as principais estradas e estações estavam repletas de patrulhas policiais à minha procura. O pequeno hotel ficava situado próximo à Universidade de Beijing, uma área que eu havia atravessado centenas de vezes quando cursei a Faculdade de Direito.

Eu tinha ligado para Lena, pois precisava de dinheiro. Pedi o máximo de dinheiro vivo que ela conseguisse. Aguardei, sentado no quarto enfumaçado e sem janelas, sob a fraca lâmpada de 15 watts, sem saber se era noite ou dia.

No meio da manhã, Lena chegou à hospedaria com o rosto envolvido pelo cachecol, revelando apenas os olhos amendoados. Eu nunca a vira tão nervosa. Puxei-a para o corredor vazio.

Soprando ar quente nas mãos geladas, ela sussurrou:

— A polícia e seus cães farejadores estão na sua casa. Caminhei durante as últimas três horas, procurando despistar quem estivesse me seguindo. Há cartazes de ordem de prisão com a sua foto espalhados por toda a cidade. É melhor você sair daqui por uns tempos.

— Eu vou. E você precisa se cuidar, Lena.

— Não tenho medo deles. Sou inocente, e você também. Ah, um líder estudantil chamado Lan-Gai ligou, procurando por você. Quer que você fale num comício que será realizado nas ruínas da gráfica neste domingo, em homenagem ao velho vigia, o sr. Mei, e aos outros trabalhadores. Ele disse que outras faculdades de todo o país também vão realizar manifestações e protestos contra o governo, exigindo a libertação de Fei-Fei.

— Que coragem! — exclamei. — Diga a ele que estarei lá.

— Você não deveria ir. A polícia também vai estar lá.

— Sendo assim, precisaremos elaborar uma rota de fuga.

— Tan, não vale a pena arriscar a vida por isso.

— Vale sim! Este comício pode ser o começo de uma revolução incontrolável — disse eu. — Ajude-me mais uma vez. Diga a eles que estarei lá.

Lena assentiu relutantemente.

— Aqui está o seu dinheiro, vinte mil iuanes. É tudo o que tenho.

Agradeci e enfiei o dinheiro nos bolsos. Que amiga fiel ela era!

— Também trouxe esse *People's Daily* — disse Lena. — Você deveria lê-lo. — Ela me entregou o jornal, levantou a gola do casaco e desapareceu na ruela estreita. Os flocos de neve caíam em suas costas.

Abri o jornal. A primeira página alardeava:

Os elementos antigovernistas Tan Long e Sumi Wo engendraram uma biografia falsa do nosso herói revolucionário, coronel Shento. O jovem coronel ficou órfão aos três anos, entrou para o exército aos vinte, salvou a vida do nosso grande líder e foi promovido por sua dedicação e lealdade ao partido e ao seu líder. O coronel Shento nunca conheceu pessoalmente Sumi Wo, a escritora liberal que obteve fama com uma autobiografia inventada e claramente absurda. O ato de falsificação foi uma tentativa flagrante de salvar seu noivo, Tan Long, da ruína financeira e da falência iminente. A última fraude de Tan Long é um incêndio criminoso em sua própria gráfica, causando a morte de sete de seus funcionários, para pleitear o seguro de vinte milhões de iuanes da Companhia de Seguros do Povo. O Departamento de Justiça já iniciou uma investigação sobre este crime.

Por outro lado, Sumi Wo, que cooperou com seu noivo neste esquema para incriminar um herói nacional, foi presa recentemente sob a acusação de liberalismo burguês. O criminoso-chefe neste caso de difamação ainda está à solta. Aconselhamos nosso povo a se manter alerta e auxiliar a polícia em Beijing e no resto da China na captura de Tan Long, para impedir que estes atos subversivos se propaguem.

Amassei o jornal, fazendo uma bola e jogando-a no lixo. Outro hóspede da estalagem, um fazendeiro nortista, rasgou um pedaço do jornal para enrolar um grosso cigarro de tabaco que crepitou ao ser aceso, e inalou sua fumaça ao som sibilante da tinta que queimava.

Era um domingo sombrio. O vento uivava, as nuvens estavam turvas, o céu escuro e a terra entorpecida e imóvel — em todos os sentidos o clima adequado para uma homenagem em memória dos sete funcionários cujas vidas haviam se elevado ao céu num sopro de fumaça. Por volta do meio-dia, o vento, coalhado de flocos de neve, sacudia as árvores sem folhas. Os galhos se quebravam, os troncos uivavam, os tigres soluçavam e os lobos congelavam de medo e tristeza.

Sem se saber muito bem como, a notícia da homenagem proibida havia se espalhado. As pessoas, como almas penadas, perambulavam tristes pelo local, que ficava a 15 quilômetros a oeste de Beijing propriamente dita. Usavam faixas pretas no cabelo e haviam pregado pedaços de linha branca em seus casacos para demonstrar que os mortos não tinham sido esquecidos.

Por volta de meio-dia, milhares de estudantes haviam chegado a pé, de ônibus e de bicicleta — pedalando sozinhos, em dupla ou trio — cantando canções furiosas, berrando, xingando e entoando *slogans* vingativos. Trabalhadores das fábricas sujas e enfumaçadas do país vieram em peso, alguns na traseira de caminhões, outros em pé na dianteira dos tratores. Seus uniformes eram brancos e azuis, ao mesmo tempo arrumados e sujos. Fumavam seus cigarros racionados e bebiam cerveja. Suas mãos livres batucavam em qualquer objeto possível e seus pés batiam no chão. Tinham vindo porque os mortos eram seus irmãos de uniforme azul. Em vida, estudantes e trabalhadores poderiam ter cuspido uns nos outros, mas na morte eles se uniam. Os trabalhadores do comunismo, os proletários do mundo, não possuíam nada e por isso possuíam tudo, Karl Marx lhes havia dito. A velha e conhecida música da *Internacional* lhes dizia isso. *Lute por um amanhã melhor até a última gota de sangue.*

Fileiras de policiais misturavam-se ao mar de gente — vigiando, controlando, chutando e às vezes pisoteando, tentando conter o vazamento da represa que se tornava inevitavelmente maior. Na dianteira de um caminhão blindado, alto-falantes alardeavam: "Todas as manifestações ilegais são proibidas. Os manifestantes serão presos."

— Quietos! — respondiam em uníssono os trabalhadores.

— Voltem para casa, cidadãos! Esta manifestação é ilegal! A polícia de Beijing tomará uma atitude contra qualquer um que desobedeça a esta ordem.

Quando um jovem soldado empurrou uma estudante de arte, ela gritou e vociferou.

— Se tocar nela novamente, vai comer terra! — disse o namorado cabeludo da moça, em tom de ameaça.

Às badaladas do meio-dia, o esguio líder estudantil Lan-Gai subiu ao palco improvisado, feito com tábuas queimadas e troncos de árvores chamuscados. Usava uma túnica branca e uma faixa negra em torno da cabeça, a manifestação de luto reservada aos parentes próximos. Estava calmo, de cabeça baixa e olhos fechados. Em silêncio, Lan-Gai pediu aos espíritos daqueles mortos que descessem sobre ele, dando-lhe força.

Um canto fúnebre perturbador, composto por um aluno da Escola de Arte, fluiu como uma torrente de lágrimas. Os alto-falantes estavam escondidos atrás de pedras e debaixo de mesas, para que a polícia não pudesse desligá-los. Um grupo de alunos oradores, representando cada curso e cada universidade, estava de mãos dadas em torno de Lan-Gai, protegendo-o num círculo de cinco voltas, a única proteção contra as armas dos policiais.

Lan-Gai fez um sinal para que a música parasse e acenou para o mar de jovens à sua volta. Estavam sentados nas pedras geladas, de cócoras, carregando placas com *slogans*. Intelectuais com expressões preocupadas misturavam-se a trabalhadores rudes, que formavam o círculo externo. Semicerrando os olhos, Lan-Gai começou a falar.

— O céu lhes agradece e a terra se ajoelha diante de vocês. Nós, que estamos vivos, viemos aqui hoje lamentar a partida brutal e prematura dos que se foram. Meus compatriotas, camaradas, estudantes, professores, pais, mães e tios! Vivemos numa tirania que há muito já deveria ter perecido. Uma tirania que criou uma camada de limo que agora envenena o seu povo.

"Hoje, não estamos aqui apenas de luto pelos mortos, mas também para lutar pelos vivos. Este demônio chamado Shento é o mal responsável por essas mortes, pelo expurgo que está em andamento, pela ruína financeira da Dragão & Cia. e pelas prisões de Fei-Fei Chen e Sumi Wo. Não satisfeito com isso, também está à caça do inocente Tan Long.

"Camaradas, compatriotas, hoje são apenas esses os mortos, mas amanhã poderá ser você, você e você... depois, o país inteiro. É hora de livrarmos nossa amada terra-mãe daqueles que empurram a roda da história no sentido contrário, rumo à escuridao, e nao à luz do futuro."

A multidão reagiu, berrando a plenos pulmões:

— Vida longa ao povo!

— Abaixo os governantes!

— Eleições diretas!

Uma segunda oradora, estudante de teatro, segurou uma cópia de *A órfã* de Sumi. Com os olhos marejados, a moça leu um trecho do livro.

... então, as ondas de desespero quebravam aos meus pés enquanto eu andava pela praia fria. Meu coração era um abismo de desesperança e minha cabeça era uma comprovação magoada e ferida da implacável e destruidora crueldade humana. Naquele momento de desespero, encontrei esperança no vasto mar frio. Eu ansiava por provar a língua amarga da morte. As conchas da praia seriam minha companhia, e os silenciosos grãos de areia, meu travesseiro. Eu sentia uma fraqueza nos joelhos ao segurar nos braços

o bebê do meu amor — os vestígios de sua beleza, o desaparecido brilho das estrelas. Senti-me consolada pelo fim da vida do meu filho, pois eu estava cansada. Ele sugava meus seios jovens, que produziam apenas escassas gotas de doçura. Mas ele sorria, como se soubesse que eu ficaria feliz morrendo, e não vivendo. Mamãe está indo embora. Adeus, meu filho. Chorei minha despedida, mas o adeus perdeu o sentido, pois as palavras ditas logo seriam esquecidas. O vento me substituiria na memória de meu filho.

...Mergulhei no mar. As ondas me ergueram e tudo se foi.

Houve um momento de silêncio.

— Vida longa a Sumi Wo, a escritora do povo! — gritou a leitora. A multidão fez eco a seu brado. A moça irrompeu em lágrimas e precisou de ajuda para descer do palco. Um tenor deu continuidade à manifestação com uma interpretação da conhecida *Internacional* em francês. Era o velho clichê da febre revolucionária, mas a letra da música inflamou a multidão: "Para não ter protestos vãos, / Para sair deste antro estreito, / Façamos nós por nossas mãos / Tudo o que a nós diz respeito!"

A multidão cantou junto com ele, e o eco da marcha voou até a montanha que ficava a oeste, subindo em direção ao céu nublado. Naquele momento, os revolucionários estavam unidos, livres da repressão dos ditadores e seu sangue fervia indiferente à baixa temperatura.

— Lutaremos pacificamente — disse Lan-Gai. — A não-violência de Gandhi é o espírito da nossa luta. Nossas palavras são armas, e nossas vozes não serão silenciadas até que a luz do sol da liberdade venha colorir nossa terra.

Houve um princípio de tumulto no local quando os jovens operários se juntaram aos estudantes na *Internacional*. A polícia se dirigiu à multidão:

— Voltem para casa agora ou os prenderemos!

Os policiais apitaram, marchando em fileiras cerradas, fuzis sobre os ombros com as baionetas armadas, mas o canto bramia como um trovão, encobrindo os alto-falantes da polícia. Ouviram-se mais apitos e mais ordens foram dadas. Lan-Gai, impotente no palco, balançava os braços, tentando acalmar as pessoas, mas a multidão o ignorou. De um caminhão, jogaram garrafas, e alguns policiais foram atingidos. Um pelotão de policiais tirou os fuzis do ombro e os apontou para as pessoas. Os estudantes berravam em apoio aos trabalhadores. Mais garrafas voaram pelos ares.

Minha hora tinha chegado. Passei espremido pela multidão e subi no palanque. Abracei Lan-Gai, agradecendo-o e assumi o microfone.

— Camaradas, meu nome é Tan Long. Vocês todos devem me conhecer a esta altura dos acontecimentos. Afinal, há cartazes espalhados por todo o país me apontando como fugitivo e pedindo a minha prisão. Mas nada temo, muito menos o nosso governo corrupto. Estou com vocês, meus companheiros e compatriotas.

A multidão aplaudiu.

— Hoje, estou de luto por nossos camaradas mortos. E trago, para compartilhar com vocês, uma verdade desagradável que tenho aqui em minhas mãos — um osso do quadril do meu querido velho vigia, o sr. Mei. Um famoso médico-legista determinou que o buraco que vocês vêem aqui é resultado da penetração de uma bala. Creio que ele tenha sido assassinado.

Uma onda de murmúrios tomou conta da multidão.

— E o assassino é ninguém menos que o coronel Shento, da Guarnição! O mesmo Shento que ordenou a prisão de Fei-Fei e Sumi. O mesmo coronel que mandou incendiar a minha gráfica para que a verdade nunca fosse revelada.

A multidão gritou a uma só voz:

— Abaixo o demônio Shento!

Ergui as mãos, pedindo silêncio.

— Meus amigos compatriotas, estou aqui para anunciar um novo partido político independente: o Partido Democrático Chinês. Seu objetivo é lutar implacavelmente pelos ideais democráticos até que chegue o dia das eleições diretas e das garantias constitucionais! Somente assim, livraremos para sempre essa nação amaldiçoada dos fantasmas reincidentes de Shento e de gente da sua laia!

— Tan Long! Tan Long! — gritavam todos bem alto.

Surgiram policiais vindos de todas as direções, enquanto os alto-falantes da polícia bradavam no volume máximo:

— O fugitivo Tan Long terá que descer imediatamente do palanque ou então entraremos em ação! Quem quer que tente auxiliá-lo a escapar será acusado de traição! O criminoso Tan Long terá que se render agora!

Ignorei a advertência.

— Desafio vocês a tomarem as ruas e a falarem com seus vizinhos! Voltem para suas escolas e faculdades e divulguem a mensagem do nosso futuro.

Este país nos pertence! A democracia é a nossa única esperança. Filiem-se ao partido! Vou levar esta mensagem ao resto do país! Vou acordar esta terra de gigantes e vamos expurgar os males do passado. Acordem, meus compatriotas, o futuro é agora!

— Você tem que sair agora — advertiu Lan-Gai. — Não está vendo as armas apontadas em sua direção? A polícia está fechando o cerco. Por favor, corra agora!

As pessoas subiram ao palco, fizeram um círculo à minha volta e me puseram nos ombros, gritando: "Tan Long! Tan Long!"

As sirenes dos carros da polícia começaram a soar. Perto do palanque, policiais à paisana formaram um círculo ao nosso redor, que se fechava cada vez mais.

Pulei de cima dos ombros dos alunos e trabalhadores, agachei-me por entre a aglomeração e escapei pela parte de trás do palco, onde Lan-Gai me esperava.

— Até breve, Lan-Gai — murmurei.

— Até breve, sr. Long. O senhor é o nosso líder agora. Estas pessoas o idolatram.

Lan-Gai tirou sua túnica branca de luto e envolveu-me com ela. Em meio ao caos, desapareci pelo bosque adentro, correndo até achar uma pequena trilha que levava ao outro lado da montanha Xishan. Na encruzilhada da estrada, uma mulher com um cachecol amarelo esvoaçando no vento frio estava sentada num carro, com o motor ligado.

— Lena — disse eu, ao entrar.

— Aperte o cinto de segurança. Vai ser uma viagem turbulenta montanha abaixo.

Lena pisou no acelerador e o carro saiu derrapando pela estrada coberta de gelo, dando solavancos nas curvas fechadas da montanha, dirigindo-se a uma estrada congestionada, na direção de Tianjin. Parando em frente a uma pequena loja, Lena saiu do carro, abraçou-me e beijou meu rosto.

— Até breve, meu rapaz.

— Até breve, Lena. O sol do verão vai brilhar em breve — prometi.

Enquanto ela entrava em outro carro, pulei para o banco do motorista e pisei no acelerador, disparando na direção leste, com o coração pesado diante do que me aguardava — uma vida de fuga e uma missão do tamanho do oceano.

Shento

Capítulo 56

No dia em que eles foram embora, fiquei escondido nas sombras, por trás da janela que dava para o grande pátio, vendo Sumi abotoar o sobretudo de Tai Ping para a longa viagem que tinham pela frente. Hoje, o conforto da prisão domiciliar; amanhã, as celas geladas de Xinjiang. O vento perseguia as folhas secas espalhadas pelo pátio antigo, num lamento: *Meu filho, meu filho.*

Disse a mim mesmo, mais uma vez, que foi Sumi quem me traiu. E que trair o nosso passado equivalia a anulá-lo e a recusar o nosso futuro, causando a morte do velho Shento e o nascimento de um outro, um lobo solitário abandonado por todos e que não era amado por ninguém. Minha vida agora era como a folha de plátano que um dia eu havia apanhado e colocado entre as páginas do meu diário, como um símbolo do meu amor por ela — seca, desfazendo-se. Um poema da dinastia Tang me veio à mente: "Diante de uma árvore doente, uma floresta inteira reverdece na primavera. Diante de um navio afundado, mil barcos passam velejando por ele."

Um homem com menos determinação teria aceito a sorte da árvore doente ou do barco afundado, fechando-se em silêncio, deixando o ciclo da estação virar e a maré do oceano fluir, mas esse não era o meu caráter.

Eu tinha pensado em cortar a garganta de Sumi, que deixara escapar todos os nossos segredos proibidos, ou arrancar o coração de seu peito, examinando o conteúdo sombrio e apodrecido que havia sido manchado pela traição. Mas, em meu caminho, erguiam-se dois pequenos obstáculos. O primeiro veio numa noite de insônia, quando estava afiando minha espada para matar Sumi. Eu passava a lâmina pela pedra de amolar, e cada rangido apunhalava o meu próprio coração, como se estivesse me preparando para tirar minha própria vida, até que não pude mais continuar. Até imaginei meu próprio sangue escorrendo no lugar da água usada para molhar a pedra, e me dei conta de que, independentemente de Sumi ter deixado de me amar, ela era parte da minha carne e do meu sangue. Num rompante de raiva, fiz um corte no meu antebraço. Fiquei atordoado pela ausência de dor naquele ato e por descobrir que a vida dela significava mais para mim do que a minha própria. Em conseqüência disso, quebrei a espada em pedaços, golpeando-a contra o antigo relógio de sol do palácio, e atirei-me ao chão de pedras, num choro sem lágrimas até o amanhecer, quando o sentinela me encontrou e me levou de volta ao meu refúgio.

Mas o ódio e o amor continuaram a me torturar, e mais uma vez imaginei dar cabo da vida de Sumi, com ou sem dor para mim mesmo. Não agüentava vê-la fitando-me com desprezo nos olhos. Fiz três balas de prata especiais para atirar nela mas, enquanto eu as polia, ouvi os gritos do meu filho, Tai Ping, o menino que era sangue do meu sangue, com uma voz muito semelhante à minha quando eu era criança. Eram gritos de desesperança, gritos de um órfão. Olhei ao meu redor no pátio e não vi ninguém. No entanto, aqueles gritos fantasmagóricos ensurdeciam meus ouvidos, impossíveis de serem ignorados, por mais que eu tentasse abafá-los.

Durante dois dias, ocultei-me atrás da janela, observando a mãe e o filho. Eu via não o garoto, Tai Ping, mas a mim mesmo, o aldeão magricela de Balan, descalço, vestido com linho rústico tecido em casa, docilmente sentado ao lado da mãe que nunca conheci, ouvindo os belos contos do livro que estava em suas mãos. Chorei, molhando meu uniforme engomado, tocado por uma misteriosa alegria de ser amado simbolicamente pela sombra da minha própria mãe.

Pouco depois, acomodei-me na complacência. Decidi exilar Sumi para a mais longínqua prisão do extremo Noroeste da China e deixar Tai Ping aos seus cuidados com acomodações adequadas para que o garoto fosse educado e criado de acordo com sua posição na vida. Fiz como os antigos imperadores que exilaram suas concubinas infiéis. Enviei Sumi para o silêncio do Oeste, onde ela viveria eternamente arrependida, num deserto desprovido de alegria.

— Mamãe, não quero ir embora — disse Tai Ping, ao ouvir a notícia.

Sumi abaixou-se e beijou-o na testa.

— Vai ficar tudo bem — prometeu ela.

— Para onde é que nós estamos indo?

— Para um lugar muito distante, onde você vai ver as montanhas e os desertos do reino central.

Mãe e filho foram empurrados por um soldado para a parte de trás de uma van militar verde. Como se estivesse ciente dos meus olhos vigilantes, Sumi não olhou para trás nem uma vez sequer. Estava serena e silenciosa, com a cabeça erguida. Com Tai Ping no colo, ela inclinou-se sobre ele e sussurrou alguma coisa em seu ouvido. A van começou a se movimentar. Meu coração se acelerou. Estaria eu cometendo um erro de proporções eternas? Estaria cometendo o mesmo pecado de meu pai?

O menino olhou para trás, procurando alguma coisa, com um pequeno sorriso marcado pelas covinhas. Fechei os olhos para bloquear aquela imagem insuportável. Então, empurrei a pesada cortina para o lado, pressionando meu nariz contra a vidraça para ter uma última visão dos dois viajantes já em seu caminho. Sentindo-me fraco, apoiei-me contra a parede escura. Apenas depois de alguns momentos, pude me recompor e voltar a ser quem eu era. Ajudado por uma das famosas citações de Heng Tu — "Para fazer a revolução, é necessário o sacrifício" —, voltei ao sombrio corredor do poder. Hito Ling estava me aguardando.

— Foi errado de minha parte mandá-los embora? — perguntei a ele.

— Não, coronel. Durante a Revolução Cultural, eu mesmo denunciei meu pai por ter dormido com uma das minhas colegas de turma. Ele foi preso, e fui promovido a primeiro secretário da Guarda Vermelha durante o ensino médio.

— E teve orgulho de si mesmo?

— Tive — respondeu Hito, demonstrando alguma incerteza.

Mudei de assunto.

— E por onde anda agora o nosso fugitivo, Tan Long?

— Ele foi visto há dois dias, na província de Shandong, na Universidade de Nankai, uma outra universidade liberal. Depois, discursou no campus da Universidade de Tianjin, onde conseguiu atrair três mil membros do Clube da Árvore Venenosa.

— Por que nossos homens não o capturaram?

— Ele escapou antes que chegássemos.

— O que aconteceu com a sua rede de busca nacional? Temos a polícia de todo o país à sua disposição, e tudo que você vê é a sombra dele?

— É como procurar uma agulha no palheiro.

— Você não percebeu qual é o padrão de comportamento dele?

— Percebi, ele visita as universidades. Mas há milhares de universidades neste país.

— Mande a polícia local patrulhar todas as principais universidades. E faça disso prioridade máxima.

— Imediatamente, coronel.

— E divulgue um pronunciamento público sobre a prisão perpétua de Sumi Wo e a execução de Fei-Fei Chen imediatamente.

— Execução?

— Sim, a ser realizada dentro de três meses.

— Eu não estava ciente disso.

— Claro que não. A sentença acaba de ser proferida por mim.

— Mas o nosso processo criminal não exige que isso passe primeiramente pelo Supremo Tribunal de Justiça Popular?

— O tribunal trabalha para o presidente.

— Vou redigir essa sentença imediatamente, para ser aprovada pelos juízes — disse Hito, anotando-a. — Uma pergunta, coronel. Por que esperar três meses? Normalmente, nós fazemos as execuções imediatamente.

— Quero que o efeito permaneça no pensamento das pessoas.

Tan

Capítulo 57

Eu estava agasalhado com roupas grossas e pesadas, como um fazendeiro nortista castigado por um inverno difícil. Minha barba estava comprida e coçava; meu cabelo tinha um aspecto oleoso de tão sujo e meu rosto estava arranhado pelo vento que me cortava, dia e noite, naquela minha vida de fugitivo. Minha cintura havia afinado e tive que fazer dois novos furos no cinto para manter as seis camadas de calças no lugar. Meu casaco carregava os cheiros das minhas moradias diárias: estações de trem, esquinas, celeiros abandonados, estábulos e chiqueiros.

Andava como um bêbado, arrastando os pés pesados, dizia frases ininteligíveis quando alguém me dirigia a palavra e soltava bocejos com mau hálito. Eu fumava grossos cigarros de tabaco, feitos de jornal rasgado e repassados de mão em mão entre grupos de outras almas sujas que não pertenciam a lugar nenhum.

Mas essa era a minha versão diurna, que eu tinha inventado para me esquivar dos olhos da polícia. Minha foto me precedia em qualquer lugar por onde eu passasse. Certo de que qualquer um me reconheceria se eu estivesse sem disfarce, mantive-me na parte desprivilegiada da cidade, a parte que as crianças deviam evitar e onde homens sombrios, famintos e estranhos, cheios de pecado e miséria se reuniam, como o lixo que era soprado pelo vento nas sarjetas.

À noite, entrava furtivamente no banheiro de uma pousada ou de um restaurante. Normalmente, era barrado, e minha entrada só era permitida se eu prometesse sair imediatamente após usar o local. Lá dentro, abria a minha mala, limpava-me e vestia camisa e casaco limpos. Achava divertida a diferença no tratamento que me dispensavam na saída: o gerente ficava se perguntando para onde teria ido aquele indigente.

Em Tianjin, visitei dez universidades, reuni-me com os líderes do Clube da Árvore Venenosa e proferi discursos condenando os segredos obscuros de Shento e de seu líder tirânico, Heng Tu. Espalhei as virtudes do meu novo partido político e convoquei a primeira eleição direta naquele verão, quando o qüinquagésimo congresso do partido se reuniria em Beijing para sua sessão de rotina de aprovação de documentos e requerimentos.

Em todas as universidades, eu era o segredo mais sussurrado. Aquelas mentes jovens eram como palha seca, esperando que eu botasse fogo nelas. Bastava uma faísca e seus corações já se inflamavam. Queriam conhecer o herói em fuga e aplaudiam a minha coragem por espalhar a mensagem da democracia e por condenar o governo opressor. Os estudantes trabalhavam como meus sentinelas do lado de fora dos salões onde minha participação era esperada. Numa universidade, um aluno foi preso por conduzir a polícia numa falsa perseguição para despistá-los.

Ao fim de cada reunião, o número de membros do Partido Democrático crescia. Eu saía das universidades me sentindo mais seguro da minha missão e do desejo de lutar. Mas a estrada que tinha pela frente tornava-se mais traiçoeira a cada cidade que avançava em direção ao sul, seguindo a costa do Pacífico. Em Yanghzou, uma cidade antiga, fui prevenido pelos líderes do clube de que a reunião era uma armadilha. Policiais e milicianos à paisana infestavam o campus. Para frustrar seus planos, os membros do clube planejaram um passeio secreto de barco no crepúsculo do pitoresco lago Tai, onde caranguejos de pernas longas e gordos camarões rastejavam no fundo lodoso e pessegueiros em flor balançavam na morna brisa primaveril. No passado, o lago havia escondido muitos revolucionários em suas enseadas secretas e baías sombrias. “Sou um revolucionário”, pensei.

Aos olhos daqueles jovens, eu havia me tornado o símbolo de algo maior do que eu mesmo. Esta crença foi confirmada por dois rapazes, que nadaram lado a lado com o barco e pediram para me seguir enquanto eu avançava na minha cruzada em direção ao sul.

— Você é o nosso herói. Todos no país querem ser como você. Por favor, deixe-nos acompanhá-lo — pediram eles.

— A estrada que tenho pela frente é perigosa. Não posso garantir sua segurança.

— Queremos protegê-lo. Estamos dispostos a morrer por você.

— Nosso partido vai precisar de vocês mais tarde — disse eu. — Suas vidas são preciosas. Vocês têm que dar valor a elas.

Quando os dois garotos se calaram, desapontados, ouvimos um ronco de motor se aproximar.

— Pule e nade até a margem! — disseram os rapazes. — A polícia está vindo aí!

Quando mergulhei na água morna, os dois me seguiram, nadando comigo até alcançarmos a beira do lago.

— Obrigado pela companhia — disse eu, tirando a camisa molhada e torcendo-a.

— Vou escrever isso no meu diário — disse um deles.

— E eu, um dia, vou escrever um livro sobre esta aventura — disse o outro.

Sorri e desapareci no bosque.

Comprei minha passagem a bordo de um barco cargueiro que estava indo rumo ao sul, carregado com sacos de cimento. Enquanto viajava pela costa do Pacífico, pude perceber a mudança de clima. O mar era mais azul, as árvores mais verdes, as flores mais coloridas e as pessoas mais bonitas. Em maio, quando cheguei a Xangai, meu cabelo estava na altura dos ombros. Joguei fora meu último suéter e fiquei observando-o flutuar no canal que um dia conduziu os navios do imperador rumo ao sul. A líder do enorme Clube da Árvore Venenosa da Universidade de Xangai, uma garota de vinte anos, estava me esperando no pequeno porto com um sorriso tímido e sensual, segurando um buquê de flores silvestres nas mãos. Ela me perguntou se poderia ser a secretária da filial do Partido Democrático em Xangai.

Seu nome era Li-Ping e tinha a rara habilidade de misturar política com arte e prazer. Suas escolhas para minhas aparições variavam de cafeterias, onde os estudantes tomavam café colombiano importado com creme e fumavam Marlboro, até boates barulhentas, onde garotas seminuas se enroscavam em cantores também quase nus. Quando apareci com Li-Ping, não foram necessárias apresentações. Aquela gente, o grupo mais descolado da nova cultura de Xangai, parou e aplaudiu a minha mensagem. Muitas vezes, assim como um astro do rock, tive que sair pela porta dos fundos e ser empurrado para dentro de um carro, enquanto minhas fãs gritavam e se arranhavam, brigando para se aproximar de mim.

Para irritação das autoridades locais, aconteciam manifestações após as minhas visitas. Diretórios Regionais do Partido Democrático surgiam em cada campus que eu visitava. Líderes de cada pequeno diretório municipal das cidades do litoral começaram a se comunicar entre si. Eles compunham canções e escreviam poesia louvando o nascimento de uma revolução secreta. Dezenas de líderes abandonaram suas faculdades no meio do semestre para ir a outras universidades que eu não tinha podido visitar na rota da minha viagem. Eles se autodenominavam meus discípulos. Alguns eram presos e outros retornavam às suas casas, sob a supervisão de seus pais.

Enquanto o sol de verão queimava, o país ardia como uma terra em chamas — um incêndio de almas, um incêndio de corações. Todos falavam de mim; eu era um fantasma que vivia apenas nos lábios daqueles que me idolatravam. Alguns chegavam a dizer que eu não existia. Eu era uma miragem criada pela polícia como pretexto para apertar o cerco sobre o povo. No entanto, minhas recentes gravações de áudio e as pessoas que me viam com seus próprios olhos provavam constantemente que eu realmente vivia entre eles, e que a revolução havia, de fato, criado raízes.

Quando cheguei a Fujian, montado numa mula magra, e vi suas exuberantes montanhas em meio ao calor escaldante, juntei as mãos e fiz uma pequena oração para este inesquecível capítulo da minha vida. Ajoelhado junto a um riacho, molhei meu rosto com a mais fresca água da montanha e bebi esse líquido límpido e claro, degustando o céu na terra, saciando uma sede infernal no paraíso.

Shento

山头

Capítulo 58

Cada dia que se passava com Tan Long ainda à solta me atingia como uma flecha venenosa. Eu voava como um mosquito enlouquecido a cada rastro do cheiro do sangue de Tan, apenas para descobrir que seu fantasma havia escapado mais uma vez. Cheguei a pegar um avião até Xinjiang em busca da minha caça, mas acabei me deparando, como era de se esperar, com mais uma decepção.

Nesta viagem, parei no caminho para ver Sumi, que se recusou a falar comigo e ameaçou se matar pela causa. Mas o pior de tudo foi o tapa na cara que recebi de meu filho. Quando cheguei, Tai Ping estava perseguindo uma borboleta. Ele vivia no confinamento do pátio da prisão.

Meu filho, me perdoe. Um dia você verá quem realmente sou. Um dia lhe darei o mundo. Para mim, *um dia* era um prazo abstrato, em algum lugar do futuro. Quando assumisse o poder absoluto, reaveria meu filho. Essa decisão justificava o fato de deixar Tai Ping naquele isolamento. Fiquei conformado ao ver que o garoto havia crescido uns 15 centímetros e que aproveitava os presentes especiais que eu lhe mandava todos os meses — uma bicicleta, latas de doces, livros — pequenos luxos com os quais eu nem poderia sonhar quando criança.

Não se passava um dia sem o relato de alguma desordem civil causada direta ou indiretamente por Tan Long. Havia greves operárias se espalhando pelo Sul e manifestações de protesto nas universidades do Noroeste. Na última contagem, o número de inscritos no Partido Democrático havia chegado à alarmante quantidade de meio milhão de partidários, sem contar com os outros três mil pequenos partidos que surgiram nos últimos meses.

— Estamos diante de uma verdadeira dor de cabeça — disse-me o presidente certo dia, com um suspiro. — Os comunistas derrubaram os nacionalistas, em 1949, exatamente como está acontecendo agora.

— Mas temos armas, exércitos e uma base militar — retruquei. — O povo não tem nada, só o fantasma de Tan.

— O que você está fazendo com as armas? O que você está fazendo com o Exército? Por que vocês não conseguiram pegar o homem, depois de seis meses?

— Tentamos tudo, senhor.

— Mande o Exército, a Marinha e a Força Aérea. Não me importa o que você faça, mas faça alguma coisa rapidamente. Shento, meu filho, nunca recebi tantas reclamações dos velhos ministros. Eles querem a sua exoneração. Mas confio no seu trabalho e desejo que você me substitua um dia. Você tem de demonstrar sua convicção e sua força. Preciso de um pouco de estabilidade neste momento.

— E vai ter, senhor.

Capítulo 59

18 de junho de 1986

BEIJING

Fei-Fei, que agora era apenas o frágil esqueleto de um homem, foi empurrado para dentro de uma van carcerária e, em seguida, transportado para um destino desconhecido, próximo à montanha do Oeste. Quando a porta da van se abriu novamente, ele foi arrastado e jogado no chão. Um soldado leu a sentença:

— Fei-Fei Chen, por meio desta, a Suprema Corte de Justiça Popular faz saber que você foi condenado à pena de morte no dia de hoje, por acusações antigovernistas.

— Mas nunca fui a julgamento.

— Esta é a sentença final. Não é permitido recorrer.

— Quero viver! Confessarei qualquer coisa!

— A confissão não muda nada.

— Por favor, quero ver minha família e meus amigos mais uma vez. Tenho direito a alguns dias, pelo menos.

Corvos negros grasnaram próximo dali, escondidos nas frondosas árvores do local montanhoso escolhido para a execução secreta. Mas os repórteres do governo, com seus rostos de pedra, demonstravam pouca emoção. Estavam lá apenas para testemunhar e captar aquele momento brutal, para que pudessem enviar rapidamente as fotos sanguinolentas aos jornais nacionais.

— Por favor, repórteres, façam alguma coisa! Sou inocente! — implorou Fei-Fei, de joelhos.

Um soldado chutou suas costas, e Fei-Fei caiu de cara no chão, com a poeira voando num súbito sopro em torno dele. Pisando com uma bota pesada nas costas de Fei-Fei, o soldado puxou o gatilho duas vezes.

A cabeça de Fei-Fei explodiu, seu cérebro voou em todas as direções e seu corpo estremeceu e deu um solavanco, devido ao impacto. Ele morreu instantaneamente.

As câmeras fotográficas dispararam, retratando o seu momento final.

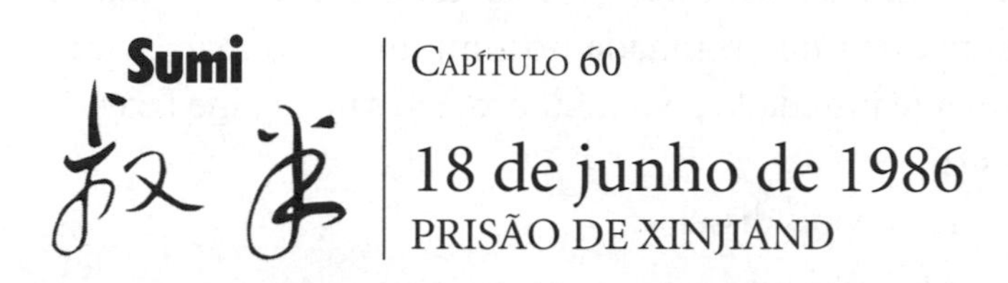

CAPÍTULO 60

18 de junho de 1986

PRISÃO DE XINJIAND

AO AMANHECER, A PORTA DA MINHA CELA foi aberta com um pontapé e fui levada, enquanto Tai Ping chorava em seu beliche. Os guardas me transferiram apressadamente a uma torre de tortura e me amarraram a uma mesa de metal. Um vigia andava de um lado para outro, com as mãos para trás. Então, ele se dirigiu a um gravador que estava próximo.

— Diga que não conhecia Shento e que inventou esta história toda — ordenou ele.

— Minha língua serve apenas para falar a verdade, nunca a mentira — respondi com firmeza.

— Pela última vez!

— Está perdendo o seu tempo — disse eu, cuspindo nele.

— Se não confessar, nunca mais vai falar novamente — disse ele, limpando meu cuspe do rosto.

— Não tenho nada a confessar! — Tentei cuspir de novo, mas minha boca estava seca.

— Cirurgião! — O oficial chamou um homem de jaleco e luvas. — Faça com que ela fique muda. Quero ver esta beleza perder sua língua venenosa.

Perder minha língua? O terror tomou conta de mim.

— Saia de perto de mim! — berrei.

Uma seringa penetrou no meu braço inesperadamente.

Minha mente perdeu a clareza e minha visão se toldou. Quase inconsciente, vi o cirurgião estender a mão e abrir minha boca, puxando minha língua para fora.

Tentei morder, mas não tive forças. Tentei gritar, mas não ouvi som algum. Depois, vi sua outra mão segurando um bisturi reluzente que descia rapidamente sobre mim. Não senti dor, apenas uma ligeira sensação na língua, como se ela tivesse sido arranhada por um junco do mar. Minha garganta foi subitamente inundada pelo meu próprio sangue, me fazendo dar golfadas e engasgar.

Não senti mais nada depois disso.

Tan 唐 | Capítulo 61

Quando as fotos da execução de Fei-Fei e da língua cortada de Sumi foram publicadas em todos os principais jornais, o país foi tomado pela tristeza, pelo desânimo e pela raiva. A costa do Pacífico enevoou-se com nuvens espessas e escuras. Gotas de chuva caíam incessantemente sobre as copas alvoroçadas das árvores e as ondas rugiam como tigres furiosos, ameaçando engolir cidades e vilas do litoral. Crianças sussurravam em voz baixa, questionando a expressão triste no rosto de seus pais. Bastava que lhes mostrassem as fotos da punição brutal.

— A gente pode perder a língua porque falou a verdade? — indagavam as crianças, perplexas.

— E a cabeça também. — Os pais já não sabiam mais o que era a verdade.

Deitado no chão de uma pequena pensão em Fujian, chorei até minhas lágrimas secarem. Esses demônios! Tinha chegado a hora da revolução.

Com minha caligrafia firme, redigi um ardoroso comunicado a todos os líderes dos diretórios do Partido Democrático e a todos os partidos irmãos formados durante o último ano. — Chegou a hora! — escrevi, convocando todos os patriotas desta terra a marchar nas ruas. O governo poderia derrubar um ou dois, mas quando milhões de pessoas marchassem, os governantes iriam tremer. Pedi a todos que se reunissem na praça Tiananmen no domingo seguinte, onde eu lideraria uma greve de fome contra o governo, até que os governantes estivessem dispostos a se sentar e negociar conosco.

Meu texto foi imediatamente copiado e jogado às multidões nos mercados, nos refeitórios escolares, nas estações de trem e nos pontos de ônibus, em todas as cidades e vilarejos. Minhas palavras eram de esperança e de fogo. O povo, entristecido pelas atrocidades, ousava proferir palavras de indignação. O medo foi descartado e a coragem renasceu. *Slogans* antigovernistas foram ostensivamente colados pelas ruas e nos muros dos prédios do governo. Os estudantes abandonavam as salas de aula e os professores os seguiam, em protesto.

As cidades, reluzindo no calor do verão, estavam cobertas de preto e branco em sinal de luto por Fei-Fei. A crueldade indescritível da língua amputada da autora mais eloqüente daquela geração levou a multidão enfurecida a um novo nível de indignação. Eles queriam sangue. Queriam que os criminosos pagassem por isso. Queriam a morte do coronel Shento.

Dois dias depois, ocorreram milhares de conflitos com a polícia. No terceiro dia, os guardas vagavam armados, olhando para qualquer aglomeração com desconfiança. No quarto dia, no sábado, mais reforços foram trazidos de vários comandos regionais e, com eles, veio o ataque da imprensa estrangeira. No domingo, gente vinda de todas as partes da cidade lotou a antiga praça Tiananmen até o limite. As bandeiras das universidades e das fábricas esvoaçavam na brisa suave. Por volta do meio-dia, meio milhão de pessoas estavam sentadas, gritando e cantando na praça.

Lan-Gai, o líder da Universidade de Beijing, subiu em uma mesa no centro da praça, com um microfone nas mãos, entre dez mil dos seus próprios colegas. Todos vestiam camisas brancas, com faixas pretas no braço direito e em torno da cabeça. Lan-Gai conduzia uma canção atrás de outra.

No canto oeste da espaçosa praça, estudantes da Faculdade de Artes montaram um palco juntando algumas mesas do refeitório. Líderes estudantis faziam discursos inflamados, que começavam com uma crítica lógica ao governo e terminavam com gritos pedindo sangue e luta. No canto leste, a Universidade Ferro e Aço moldou uma estrutura em ferro da Estátua da

Liberdade coberta por uma bandeira vermelha, simbolizando as aspirações da manifestação. Ao norte, a Faculdade de Agricultura construiu uma efígie de seis metros do coronel Shento segurando um presidente Heng Tu em miniatura em seus braços. Durante o dia inteiro, eles entoaram as mesmas frases: *Abaixo Shento! Abaixo Heng Tu! Devolvam a língua de Sumi! Lembrem-se de Fei-Fei Chen!*

As canções e os gritos espalharam-se como ondas incessantes. Dezenas de milhares de cidadãos de Beijing pedalaram em suas bicicletas até à praça para testemunhar, em silêncio, aquela rara visão de desafio aos seus temidos líderes corruptos.

Um velho com uma gaiola pendurada no guidom da bicicleta gritava aos estudantes:

— Vão para casa e comam alguma coisa. Nunca vão vencer. Nada vai mudar só porque vocês vão passar fome por alguns dias.

Ninguém deu atenção ao velho. Ele continuou a pedalar, para terminar seu passeio diário.

Lang-Gai andou pela praça, visitando outros acampamentos e conversando com outros companheiros. Eles se deram apertos de mão com firmeza, como revolucionários, e abraçaram-se com força, como companheiros de batalha. Brindaram e beberam copos de água como se fosse vinho. Cantavam velhas canções da Grande Marcha. Cada rosto era um sol ardente, cada coração, um mar revolto. Milhares de bandeiras ondulavam na brisa suave da tarde.

A polícia estava do lado de fora da praça, alguns conversando com os alunos, outros bebendo água com eles. Mas não eram os soldados que estavam ali de serviço que importavam, e sim aqueles que estavam maquinando as ações por trás deles.

Onde estaria o seu líder?

O estado de espírito estava começando a ficar desanimado, mas foi então que jovens operários, vestindo uniformes azul e branco, chegaram à praça, dirigindo uma dúzia de caminhões grandes e barulhentos, carregando centenas de garrafas de água e barris de chá. Eles serviram as bebidas, fazendo exclamações em voz alta, abraçando-se, apertando as mãos uns dos outros, bradando *slogans* de liberdade.

Um policial subiu em cima de um caminhão do Exército, com um microfone nas mãos, e anunciou:

— Jovens, por favor, dispersem-se pacificamente! Voltem para suas escolas, casas e fábricas. O governo ouviu suas vozes. Vocês já se fizeram entender. Está na hora desta manifestação antigovernista ilegal terminar. Vocês não serão responsabilizados pelos seus atos de hoje se seguirem as instruções agora!

A multidão, temporariamente quieta, irrompeu em uma tempestade ensurdecedora de berros.

— Abaixo o assassino Shento!

— Devolvam a língua de Sumi!

— Devolvam a vida de Fei-Fei!

Seus gritos abafaram o fraco zumbido do alto-falante.

Ao cair da noite, emergi da multidão e subi no palco de mesas precárias com o retrato do presidente Mao ao fundo. Num movimento silencioso, três grandes emissoras americanas, mais a BBC, a CNN, a Tokyo NEWS, a Britain's Sky Cable e a United Germany TV, apontaram suas câmeras com lentes compridas na minha direção.

Grupos de alunos se precipitaram em minha direção e me levantaram para o alto com as mãos.

— Silêncio! Silêncio! — bradou Lan-Gai através de um alto-falante. — Discurso, discurso!

As mãos da multidão me devolveram ao palco. Eu clamei:

— Meus queridos amigos, patriotas, companheiros da liberdade, estou aqui com vocês! Estou sem comer desde ontem e não comerei até que os demônios dessa terra sucumbam a nós...

Os aplausos abafaram minhas palavras por um instante.

— ...queremos respostas! Não piedade! Queremos o poder para o povo, não tirania. A vida de Fei-Fei precisa ser redimida, e a língua de Sumi não pode ter sido cortada em vão! Não nos renderemos até que nossas perguntas sejam respondidas e nossas exigências sejam satisfeitas!

Os gritos ecoaram na praça, a esperança foi resgatada e uma noite de regozijo se seguiu.

UM NOVO DIA RAIOU. DE MÃOS DADAS, jovens companheiros sentavam-se no chão fresco de pedra, cochilando em meio ao lixo do dia anterior. Sonhavam com a comida que não haviam comido. Seus corpos estavam encolhidos e relutantes. Seus olhos estavam fundos devido à fome, que ocupava todos os seus pensamentos. Não eram uma geração acostumada, como seus pais, a conviver com estômagos vazios. Sempre tiveram mais para comer e menos com que se preocupar. Eram a geração dos filhos únicos — senhores dos seus principados. E agora, estavam com fome. Tudo o que consumiam era água e mais água, para se manterem alertas e vivos.

Escapei da captura na primeira noite, adotando as táticas de guerrilha de Mao: sempre me movimentando de um grupo para outro, falando com o líder de cada um deles, espalhando palavras de encorajamento.

No começo da manhã seguinte, houve um conflito no lado norte da praça. Uma pequena multidão da Faculdade de Diplomacia e Relações Internacionais bloqueou os guardas da Guarnição, que tentavam hastear a bandeira. Um soldado golpeou a cabeça de um manifestante com um fuzil, fazendo-o sangrar abundantemente.

— Há algum médico por aqui? — berrou Lan-Gai pelo alto-falante.

Quatro estudantes de Medicina correram até lá e fizeram curativos no aluno ferido, enquanto os grevistas faziam uma barricada para afastar os guardas. Pela primeira vez, desde seu estabelecimento em 1949, a bandeira vermelha da República Popular da China não foi hasteada na praça Tiananmen. Os estudantes aplaudiram e a guarda bateu em retirada.

No meio da manhã, médicos do Hospital do Povo chegaram com soros e seringas, um esquadrão de ambulâncias e uma equipe de enfermeiras eficientes. Apertei a mão do médico-chefe e agradeci a ele por sua consideração.

No começo da tarde, chegaram mais caminhões trazendo operários e funcionários do governo.

— Estamos aqui para dizer aos alunos que nós os apoiamos — declarou o líder do sindicato dos metalúrgicos. — Trouxemos muitos martelos e foices para os jovens contra-atacarem, se os soldados ousarem tocar em vocês novamente.

Às três da tarde, gente de todos os cantos da cidade se misturou aos grevistas e manifestantes, conversando com eles, passando copos de água e gritando alto por socorro para aqueles que desmaiavam de calor. Ajudavam a carregar até as ambulâncias os que estavam fracos demais para andar, e fizeram a multidão abrir caminho para deixar os veículos de emergência saírem e os caminhões de água entrarem. As mães e os pais de Beijing ajoelharam-se ao lado dos jovens, limpando o seu suor, oferecendo líquidos, chorando, implorando aos corajosos jovens que desistissem e fossem para casa. Mas, de algum modo, o apoio e os conselhos causavam o efeito contrário. Os manifestantes, apesar de fracos, balançavam a cabeça negativamente e se recusavam a sair dali.

Às quatro horas, os alto-falantes do governo fizeram ruído.

— Chegou ao nosso conhecimento que existem maus elementos por trás de jovens estudantes inocentes, instigando a agitação civil. Aconselhamos novamente a todos os estudantes que desistam da greve de fome e saiam da praça. Vocês estão todos sendo negativamente influenciados por contra-revolucionários para que eles, os verdadeiros inimigos do país, possam alcançar seus objetivos ilegais. Jovens, seu futuro é brilhante e a estrada diante de vocês é longa. Ajam com cuidado. Estamos aqui para ajudá-los a sair de uma situação difícil. Voltem para casa. Caso contrário, instituiremos o toque de recolher ao cair da noite. Se permanecerem aqui, estarão infringindo a lei marcial.

— Precisamos construir barricadas. Diga isso a todos — comuniquei a Lan-Gai.

Subi no palco novamente e falei através do alto-falante.

— Podemos estar com fome, mas não temos medo. Permaneceremos aqui! Temos o direito de nos manifestar! A lei marcial não nos assusta.

A multidão aplaudiu.

— Porém, estamos diante de um governo feudal tão brutal quanto o dos nazistas — avisei aos jovens alunos. — Eles vão abrir fogo e atirar para matar. É inevitável. Não terão compaixão. Não querem ouvir a voz do povo. Optam por não nos ouvir. Estão se escondendo porque têm medo de nós. Estamos na luz e eles, na escuridão. Quanto mais resistirmos, mais amedrontados eles ficarão. Estão com seus dias contados no poder. Vão ter que enfrentar a morte como assassinos. Suas mãos — manchadas pelo sangue do povo — serão amputadas. Eles serão o lixo da História e nós, as jóias do futuro. Companheiros, meus queridos companheiros de armas, saúdo a todos vocês!

Ao entardecer, apesar de faminto e cansado, vaguei pelo local servindo jarras de água ou xícaras de chá quente aos mais jovens do que eu. Alguns recusaram até mesmo isso, de maneira calmamente determinada. Outros estavam fracos, com os olhos vazios, os lábios ressecados, aceitando pequenos goles apenas para poderem permanecer ali, naquela demonstração de força de vontade, não querendo ser levados da praça ao hospital.

A noite caiu e a temperatura baixou. Uma brisa marinha soprou e abrandou o mau cheiro, que agora se erguia como um muro ao redor da praça. Para minha preocupação, mais tropas blindadas carregando revólveres e fuzis marchavam para dentro da praça. Mais tanques desciam as ruas, deixando trilhas estriadas em seu caminho. Holofotes potentes lançavam longos raios brancos, que penetravam na noite escura. Os jovens agarravam-se uns aos outros, cobrindo seus corpos fracos com cobertores sujos. Mas os próprios soldados, vindos do interior do país, tinham olhos brilhantes e espírito jovem. Alguns até dividiram a água que tinham com os manifestantes.

No terceiro dia, um soldado chegou carregando uma bandeira branca, pedindo para falar com o líder.

Levantei-me e perguntei:

— O que é que você quer?

— O primeiro-ministro solicita representantes para as negociações.

— Quantos?

— Dois.

Por uma maioria de votos com as mãos levantadas, Lan-Gai e eu fomos os escolhidos.

A multidão abriu caminho e fechou-se novamente atrás de nós.

A negociação foi uma farsa. Durante cinco minutos, o primeiro-ministro Tang me passou um sermão, até que eu me levantei para ir embora.

— Pare! Com quem você acha que está falando? — exclamou o primeiro-ministro gordo.

Parei e respondi:

— Não tenho certeza. O senhor é um cego e um surdo combinados em uma pessoa só. Seu único defeito é não ser mudo.

— Você está me ofendendo.

— E o senhor está ofendendo o nosso povo desde que assumiu o emprego do seu tio.

— Quais são as suas condições, então? — exigiu o primeiro-ministro, com raiva.

— A renúncia de Shento, o jovem coronel da Guarnição.

O primeiro-ministro sorriu com escárnio.

— Isso o diverte? Vamos embora — disse Lan-Gai.

O sorriso desapareceu de seu rosto.

— Quais são as suas outras exigências?

— Liberte Sumi Wo imediatamente — disse eu. — Pena capital para Shento por seus crimes e um planejamento imediato para eleições livres e diretas.

— O coronel Shento é um membro confiável da administração de Heng Tu — esbravejou o primeiro-ministro. — Ele serviu ao nosso país e à nossa revolução.

— Ele é um fugitivo da lei com sangue nas mãos — repliquei.

— Tenha cuidado, meu jovem. Não deixe seus sentimentos pessoais afetarem seu julgamento. Você está liderando estudantes inocentes nesta greve de fome buscando vingança para os seus próprios ressentimentos? — perguntou o primeiro-ministro Tang, maliciosamente.

— Vamos embora, Lan-Gai — disse eu. — As pessoas lá fora vão lutar até o fim.

— Parem. Não podemos aceitar nenhuma das suas condições. Vá dizer ao seu pessoal que evacue a praça imediatamente. Do contrário, serão todos presos.

Em silêncio, saímos do local.

Shento

山头

Capítulo 62

Assisti à negociação com os líderes estudantis através de uma câmera de circuito fechado, junto com ministros importantes do gabinete. Estávamos reunidos numa sala em formato de pavilhão, no interior da Cidade Proibida. Era evidente a ausência do presidente Heng Tu, cujo paradeiro era conhecido por apenas um homem: eu.

Sentado no lugar do presidente, eu me mexia desconfortavelmente, olhando meu meio-irmão na tela cheia de chuviscos, odiando cada sílaba da conversa. Eu havia me oposto veementemente a qualquer negociação, mas, mesmo assim, o primeiro-ministro havia solicitado o encontro com os líderes. E o que havia conseguido? Nada, exceto mostrar sua fraqueza monumental. Eu estava enfurecido e não tinha nada a dizer. O que precisava ser dito já havia sido dito — eles ouviram tudo. As pessoas lá fora queriam me ver pelas costas. As pessoas que estavam ali dentro também. Levantei-me, declarando a suspensão da reunião, mas fui contrariado pelo chefe do Comitê Central, sr. Fong, que pigarreou e disse:

— O que devemos fazer?

— Nada — respondi, caminhando para a porta.

— Mas o povo está exigindo coisas.

Parei na soleira da porta.

— Eles estão exigindo o caos. O senhor está sugerindo que instauremos o caos?

— Esta decisão não cabe ao senhor, jovem coronel. Achamos que o senhor não tem o direito de estar aqui — disse o secretário de cabelos brancos do comitê, num tom de voz agressivo. — O senhor não é membro do órgão decisório.

— Represento o presidente. Ele tem um lugar aqui?

— Exigimos a presença do nosso presidente!

— Vocês exigem? — Eu ri.

— Sim, exigimos. Certo? — O velho olhou ao seu redor para o comitê de trinta membros. Todos levantaram a mão em favor da proposta.

— Tenho uma procuração que me concede todo o poder e a autoridade do presidente, como vocês bem sabem. — Tirei uma folha de papel da minha maleta de couro e sacudi-a no ar. — Todos os desejos do nosso presidente estão escritos aqui. Ele é terminantemente contra qualquer acordo ou concessão.

— Devíamos considerar as exigências deles cuidadosamente antes de tomarmos qualquer atitude — insistiu outro ministro.

— Qualquer ato desafiador é considerado um ato de traição contra a presidência — disse eu.

— Exigimos a sua renúncia — disse abruptamente o ministro da Fazenda.

— Queremos o seu *impeachment*, coronel — exigiu outro.

— Por quê? Faço o que devo fazer pelo país, nunca por mim mesmo. Querem se livrar de mim por isso? Lutei por todos vocês, para que pudessem sentar aqui e aproveitar o poder que têm. — Olhei cada um deles com um olhar penetrante. — Relatarei os seus sentimentos ao presidente — disse eu, saindo intempestivamente. Em vez de me dirigir ao quarto do presidente, fui ao meu próprio escritório, enfurecido pela mudança da situação dentro do próprio governo. Porém, não estava surpreso. Eu sempre fui um cisco nos olhos deles, e há muito tinha me preparado para o dia em que eles me trairiam. Calmamente, depois de me recompor, fui à sala do telégrafo e ordenei que uma mensagem em código fosse despachada a todos os meus jovens generais: "Chegou a hora. Ajam agora."

À MEIA-NOITE, EM FUJIAN, O GENERAL da reserva Ding Long foi arrastado de sua cama e levado a um navio da Marinha, atracado próximo ao porto de Fuzhou. De olhos vendados, com as mãos amarradas nas costas, ele foi levado ao salão de jantar do navio, onde os oito comandantes regionais encontravam-se também sentados. Todos estavam manietados da mesma maneira, cada um com um jovem general de pé, às suas costas. Quando suas vendas foram retiradas, eles se entreolharam, perplexos e amedrontados.

Examinei a sala, onde estavam os homens mais perigosos do país — homens que controlavam armas e soldados. O destino desta nação poderia se erguer e se afundar com eles. Aquele era o momento com o qual eu havia sonhado há muito, o momento da vingança, um momento para ser saboreado. Caminhei até o centro da sala.

O cabelo de Ding Long estava branco e havia rugas onde um dia houvera o brilho da juventude.

— Vocês todos parecem surpresos por eu ter agido antes que vocês agissem — declarei. — O seu golpe contra mim e o presidente Heng Tu fracassou oficialmente, mas isto não quer dizer que vocês estarão isentos das conseqüências de sua tentativa lastimável. — Virei-me para o general Ding Long e agarrei a lapela de sua farda. — O senhor sabe quem sou eu, general?

Ding Long apertou os olhos, contemplando-me por um longo tempo, antes que uma luz de reconhecimento se acendesse.

— Shento?

— Sim, seu filho abandonado. O enjeitado do mundo.

— Filho... — Havia uma expressão de dor em seu rosto.

— Nem mesmo uma desculpa! — Como eu queria fazê-lo em pedaços! Lembrei-me daquele tapa que eu tinha recebido de seu sogro há muitos anos atrás. Olho por olho. Dei um tapa no rosto de Ding Long com tanta força que o sangue escorreu pelo canto da sua boca. — Pendurem-no.

— Pelo pescoço? — perguntou meu jovem general.

— Não, eu quero que ele sofra, não quero que morra logo. Pendure-o pelos polegares.

Uma corda foi jogada por cima de um cano e Ding Long foi puxado para cima, deixando escapar um grito de dor.

Sorri e dirigi-me aos chefes militares.

— Tenho em mãos um documento que deve ser assinado por todos vocês.

Um soldado segurou o documento diante do primeiro comandante.

— O senhor não precisa saber do que se trata antes de assiná-lo, comandante — zombei. — O senhor vai assiná-lo porque assim o desejo. Este é o único jeito de sair daqui vivo.

— Eu assino! — berrou o comandante de Fujian. — Mas minhas mãos estão amarradas.

— Desamarre as mãos dele — ordenei.

Fu-Ren respirou fundo, esfregou os punhos e assinou obedientemente. Em seguida, os comandantes de Jiangxi, de Nankin e de Lanzhou fizeram o mesmo. Quando todos já haviam assinado, ordenei:

— Agora, mordam seus dedos médios e esfreguem seu sangue ao lado das assinaturas, para autenticá-las.

Os comandantes entreolharam-se, amedrontados.

— Recuso-me a fazer isso. Você é um traidor do povo — protestou o comandante de Lanzhou.

Saquei do meu revólver e atirei em seu braço direito. O homem gritou enquanto seu sangue respingava.

Obedientemente, os outros chefes morderam o dedo e esfregaram o sangue ao lado de suas assinaturas.

Peguei o documento, uma preciosa prova acusatória, e perguntei:

— Sabem o que assinaram?

Eles balançaram a cabeça.

— É claro que não sabem. Isso é um acordo entre vocês para um golpe de Estado, articulado por ele. — Apontei para Ding Long, pendurado debilmente por seus polegares, que sangravam. Seus pés mal tocavam o chão.

Houve gritos de protesto insistentes, vindos dos comandantes.

— Agora que vocês viveram mais do que o necessário para o povo e para mim, é hora de dizer adeus. — Eu sorri. — Atirem em todos eles e joguem-nos ao mar.

— E quanto a Ding Long? — perguntou um jovem general.

— Não atire nele. Poupe-o para os tubarões.

— Meu filho, sempre o amei — murmurou Ding Long, enfraquecido pela dor.

— Claro que amou. É por isso que eu estou lhe dando uma chance de viver. Você só precisa sobreviver ao mar, com o sangue de todos os seus companheiros rodopiando ao seu redor. Eu sobrevivi a isso. Você também deveria sobreviver. Você é meu pai.

Ao sair para o convés, ouvi oito disparos, seguidos de um baque — Ding Long havia sido desamarrado e caiu no chão.

Tan 唐 | Capítulo 63

Quando o relógio bateu meia-noite, o exército de Shento abriu fogo sobre a multidão. Primeiro aleatoriamente, depois em alvos específicos. Houve gritos de dor e confusão. Os mortos estavam caídos em poças de sangue. Os vivos choravam, tentando salvar os moribundos. O fardo da morte esmorecia os jovens corações, que presenciavam a concretização de seus piores medos.

Abaixei-me atrás de uma mesa, enquanto uma saraivada de balas era cuspida na atmosfera noturna. As balas vinham de todo lado. Os jovens não sabiam onde se esconder, enquanto eu berrava instruções para que fugissem.

Vindo da direção norte, ouvi o barulho dos tanques, de onde eram lançadas granadas, que explodiam no meio da multidão. Gritei para os soldados e corri em sua direção, mas eles continuaram atirando.

— Parem! — gritei. — Não atirem nas pessoas! Podem me levar! Podem me levar!

As balas choviam como uma tempestade furiosa — sobre a minha cabeça e meus ombros, rente às minhas orelhas. Mais pessoas caíram mortas. Mais companheiros feridos.

Pulei por cima de uma barricada, agarrei a arma de um soldado assustado e comecei a atirar. Fui abrindo caminho à bala, até alcançar o canto da praça. Joguei fora a arma sem munição e me virei para olhar a praça fúnebre, agora repleta de fantasmas. O sangue se empoçava nos bueiros, as ambulâncias uivavam, as sirenes da polícia soavam, os tanques rugiam. As pessoas gritavam e choravam. Medo e morte. Corpos cheios de juventude abatidos pela força das balas.

Abaixei-me perto de um muro, arfando. Um soldado se aproximou, apontando sua arma para mim. Esquivei-me e a bala atingiu outra pessoa. Corri até o rapaz ferido, enquanto o soldado voltava a apontar a arma para mim. Pus o jovem estudante nos ombros e corri. O soldado investiu contra mim enquanto o estudante gemia, chamando por sua mãe. Ele não devia ter mais do que 17 anos. — Shhh — sussurrei, ao encostá-lo contra um muro de tijolos, esperando pelo soldado obstinado. Quando ele virou a esquina, eu o ataquei, batendo com sua cabeça contra o chão de pedras até que ele desmaiasse. Peguei sua arma, tirei seu uniforme e o chutei para o lado.

— Você o matou! — disse o estudante ferido, alarmado.

— Para nos salvar.

— Você é Tan Long, o nosso líder?

— Shhh.

— Para onde está me levando?

— Para o hospital.

— Não, por favor, deixe-me aqui e corra o mais rápido possível! Eles vão matá-lo!

Ignorando-o, vesti o uniforme verde e carreguei o estudante ferido até a ambulância mais próxima. A visão era chocante. Havia centenas de jovens deitados no chão ao redor do veículo. Apenas alguns médicos se movimentavam em meio ao crescente número de pacientes. Alguns dos feridos haviam desmaiado, outros contorciam-se, em estado de choque. Outros choravam e tentavam estancar o sangue com as próprias mãos, ou com qualquer pedaço de pano que encontrassem.

Como desejei ser médico, um deus, ou Buda, para que minhas mãos pudessem curar suas feridas! Mas não era nada disso. Eu era o motivo de todo aquele derramamento de sangue. Quando me ajoelhei para auxiliar um ferido, outros dez estenderam as mãos ensangüentadas, pedindo ajuda.

Uma enfermeira passou e disse:

— Obrigada. Você é o primeiro soldado a ajudar.

Depois da esquina, as metralhadoras ainda atiravam, atingindo a multidão. Os tanques moviam-se pesadamente; suas rodas dilaceravam tudo como dentes horrendos, mordendo mais almas inocentes presas num beco sem saída, na corrida insana para escapar dos tiros. Manifestantes desarmados berravam, aterrorizados, mas os soldados não paravam. Os alto-falantes continuavam a clamar:

— Saiam! Saiam! Não cessaremos fogo até que todos tenham ido embora!

Havíamos há muito nos rendido. Por que os soldados ainda estavam atirando? Helicópteros também haviam começado a atirar nos que fugiam. Uma dúzia deles pairava no céu, cercando cada ângulo da praça. Era uma armadilha mortal.

Um grupo de soldados aproximou-se, acenando para mim.

— Vamos lá, vamos terminar o serviço! — berrou um deles, disparando sua semi-automática em todas as direções.

— Vamos calar a boca desses pirralhos mimados de uma vez por todas! — berrou um outro.

— Você não levou nenhum ferido à ambulância, levou, soldado? — perguntou um dos integrantes do grupo.

— Olhem só, está acariciando as mãos deles. Que modelo de soldado! Ele ama as pessoas! — disse um outro, zombando.

Mantive-me em silêncio. No instante em que abrisse a boca, seria desmascarado. Todos os soldados pareciam vir do sul e tinham um sotaque inconfundível. O pelotão desgarrado me cercou, examinando-me minuciosamente.

A enfermeira se manifestou repentinamente.

— Vocês estão enganados. Este soldado estava perseguindo um homem grande e alto e parou simplesmente para perguntar a este estudante em que direção o homem havia seguido.

— Bom soldado! — exclamou o oficial, dando um tapinha no meu ombro e prosseguindo com seus homens.

— Obrigado, enfermeira — disse eu.

— Não, eu é que agradeço. — A enfermeira fez um V com os dedos. — Continue lutando — sussurrou ela.

Fiz-lhe uma reverência e desapareci na escuridão.

AINDA VESTINDO O UNIFORME DO EXÉRCITO, sentei-me debilmente, encostado contra a parede de metal de um trem. O carregamento de passageiros silenciosos sentiu o movimento do antigo cavalo de ferro. Dando um estalo, os alto-falantes do trem emitiram o sério pronunciamento que havia sido transmitido centenas de vezes através das rádios, televisões e jornais:

— Companheiros, povo da República Popular da China, temos o prazer de informar que o incidente de quatro de junho da praça Tiananmen foi controlado com sucesso. A maioria dos elementos antigovernistas foi eliminada. Estamos igualmente satisfeitos em informar que um grupo de líderes comunistas liderado pelo general Shento deu fim a um golpe de Estado militar contra o nosso querido presidente Heng Tu, coincidindo com as atividades perniciosas da praça Tiananmen. Para recompensar seu esforço e lealdade, nosso glorioso presidente nomeou o general Shento como o novo chefe militar de todas as três forças armadas.

"O golpe, liderado pelo general da reserva Ding Long, em parceria com os outros oito comandantes regionais, foi erradicado por completo, mas os membros do incidente da praça Tiananmen continuam atuando. Portanto, o Governo Central emitiu uma lei marcial temporária para que nossos soldados possam prender os líderes estudantis que fugiram e ainda estão à solta."

— *Pai*! — deixei escapar um pequeno grito, assustando meus colegas que cochilavam. Meu pai estava morto? As palavras sinistras do pronunciamento ecoaram na minha cabeça: "erradicado."

Dois dias haviam se passado desde que escalei o muro e consegui chegar à estação de trem, que estava abarrotada de pessoas fugindo do massacre. Aproximei-me do maquinista, sem bilhete, com um fuzil nas mãos. O capitão me perguntou se eu tinha algum dinheiro. Fitei-o com um olhar sério.

— Está bem, então, uma poltrona comum — disse o capitão. — Todos os compartimentos com leito estão ocupados.

Quando subi a bordo, as pessoas me olharam como se eu fosse uma doença, uma praga, um assassino. Uma criança soltou um grito agudo ao me ver. O sangue, os tiros, os corpos se empilhando como montanhas na praça, levados embora por caminhões de lixo — como poderia se esperar que uma criança gostasse do meu uniforme e do que ele representava?

Quando a costa do Pacífico apareceu como uma pequena cobra à minha direita, soube que era a última parada: Fujian! Lembrei-me das palavras ditas por meu avô: "Você sabe onde fica o seu lar". Eu sabia. As pessoas dali me ajudariam. Elas me esconderiam nas grandes montanhas ou no mar, onde nadavam as serpentes marinhas. Mas não poderia recorrer à minha família. Havia mil armadilhas me esperando por lá e meu aparecimento apenas os deixaria em mais apuros do que já estavam. Em vez disso, liguei para o velho diretor da minha antiga escola, o sr. Koon.

Parecia que o tempo não havia passado para o sr. Koon. Encontramo-nos no cais de uma pequena aldeia de pescadores, Fu Ching.

— Sinto-me honrado por você ter me telefonado — disse o monge.

— O senhor é o único com o coração de Buda. Está tudo bem?

— Não — lamentou o monge. — Seu pai ainda está desaparecido.

— Desde quando?

— Há duas noites.

— O senhor acha que ele está morto?

— Não! Há uma frota inteira de pescadores procurando por ele. Vamos encontrá-lo. Não se preocupe, meu filho.

— E quanto à minha mãe e a meu avô?

— Eles estão em prisão domiciliar desde que o expurgo começou. É igual à Revolução Cultural com os Guardas Vermelhos, ou pior. Vocês, os Long, são o alvo de alguém muito poderoso. Mas estamos aqui para ajudar, toda a Baía de Lu Ching.

Fiz uma reverência profunda.

— Nem sei como lhe agradecer.

— Nós, o povo, é que lhe agradecemos. Você é nosso líder nacional, uma pessoa que luta pela liberdade. Oramos todos os dias por você e por todas as almas que perderam suas vidas. Como puderam fazer isso? — Ele suspirou, cansado. — Agora vamos sair daqui.

— Para onde? — perguntei.

— Para os Estados Unidos.

— Estados Unidos?

— Tenho amigos em alto-mar. É impressionante o que um monge consegue fazer com orações, hein? — Koon sorriu.

A ESCURIDÃO TOMOU CONTA DO MAR agitado de Fujian, quando me instalei na proa de um pequeno barco a vapor que balançava insistentemente por sobre as ondas, passando por ilhas escuras. A cabeça careca do monge era o único ponto brilhante entre o mar e o céu. Senti mil fios me conectando à terra e ao povo que eu amava se desenrolando atrás de mim. Não suportei olhar para trás.

— Para onde estamos indo? — perguntei.

— Para o estreito de Taiwan.

Havia luzes brilhando a distância.

— Aquele é o nosso contato? — perguntei.

— Não, aquela é uma Unidade de Patrulha de Alto-Mar da Guarda Nacional. Não se preocupe.

Koon puxou gentilmente o barco para perto do navio militar a vapor, que jogava muito. Um soldado, vestindo o uniforme vermelho da Guarda Nacional, apoiou-se no balaústre e gritou para baixo:

— Quem é esse aí com você?

— Um contrabandista novato — gritou o monge em resposta.

— Então, o que vai ser?

— Hoje não são garotas. A lei marcial do país complicou as coisas, como você sabe. Mas tenho um bom conhaque francês e também isso. — O monge jogou um pequeno pacote para o guarda, que o apanhou e abriu.

— Monge! Você é o melhor.

Eles se separaram como dois barcos que nunca tivessem se encontrado.

— O que deu a ele?

— Quinhentos dólares americanos.

— Onde é que o senhor arrumou isso?

— Eu me aventuro em situações pecaminosas, que Buda me perdoe. — Ele uniu suas mãos e rezou, soltando o leme por um instante.

— Vou lhe retribuir dez vezes mais — retruquei.

— É um presente do fundo do meu coração e também minha penitência por coisas que eu não deveria ter feito e por palavras que não deveria ter dito.

Avistamos um outro barco. Desta vez, era o nosso contato. Uma luz piscou cinco vezes.

— Está tudo saindo conforme o planejado. Eles têm que esperar aqui. Não podem atravessar a linha da fronteira marítima — explicou Koon.

Quando nos aproximamos do barco de pesca, fui puxado para dentro por três homens.

— Volte quando o sol brilhar novamente — disse Koon, pondo-se de pé no barco, que balançava.

— Vou voltar — prometi.

— Esta é a sua terra, a terra do seu pai, e do pai do seu pai... — Koon circulou em torno do barco de pesca mais uma vez em sinal de despedida, e então zarpou para longe, enquanto eu acenava para ele às cegas.

— Meu nome é Tan Long — disse aos homens.

— Nós sabemos. E somos soldados da noite. — Eles bateram continência.

Respondi do mesmo modo.

— Soldados sem nome, levem-me para um país livre.

CAPÍTULO 64

1986
NOVA YORK

NOVA YORK CHAMAVA POR MIM. O contorno dos prédios daquela cidade cheia de energia era a coisa mais bela que eu já tinha visto. O contraste dos prédios lançando-se para o céu, tentando alcançar o infinito, me deixou tonto. Nova York! Nova York! A terra da beleza. A terra da abundância. A terra da liberdade. Não pude conter as lágrimas de alegria ao pôr os pés naquela cidade.

As pessoas — brancas, pardas, amarelas, negras — esbarravam umas nas outras, brigando por táxis, vendendo cachorros-quentes e *pretzels* frios, ficando presas em portas de ônibus que não se fechavam direito. O Hotel Plaza, o Pierre logo na esquina, o Rockefeller Center a distância, de frente para a fachada dourada do Saks da Quinta Avenida. Que maravilha! Que sonho!

Andei pela Broadway, caminhando sem rumo pelo plano uniforme cortado em quadriláteros de longas ruas e largas avenidas. Na calçada, um jovem violinista estava perdido em sua própria melodia. Um pintor cochilava ao sol da tarde enquanto a tinta pingava nos dedos dos seu pés, por entre as sandálias. Uma banda peruana tocava seu lamento com o sabor estimulante da música de suas montanhas. A vivacidade de Midtown. A tranqüilidade de Greenwich Village — um descanso, uma pausa antes das ruas serpentearem até Wall Street, tomada por indivíduos vestindo ternos e sufocada pelos charutos dos homens de negócios. Subitamente, a cidade chegava ao fim e não se via mais a terra. E havia o porto, guardado pela angelical Estátua da Liberdade.

A primeira coisa que fiz foi olhar o *Xing Dao Daily* e alugar um pequeno quarto numa sobreloja em Chinatown.

— De onde você vem, com esse sotaque britânico tão estranho? — perguntou-me a minha senhoria, cujo corpo tinha o formato de uma azeitona.

— Da China.

— Posso arranjar emprego para você como lavador de pratos aqui no andar de baixo. Você parece estar precisando de dinheiro, e a comida é de graça.

Tornei-me lavador de pratos no dia seguinte, num restaurante chamado Wei Bao. Havia montanhas de pratos para lavar, mas eu não estava contrariado com isso. Precisava de dinheiro, como a senhora havia percebido, e precisava ser discreto enquanto esperava que meus contatos me encontrassem. Os agentes secretos chineses estavam espalhados por toda a cidade. Mas Manhattan ainda era o melhor lugar para ser anônimo. Era uma ilha ideal para descansar meus pés cansados, antes de prosseguir para a minha próxima escala no horizonte distante.

— Você precisa controlar isso — disse eu ao gerente uma noite, pouco depois de começar a trabalhar.

— Controlar o quê?

— O desperdício. Não está vendo? Estou jogando fora lagostas, galinhas pela metade, cabeças inteiras de peixe e arroz; alimentos preciosos. Sabe quantas crianças passam fome no mundo?

O gerente revirou os olhos.

— Olha, aqui é a América. As pessoas jogam as coisas fora. Elas não mandam consertar. Não mandam ajeitar. É a mesma coisa com os casamentos: eles se divorciam. Eles não aproveitam sobras, entendeu?

— Mas isso é errado!

— De que planeta você veio? O que está fazendo aqui se está tão preocupado com as crianças que têm fome no mundo?

— Todos nós deveríamos nos preocupar.

— Então, deixo essa preocupação para você, está bem? A minha é com os clientes esperando na fila. Vá lavar os seus pratos.

— Já lavei tudo.

— Não tem mais nada o que fazer?

— Nada. Mas tenho observado você. Você faz questão de ser grosseiro com as pessoas que comem aqui, como se estivesse fazendo um favor a elas.

O gerente ficou em silêncio, tentando encontrar as palavras certas para me dar uma bronca. No autêntico estilo nova-iorquino, ele berrou em resposta:

— Quem diabos você pensa que é para falar assim comigo? Já foi gerente de alguma coisa antes?

— Já, sim, senhor. Eu quase construí o Rockefeller Center da China.

— Ah é? E eu quase me casei com o Frank Sinatra!

Fiquei surpreso ao descobrir que havia mais de uma dúzia de jornais diferentes na cidade. "Este *é* um país livre", pensei. Eu lia o *New York Times* e o *Wall Street Journal.* Isso me deixava com dinheiro suficiente para comprar o *New York Post* ou o *Daily News.* Optei pelo *Post* porque era mais barato e tinha manchetes mais interessantes. Havia tanto para ler, e tão pouco tempo!

O *Times* fez um bom trabalho relatando em detalhes a fuga dos meus companheiros líderes estudantis. Li que Lan-Gai havia sido baleado na perna e preso. Milhares de estudantes e trabalhadores — gente sem rosto e sem nome — estavam mortos. Centenas de pessoas haviam sido presas e aguardavam execução imediata. Havia ainda inúmeros outros amarrados, acorrentados, com as cabeças raspadas, jogados em campos de trabalho forçado secretos e prisões que ninguém sabia que existiam.

Rezei por eles.

No dia seguinte, um homem branco e bem-apessoado veio ao restaurante e apresentou-se como um funcionário da organização Defensores dos Direitos Humanos.

— Meu nome é David Goldberg, e sou presidente da DDH. Seu contato em Taiwan me falou de você. Bem-vindo aos Estados Unidos. — Ele olhou ao redor, vendo a cozinha enfumaçada e que cheirava mal, e sugeriu:

— Vamos sair daqui.

— Mas tenho que trabalhar.

— Nada disso! Você tem um trabalho muito mais importante a fazer, acredite.

— Mas os pratos precisam ser lavados ou vão se acumular. Além disso, preciso entregar essas sobras em alguns abrigos para os sem-teto aqui por perto.

— Sobras para os sem-teto... — Goldberg franziu o rosto.

— É, elas estão ótimas. Eu provei.

— Eu sei, mas não acho que eles gostariam de saber que metade delas já foi comida. Há uma diferença entre sobras parcialmente comidas e sobras intocadas.

— Mas é comida perfeitamente boa.

— Eu sei, mas aqui é a América.

— Comida é comida, não importa onde você esteja.

— Você é um lutador, Tan. Vou lhe mostrar como ser útil. Venha comigo.

Desisti de argumentar, lavei as mãos e tirei o avental.

Goldberg aproximou-se do gerente e sussurrou em seu ouvido.

— Mas quem é que vai lavar meus pratos hoje? — reclamou o gerente.

— Tome isso. — Goldberg sacou uma nota de cem dólares e entregou ao gerente, que a pegou e examinou contra a luz fluorescente.

— Dê-me isso. — Tomei a nota do gerente e a devolvi a Goldberg. — Já que não me pagou, fique com todo o meu salário, e obrigado pela ajuda.

Fomos embora.

Minha primeira parada com Goldberg foi na loja Macy's, onde ele comprou três ternos para mim.

— Para quê?

— Superexposição na mídia. Vamos crucificar o seu governo.

Ele providenciou para que eu aparecesse no *Today Show*, na CNN, e em alguns noticiários locais. Disseram que eu possuía um talento nato — que eu era carismático, eloqüente — e que meu sotaque britânico também não incomodava ninguém. Uma apresentadora comentou que, como ator, eu poderia facilmente fazer papéis românticos de personagens asiáticos em Hollywood.

A recepção mais calorosa foi a da comunidade sino-americana. Mecenas ricos ofereceram um jantar luxuoso em minha homenagem — lagostas vermelhas, peixes vivos, camarões que rastejavam, rãs semi-abatidas, bebidas alcoólicas e cerveja.

— Para que toda essa extravagância? — perguntei à anfitriã, uma chinesa da alta sociedade, cujo marido, um senhor de idade, era dono de vários restaurantes de comida para viagem na cidade e nos municípios vizinhos.

— Para celebrar a sua liberdade.

— Por que, ao invés disso, a senhora não pega todo esse dinheiro e põe num banco para os muitos companheiros a quem eu tenho que ajudar?

— Não se preocupe com isso. A América está cheia de dinheiro. O dinheiro virá. Você é tão bonito, convincente e heróico que vai fazer os corações se derreterem e as bolsas se abrirem. Por que não escreve um livro? Isso vai lhe trazer algum dinheiro. Toda essa balbúrdia vai acabar de uma hora para outra e logo será esquecida — as pessoas aqui na América têm uma memória muito curta. Então, deixe sua marca agora. Dólares! Para poder fazer isso, sugiro que se livre dos seus ternos comprados prontos e encomende alguns sob medida. A apresentação é tudo. Eles querem ver um herói vestindo ternos feitos sob medida. Você é a imagem do patriotismo, do amor e da coragem e tem que pôr isso numa boa embalagem.

— Mas não estou aqui em busca de amor ou de adulação. Estou aqui para angariar apoio para poder voltar à China, concorrer à presidência e libertar meu país da tirania.

— Muito bem colocado. Mas, mesmo assim, ainda precisa de ternos sob medida. Vou levar você ao alfaiate do meu marido amanhã.

Algumas semanas depois, usando meu novo terno sob medida, tornei-me o primeiro líder da democracia chinesa a discursar diante de todo o Congresso no Capitólio. Quando subi ao pódio, diante dos verdadeiros representantes do povo, fui ovacionado de pé.

Meu discurso foi breve, mas minha mensagem foi poderosa e eletrizante — a China havia voltado aos tempos de escuridão e seu líder era uma ameaça à paz mundial.

Minhas fotos apareceram nos jornais do mundo inteiro e o que ocorreu foi efetivamente uma superexposição na mídia, conforme Goldberg havia previsto. Porém, era muito burburinho e pouca ação. Comecei a me perguntar o que deveria fazer em seguida. Havia arrecadado algum dinheiro, mas não o suficiente para um programa substancial de salvamento capaz de retirar meus amigos da China. Em pouco tempo, como a dama da alta sociedade de Chinatown havia me alertado, o interesse pelo assunto esfriou.

Pouco depois, fui abordado pela minha senhoria, que esticou suas mãos gorduchas e perguntou:

— Onde está o meu aluguel do mês, seu defensor da democracia?

— Vou pagar em breve.

— Onde é que vai arrumar o dinheiro? Essas ruas não são pavimentadas com ouro, não importa o que tenham dito a você.

— A senhora não vai ficar no prejuízo. Sempre posso ir lavar pratos no andar de baixo se não tiver o bastante.

— Você tem três dias de prazo, ou vou alugar o apartamento para outra pessoa.

No dia seguinte, dei uma caminhada solitária pela Canal Street e acabei perto de Wall Street. "O coração do capitalismo", pensei, "e eu sem um tostão furado". Balancei a cabeça. Mas, mesmo no meu estado, admirei as relíquias do antigo capitalismo, alinhadas ao longo daquela rua estreita. A velha Trinity Church havia testemunhado durante anos os altos e baixos do capitalismo. J.P. Morgan, o banqueiro de nariz batatudo e esburacado, tinha caminhado por essa mesma rua. Os Carnegie, os Vanderbilt, os Rockefeller, os irmãos Solomon, os irmãos Lehman — e a lista continuava, cheia de nomes. Homens que viraram lenda e heróis, vilões e inimigos, contos de fadas.

Caminhei de volta para casa, com o sol às minhas costas e as sombras pesadas dos edifícios de escritórios sobre os meus ombros. Voltei ao meu quarteirão, sentindo-me triste e sozinho numa terra estranha. Caminhei até a loja de bebidas que havia no quarteirão e gastei meus últimos cinco dólares numa garrafa de Johnnie Walker. No meu apartamento, tomei o uísque, gole a gole, até esquecer onde estava e por quê. Atirei a garrafa no chão, fazendo com que o inquilino do andar de baixo cutucasse a laje fina com um cabo de vassoura. Então chorei, soluçando como um bêbado comum, mais triste ainda por causa do álcool que corria nas minhas veias. Todos os meus amigos haviam se tornado fantasmas. Todas as suas vidas foram perdidas naquela noite trágica. Os sonhos de ontem haviam se tornado os pesadelos de hoje. Meus amigos perdidos, minha pobre Sumi! As lágrimas me fizeram adormecer até minha respiração quase cessar, exceto pelo ligeiro arfar do meu coração que não parava de bater.

Fui acordado na manhã seguinte por uma batida estrondosa que fez tremer a porta.

— Não precisa bater tão forte! — resmunguei, indo abrir, trôpego. Um homem sorridente de bigode entrou, vestindo um terno feito sob medida, sapatos de bico fino e punhos com abotoaduras de ábacos dourados.

— Sr. Long — disse o homem.

Perguntei-me por que um homem tão arrumado estaria de pé ali no meu mísero apartamento, sorrindo. Mas eu não estava sonhando.

— O que posso fazer pelo senhor?

— Meu nome é Peter Davidson, da J.P. Morgan & Cia. O sr. Goldberg, da Defensores dos Direitos Humanos, me deu o seu endereço, se o senhor não se incomodar com a minha intromissão. — Ele pigarreou e analisou o meu quarto miserável. — Seu avô, um banqueiro venerável e altamente respeitado, nos seus anos de opulência, depositou uma certa quantia na nossa filial das Bermudas.

— Meu avô? Você o conhece?

— Fomos colegas de turma em Oxford. Ele escolheu a China comunista. Eu mergulhei no coração do capitalismo. Sou agora o diretor-executivo internacional da J.P. Morgan. E estou aqui para lhe informar que seu avô deseja repassar esta quantia para você.

— E de quanto estamos falando?

— O depósito inicial foi de vinte milhões de dólares.

A notícia quase me fez pular da cama. A ressaca tinha oficialmente acabado.

— E quanto temos lá agora?

— O seu avô é um homem sábio. Ele nos aconselhou a investir tudo em ações e, como você sabe, tivemos durante dez anos um mercado em expansão.

— A quantia?

— Nós temos...

— O dobro? — tentei adivinhar.

O homem revirou os olhos diante da minha impaciência.

— Não.

— Um rendimento de vinte por cento?

— Não.

— Assim o senhor está me matando de ansiedade.

— Jogamos com alguns especuladores de Wall Street.

— Especuladores? Apostando num *blend* de fusões com risco e investimentos-âncora?

O bigode do sr. Davidson crispou-se de surpresa e satisfação diante do meu conhecimento.

— Quadruplicamos a quantia. A conta agora está na casa dos oitenta milhões de dólares. Mas, a pedido de seu avô, só posso lhe entregar sessenta milhões, que são os dividendos. Os vinte milhões do investimento inicial deverão permanecer em garantia do banco, como uma reserva permanente.

Pulei e abracei o homem. Então, pensei numa pergunta.

— Meu avô algum dia lhe disse de onde veio o dinheiro do investimento inicial?

— Nunca fazemos perguntas desta natureza. Somos banqueiros.

— Entendo.

— Entretanto, vejo isso como uma compensação adequada para uma vida brilhante desperdiçada por trás daquela cortina de bambu. Imagine se o seu avô tivesse feito a escolha que fiz. Ele poderia ter sido o magnata de um império bancário em Hong-Kong ou Taiwan.

Depois que o homem se retirou, descendo as escadas que rangiam, soltei um grito animal que chocou alguns pedestres na rua.

— Estou rico! Estou podre de rico!

Quando me acalmei, sorri. Vovô, seu velho safado! Você realmente desviou aqueles milhões, como eles disseram. Você realmente fez isso!

Inclinei-me sobre a pequena janela e berrei:

— Amo você, vovô! — esperando que o velho pudesse me ouvir do outro lado do Oceano Pacífico.

— Amo você também! — respondeu um sem-teto embriagado, sentado na esquina.

Capítulo 65

1998
BEIJING

Em meados de novembro, Beijing repousava silenciosamente sob a primeira neve da estação. Heng Tu, com oitenta e muitos anos, respirava com dificuldade, semi-adormecido em sua espreguiçadeira, como um crocodilo na água rasa. Seus olhos lacrimejavam a cada ataque de tosse e suas pernas estavam inchadas, apesar de estarem levantadas. Sua vida, que agora consistia em urina quente, fraldas frias, muco amarelo e um lenço para cuspir que cheirava mal, havia se reduzido a um túnel estreito com respirações difíceis e tropeços vacilantes. Urinar sem a sensação de ardência seria uma graça divina e conseguir chegar ao urinol, sua grande ambição.

Heng Tu, um dia, tinha amado a neve do mesmo modo que amou muitas coisas. Ele tivera, em sua juventude, um rompante literário, escrevendo um pequeno poema humorístico revolucionário, em louvor aos flocos de textura algodoada. As três primeiras linhas não mereciam citação, mas as últimas, uma tentativa desajeitada de conseguir uma rima, eram de partir o coração: "Neve que acende o meu coração é o verdadeiro inimigo de uma alma que não é de tição", já que o vermelho é a cor do comunismo.

Mas a idade havia apagado a sua juventude. Os sonhos caíram por terra e a luxúria havia sucumbido. Agora, o frio do inverno, soprando seu hálito nas vidraças embaçadas, fazia suas noites parecerem longas. Seu corpo idoso estava cheio de dores. A lua parecia uma órfã solitária. As estações, o ritmo da vida, haviam se tornado degraus de incômodos que iam sempre aumentando — o fim do outono era bronquite garantida; o começo do inverno, a certeza de uma longa pneumonia; dezembro fazia doer os ossos; janeiro, fevereiro, março e abril, um covil de ladrões impiedosos.

O verão era seu adversário, com todo o seu calor, barulho, chuvas bruscas e folhas de capim que pertenciam às flores, aos mosquitos, aos sapos e às cigarras que cantavam — pequenas vidas e pequenos insetos. Tudo o que ele merecia era o silêncio de uma noite fria, o isolamento do inverno gelado. Ele se via como um homem do inverno, que minguava.

Em sua alma apagada, Heng Tu sentia o mundo girar ao seu redor, mas seus olhos, como uma fruta seca, pouco viam. Ouvia vozes voando e pairando, engrandecidas pelo silêncio que havia dentro dele, mas seus ouvidos cheios de cera não entendiam nada. Num bom dia, ele vivia o que restava da sua vida com humor, e provocava seus médicos — os melhores, diziam eles — implorando-lhes que fizessem a sua famosa contagem regressiva de vida.

— Quantos dias me restam? — murmurava Heng Tu.

— O senhor vai viver para sempre.

— E quem é que quer isso?

— Nós queremos que o senhor queira isso.

Então, ele começava sua própria contagem regressiva. Dez, nove, oito... Depois, perdia a conta e começava de novo no dia seguinte. Durante todo o tempo em que esteve à beira da morte, ele insistia para que eu preparasse o cômputo final de um homem — seu enterro.

— É cedo demais para isso — dizia eu gentilmente, sentando-me ao seu lado em seu aposento particular.

— Nunca é cedo demais para se preparar para a própria morte. Quero uma cerimônia simples. Sou um revolucionário, entende? — Ele fez uma pausa para respirar algumas vezes, com dificuldade. — Não um revolucionário do tipo "jogue-me em qualquer vala", mas um revolucionário simples e elegante.

A montanha Bei Bao, o local de enterro de muitos mártires comunistas, seria uma opção natural. Mas Heng Tu achava que aquele era um antro para um bando de ladrões mortos, muitos dos quais, em um momento ou outro, haviam feito da sua vida um inferno. Sua sepultura deveria ser cavada num campo sem ossos e transformada numa paisagem com um milharal, batatas se espalhando pelo chão e vinhas crescendo. Mas eu não queria ouvir falar nisso. Sentava ao seu lado todos os dias para conversar e chorar. Heng Tu apreciava estas lágrimas, não que achasse que eu precisava delas, mas ainda assim se sentia bem ao vê-las. Enxugando as lágrimas do meu rosto, Heng Tu sentia-se amado, e isso fazia seu coração arfar numa alegria suave. Ele se lembrava vagamente de um ditado que tinha lido em algum lugar, em alguma época do passado: *Ser amado, mesmo que por uma só pessoa, é uma prova de que se viveu.* Ele, antes, ria da banalização da abundância da vida. Um revolucionário preferiria morrer a expor um pensamento tão delicado. Mas agora, um revolucionário estava morrendo, e somente então ele podia entender a sabedoria daquelas palavras. Que irônico alguns conhecimentos despertarem apenas perto da morte, algumas verdades serem iluminadas só quando a vida começa a escurecer... Pensou em outro provérbio: *Apenas na morte ele soube como deveria ter vivido.* E sorriu à verdade — a verdade da loucura da vida. Sempre tarde demais. E nunca o suficiente.

Junto com o amor que recebia de mim, ele sentia a angústia de ter que me deixar sozinho nesse mundo. Heng também morreria com um suspiro no coração, como o resto dos mortais sofridos. Ele também deixaria um rastro de sua alma na terra, porque daria seu último suspiro ainda me amando e, com isso, nunca cairia em completo esquecimento.

— Você não vai herdar nada de bom de mim — disse ele baixinho um dia, durante minha visita diária.

— O senhor me deu tudo — retruquei sinceramente.

— Aliás, será menos do que nada.

— Meu pai não poderia ter me dado coisas melhores — disse eu.

— É mesmo?

Confirmei com a cabeça.

— O senhor me deu amor.

Choramos, consolando-nos um ao outro.

— E por isso, meu garoto, meu legado a você só pode ser uma coisa, uma coisa apenas: solidão.

Houve um silêncio longo e difícil. Então, Heng Tu me ouviu dizer:

— Ninguém me amou assim.

— E ninguém teve tanto carinho por mim. Qualquer poder que você herde de mim vai apenas ampliar a sua solidão. Não é de surpreender que os antigos imperadores se autodenominassem "O Solitário".

— Nunca estarei sozinho com o senhor no meu coração — afirmei, caindo pesadamente de joelhos.

Dia e noite, dormindo ou acordado, Heng Tu rezava — não para nenhum deus específico, mas para aquele poder invisível que animava o seu ser — pedindo uma iluminação que destrancasse o cadeado de sua culpa e dissolvesse o meu sofrimento, assegurando-me uma vida terrena cheia de alegria sem ele.

Isso tudo veio em pequenos pedaços até que a tapeçaria de suas palavras finais ficou pronta na minha mente. Finalmente, no rigor do inverno, a maré da morte acelerou seu passo. Heng Tu era aquele pássaro cheio de penas, perseguido pelas ondas, empurrado para a frente em direção ao seu destino. Subitamente, ele engasgou com um pouco de muco coagulado com sangue alojado próximo ao seu pomo-de-adão, que pendia, frouxo. Seu rosto ficou vermelho, explodindo em gotas de suor, enquanto seu corpo empalideceu, amortecido do pescoço para baixo.

A enfermeira Tang inclinou-se para fazer-lhe a respiração boca-a-boca, depois de sugar o muco para fora com seus pulmões potentes, tentando salvá-lo da morte. Num duelo ofegante, Heng Tu foi ressuscitado, mas apenas brevemente. Com a voz trêmula, ele pediu:

— Por favor, escreva o seguinte.

— O quê, sr. presidente?

— Minhas últimas palavras para Shento.

Todos os três médicos que o tratavam sacaram de suas canetas, esperando as solenes palavras do poder serem pronunciadas.

Lentamente, com a respiração difícil, Heng Tu falou, engasgado e ofegante.

— Shento... lembre-se... de... Sumi...

As canetas escreveram rapidamente.

— ... que é... seu coração.

As cabeças balançaram.

— Lembre-se de Balan... sua alma. — Novos acessos de tosse se sucederam. — Você precisa saber... que não fui eu... quem... salvou você... no...

Outra placa de muco. Heng Tu tremeu, com os olhos esbugalhados.

— ... no...? — perguntou um médico, suando.

— Sr. presidente, por favor, não morra!

— ... no... barco.

Os três se entreolharam.

Heng Tu faleceu docilmente, como um bebê que nunca abriu seus olhos para o mundo.

NA MINHA POSSE, DEZ MIL PESSOAS SE reuniram para marchar diante de mim na praça Tiananmen, carregando um enorme retrato meu e exclamando: *Viva o presidente Shento! Viva o Partido Comunista*! Fogos de artifício iluminaram o céu noturno, e canções ecoaram por toda a cidade. De pé no meu palanque, observando as criaturas, que eram como formigas, bradando seus *slogans* sem sentido, não senti nem um grama de alegria, nem um pedaço de êxtase sublime ou de sensação da alma que se eleva. Senti-me sem pai, e toda aquela extravagância era para mim apenas uma continuação do funeral de Heng Tu, a música exultante como uma ode varrendo um interminável espaço vazio.

Naquela noite dourada de triunfo napoleônico, só consegui pensar nas últimas palavras de Heng Tu e na ironia de tudo. Heng Tu não tinha sido o meu salvador e eu havia arriscado minha vida mais de uma vez por aquele homem. Mas não me arrependia disso. Meu amor por ele, ainda que deslocado, havia me redimido, e tal convicção havia frutificado, como estava tão evidente diante dos meus olhos.

Olhando para a multidão abaixo de mim, no alvoroço da praça Tiananmen, perguntei-me quem teria me salvado, e por que motivo. Quem tinha sido? Um homem piedoso ou um homem bondoso, me permitindo continuar a viver para que eu pudesse me redimir? Ou seria um homem cruel, querendo apenas que eu saltasse de um barco do destino que afundava, para outro, e continuasse meu sofrimento, sem pai, sem mãe, com o mundo persistindo em sua contemplação indiferente? A última alma de Balan, o menino que estava destinado a morrer com sua primeira respiração. Quem havia me salvado?

Heng Tu sabia o tempo todo quem eu era e ainda assim tinha fé e confiança em mim. O filho concebido no erro ou criado dignamente, o sangue do seu inimigo jurado de morte. Ou talvez fosse esta a perversidade de Heng Tu, a maestria do homem mais frio e vingativo, que usa a faca de um filho para matar o coração de um pai. Sangue por sangue, só que era o sangue dos Long o tempo todo. No final, foi o filho — eu, o filho ilegítimo abandonado — que mandou apunhalar seu próprio pai e jogá-lo ao mar, derramando o mesmo sangue que fluía em mim, perseguindo meu próprio irmão.

Pus as mãos nos bolsos do casaco. Eu quase podia ver o sangue invisível escorrendo das minhas mãos. Mas, mesmo assim, não sentia nenhum arrependimento.

Fiquei me perguntando sobre o homem poderoso que havia acreditado na história premente do cordão, contada na popa daquele barco sacolejante da Marinha, onde eu seria executado. Onde está você? Por que fez isso? Por que não está aqui ao meu lado, exigindo o que é seu por direito, o prêmio por ter salvado a vida de um *guiren*, um homem nobre? Se viesse a mim agora, não precisaria pedir, eu lhe daria as estrelas e a lua da minha galáxia, a delicadeza e a raridade do meu reino. Resgataria minha dívida, tornando mais leve não o seu fardo, mas o meu.

Suspirei. Durante o resto da noite da posse, senti-me como um velho fraco, murchando, com pensamentos enrugados. Ah, esta herança maldita — um destino de solidão! Na minha mente, buscava coisas tangíveis, palpáveis. Meu único suporte era meu passado distante. Os ecos da voz de Sumi no orfanato, falando alto, seus pés graciosos e magros, sem sapatos, pulando por sobre a grama macia e o sereno da manhã.

Ansiei por aqueles que não podiam retribuir o meu amor. Sumi estava ausente e Balan estava destruída pelo fogo. Mas amando-os — os inalcançáveis — no silêncio mortal da minha mente, senti paz. Fechei os olhos, deixando a mente voar à minha terra natal, àquelas montanhas escarpadas. Como desejava estar lá! Mas eu estava inexoravelmente cercado pelos meus jovens generais, todos com medalhas penduradas, significando postos que eram tudo para eles. Além deles, círculos de agentes de segurança afastavam os que vinham me cumprimentar e os oficiais menos graduados da corte. Vi apenas máscaras de rostos aduladores. Não encontrei ali amigos, nem mesmo os que assim se intitulavam.

Outra rodada de congratulações me despertou. Era Hito, que pôs uma taça de champanhe na minha mão, enquanto comentava que a melhor banda do meu Exército havia chegado para tocar uma música, especialmente composta para celebrar a minha ascensão à presidência.

A música era potente e o ritmo era forte. Lembrou-me das montanhas e do mar. Acenei com a cabeça e com as mãos, como o presidente Mao fazia, e a multidão presente urrou, soltando exclamações de gratidão e gritos de excitação.

Fui embora cedo, com a minha equipe, para a consternação dos meus alegres jovens generais. Retornei à minha mansão por trás dos muros vermelhos e fiquei deitado, sem dormir, a noite inteira. Minha mente repassava imagens da minha infância. Então, todas as cores magníficas que preencheram aqueles anos se desvaneceram, tornando-se um vazio. Neste vazio, fui despido de todo o meu poder e voltei a ser o enjeitado nu que eu era. Meu coração tinha fome e meus pés estavam frios. E o mundo exterior, isolado completamente da minha mansão presidencial, era uma estrada lamacenta e esburacada em Balan, durante a mais úmida estação das monções, marcada por uma miríade de cadáveres apodrecidos. Centenas de soldados demoníacos gritavam, perseguindo-me como uma presa enfraquecida que tentava usar as unhas para se agarrar num penhasco escorregadio, até que caí e continuei caindo numa corrente de um mar turbulento.

Encontrei conforto naquela tristeza. Revivendo esta desolação, encontrei felicidade. Que estranho! Permaneci naquele estado mental contraditório a noite toda, enquanto pensava que a fadiga finalmente me dominaria e eu acabaria dormindo. Quando acordasse, no dia seguinte, o mundo estaria bem novamente. Mas estava enganado. Minha mente transtornada deixou-me num estado de letargia por vários dias, durante os quais me recusei a comer ou a falar com qualquer pessoa. As lembranças de minha infância me faziam tremer de frio, apesar de minha mansão estar aquecida. Senti-me enjoado e vomitei várias vezes. Isso preocupou os que estavam ao meu redor. Eles pensaram que o presidente recém-empossado estava enlouquecendo.

Um dia, quando meu instinto de preservação se agitou, concordei, a contragosto, em ser examinado tanto por um médico tradicional chinês quanto por um médico de jaleco branco treinado na medicina ocidental. O primeiro tomou meu pulso, examinou minha língua e ouviu o som oco, mas compacto, dos meus intestinos. O segundo extraiu uma grande quantidade do meu sangue, tirou fotos de raio x do meu crânio e das minhas costelas, apalpou meus testículos e finalmente enfiou um dedo no meu ânus sem nem ao menos pedir licença, para a minha furiosa indignação.

— Fisicamente, não há nenhum problema com o senhor — disse o médico chinês, que havia estudado a medicina ocidental. — Seu coração é forte e seus pulmões estão limpos. Todos os seus outros órgãos parecem estar normais e funcionando bem. Excluindo o imprevisível, o senhor é capaz de viver até os cem anos. — O médico experiente sabia que era a minha cabeça que estava doente, mas não ousava dizê-lo porque a verdade e sua irmã gêmea, a honestidade, o haviam enviado mais de uma vez para a cadeia, e ele não desejava reviver aquele pesadelo.

— Presidente, o senhor está tão saudável quanto Wu Soon — disse o médico tradicionalista, referindo-se a uma lenda antiga sobre um homem que matou um tigre com as próprias mãos e depois entornou 18 canecas de uma bebida forte sem dar nem um arroto. — Sua vida será tão longa quanto o rio Yang-tsé. — Ele deveria ter me avisado que a doença estava na minha cabeça, naquela mente que vagava pela escuridão, uma mente que há muito havia perdido o prumo, mas não o fez. Tais palavras teriam causado a perda da filiação comunista do médico e o empurrariam para o fundo da hierarquia hospitalar.

A DEPRESSÃO ACENTUOU-SE, E NESSES momentos mais vulneráveis da minha vida Sumi tornou-se minha única esperança. Eu ansiava por ela, desesperadamente. Cada dia era uma tortura lenta, cada noite, uma queimadura branda. As semanas tornaram-se mais longas e os meses mais sombrios a cada dia em que ela não estava comigo.

Num certo dia de outono, sobrevoei o deserto de Gobi num jato até a prisão de Xianjiang, onde Sumi estava detida, e a espiei por uma janela entrefechada e escura, observando-a vagar pelo pátio esburacado.

Ela ainda era linda, com sua cintura fina e a poesia dos seus movimentos, enquanto caminhava pela alameda de pedrinhas. Não gostei de ver o toque de prata que percorria seus cabelos fartos. Aquilo me entristeceu. Maldita idade! Ela deveria ter a juventude eterna. Se não para si mesma, ao menos para mim. Mas os flocos de neve do inverno haviam caído e tinham embranquecido seu cabelo. Não pude me conter e caí em lágrimas. Como pude perdê-la, a coisa mais preciosa deste mundo?

Queria abraçá-la com força, por trás, acalmá-la, fazer amor com ela, consolá-la e devorá-la, centímetro por centímetro, provando o seu amor e sua alma, a doçura da vida. Subitamente, Sumi pareceu ter sentido minha presença; virou-se para olhar em direção à escuridão da janela e se enrijeceu. Fixou seu olhar em mim e lentamente recuou. Não querendo deixá-la escapar, saltei dentro do pátio e corri até ela. Meus braços longos a envolveram e a ergueram. Ela socou a minha cabeça, meus ombros e meu peito com seus punhos, mas não me importei nem um pouco. Estava intoxicado pela fragrância do seu corpo. Beijei seu rosto, seu pescoço, seu colo, gemendo sonhadoramente:

— Ah, meu coração, minha alma, me perdoe...

O cano rijo da arma presa à minha cintura espetou as costelas de Sumi. Sem hesitação, ela pegou o punho frio da arma, tirou-a com um puxão, botou o dedo no gatilho e apertou-o por três vezes.

Meu rosto se contraiu em uma máscara de perplexidade, mas ainda não de dor. Minha boca emitiu gritos espasmódicos e entrecortados. Minhas mãos se afrouxaram, meus braços tombaram, e eu caí molemente aos pés de Sumi.

— Eu mereço isso... Perdoe-me...

O sangue escorreu copiosamente pela minha perna, mas não percebi nem me importei com isso.

— Pode... me perdoar agora? — perguntei com esforço, enquanto uma equipe de soldados da guarnição entrou correndo no pátio.

APESAR DE NÃO TEREM ME MATADO, os tiros fraturaram minha rótula direita, fazendo de mim um aleijado que mancava. Eu não poderia nem imaginar tiros vindos de outras mãos. Mas vindos dela, era um castigo que aceitava com felicidade. À medida que os dias se passavam e minha dor diminuía, sentia-me mil vezes mais leve. Aquela massa escura dentro de mim morreu com a dor. Fragmentos do precioso passado, a minha já esquecida juventude, pareciam ter voltado, alguns suaves, alguns amargos, mas todos bons. Quando ficava sozinho, no silêncio da noite, repassava o encontro antes dos tiros — cada pequeno detalhe. Isso fazia com que revivesse o meu desejo por Sumi, e ele acendia um desejo ainda mais forte, que me levava a não pensar em mais nada, apenas em Sumi. Esses pensamentos me ocupavam de um modo total e completo. O cerco não tinha brechas. Não havia como escapar.

Meu apetite voltou e meu gosto pela vida renasceu. Mandava arrumar a mesa para dois na minha elegante sala de jantar, decorada com motivos de folhas da dinastia Ming, e fingia ter animadas conversas com uma Sumi imaginária, sentada diante de mim. Com a luz baixa das velas e uma música suave ao fundo, eu ria e bebia como se minha companheira imaginária estivesse compartilhando aquela refeição comigo.

Em meu coração, agradecia a Sumi todos os dias pelo presente que era a sua vida e jurei fazer tudo que estivesse em meu poder para ganhar o seu perdão e, acima de tudo, o seu amor.

O que deveria fazer? O que poderia fazer para corrigir tudo? Eu havia cometido tantos erros e forjado tanta fúria! Meu coração ficou pesado com aquele pensamento. Minha meta de salvação parecia estar além de mim mesmo. Como desejava que o mundo fosse simples e inocente novamente!

NO MEU ANIVERSÁRIO DE QUARENTA ANOS, tranquei-me no interior da minha espaçosa mansão de Zhong Nan Hai, para a completa perplexidade dos meus jovens generais mais próximos, que queriam festejar essa ocasião memorável. Queria ficar sozinho. Com um humor soturno, encontrei grande consolo num poema estrangeiro com o qual me deparei acidentalmente em uma biblioteca, onde agora passava a maior parte do meu tempo. Ele fora escrito por algum poeta estrangeiro, sábio e desesperançoso, mas as palavras pareciam sair da minha própria cabeça.

Não importa que deuses existam
Nenhuma vida é para sempre
Os mortos nunca se levantam
E até o mais cansado dos rios
Ruma seguro para o mar

Dei um longo gole numa garrafa de bebida e sorri àquela sabedoria. A morte é a chave dourada. Senti-me grato por todas as vidas serem rios que terminam no mar. Que bela solução! Quando o camelo ficasse cansado e o sol fosse mortal, sem oásis à vista, a morte desceria para nos aliviar como um anjo. O ciclo perfeito da vida. O melhor da vida é a morte, pois só então os vivos encontravam o seu descanso.

Joguei a garrafa no chão com força, pensando em usar as bordas denteadas em mim mesmo, mas o tapete fofo salvou a garrafa. Ri histericamente. Eu era o comandante do Exército, da Marinha e da Força Aérea e não conseguia encontrar uma arma adequada para a minha própria morte. Ainda havia um resto de bebida na garrafa. Inclinei a cabeça e bebi até a última gota. Agora estava pronto para tentar de novo. Esforcei-me para erguer o braço direito para jogar a garrafa no chão, mas ele se recusou a seguir o meu desejo. A bebida era forte demais. Tentei mais uma vez, mas a garrafa escorregou da minha mão e caiu com um baque surdo no tapete pela segunda vez.

Por mais forte que batesse com a garrafa, ela não se quebrava. Quanto mais tentava, mais tonto ficava, até que um estupor embriagado tomou conta de mim. Rendi-me à escuridão que me envolvia. A paz que tanto havia desejado permaneceria durante o tempo que durasse o efeito da bebida.

Quando acordei no dia seguinte, estava cercado de enfermeiras, médicos e guardas. Hito estava inclinado acima de meu corpo deitado molemente na cama.

— O que quer de mim? — perguntei, rispidamente.

Hito sorriu.

— Estou aqui para lhe dar dois presentes de aniversário.

— Não preciso de presentes. Preciso da... morte. Dê-me a morte.

— Este presente pode prometer isso — disse Hito, entregando-me um pequeno pacote.

Joguei o pacote para longe e ele caiu no chão. O embrulho malfeito se abriu e um par de velhas sandálias infantis de madeira rolaram de dentro dele.

Sentei-me, fitando-as. — Minhas sandálias. — Eu as peguei cuidadosamente e apertei-as, trêmulo, contra o peito, com as lágrimas rolando pelo rosto. — Onde você as encontrou? — perguntei com veemência.

— Um velho louco as deu para mim.

— Onde está ele?

— Foi embora finalmente.

— Embora para onde? Diga-me!

— Ele se apresentou como um médico de Balan e veio ao nosso portão, pedindo para vê-lo, com um sotaque sulista quase ininteligível. Nós o mandamos embora. Mas ele continuou voltando. Três dias depois, ainda estava lá, recusando-se a comer e ameaçando se matar se não déssemos esse presente a você. Havia cortado três dedos em protesto. Ele só foi embora quando prometi lhe entregar isso.

— Vá encontrá-lo! — ordenei.

— Ele foi embora. Disse que ia voltar para as montanhas.

— O que mais ele disse?

— Ele me deu esse bilhete. Só para você ler.

Peguei o rolo de seda, escrito no dialeto de Balan. Através da cortina embaçada das minhas lágrimas, li sofregamente.

Meu querido menino,

Buda me salvou do incêndio da aldeia, por razões que desconheço. Quando acordei, você havia ido embora e pensei por tanto tempo que você estava morto, meu precioso filho! Ah, esses anos de solidão, esses anos de tristeza sem você e sua mama*!*

Cortei fora três dedos em sua homenagem, um para cada década em que senti a sua falta. Perdoe-me por ter esquecido de você nos meus pensamentos. Mas você esteve sempre nas minhas orações. Todas as décadas de tristeza precisam terminar. E as décadas de sangue precisam ser purificadas. Estou aqui para chamar você de volta à pureza da nossa terra, longe dos pecados deste mundo sujo e coberto de pó. Estou aqui para salvar novamente o menino que, um dia, salvei do penhasco.

Tenho outra bênção aguardando você em nossa casa em Balan. Por favor, não me faça esperar mais. Já estou velho. A morte está comigo todos os dias agora.

Seu baba*, pela fé*
e pela graça, na vida
e na morte.

Chorei amargamente, como uma criança. Fechei os olhos e rezei silenciosamente, pela primeira vez em muitos anos, para as invisíveis montanhas altas de Balan. A paz e o amor retornaram ao meu coração. Eu estava feliz e agradecido. Senti a esperança brotar em mim novamente. Fechei os olhos e deixei minha mente viajar como um espírito etéreo, atravessando o solo vermelho da planície do Norte, passando pelos rios reluzentes e pairando sobre os cumes deslumbrantes. E lá, na paisagem eternamente sonhadora dos verdes vales do verão, vi o rosto do meu pai adotivo, suas rugas profundas como os veios das pedras das montanhas tecendo-se lentamente em um sorriso de bondade, de amor — um sorriso de Buda. Meu *baba* abriu os braços e me abraçou. Senti-me amado novamente.

Um pensamento poderoso me ocorreu e, rapidamente, peguei uma caneta na minha mesa, para que ele não voasse e se perdesse. Redigi uma carta que, apenas alguns minutos antes, nunca poderia imaginar ter escrito. Escrevi até minhas mãos tremerem.

Querida Sumi,

Vou torná-la livre, livre para voar por sobre a terra novamente. E vou abandonar o atributo de poder que me condenou até agora à eterna escravidão. O velho Shento morreu. Um novo homem se ergue agora. Cheguei ao fundo do abismo. Vejo apenas a escuridão, exceto por um ponto de luz, que é você.

Perdoe-me por ter pecado. Conceda-me uma chance para que eu possa me redimir por todos os meus atos, erros e pecados, por mais incontáveis que eles sejam. Estou pronto para um novo começo e ele só poderá ser concedido por sua graça.

Junte-se a mim. Venha purificar-me no ar intacto de Balan, na água pura da minha terra natal. Venha refazer Balan comigo, escavar as ruínas, reconstruir sobre o que restou e o que permaneceu. Venha consertar minhas asas quebradas, iluminar minha alma obscurecida. Venha, para que eu possa retribuir o que não poderia ser retribuído mesmo em muitas outras vidas vindouras.

Com a mão trêmula,
o seu desonrado

Beijei e selei o envelope. No dia seguinte, minhas palavras de amor iriam para longe, para a única moça que amei. No dia seguinte, eu arriscaria tudo.

Tan 唐

Capítulo 66

1998
NOVA YORK

Vesti-me com o meu terno predileto da Savile Row, sapatos de bico fino, gravata Hermès e um par de abotoaduras em formato de ábaco, um presente do banqueiro da J.P. Morgan. Tudo isto era apenas o meu uniforme, o preço por estar fazendo negócios nos arranha-céus de Manhattan. E eu havia feito grandes negócios com o capital inicial do meu avô — navegação comercial, ações, construção civil, petróleo e mercado imobiliário. Eu era dono de alguns prédios em Wall Street, sendo que o meu favorito era o número 40, um monstro clássico do capitalismo, solidamente situado entre outros gigantes na mesma rua. Mas, de modo geral, preferia mesmo Midtown, especialmente Park Avenue. Foi lá que escolhi situar meu quartel-general, cercado por outros elegantes membros da elite capitalista, escritórios modernos de advocacia e bancos de investimento de primeira linha. Nunca me arrependi de ter pago o que paguei pelo prédio alto e negro, com chão de mármore no *hall* de entrada e um majestoso terraço, que me permitia chegar de helicóptero. O heliponto era contornado por uma pista de corrida e tinha uma magnífica vista panorâmica da área mais luxuosa de Manhattan. Em apenas um ano, o valor do prédio já havia dobrado. O mercado imobiliário de Manhattan é mesmo uma loucura. É preciso viver aqui para entender a sua beleza.

Havia um *boom* de construções acontecendo no Extremo Oriente, e o ramo da navegação comercial estava melhor do que nunca. As mercadorias tinham de ser embarcadas em nossos centros produtores na Ásia, e as reservas de petróleo e gás que a minha companhia havia ajudado a perfurar e refinar na Sibéria eram minas de ouro, que demandavam uma frota maior de navios cargueiros de linhas regulares. A lista poderia continuar. Mas não eram apenas os negócios que ocupavam a minha mente.

Não havia um dia em que eu não pensasse sobre o meu movimento, sobre a democracia na China e sobre aquele tirano do meu meio-irmão, Shento. Pela causa eu seria capaz de morrer; contra ele, lutaria até a morte. Eu havia retirado centenas de dissidentes da China e enviado milhões de dólares em auxílio às pessoas que lutavam ativamente contra o reinado de Shento. Outros tantos milhões estariam a caminho, assim que eu conseguisse que os bancos de Hong-Kong os convertessem em *renminbi*, a moeda da China.

A melhor notícia, aquela pela qual eu tinha esperado, era que não apenas mamãe e vovô estavam a salvo, mas que papai tinha sido resgatado por um pescador, estava vivendo tranqüilamente sob falsa identidade numa vila de pescadores e recebia os cuidados do sr. Koon.

Mas todas essas maravilhas da vida e presentes de Buda só aumentavam o meu pesar pela ausência de Sumi. Muitas vezes, eu ficava solitário no meu apartamento no quadragésimo andar da Trump Tower, contemplando o mar de luzes que piscavam aos meus pés, sonhando e pensando nela.

Podia até ver o deserto de Gobi, vermelho e vazio, cercando Sumi, queimando e desgastando sua juventude e sua beleza. A luz tranqüila da lua, a deusa do amor, alongava-se do Atlântico ao Pacífico, levando-me além dos oceanos, das planícies e dos vales até Sumi. Eu ria, conversava e sonhava com ela. Para escutar o eco dos seus pensamentos e da sua alma, eu lia um trecho do seu livro e depois fechava os olhos, lembrando-me de como ela se deixava aninhar em meus braços.

Com o passar do tempo, Sumi deixou de existir no mundo das coisas concretas e passou a viver apenas em ecos de riachos, em sombras de córregos e nos vales de salgueiros da minha alma. Eu temia pelo dia em que ela não mais existisse. Diariamente este pensamento me torturava e me castigava, um vazio crescente que sangrava no âmago do meu ser. Às vezes, eu era consumido por uma culpa que me queimava. Por que consegui viver livremente, enquanto ela sofria uma existência sombria numa masmorra? E eu não só estava livre, mas estava bem, bem o suficiente para estar na Park Avenue, na Trump Tower. Eu estava até bem demais.

Quando vou vê-la de novo? Este pensamento inundava todos os meus dias, onde quer que eu estivesse — no escritório luxuoso, na limusine, durante as exaltadas reuniões de negócios com os meus ambiciosos funcionários e durante os relatórios promissores do sucesso fenomenal da minha companhia.

Quando?

Um dia recebi um telefonema de um velho amigo, David Goldberg, que me convidou para almoçar. Ele geralmente me ligava por dois motivos, e um deles era dinheiro. Eu havia passado de dissidente necessitado a alguém capaz de oferecer ampla assistência. Quando o telefonema era sobre dinheiro, Goldberg era simpático e paciente. Mas hoje, estava ofegante e intenso demais para que a conversa fosse de natureza financeira. A ligação deveria ser por outro motivo — Sumi. Pedi à minha secretária que adiasse todos os meus compromissos e fizesse uma reserva num restaurante japonês próximo ao meu escritório.

— Odeio esse restaurante — disse Goldberg, afrouxando a gravata ao chegar.

— Eu também.

— Por que então estamos comendo aqui?

— Os preços daqui afugentam todo mundo, e assim podemos conversar à vontade.

— Bom, neste caso, saquê, por favor — disse Goldberg.

— Só se você me deixar pagar.

— E eu alguma vez disse que não? — disse Goldberg examinando o menu. — E você deveria me tratar muito bem, pelo que eu tenho para contar.

— Diga, então — pedi, com impaciência.

Goldberg olhou à nossa volta o restaurante quase vazio e sussurrou:

— Nosso agente duplo dentro da prisão de Xinjiang me informou hoje de manhã que o demônio foi até lá para ver Sumi.

— O que ele queria dela? — perguntei, com o peito arfando.

— Você não vai gostar de ouvir isso.

— Outra rodada de saquê, por favor — pedi ao garçom.

— Amor.

— Amor? Mas o cara cortou a língua dela fora!

— Nosso homem informou que Shento pulou em cima dela, abraçando-a e beijando-a até que ela atirou nele...

— Ela atirou nele? Ele está morto?

— Não. Infelizmente, ele sobreviveu.

Engoli o saquê e bati com o copo na mesa com tanta força que até o *sushiman* parou o que estava fazendo e veio pedir desculpas pela demora no atendimento.

— Só há uma coisa a ser feita — disse eu.

— E posso ajudar em algo?

— Descubra para mim a localização específica de Sumi. Quero saber a posição exata da prisão no deserto. E consiga também a rotina do esquema de segurança da prisão.

— Não acho que isso seja uma boa idéia... — observou Goldberg baixando os palitinhos.

— Outra coisa. Por favor, informe-a com antecedência para que ela esteja preparada.

— Nisso não posso ajudar. Você vai morrer tentando salvá-la. Ela vai...

— Consiga-me o que preciso. Se eu morrer, deixarei um milhão de dólares em seu nome no meu testamento.

— Não sei o que dizer.

— Não diga nada. Só faça o que lhe pedi.

— Tan, não faça isso! — implorou Goldberg calmamente, enquanto eu me levantava para sair do restaurante.

O CÉU ESTAVA AZUL, DE UM AZUL esplendoroso. As montanhas eram ameaçadoras e a terra, toda fragmentada e montanhosa, estendia-se nua e vulnerável, abaixo de mim. Eu me senti pequeno e insignificante, espremido entre um céu gigantesco e uma terra colossal, no vôo poeirento através daquele deserto dourado.

Tinha apenas uma coisa em mente — Sumi. Cada segundo que passava me levava para mais perto dela. Fiquei nervoso quando levantamos vôo, próximo à fronteira do Afeganistão, com a ajuda de Ali Mossabi, o amigo árabe de Goldberg e companheiro ativista dos direitos humanos. Mas quando o helicóptero atravessou a árida fronteira da China, me acalmei. Toda a minha energia nervosa se condensou numa urgência em salvar Sumi. Passei e repassei mentalmente as imagens que teria ao vê-la novamente — abraços, beijos, palavras de amor, verificando cada centímetro, cada célula sua para ter certeza de que estava inteira, total e completamente ali. Uma sensação sublime me arrebatou. Além de tudo, eu estava profundamente consciente do perigo e da loucura, como Goldberg disse, que era me envolver numa missão secreta e perigosa como aquela.

O fato de estar cercado por ex-integrantes da Força de Operações Especiais da Marinha dos EUA era apenas um pequeno consolo, pois eu estava enfrentando um demônio louco. Se a missão fosse descoberta, Shento utilizaria as armas mais poderosas e cruéis para nos derrubar.

Dunas de areia sem-fim passavam por meu campo visual, e um leito de rio seco surgiu, mas logo ficou para trás, abaixo de nós. Em alguns minutos mudaríamos de aeronave. Dali em diante, não haveria como voltar.

— A bandeira — disse o piloto, um veterano da guerra do Vietnã, olhando adiante.

No horizonte, a bandeira era um ponto que ardia na monotonia da areia, aumentando à medida que nos aproximávamos. Alguns homens estavam acenando, de pé, ao lado de um helicóptero pintado com uma bandeira vermelha, o emblema do Exército Vermelho da China.

— *Obrigado, papai* — sussurrei.

Ele havia me ajudado a articular esta operação, contatando homens do antigo exército a quem confiaria a sua vida. E estes homens estavam ali, prontos e dispostos a me levar para onde estava o meu amor.

Nosso helicóptero circulou em torno da bandeira vermelha e pousou, causando uma tempestade de areia. Durante alguns minutos, a poeira rodopiou, como se fosse um castigo dos céus. Depois se acomodou.

Meus seis homens e eu, todos vestidos com o uniforme verde do Exército Vermelho chinês, saltamos nos sulcos e fendas da areia. O toque do antigo deserto era macio e agreste. Nenhum homem tinha estado aqui antes.

Apesar de o tempo ser vital, e cada segundo representar uma batida do coração, senti um desejo irrefreável de beijar a terra. Aquela era a terra do meu pai, e do pai do meu pai. Uma terra que desde sempre tinha morado nos meus sonhos. Nos diminutos grãos de areia, podia sentir o amor dos meus pais e o gosto das suas lágrimas e de sua angústia.

Ajoelhei-me e baixei a cabeça, fazendo *kowtow* cinco vezes, para cada um dos meus entes queridos. Então me levantei e percorri a distância que faltava.

— Está pronto, sr. Long? — perguntou Gibson. Ele era o comandante da equipe. As hélices do helicóptero do Exército Vemelho haviam começado a se movimentar novamente, levantando outro redemoinho de vento e areia.

Pulei para dentro e, com um impulso, eu estava a bordo. Ao ver o helicóptero cheio de gente, fiquei boquiaberto.

— Papai? Mamãe? Vovô?

Sentado no interior do helicóptero, papai estava usando seu uniforme verde, com armas, uma granada e munição presas em seu corpo com correias. Vovô segurava uma terrível Uzi nos braços. E mamãe, sempre vestida delicadamente, tinha envolvido a cabeça com um xale de seda e segurava, cuidadosamente, um revólver prateado. Eles se aproximaram de mim e me deram um abraço apertado.

— Ah, meu querido filho! Você está com uma aparência ótima! — exclamou mamãe.

— Tan, meu rapaz, você deixou crescer a barba — observou papai.

Afastamo-nos um pouco para examinar um ao outro. Anos de separação desapareceram como vapor no deserto quente. Mamãe continuou apertando minha mão. Papai apenas me olhou, sorrindo orgulhosamente. Vovô foi o primeiro a quebrar o silêncio:

— Ouvi falar que você está muito bem.

— Obrigado, vovô. Não imaginava o quanto você sabia prever o futuro. Desejo apenas ter um terço da sua sabedoria.

— Isso é bastante questionável, considerando o que viemos fazer aqui hoje.

— Por que vocês todos vieram arriscar suas vidas? — perguntei.

Houve um momento de silêncio, enquanto o helicóptero sobrevoava o mar de ondas de areia.

— Pensamos em pegar uma carona para fora da China junto com você — disse mamãe, pragmaticamente.

— E posso ajudar — disse papai.

— Eu também — completou vovô. — Para que serve um velho como eu, afinal? Vamos dar um pontapé na bunda deles.

Assenti em silêncio. Meus olhos lacrimejavam. Abracei os três muitas vezes, como se fosse a primeira e a última vez.

— Agora — disse papai —, estaremos lá em questão de minutos. Meu pessoal em terra protege a posição para a nossa retirada. Logo que a pegarmos, vamos atravessar a fronteira para a Mongólia Exterior. De lá, tenho amigos que nos esperam para atravessar a Rússia.

— A Rússia? — perguntei.

Papai fez que sim.

— Onde o dinheiro pode comprar qualquer coisa.

— De lá, vou lhe mostrar o mundo — prometi.

— Preparar para a aterrissagem — anunciou o piloto. No horizonte, num turbilhão, apareceu uma mancha escura. Eram construções espalhadas no deserto como uma cobra enroscada. Uma bandeira vermelha ondulava levemente no mastro, e viam-se os guardas com fuzis automáticos nos ombros.

Sentia o coração na boca, a cabeça quente e palpitando com um grande fluxo de sangue. Um intenso sentimento de ódio misturou-se com a suave emoção do amor. Minha respiração estava entrecortada e minhas mãos tremiam ligeiramente.

O barulho agitou o complexo carcerário envolto na sonolência. Alguns cachorros latiam sem que a gente os ouvisse, correndo em círculos debaixo da sombra da aeronave. Houve uma confusão geral de guardas correndo e sacando as armas, prontamente, dos ombros.

— Ajam com rapidez, homens — berrou o capitão Gibson.

— Sim, senhor — responderam seus homens.

— Nossa operação vai terminar em dois minutos — informou Gibson.

— Sim, senhor.

— Está pronto, sr. Long? — perguntou Gibson.

— Sim, capitão.

— Vamos lhe dar cobertura quando estiver entrando. Assim que Sumi estiver em nossas mãos, deixe-a conosco. Você deve voltar imediatamente ao nosso helicóptero.

— E se não conseguirmos encontrá-la? — perguntei.

— Abortaremos a operação em dois minutos, aconteça o que acontecer. Ou estaremos arriscando a vida de todos, inclusive a da sua família.

Agora, o helicóptero estava quase beijando o chão, sobrevoando o pátio de Sumi. Vi um homem baixinho levantando uma bandeira vermelha — o nosso contato.

— Até daqui a pouco, mamãe, papai, vovô.

— Vamos lhe dar cobertura — prometeu papai.

— Tenho a sensação de que ela não vai estar lá — disse mamãe, repentinamente.

— Mamãe, não é hora para isso.

— Só queria que você soubesse — disse ela.

Os guardas lá embaixo estavam berrando e correndo desesperadamente. Papai gritou no alto-falante do helicóptero:

— O Exército Vermelho de Xinjiang está efetuando uma manobra militar de surpresa. Não há necessidade para alarme. Por favor, mantenham a calma.

Os guardas se acalmaram um pouco. A porta do helicóptero se abriu e quatro dos homens pularam no pátio, com Gibson na dianteira.

Corri à janela 307, assinalada pelo contato. De lá, vi um pedaço da minúscula cela de Sumi.

— Sumi! — gritei.

Nenhuma resposta.

Corri até a cela. Estava vazia.

O contato gritou também, mas sua voz foi engolida pelo rugido do helicóptero. Ele gesticulava violentamente.

— Onde está Sumi? — perguntei.

— Foi embora!

— Está morta?

— Não, apenas foi embora.

— Para onde?

— Não sei.

— Quer dizer que vim aqui para nada?

— Ela deixou isso para o senhor. — O contato me passou um pequeno bilhete dobrado. — Leia no helicóptero. Agora vá, antes que fiquem desconfiados e comecem a usar as metralhadoras.

— Mas não posso...

— O senhor tem que ir embora agora.

— Por favor, o que mais você pode me dizer sobre ela?

— Mais nada. Ela saiu de repente.

— Um minuto e dez segundos — berrou Gibson. — Estou vendo uma metralhadora à esquerda.

Eu estava perdido. Não podia crer que aquele era o meu destino. Ajoelhei-me, socando o chão com os punhos. Gibson gritou novamente.

— Vamos embora, sr. Long. A missão está abortada.

— Não posso ir sem Sumi!

Pelas balas que atingiam o telhado, pude perceber que havia mais de uma metralhadora em ação. O som parecia com o de grossas gotas de chuva. Beijei as barras da cela através das quais Sumi devia ter olhado todos os dias naqueles últimos anos.

Enquanto me virava para ir embora da cela vazia, uma bala me atingiu na coxa direita. Fui derrubado no mesmo instante. O sangue manchou a minha calça. Não senti nenhuma dor. Pelo contrário, fiquei orgulhoso por meu sangue ter sido derramado por ela. Sorri e me levantei, apoiando-me no capitão Gibson, e deixei que ele me carregasse. Vim por amor e saí com amor no coração.

O capitão e dois dos seus homens jogaram-me no helicóptero, e saímos voando pelo amarelo sem-fim do deserto.

Passou-se muito tempo até que eu conseguisse pensar novamente. Eu mal pude perceber que minha mãe chorava e meu pai estava xingando. Vovô apenas rezava silenciosamente. Abri o punho, que ainda encerrava o bilhete de Sumi manchado de sangue. Com grande sofrimento, li as palavras da mulher que eu amaria para sempre e que mais uma vez havia me escapado.

Meu querido Tan,

Quando você estiver lendo essa carta, já terei viajado para o sul, onde o nosso amor começou. Na minha solidão, muitas vezes recordei aqueles dias dourados da juventude. Ah, como ansiava reviver aqueles tempos já passados! Um convite oportuno do sr. Koon para que eu seja diretora do Colégio da Baía Lu Ching tornou o meu desejo possível. A paz da Baía de Lu Ching combina com o silêncio dentro de mim. Nunca me sentirei solitária novamente. Estarei cercada pelos sons e pela fúria dos que são jovens e vibrantes. A vida será retomada através deles e prolongada deste modo.

Adeus, amor.
Sumi

P.S.: Tai Ping está comigo. Ele me disse que ama você. E deveria amá-lo mesmo.

Capítulo 67

1998
BALAN

Se eu fosse pintar o retrato da minha morte que se aproximava, teria pincelado minha tela em branco com o seguinte cenário: uma montanha de Balan com seu cume entrevisto na neblina, uma águia conquistando o vasto céu azul, o espírito imortal da jovem mãe que me deu à luz. As encostas das montanhas pontilhadas de flores exuberantes crescendo em tufos, irrompendo do peso das pedras, e de dentro das fendas da terra. As primeiras luzes do sol nascente inundam a terra com um toque de placidez. No ar, flutuam os ecos finos e suaves dos jovens pastores chamando seus rebanhos de ovelhas e iaques. Em meio a todas essas coisas pintadas, estão as sombras das minhas pessoas amadas, aqueles rostos que freqüentam os meus sonhos.

Mas a realidade é muitas vezes a antítese dos nossos sonhos.

Na subida do monte Balan, eu ia mancando, seguido apenas por minha própria sombra. Ao meu encontro, vinha *baba*, o velho médico que agora estava quase cego e completamente surdo. Suas mãos trêmulas — com três dedos faltando — tateavam o espaço à sua frente, na expectativa, esperando.

— Shento. Shento, meu menino. — As lágrimas rolaram pelo rosto crispado do velho médico.

Segui adiante pelo caminho poeirento e ajoelhei-me diante dele em silêncio.

— Eu decepcionei você, *baba* — disse eu.

— Você não. O seu destino sim.

Baba segurou o meu rosto. Beijou minha testa, e depois pendurou um medalhão de prata no meu pescoço.

— Meu medalhão! — exclamei, surpreso. O fatídico presente de Ding Long, tirado de mim naquele maldito barco da Marinha. — De onde veio isso?

— Do homem que salvou sua vida.

— Quem?

— O mesmo homem que me confiou este envelope — disse *baba*, entregando-me um envelope fechado —, um homem de idade que se apresentou como sr. Long. Ele me procurou depois de ler sobre a minha greve de fome do lado de fora do seu palácio em Beijing.

Rapidamente, eu o abri. Fiquei chocado ao ver um cheque visado com o absurdo valor de vinte milhões de dólares em meu nome. O banco credor era nada menos que o legendário J.P. Morgan & Cia. de Nova York, Estados Unidos da América.

Havia um só homem que poderia ter feito as duas ações — o banqueiro. Meu rosto empalideceu e pegou fogo ao mesmo tempo. Minhas mãos tremeram como se o cheque fosse uma espada de fogo, golpeando a parte mais sensível da minha alma.

— Não. Não pode ser.

— Meu filho, não chore pelo passado, mas sorria para abraçar o seu futuro — disse *baba* tentando me reconfortar. — Esse medalhão é um símbolo do seu passado. Este dinheiro representa o seu futuro. Segundo o costume de Balan, na tradição de devoção e sangue, você não fez nada para merecer nenhum dos dois. Mas eles são símbolos de amor. A virtude está no doador, no ato de doar. O receptor não deve envergonhá-lo com a recusa. Ambos os presentes devem permanecer com você para sempre, ou a virtude ficará maculada e o amor será perdido.

— Há mais alguém esperando por mim? — perguntei, mal conseguindo me recompor.

— Não — disse *baba*. — Só eu e esta carta, enviada de Fujian.

Abri-a avidamente. Meu coração ficou pesado, apesar das palavras de amor que embaçaram minha visão.

Shento,

Tranqüiliza-me saber das suas intenções. Nunca é tarde demais para a salvação. Deus sorri para aqueles que acordam para ver a luz da virtude novamente. O amor nunca deve ser esquecido. O ódio será apagado. Balan é o seu berço, onde tudo começou. O espírito da terra vai alimentá-lo, vai tratar dos seus ferimentos e de suas mágoas, vai elevá-lo e revigorá-lo. Não me procure. Não há necessidade de me procurar. Estou onde repousa a paz e onde mora o silêncio.

Sumi

Só depois de um longo silêncio olhei para cima, para a distância... a distância azul, muito azul do céu.

Esta terra de montanhas
Terra de poeira amarela
Terra de começo
Que não conhece fim.

EDITORA RESPONSÁVEL
Izabel Aleixo

PRODUÇÃO EDITORIAL
Daniele Cajueiro
Janaína Senna

REVISÃO DE TRADUÇÃO
Mariana Gouvêa

REVISÃO
Andréa Portolomeos
Perla Serafim

PROJETO GRÁFICO E DIAGRAMAÇÃO
Marcos Senna - Llum Design e Comunicação

Este livro foi impresso em São Paulo, em julho de 2007,
pela Lis Gráfica e Editora, para a Editora Nova Fronteira.
A fonte usada no miolo é Minion, corpo 11,5/15.
O papel do miolo é pólen soft 70g/m², e o da capa é cartão 250g/m².

Visite nosso *site*: www.novafronteira.com.br